Julian May

De T

De Sage van de Pliocene Ballingschap bestaat uit de volgende delen:

HET VEELKLEURIG LAND
DE GOUDEN HALSRING
DE TROONVEROVERAAR
DE TEGENSTREVER

De Troonveroveraar

Julian May

Het Spectrum

Boeken van Het Spectrum worden
in de handel gebracht door:
Uitgeverij Het Spectrum BV
Postbus 2073
3500 GB Utrecht

Zetwerk: Euroset bv, Amsterdam
Druk: Koninklijke Wöhrmann, Zutphen

Oorspronkelijke titel: *The Nonborn King*
Uitgegeven door: Houghton Mifflin Company, Boston

Vertaald door: Wim Gijsen
Eerste druk augustus 1987
Tweede druk januari 1988
Derde druk februari 1989
Vierde druk juli 1989

20-0310.04 ISBN 90 274 1824 1

CIP-gegevens Koninklijke Bibliotheek, Den Haag

May, Julian

De troonveroveraar / Julian May; [vert. uit het Engels door W. Gijsen]. –
Utrecht [etc.] Het Spectrum. – (Sage over de Pliocene Ballingschap; dl. 3)
Vert. van: The nonborn king. – Boston: Houghton Mifflin, 1983
ISBN 90-274-1824-1
UDC 82-31 NUGI 335
Trefw.: romans; vertaald.

Voor Dave en Sam,
redder in de nood en bierbaron

Wat we ook doen, de mateloosheid houdt haar plaats in het hart van de eenzame. We dragen onze gevangenis, onze misdaden en de vernielende kracht der hartstochten in onszelf. Onze taak is, die last niet op de wereld los te laten; we moeten die krachten blijven beheersen in onszelf en in anderen. Het verzet steunt ons in deze strijd. Het verzet is de bron en het beginsel van alle leven en het houdt ons staande in de vormloze en waanzinnige gang der geschiedenis.

De mens in opstand, Albert Camus

Inhoud

Samenvatting van het Eerste Boek: Het Veelkleurig Land en het Tweede Boek: De Gouden Halsring

Het Galaktisch Bestel en de Pliocene wereld van de Ballingschap

De Grote Interventie van 2013 opende voor de mensheid de weg naar de sterren. Rond het jaar 2110, wanneer het eerste deel van deze sage begint, waren mensen volledig geaccepteerd als leden van een federatie van planetaire kolonisten, het Galaktisch Bestel, dat gezamenlijk beschikte over een ver gevorderde technologie en het vermogen om door mentale werkzaamheid kracht uit te oefenen op haar omgeving. Deze mentale vermogens, waaronder telepathie, psychokinese en veel andere krachten, waren altijd als mogelijkheid in het menselijke genenmateriaal aanwezig geweest, maar waren tot dan toe zelden aan de oppervlakte gekomen.
De vijf rassen die eerder het Bestel vormden, hadden de menselijke ontwikkeling gedurende tienduizenden jaren gadegeslagen en na veel onderling overleg besloten ze ten slotte de mensheid tot het Bestel toe te laten 'ten voordele van hun psychosociale groei', maar ook met het oog op haar geweldige metapsychische potentieel dat te zijner tijd dat van al de andere rassen zou kunnen overtreffen. Met de hulp van deze niet-menselijke rassen koloniseerden de mensen van de Aarde meer dan 700 nieuwe planeten nadat die eerst waren onderzocht en bruikbaar gevonden.
Mensen leerden hoe ze de ontwikkeling van hun mentale vermogens konden versnellen door een speciale training en genetische manipulatie. Hoewel het aantal mensen met werkzame psychische vermogens elke generatie toenam, was rond 2110 het merendeel van de mensheid nog 'normaal,' dat wil zeggen, het bezat psychische vermogens in zo'n geringe mate of zodanig latent dat ze praktisch niet bruikbaar waren. De meeste arbeid op sociaal en economisch gebied binnen het Bestel werd verricht door 'normalen,' maar mensen met opvallende psychische vermogens namen bevoorrechte posities in binnen de bestuursorganen, de wetenschappen en alle andere gebieden waar het gebruik van die vermogens waardevol was.
Er was één moment geweest tussen de Grote Interventie en 2110 waarin het erop leek dat de toelating van de mensheid tot het Bestel een vergissing was geweest. Dat was in 2083, gedurende de korte Metapsychische Rebellie, toen een kleine groep van de Aarde afkomstige rebellen er bijna in slaagde de volledige bestuursorgani-

satie van het Bestel te vernietigen. De opstand werd onderdrukt door het Bestel getrouwe mensen en er werden maatregelen genomen die ervoor moesten zorgen dat iets dergelijks nooit weer kon gebeuren. Een aantal van de verslagen rebellen slaagde erin bestraffing te ontlopen door de wijk te nemen via een uitzonderlijk ontsnappingsluik, een tijdpoort die slechts in één richting leidde, namelijk naar het Aardse Plioceen, zes miljoen jaar terug in het verleden.

Die tijdpoort was ontdekt in 2034, in die duizelig makende periode vol nieuwe ontdekkingen die volgde op de Grote Interventie. Omdat de tijdpoort neerkwam op eenrichtingsverkeer (alles dat de omgekeerde weg volgde werd zes miljoen jaar oud en viel direct tot stof uiteen) en bovendien gefixeerd was op één geografisch punt (een plek in de Franse Rhônevallei), kwam haar ontdekker bedroefd tot de conclusie dat het om een onbruikbare eigenaardigheid ging zonder mogelijkheden tot praktische toepassing.

Na de dood van de ontdekker in 2041 kwam zijn weduwe, Angélique Guderian, erachter dat haar echtgenoot zich hierin had vergist.

De Interventie leek voor de mensheid het begin van een nieuwe Gouden Eeuw. Zij kreeg onbeperkte levensruimte, onbeperkte energievoorraden en maakte ineens deel uit van een schitterende galaktische beschaving. Maar zelfs Gouden Eeuwen hebben hun mislukkelingen, in dit geval mensen wier temperament niet geschikt was voor het nogal gestructureerde sociale milieu van het Bestel. Madame Guderian zou ontdekken dat er van hen tamelijk veel voorhanden waren en dat de meesten daarvan bereid waren een plezierig bedrag te betalen in ruil voor transport naar een simpeler wereld zonder regels. Geologen en paleontologen meenden dat het Plioceen een idyllische periode moest zijn, net voor de dageraad van het rationele leven op onze planeet. Romantici en ruige individualisten van allerlei soort en ras ontdekten Madame's 'ondergrondse spoorweg' naar het Plioceen die vanuit een obscure en onopvallende herberg buiten het centrum van Lyon begon.

Van 2041 tot 2106 transporteerde de verjongde Madame Guderian haar klanten van de oude Aarde naar 'Ballingschap,' dat verondersteld werd een natuurlijk paradijs te zijn en zes miljoen jaar jonger. Na tamelijk late gewetenswroeging over het lot van haar cliënten, vertrok Madame zelf naar het Plioceen en de organisatie werd overgenomen door het Bestel, dat inmiddels tot de conclusie was gekomen dat de tijdpoort een bruikbaar valluik was om dissidenten te dumpen. Tegen 2110 hadden bijna honderdduizend tijdreizigers de sprong naar het onbekende gewaagd.

Op 25 augustus 2110 maakten acht personen, die samen de Groep Groen vormden van die week, de oversteek: Richard Voorhees,

een aan de grond geraakte kapitein van een sterreschip; Felice Landry, een achttien jaar oude psychisch gestoorde atlete die door haar gewelddadige temperament en latente psychische vermogens een buitenstaanster was geworden; Claude Majewski, een oudere paleontoloog die recentelijk weduwnaar was geworden; Zuster Amerie Roccaro, arts en non die aan het einde van haar Latijn was gekomen; Bryan Grenfell, een antropoloog die zijn geliefde achterna was gegaan, Mercy Lamballe, die kort voor hem door de tijdpoort was vertrokken. Dan was er Elizabeth Orme, Grootmeesteres binnen het Bestel die haar ontzagwekkende psychische vermogens had verloren na een ongeluk dat hersenbeschadiging veroorzaakte; Stein Oleson, een boormachinist van planeetkorsten, een woesteling die droomde van een simpeler wereld en ten slotte Aiken Drum, een charmante jonge oplichter die net als Felice opvallende latente vermogens bezat.
Groep Groen ontdekte dat het idyllische Plioceen in Europa werd beheerst door buitenaardse mensachtigen uit een ander sterrenstelsel, die daaruit waren verbannen omdat ze hun oude en nogal barbaarse strijdreligie niet wensten op te geven.

Er waren twee soorten buitenaardsen. De meest dominante groep, de Tanu, was groot en goed gevormd. Hoewel ze al duizend jaar op Aarde waren, was hun aantal niet groter dan 20 000 omdat hun voortplanting nadelig werd beïnvloed door zonnestraling. Omdat hun erfelijke materiaal vergelijkbaar was met dat van de mensheid, hadden zij gedurende zeventig jaar de tijdreizigers gebruikt als fokmateriaal. De mensheid in het Plioceen werd onderworpen aan een milde vorm van slavernij.
De antagonisten van de Tanu en vier maal zo groot in aantal, waren de Firvulag, hun aartsvijanden. Ze werden vaak het Kleine Volk genoemd, want deze buitenaardsen waren in het algemeen klein van stuk, hoewel er onder hen ook voldoende waren van menselijke en soms zelfs reusachtige afmetingen. Zij hadden met hun voortplanting in het Plioceen geen moeite.
Tanu en Firvulag vormden samen in feite een dimorf ras, bij de eersten waren de psychische vermogens latent, de Firvulag bezaten werkzame vermogens maar dikwijls van zeer beperkte omvang. De Tanu, die over een veel verder ontwikkelde technologie beschikten, hadden al lang geleden een soort bewustzijnsversterker ontwikkeld, zogenaamde gouden halsringen, die hun latente psychische vermogens tot werkzaamheid brachten. Firvulag hadden deze halsringen niet nodig. Sommigen van hun grote helden waren mentaal de gelijken van de Tanu, maar de meesten van hen waren zwakker.
Gedurende het overgrote deel van de duizend jaar die Firvulag en Tanu gezamenlijk op Aarde hadden doorgebracht (zij noemden de

Aarde het Veelkleurig Land) hadden zij elkaar gedurende hun rituele oorlogen redelijk in evenwicht gehouden omdat de grotere veelzijdigheid en technologie van de Tanu ongeveer opwoog tegen de numerieke meerderheid van de Firvulag. Maar de komst van menselijke tijdreizigers had de weegschaal doen doorslaan ten gunste van de Tanu. Mengvormen van Tanu en mensen bleken over ongewone fysieke en mentale krachten te beschikken, terwijl in slavernij gehouden mensen de decadent geworden wetenschap van de Tanu van nieuwe impulsen voorzag afkomstig uit het technisch zoveel verder gevorderde Bestel. Het was tijdreizigers altijd ten strengste verboden geweest om hoog ontwikkelde wapens mee te nemen naar het Plioceen en de Tanu zelf waren uiterst behoedzaam in wat ze hun menselijke slaven toestonden te ontwikkelen. Desondanks kregen de Tanu door toedoen van de menselijke vindingrijkheid vrijwel volstrekte macht over hun aartsvijanden (die zich nooit met mensen vermengden en hen in het algemeen verachtten).
De meeste menselijke tijdreizigers hadden overigens een redelijk goed bestaan onder hun Tanu-heren. Al het ruwe werk werd gedaan door ramapithecinen, een klein soort apen, toegerust met eenvoudige halsringen die hen tot gehoorzaamheid dwongen; zij maakten, ironisch genoeg, deel uit van de hominide lijn die zes miljoen jaren later de mens als eindprodukt zou opleveren. Mensen in posities van enig belang droegen *grijze* halsringen. Die versterkten niet het bewustzijn, maar maakten telepathische communicatie tussen de Tanu en de dragers mogelijk. De Tanu konden via deze halsringen psychische straffen of beloningen toedienen. Wanneer tijdens een psychologische test die elke nieuw aangekomen tijdreiziger moest ondergaan, bleek dat er sprake was van opvallende latente psychische vermogens, dan kreeg die gelukkige een *zilveren* halsring. Dit was een versterker die identiek was aan de gouden van de Tanu zelf, maar het ontwerp bezat zekere ingebouwde controles. De dragers van zilveren halsringen werden in het Veelkleurig Land als gelijkwaardige burgers behandeld. In heel zeldzame gevallen en wanneer er sprake was van uitzonderlijke verdiensten, konden de dragers van zilver een gouden halsring krijgen waarvan het gebruik in de praktijk op volstrekte vrijheid neerkwam.
De technologie rondom deze halsringen, ontwikkeld uit de oorspronkelijke gouden ringen die de Tanu zelf droegen, was te danken aan het misvormde genie van één persoon, Eusebio Gomez-Nolan, een menselijke psychobioloog die na verloop van tijd zelf goud droeg en president werd van het Gilde der Bedwingers, een van de vijf metapsychische clans die de basis vormden van de Tanu-gemeenschap. Onder de naam van Heer Gomnol speelde deze Gomez-Nolan een belangrijke rol in de politiek van het Veelkleurig Land, totdat hij op fatale wijze te veel wilde.

De toekomst van zowel Tanu als Firvulag werd op subtiele wijze over de gehele linie gestuurd door een mysterieuze vrouw die tot geen van beide rassen behoorde, maar die als beschermengel fungeerde voor beide. Dat was Breede, de Scheepsgade. Met haar levensgezel, het schip, dat in feite een reusachtig met rede begiftigd organisme was, in staat tot tijdreizen, had zij de buitenaardsen naar de Aarde gebracht. Breede kon – hoewel niet volstrekt – de toekomst voorzien en zij wist dat de bestemmingen van Tanu, Firvulag en Pliocene mensheid onlosmakelijk met elkaar waren verweven. Een cruciaal punt in die gezamenlijke ontwikkeling werd bereikt toen de leden van Groep Groen arriveerden in het Plioceen, in het ontvangstcentrum dat kasteel Doortocht werd genoemd.

De Tanu hadden de gewoonte alle nieuw aangekomen tijdreizigers direct te testen op mogelijke latente psychische vermogens. De besten onder hen en zij met andere ongewone vaardigheden, werden zuidwaarts gezonden naar de hoofdstad Muriah, gelegen op het schiereiland van Aven (de Balearen) in het vrijwel lege zoute bekken van wat later de Middellandse Zee zou worden. De andere mensen werden naar behoefte verdeeld over de resterende Tanusteden om hun plaats in te nemen onder de arbeiders of om, wanneer het om aanvaardbare vrouwen ging, hun rol te spelen in het voortplantingsschema van de Tanu. Karavanen met op die manier geselecteerde tijdreizigers verlieten kasteel Doortocht elke week, geëscorteerd door mensen met grijze halsringen.
Groep Groen bleek echter sterk af te wijken van het gemiddelde toen ze door twee voorname Tanu werden onderzocht; een van hen was Heer Creyn, de ander was Vrouwe Epone. De opmerkelijkste was Elizabeth Orme. De reis door de tijdpoort had haar psychische vermogens volledig hersteld, een feit dat Creyn direct duidelijk werd. Haar ontzagwekkende vermogens op het gebied van vérvoelen en het aanbrengen van genezende wijzigingen in de menselijke geest waren zich nog aan het herstellen, maar het was duidelijk dat die, eenmaal volledig hersteld, de vermogens van de Tanu verre zouden overtreffen. Creyn voorspelde dat Elizabeth in het Veelkleurig Land een prachtig leven te wachten stond, maar daar was zijzelf niet zo zeker van. Het Bestel had tijdreizen verboden voor metapsychici omdat zulke personen daardoor in een positie zouden kunnen komen om gewone mensen op een oneerlijke manier in het Plioceen te domineren. Elizabeth was echter haar vermogens kwijtgeraakt en was bovendien een volstrekt niet agressieve persoonlijkheid. Op het verlies van haar vermogens had ze enkel weten te reageren door te vluchten naar het Plioceen.
Een tweede lid van Groep Groen was de recidivist Aiken Drum, die eveneens uitzonderlijke maar latente psychische vermogens

bezat. Hij kreeg een zilveren halsring en de belofte dat wanneer hij zich wist te gedragen (wat twijfelachtig leek) in Muriah speciale voorrechten op hem wachtten. Aikens vriend, de reusachtige boormachinist Stein Oleson, probeerde in het kasteel te ontsnappen en doodde verschillende bewakers met zijn vikingbijl. Hij werd onderworpen met een grijze halsring en was, door zijn heroïsche afmetingen, voorbestemd een soort gladiator in Muriah te worden.
Richard Voorhees, de in ongenade gevallen sterrekapitein, probeerde eveneens te ontsnappen. Hij kwam per ongeluk in het woonvertrek van Vrouwe Epone terecht die zijn hersens bijna door liet branden en hem op liet sluiten in een slaapzaal waar andere 'normalen' hun vertrek afwachtten met de wekelijkse karavaan die naar Finiah vertrok, dat in het noordoosten aan de Rijn lag.
De antropoloog Bryan Grenfell bezat geen latente vermogens, maar Creyn was desondanks onder de indruk van zijn professionele kwaliteiten. Het leek erop dat de Tanu behoefte hadden aan een cultureel antropoloog! Want Bryan werd ook uitgekozen om naar Muriah te gaan en hij aanvaardde dat lot met een zekere gelijkmoedigheid omdat hij verwachtte zijn verloren geliefde, Mercy Lamballe, daar eerder te vinden dan ergens anders.
Claude Majewski, de oude paleontoloog en de non, Zuster Amerie, bleken niet over latente vermogens te beschikken. Toen Vrouwe Epone probeerde het meisje Felice Landry aan de test te onderwerpen, leek de atlete hysterisch te worden. Haar opwinding zou een accurate test onmogelijk maken en daarom werd die test voorlopig uitgesteld. In werkelijkheid voerde Felice deze vertoning op om te vermijden dat haar zeer sterke latente vermogens, waarvan ze zelf goed genoeg op de hoogte was, zouden worden ontdekt. Ze was niet van plan zich aan welke halsring dan ook te laten onderwerpen, zeker niet nadat zij en Amerie ontdekten dat ze waren voorbestemd tot fokvee. Felice besloot grimmig dat al de Tanu voor een dergelijke schande zouden moeten boeten. Hoe onmogelijk die belofte tot wraak op dat moment ook leek, Amerie twijfelde er niet aan dat Felice in staat zou zijn die bedreiging waar te maken.

Toen de karavanen die avond kasteel Doortocht verlieten, was Groep Groen daardoor in tweeën gesplitst. Noordelijk naar Finiah trok een grote groep van normale mensen onder wie Felice, Zuster Amerie, Claude en de nog steeds half bewusteloze Richard. Zes soldaten met grijze halsringen onder leiding van Vrouwe Epone begeleidden de karavaan op dieren uit het Plioceen die tot de paardachtigen behoorden en chaliko's werden genoemd. In dezelfde groep bevond zich ook Basil, een voormalige leraar en bergbeklimmer, Yoshimitsu en Tatsuji, die samurai-kleding droegen waar-

door hun afkomst werd weerspiegeld en een zekere Dougal, die half gek was geworden door de onwelkome attenties van Vrouwe Epone.
De karavaan die naar het zuiden trok was veel kleiner. Deze werd aangevoerd door Creyn, vergezeld van slechts twee soldaten. Tot de groep behoorden Elizabeth en Bryan, beiden zonder halsring, Aiken Drum die een zilveren halsring droeg en Oleson die bewusteloos werd gehouden door zijn grijze halsring. In dat gezelschap bevonden zich nog twee andere mensen die een zilveren halsring hadden gekregen, Sukey Davies, een vroegere welzijnswerkster van een koloniale satelliet en Raimo Hakkinen, een nogal norse Fins-Canadese houtvester.
De karavaan voor Muriah reisde per schip over de Rhône zonder dat er veel bijzonders voorviel. Creyn bleek tolerant en koesterde bovendien een opvallende sympathie voor Elizabeth. Aiken Drum en Raimo werden onderweg kameraden en samenzweerders, en Aiken ontdekte dat de latente vermogens binnen zijn brein zich met een verrukkelijke snelheid ontwikkelden en mogelijkheden boden tot allerlei ongedachte vormen van plezier. Stein herstelde van zijn verwondingen, opgelopen tijdens het gevecht in het kasteel en hij en Sukey zwoeren elkander trouw nadat zij Steins geest was binnengegaan en hem hielp bij de genezing van een ernstig psychisch trauma. In Darask, een stad aan de rivier, hielp Elizabeth bij de geboorte van een tweeling door Estella-Sirone, een menselijke vrouw met een gouden halsring. Het ene kind behoorde tot de Tanu, het andere tot de Firvulag. Toen het gezelschap ten slotte in Muriah aankwam, werden ze ontvangen door een feestelijke processie van Tanu-ruiters in hun prachtige wapenrustingen die hen bijna overdonderde. Dat overdadige welkom was in de allereerste plaats bedoeld voor Elizabeth die, naar ze spoedig zou ontdekken, een twistappel werd voor verschillende, elkaar bestrijdende groeperingen onder de Tanu zelf.

Ondertussen beraamden de vier andere gevangenen in de karavaan langs de weg naar het noorden een opstand voor. Felice, atlete van beroep en uitzonderlijk sterk, gebruikte haar deels latente vermogens om hun rijdieren aan haar wil te onderwerpen. Ze bezat bovendien een kleine stalen dolk, niet veel meer dan een stukje speelgoed, die door de bewakers over het hoofd was gezien
Toen hun karavaan de afgelegen oevers van het Lac de Bresse had bereikt, werd het plan tot ontsnapping van Felice in werking gesteld. Richard, vermomd in de religieuze kleding van de non, verraste één van de bewakers en stak hem dood. Daarna dwong Felice met haar geest de escorterende horde enorme beerhonden om Vrouwe Epone en de andere soldaten aan te vallen. In het daarop volgende gevecht werd de samurai Tatsuji gedood, maar ook het

hele escorte van grijze-halsringdragers. Richard ging op Vrouwe Epone af in de veronderstelling dat ook zij dood was. Maar de buitenaardse vrouw overrompelde hem met haar krachtige geest, ondanks het feit dat ze door de beerhonden vrijwel in stukken was gescheurd. Richard zou het niet hebben overleefd, wanneer hij haar niet met de kleine dolk van Felice had gestoken.
(Veel later ontdekte de non, die eveneens arts was, dat de vrijwel onkwetsbare Tanu dodelijk konden worden vergiftigd door het gebruik van ijzeren wapens. Om die reden hadden de buitenaardsen het gebruik van ijzer in het Pliocene Europa strikt verboden. Er werden enkel legeringen van koper gebruikt en een soort zeer hard glas, dat vitredur werd genoemd.)
Felice begeerde de gouden halsring van Epone, wetend dat de mentale versterker in staat zou zijn de grote vermogens binnen haar eigen brein tot bloei te brengen. Maar voor ze de gouden halsring van het dode lichaam kon verwijderen, werd deze door de waanzinnige Dougal gegrepen en in het meer gegooid. Amerie moest een narcotiserende injectie gebruiken om te voorkomen dat Felice Dougal vermoordde.
In de war en beangst realiseerden de ex-gevangenen zich dat het nieuws van het gevecht telepathisch door de stervende Epone moest zijn doorgezonden naar het dichtstbijzijnde fort. Ze zouden zich zo snel mogelijk moeten verspreiden. Een groep koos ervoor om Basil te volgen die met kleine boten over het Lac de Bresse naar de bergen van de Jura wilde zeilen.
Claude, de 133 jaar oude paleontoloog was wat beter bekend met de wildernis, want hij had heel wat jaren vol ontberingen doorgebracht tijdens onderzoekingen op allerlei onontgonnen planeten binnen het Bestel. Hij adviseerde zijn vrienden van Groep Groen om het open meer te vermijden en in plaats daarvan naar de zwaar beboste Vogezen te trekken, die ook veel dichterbij lagen dan de Jura. De overlevende samurai, Yosh, besloot zich alleen een weg te zoeken en wilde naar het noorden trekken in de richting van de zee.
De grote groep vluchtelingen op het open meer werd ten slotte bijna in haar geheel opnieuw gevangen genomen en geboeid naar Finiah gevoerd. Maar Claude, Richard, Amerie en Felice trokken diep de Vogezen in waar zij ten slotte contact maakten met een groep van vrije, buiten de wet gestelde menselijke vluchtelingen die zichzelf de Minderen noemden.
Hun leidster was een oude vrouw, Angélique Guderian, die indertijd de tijdpoort in werking had gesteld en zich zodoende verantwoordelijk voelde voor het menselijke drama dat zich nu in het Plioceen afspeelde. Zij droeg een gouden halsring, een geschenk van de Firvulag, de doodsvijanden van de Tanu, van wie sommigen zich tot een uiterst breekbare alliantie met de Minderen had-

den verbonden. Madame Guderian bezat bescheiden metapsychische vermogens.

De dood van Epone, veroorzaakt door de vluchtelingen, was ongehoord. Nooit eerder was een mens in staat geweest de ondergang van een van deze taaie buitenaardsen te bewerkstelligen, die gewoonlijk honderden en nog eens honderden jaren konden leven. Onder leiding van Heer Velteyn, heerser in Finiah, zwermden de Tanu uit over de Vogezen om de moordenaars te zoeken. Het restant van Groep Groen, samen met zo'n tweehonderd Minderen, hield zich schuil in de holle stam van een reusachtige boom tot alles rustiger zou zijn geworden. Daarbinnen legde Madame Guderian de nieuwkomers haar grote plan uit dat uiteindelijk de Pliocene mensheid moest bevrijden van het juk der Tanu, een taak die ze op zich had genomen om voor haar eigen schuld te boeten.
Haar voorman, een geboren Indiaan die Peopeo Moxmox Burke heette en vroeger rechter was geweest, was hevig geïnteresseerd in de veronderstelling van Amerie dat ijzer dodelijk voor de Tanu was. Dat kon een onschatbaar geheim wapen zijn in de strijd voor de bevrijding van de mensheid.
Een vriendelijk gezinde Firvulag die Fitharn Pegleg heette voegde zich bij de Minderen in hun schuilplaats en vertelde Groep Groen de legende over het Scheepsgraf. Het grote, door de ruimte reizende organisme dat Breedes levensgezel was geweest was gestorven tijdens de sprong van het ene sterrenstelsel naar het andere. Tanu en Firvulag, toen gezamenlijk passagiers in het Schip, verlieten de grote romp in kleine vliegende toestellen juist voordat het Schip op de Aarde neerstortte, daarbij een krater makend die bekend kwam te staan als het Scheepsgraf.
Enkelen van de Minderen hadden er, samen met Firvulag, tijd aan besteed om dat Scheepsgraf te vinden, want ook al waren er sindsdien bijna duizend jaar voorbijgegaan, het was mogelijk dat een paar van die vliegende machines nog altijd bruikbaar waren. Binnen één van die vliegtuigen, daar begraven na een ritueel duel, bevond zich het dode lichaam van Lugonn, Glanzende Held van de Tanu, te zamen met zijn geheime wapen, de Speer. Dat wapen – geen spies, maar eerder een fotonenwerper die laserachtige stoten energie kon afstaan – zou in de handen van de Minderen het machtsevenwicht kunnen doen keren.
De mensen van Madame hadden echter vergeefs gezocht naar het Scheepsgraf. Maar Claude, die de toekomstige geologie van de Aarde goed kende, vertelde hun dat er in dat deel van Europa maar één inslagkrater was die daarvoor in aanmerking kwam, de zogenaamde Rieskrater, die circa 300 kilometer meer naar het oosten lag, achter het Zwarte Woud op de noordelijke oever van de Donau.
Er werd besloten direct een expeditie daarheen uit te rusten. Met

enig geluk zouden ze voor het eind van september terug kunnen zijn. Dan zouden de Firvulag de mensen steunen in een gezamenlijke aanval tegen de stad Finiah op voorwaarde dat het gevecht plaatsvond voor het begin van de Wapenstilstand voor de Grote Veldslag, die op de dageraad van 1 oktober aanving. Fitharn, die erin had toegestemd de expeditie te vergezellen, was er niet van op de hoogte dat de achterblijvende Minderen eveneens van plan waren een andere plaats te bezoeken die ook door Claude was aangegeven in de hoop daar ijzererts te vinden. Van dat erts zouden ze zoveel ijzer smelten als mogelijk was om er wapens van te maken voor de aanval op Finiah. Het gebruik van ijzer moest nog een tijdlang geheim blijven voor de Firvulag, omdat Madame niet zeker was van hun trouw.
Nadat ze van koning Yeochee IV, heerser over de Firvulag, toestemming hadden gekregen, ging de expeditie op weg. Ze bestond uit Madame Guderian, Richard, Felice, Commandant Burke, een vroegere vliegtuigtechnicus die Stefanko heette, Martha, een voormalige expert op het gebied van dynamische velden, Claude en Fitharn. Vooral Felice was erop gebrand mee te gaan. Ze was er zeker van dat het lichaam van die dode oude held Lugonn een gouden halsring rond zijn nek zou hebben, die zij kon gebruiken.
Een ramp trof de expeditie nog voor ze het Zwarte Woud hadden bereikt. In moerasgebied langs de Rijn werd Stefanko door een reuzenvarken gedood en Commandant Burke zwaar gewond. De tengere Martha, die in snelle opeenvolging als slavin van de Tanu vier kinderen had gebaard, kreeg van de shock bloedingen. Het leek erop dat de expeditie moest worden uitgesteld. Maar Martha hield vol dat ze snel zou herstellen en Felice beloofde de zieke te dragen als dat nodig mocht zijn. Want Martha was een belangrijk lid van de groep en na de dood van Stefanko de enige met voldoende technische vaardigheden om het fotonenwapen en/of de vliegmachine weer voor gebruik gereed te maken als ze werden gevonden. Fitharn, de Firvulag, stemde ermee in om Commandant Burke terug te brengen naar Verborgen Bron, een dorp van de Minderen, waar Amerie herstellende was van een gebroken arm.
Na talrijke wederwaardigheden bereikte de geslonken expeditie het Zwarte Woud en het territorium van een zekere Sugoll. Sugoll was enkel in naam ondergeschikt aan de Firvulag-koning en heerste over een grote bende gemuteerde Firvulag die de Huilers werden genoemd. Zijn eigen afzichtelijk misvormde lichaam hield hij verborgen achter een mentaal in stand gehouden illusie. Sugoll weigerde aanvankelijk de expeditie bij te staan en dreigde zelfs de mensen te vermoorden. Maar toen Claude hem wist uit te leggen wat de oorzaak was van hun fysieke misvormingen – radioactieve rotsen te midden waarvan de Huilers talloze generaties hadden geleefd – draaide hij bij. Claude wees hem erop dat er voor hen

misschien hulp te vinden was bij menselijke genetische ingenieurs wanneer het lukte dergelijke mensen uit de Tanu-gevangenschap te bevrijden. Bevrijding van de mensheid door de expeditie te helpen was dus in het voordeel van de Huilers. Sugoll stemde er ten slotte in toe te helpen bij het vinden van de rivier de Donau. Een reis over de rivier moest hen dan snel dicht in de buurt van het Scheepsgraf brengen. Andermaal vervolgde de expeditie haar reis.
Op 22 september arriveerden ze bij de krater. Richard en Martha, die geliefden waren geworden, begonnen aan de reparatie van de Speer en één van de vliegende machines. Na een aanval van woede toen Felice ontdekte dat het geraamte van Lugonn geen halsring droeg, kalmeerde ze en werkte voorbeeldig mee. Maar ze kwamen wanhopig tijd te kort wanneer ze enige dagen voor de Wapenstilstand terug wilden zijn. Ondertussen keerde Martha's ziekte terug en ze verzwakte gevaarlijk door het bloedverlies. Ze weigerde echter hen terug te laten gaan totdat het fotonenwapen was uitgetest.

Ondertussen had zich een groot leger van de Firvulag verzameld op de oever van de Rijn tegenover de stad Finiah. Verscheidene honderden mensen konden daaraan worden toegevoegd die gerekruteerd waren uit kleine nederzettingen in de omringende wildernis waar ze zich zolang verborgen hadden gehouden. En dezen werden deels provisorisch getraind en bewapend met wapens van ijzer. Toen de schemering viel op de 29e september, landde het vliegtuig uiteindelijk in de buurt van Verborgen Bron, de Speer gereed voor gebruik. Martha was bewusteloos door haar bloedingen en Amerie kon weinig meer doen dan transfusies toedienen en bidden om een wonder. De zeer verontruste Richard kon niet eens bij zijn geliefde blijven, hij was de enige die het vliegtuig kon besturen voor het bombarderen van Finiah.
Verborgen achter een psychisch scherm dat door de gebrekkige vermogens van Madame Guderian in stand werd gehouden, hing het vliegtuig boven de stad terwijl Claude met het fotonenwapen bressen blies in de muren. Vervolgens werd de Speer op Finiahs bariummijn gericht, de enige bron in het Veelkleurig Land van een element dat voor de vervaardiging van alle soorten halsringen onmisbaar was. De mijn werd verwoest en golven Firvulag-strijders, verborgen achter illusoire vormen van afzichtelijke monsters, vielen de stad binnen, te zamen met Commandant Burke en zijn troepen. Na een verwoed gevecht viel Finiah in hun handen. De overlevende Tanu, inclusief hun heerser, Heer Velteyn, namen de wijk naar kasteel Doortocht. De vroegere menselijke slaven (onder wie er heel wat waren die met hun betrekkelijke slavernij meer dan tevreden waren geweest) kregen de keus tussen vrijheid of dood. Zij die grijze of zilveren halsringen droegen moesten zich onderwerpen aan het verwijderen daarvan met behulp van ijzer; een

pijnlijk proces dat velen terecht deed komen in een diepe depressie.
Zowel Claude als Madame waren in het vliegtuig gewond geraakt door de kracht van Velteyns psychische energieaanvallen. Richard verloor zijn gezichtsvermogen aan één oog, maar slaagde er desondanks in de machine veilig terug te vliegen naar Verborgen Bron. Daar ontdekte hij dat Martha inmiddels was gestorven. Gek van verdriet nam hij haar lichaam mee in het vliegtuig dat hij in een omloopbaan rond de aarde bracht om daar zijn eigen dood af te wachten.
Beneden liep Felice naar de ruïnes van Finiah. Ze was bitter teleurgesteld dat ze de strijd niet had meegemaakt, maar ze wist dat ze de zo fel begeerde gouden halsring ergens in deze verwoeste stad moest kunnen vinden en dat ze dan de kracht zou krijgen die haar in staat moest stellen haar eed gestand te doen dat ze het hele ras van de Tanu ten onder zou brengen. Ze vond inderdaad een halsring en daardoor werden al haar latente vermogens tot vérvoelen, psychokinese, bedwingen en scheppingskracht tot ontwaken gebracht. Er zou wat tijd voor nodig zijn om die vermogens volledig te leren beheersen en daarom keerde ze terug naar Verborgen Bron om Madame Guderian te helpen bij de volgende fasen op weg naar de bevrijding van de mensheid.
Ver in het zuiden, in de Tanu-hoofdstad Muriah, kregen de andere vier leden van Groep Groen een volstrekt ander beeld te zien van het Veelkleurig Land.

Bij hun aankomst werden deze vier en Raimo en Sukey voorgesteld aan de aristocratie van de Tanu en vorstelijk onthaald. Thagdal, de Hoge Koning, vertelde Elizabeth dat ze door Breede de Scheepsgade zou worden ingewijd in de leefwijze van de Tanu en dat werd beschouwd als een nooit eerder voorgekomen eerbewijs. Na die inwijding, die ongeveer een maand zou duren, zou ze worden bevrucht door de koning om zo een nieuwe dynastie te scheppen van mensen en Tanu die al haar psychische vermogens zouden erven zonder dat daarvoor een halsring nodig was. Koningin Nontusvel leek daar helemaal mee in te stemmen en Elizabeth zelf liet niets van haar emoties merken terwijl de koning zijn plannen ontvouwde.
De andere met zoveel eer overladen gevangenen leerden ook wat hun bestemming zou worden. De antropoloog Bryan kreeg de opdracht een studie te maken van de invloed van de komst van de mens op de sociaal-economische structuur van de Tanu. Er bestond een factie onder de Tanu, aangevoerd door Nodonn de Strijdmeester, de machtigste zoon van Thagdal en Nontusvel en in feite de troonopvolger, die geloofde dat de komst van de mensen uiteindelijk eerder nadelig dan voordelig zou zijn voor de Tanu-

beschaving. De koning zelf en velen van de aristocraten geloofden overigens het tegendeel. Bryan, die bij zijn onderzoek gebruik zou maken van de hoogontwikkelde analytische methodieken uit het Bestel, moest in deze strijdvraag de beslissing brengen. Het lag voor de hand dat de koning ervan overtuigd was dat Bryan de juistheid van zijn eigen politiek zou bevestigen.
De viking Stein, Raimo Hakkinen en Sukey Davies werden gedwongen om voor het hele gezelschap hun talenten ten toon te spreiden. De zilveren halsring van Sukey had haar latente genezende vermogens geactiveerd en zij zou daarom deel gaan uitmaken van het Gilde der Herstellers dat onder leiding stond van de zeer beschaafde en uiterst gevoelige Heer Dionket. De arme Raimo, wiens vermogens maar zwak waren, was voorbestemd om het seksuele speelgoed te worden van de Tanu-vrouwen die door hun eigen mannen maar moeilijk konden worden bevrucht. Stein werd aan de feestenden voorgesteld als toekomstig gladiator in de Grote Veldslag, een jaarlijks terugkerende rituele strijd tussen Tanu en Firvulag. Men stond op het punt deel te nemen aan een veiling waarbij Stein aan de hoogste bieder zou worden verkocht toen een onvoorstelbare gebeurtenis de verzamelde Tanu-aristocraten volledig in verwarring bracht.
Want Aiken Drum deed een bod op Stein. Deze charmante jonge losbol had gemerkt dat zijn psychische talenten veel groter waren dan iedereen had vermoed. Zo groot was de kracht ervan dat ze de controlecircuits van zijn zilveren halsring volstrekt hadden doorgebrand.
Door dat proces zou hij over volledig werkzame vermogens gaan beschikken die geen kunstmatige versterking nodig hadden. Alleen Elizabeth, die in het Bestel soortgelijke jonge metapsychici had onderwezen, begreep wat er aan de hand was. De Tanu begrepen wel dat de vermogens van Aiken Drum ver uitgingen boven het menselijke gemiddelde, maar ze waren zich er niet van bewust hoe bedreigend zijn potentieel zou worden voor henzelf.
Terwijl de Tanu begonnen te bieden op zijn vriend Stein, begreep Aiken Drum dat de grote Viking in dodelijk gevaar verkeerde. Stein had niet alleen Sukey tot levensgezellin genomen (en het werd door de Tanu als verraad beschouwd wanneer iemand met een zilveren halsring zich verlaagde tot een duurzame verbintenis met een mens die slechts een grijze halsring droeg), maar hij behoorde ook tot die kleine groep van individuen wier geest op den duur onder de invloed van de halsring bezweek. Wanneer Stein de zijne bleef dragen, zou hij na langere of kortere tijd gek worden en sterven. De meeste mensen met een grijze halsring werden vooraf op die mogelijkheid getest, maar Stein had de zijne gekregen als een middel om hem te onderwerpen na zijn bloedige verweer in kasteel Doortocht. Het maakte de Tanu ook niet werkelijk uit hoe

lang Stein nog zou leven. Maar Aiken kon dat wel schelen; daarom nam hij deel aan het bieden en beloofde dat zijn betaling zou bestaan uit het verslaan van een Firvulag-monster, Delbaeth, die het aangrenzende Spaanse vasteland nu al geruime tijd terroriseerde.
De koning was met stomheid geslagen door Aikens brutaliteit, maar ook door het vertoon van macht dat hij tijdens een kort psychisch onderzoek van Aikens geest opving. Het leek nauwelijks mogelijk en toch zou het kunnen dat deze kleine menselijke blaaskaak, die een goudkleurig kostuum droeg vol met tientallen zakken, een bedreiging werd voor de koning zelf.
Diens gevoel van dreigend noodlot werd nog versterkt doordat een lid van de Hoge Tafel, Mayvar de Koningmaakster en hoofd van het Gilde der Vérvoelenden, het bod van Aiken ondersteunde en verklaarde hem voor die onderneming als haar pupil te willen trainen. Thagdal beschouwde Mayvar als een kwaadwillend oud wijf dat misschien alleen maar een gebaar wilde maken. Maar aan de andere kant, ze werd niet voor niets 'koningmaakster' genoemd.
Volslagen in de war accepteerde de koning ten slotte het bod. Delbaeth was een bedreiging waarmee de koning zelf al lang geleden had moeten afrekenen. Aiken en Stein zouden door de Heer der Zwaarden in de vechttechnieken van de Tanu en de daarbij behorende codes worden onderwezen. Daarna zouden ze, vergezeld door een grote groep ridders, aan hun expeditie tegen de geweldige Delbaeth beginnen.

Na dit veelbetekenende banket kwam er een wanhopige reactie van de Clan van Nontusvel – kinderen van Thagdal en de regerende koningin. De koning had in zijn leven van bijna tweeduizend jaar tal van andere vrouwen gehad en duizenden kinderen verwekt bij Tanu en onder mensen. Zijn zaad werd als vlekkeloos beschouwd en in feite vormde dat vermogen de basis van zijn onbestreden koningsschap. Maar de leden van de Clan beschouwden zichzelf als een superieure elite en droomden van troonopvolging, hoewel dat strijdig was met de traditie der Tanu.
Leider van de Clan was Nodonn, de beroemdste strijder van de Tanu, hoofd van het Gilde der Psychokinetici en heerser over Goriah, een rijke stad op de kust van Armorica (Bretagne). In tegenstelling tot zijn zo potente vader had Nodonn echter moeilijkheden met zijn vruchtbaarheid. Zijn nakomelingen, die niet eens talrijk waren, gaven maar zelden blijk van opvallende psychische vermogens. Ook Nodonn maakte deel uit van de Hoge Tafel, evenals andere leden van zijn Clan, zoals de tweeling Fian en Kuhal, Culluket de Ondervrager en Tweede Hersteller onder Heer Dionket, Imidol, de Tweede Bedwinger die zich met tegenzin ondergeschikt maakte aan de menselijke aanvoerder van dat Gilde, presi-

dent Gomnol, en Riganone, die de oude Mayvar wilde uitdagen in verband met het leiderschap over de Vérvoelenden.
De Clan telde zo'n tweehonderd leden die echter lang niet allemaal over eersteklas vermogens beschikten en samen bezaten ze al evenmin een meerderheid in het gezelschap van de Hoge Tafel. Maar hun dynastie zou beduidend in macht kunnen toenemen wanneer het Nodonn lukte zijn vader op te volgen.
Nu leek die opvolging in gevaar te worden gebracht. Niet zozeer door Aiken Drum die algemeen als een psychische nova werd beschouwd die even snel zou opbranden als hij was ontvlamd, maar door Elizabeth.
Wanneer koning Thagdal bij haar kinderen zou verwekken met volledig werkzame vermogens, dan zou daarmee de kern worden gevormd van een elite van gemengdbloedigen die fysiek en mentaal sterker zouden zijn dan volbloed Tanu. Het idee om Elizabeth te laten paren met de koning was afkomstig van Gomnol en de Clan vermoedde terecht dat deze slimme menselijke Heer Bedwinger op die manier probeerde voor zichzelf een plaats te scheppen binnen een nieuwe hiërarchie van gemengdbloedigen met ongekende vermogens, die geen halsringen van node hadden. Na langdurig en opgewonden overleg besloten de leden van de Clan dat Elizabeth moest sterven. Dat zou niet eenvoudig zijn, want Elizabeth was een Grootmeesteres uit het Bestel die door geen enkele Tanu afzonderlijk in een mentale aanval kon worden overrompeld. Maar wanneer de Clan gezamenlijk en tegelijk optrad, dan zou de kracht van hun verenigde geest wellicht in staat zijn haar te doden. Een dergelijke samenwerking was voor de Tanu-individualisten echter nogal moeilijk. Enkel onder zeer strenge en vastbesloten leiding lukte het hun om een gebrekkig soort metapsychische eenheid te bereiken.

Verschillende weken gingen voorbij. Elizabeth werd onderworpen aan tamelijk ongecoördineerde aanvallen door de Clan. Ze wist echter dat die aanvallen op den duur effectiever zouden worden en daarom ontsnapte ze door de Scheepsgade te vergezellen naar haar huis, de zogenaamde kamer zonder deuren die afgeschermd was tegen elke penetratie van wat voor bewustzijn dan ook. Breede had haar eigen plannen met Elizabeth, die niets hadden te maken met het gekonkel van Gomnol, de koning of de Clan. De Scheepsgade en geestelijk beschermvrouwe van zowel Tanu als Firvulag meende in Elizabeth iemand gevonden te hebben die in staat was (Breede zelf had dat niet gekund) beide rassen uit hun barbaarse, op strijd en tegenstelling gebaseerde cultuur, te verheffen tot een werkelijk beschaafde gemeenschap van de geest.
Elizabeth voelde weinig voor Breedes idealistische dromen. Ze was wanhopig doordat ze zichzelf de enige volwassene voelde te midden van een bevolking vol kwaadaardige kinderen die tegenover

een hoger ontwikkeld wezen geen andere reactie op konden brengen dan moordlust. Ze wees elke gedachte van een soort spiritueel moederschap van de hand en weigerde ook Breede in haar eigen taak te helpen. Ze wilde maar één ding, vertelde ze de Scheepsgade: wegvaren in de grote, rode ballon die ze mee had genomen naar het Plioceen; wegzeilen door de hemel en alleen en met rust worden gelaten.

Onder de leiding van Mayvar de Koningmaakster werd Aiken Drum zich steeds beter bewust hoe hij zijn gaven moest en kon gebruiken. Mayvar schonk hem een gouden halsring, maar hij liet de oudere Tanu-vrouw al snel merken dat hij geen enkele kunstmatige versterker meer nodig had. Mayvar gaf Aiken echter ook een bepaald klein voorwerp dat hem de zekerheid bood van overwinning op Delbaeth, op voorwaarde dat hij dit wapen alleen mocht gebruiken wanneer er geen leden van de Tanu in de buurt waren.
Ook Stein kreeg een militaire training. Hij maakte zich zorgen over Sukey die nu van hem gescheiden was gedurende haar opleiding tot herstelster. Zijn zorgen werden bevestigd toen hij van haar een telepathische angstschreeuw opving. Hij ging zo snel hij kon naar het hoofdkwartier van het Gilde der Herstellers en vond haar daar herstellende van een operatie. Een verraderlijke menselijke arts, Tasha-Bybar had de sterilisatie ongedaan gemaakt waartoe alle vrouwelijke tijdreizigsters verplicht waren geweest voor hun vertrek naar het Plioceen. Op die manier zou na haar herstel de koning gebruik kunnen maken van zijn droit du seigneur. Tasha werd door de Tanu als een heldin beschouwd omdat haar chirurgische ingrepen het voortplantingsschema hadden mogelijk gemaakt waarbij menselijke vrouwen door de Tanu als fokvee werden gebruikt. Haar studenten werkten in elke Tanu-stad zodra vrouwelijke nieuwkomers binnenkwamen.
Stein, die zich nu weer verenigd zag met zijn Sukey, merkte dat Tasha hen bespioneerde. De telepathische onbewuste bekentenis van Sukey leerde hem wat Tasha had gedaan. Niet enkel met zijn eigen vrouw maar met duizenden anderen. Stein doodde de arts ter plekke.
Dat werd ontdekt door Creyn die zich echter eigenaardig vriendelijk bleef gedragen. Creyn beloofde zelfs hun aandeel in de dood van Tasha te verbergen, waardoor Stein en Sukey voor het eerst begrepen dat er onder de Tanu ook een groepering bestond die de voorkeur gaf aan vredelievendheid boven oorlog. Deze vredesfactie koesterde de door anderen als heidens en ketters beschouwde opvatting dat op een dag de Tanu en de Firvulag als broeders in zon en schaduw zouden wandelen.

Tijdens het Septembertoernooi in Muriah werden zowel Aiken als

Stein verplicht een demonstratie te geven van hun vechtkwaliteiten in de arena, ten overstaan van al de Tanu-edelen van hoog tot laag. Wanneer ze die test doorstonden, zouden ze deel gaan uitmaken van de strijdcompagnieën der Tanu en kon de expeditie op zoek naar Delbaeth doorgang vinden.
Stein vocht als eerste en versloeg een monsterachtig, op een hyena lijkend ondier met zijn strijdbijl. Daarna was de beurt aan Aiken. Zijn tegenstander was een soort krokodil van zeventien meter lang die naar de arena was gebracht door Nodonn de strijdmeester die goed begreep dat Aiken Drum een macht werd waarmee rekening moest worden gehouden.
De antropoloog Bryan Grenfell had zijn dagen inmiddels doorgebracht met een studie van de cultuur der Tanu in gezelschap van een geniale gemengdbloedige die Ogmol heette. Op de avond van Aikens proef in de arena, bevond Bryan zich in de koninklijke loge samen met de koning en de koningin, Heer Aluteyn, president van het Gilde der Scheppers, de half zwakzinnige mens en Meester der Genetica Greg-Donnet (geboren onder de naam Gregory Prentice Brown) en vele andere notabelen. Bryan werd voorgesteld aan Nodonn zodra de Strijdmeester arriveerde, maar hij had alleen maar oog voor diens nieuwe echtgenote, Vrouwe Rosmar, die niemand anders bleek te zijn dan de betoverende Mercy Lamballe op wie hij op het eerste gezicht verliefd was geworden en die hij daarom hulpeloos in het Plioceen achterna was gegaan. Mercy droeg nu een gouden halsring en had opvallende psychische vermogens ontwikkeld.
In de arena streed Aiken ondertussen met de reusachtige krokodil. Hij droeg een wapenrusting van goudkleurig glas en was enkel gewapend met een speer. Zittend op zijn chaliko was Aiken dodelijk beangst, want de regels stonden het gebruik van psychische krachten in dit geval niet toe. Hij verloor de macht over zijn rijdier en werd in het zand geworpen. Aiken won ten slotte toch door gebruik te maken van zijn aangeboren slimheid. De toeschouwers werden wild van enthousiasme bij deze stoutmoedige vertoning. Maar de koning en Nodonn voelden zich minder op hun gemak.

Nadat ze zichzelf op die manier hadden bewezen, maakten Aiken en Stein zich gereed voor de zoektocht naar Delbaeth. De expeditie bestond uit verscheidene honderden ridders, aangevoerd door de koning zelf. Nodonn was er ook, vooral om een oogje op Aiken Drum te houden. Twee leden van de Hoge Tafel, halfbloeden met krachtige mentale vermogens, Alberonn Geesteter en Bleyn de Kampioen werden medestanders van Aiken.
De kleurrijke expeditie begon haar tocht in Afaliah, een grote stad aan de voet van het schiereiland Aven. De heerser over die stad, de al wat oude en roestige Celadeyr die bepaald geen vriend was van

de Clan, vond het desondanks een ellendige gedachte dat er een mens als Aiken voor nodig zou moeten zijn om Delbaeth te verslaan. Drie weken lang achtervolgden ze het monster die de ridders met dodelijke vuurballen bestookte en hen voor het overige vaardig op een afstand wist te houden. Ten slotte verdween de Firvulag in een omvangrijk en onoverzichtelijk netwerk van grotten en gangenstelsels rond Gibraltar waar de koning en Nodonn ten slotte van Aiken eisten dat hij zou toegeven verslagen te zijn.
Maar dat weigerde Aiken. Hij en Stein trokken hun wapenrusting uit en maakten zich klaar om Delbaeth onder de grond te volgen. De tocht moest binnen drie dagen eindigen omdat dan de Wapenstilstand begon die aan de Grote Veldslag voorafging en tijdens die periode onthielden Tanu en Firvulag zich van elke vorm van strijd. Aiken stond erop dat hij die drie dagen nog zou mogen benutten en dat werd hem ten slotte toegestaan. Aiken veranderde zichzelf en Stein met behulp van zijn psychische vermogens in vleermuizen en vloog de diepten in.
Twee dagen later vonden ze Delbaeth en doodden hem met het geheime wapen dat Mayvar aan Aiken had gegeven. Juist voor ze de grot van de dode Firvulag verlieten, maakte Stein Aiken erop attent dat het water van de Atlantische Oceaan hier hoorbaar was door de westelijke wand. De smalle landengte van Gibraltar, die een drempel vormde tussen Spanje en Afrika, was het enige dat de oceaan scheidde van het grote en lege bekken van de Middellandse Zee.

Vanaf het begin van de Wapenstilstand die een maand duurde, begonnen Tanu en Firvulag uit alle delen van het Veelkleurige Land naar Muriah te trekken. Op de Witte Zilvervlakte, een grote zoutvlakte, ontstonden hele tentensteden, want dit was het strijdveld waarop de tegenstanders elkaar zouden treffen. De Tanu hadden langer dan veertig jaar in successie deze rituele veldslag gewonnen omdat zij nu gebruik maakten van rijdieren en andere menselijke toepassingen in de strijd. Dat had de Firvulag zeer verbitterd, maar ditmaal had de ondergang van de stad Finiah het Kleine Volk opgevrolijkt en voor het eerst voelden ze zich geïnspireerd om bepaalde vechttechnieken van de Minderen nu ook zelf toe te passen in de hoop dat het geluk zou keren. De oude Strijdmeester van de Firvulag, Pallol-Eenoog was daartegen, maar hij moest buigen voor de wil van twee jongere aanvoerders, Sharn en Ayfa, die ook man en vrouw waren.
In Verborgen Bron besprak Madame Guderian inmiddels haar verdere plannen voor de bevrijding van de mensheid van het juk der Tanu. Fase Een was geslaagd. Finiah met de bariummijn was een verlaten ruïne.
Fase Twee zou nog meer vermetelheid eisen. Onder dekking van de

Wapenstilstand moest een kleine groep Minderen Muriah zien binnen te dringen om daar de fabriek van halsringen onherstelbaar te beschadigen. Dat was buitengewoon gevaarlijk, want die fabriek lag binnen het gebouwencomplex van het Gilde der Bedwingers en had het karakter van een versterkt fort.
Fase Drie hield het sluiten van de tijdpoort in en Madame was van plan die taak zelf op zich te nemen, maar Claude stond erop haar daarbij te helpen.
Een daarbij inbegrepen vierde fase bestond uit het vervaardigen van ijzeren wapens. Er was afgesproken dat de bevrijde mensen uit Finiah samen met anderen verschillende IJzeren Dorpen zouden stichten, waar ijzererts kon worden gedolven en omgesmolten tot 'bloedmetaal' zoals de Tanu het noemden. Die wapens zouden moeten worden gebruikt voor hun uiteindelijke bevrijding.
Elf mensen, onder wie Madame Guderian en de overgeblevenen van Groep Groen, verlieten Verborgen Bron om met Fase Twee en Drie een begin te maken. Ze waren vermomd als trouwe menselijke vluchtelingen uit Finiah. In Roniah scheidden Claude en Madame zich af van de overigen en gingen op weg naar kasteel Doortocht. Beide groepen zouden hun aanval tegen de tijdpoort en de fabriek tegelijkertijd inzetten.
De groep voor Muriah bestond uit Felice, Zuster Amerie, Commandant Burke, de alpinist en ex-leraar Basil Wimborne (inmiddels weer bevrijd uit de gevangenis van Finiah) en vijf andere toegewijde Minderen. De psychische vermogens van Felice ontwikkelden zich snel en grondig. Zij droeg het fotonenwapen, dat in het gevecht om Finiah volledig was ontladen, maar de saboteurs hoopten met de geheime hulp van Aiken Drum een manier te vinden om het te herladen. Terwijl hun gezelschap de hoofdstad naderde, verzonden ze een telepathisch signaal naar Aiken om hem van de samenzwering op de hoogte te stellen. Ze gingen er stilzwijgend van uit dat Aiken trouw zou zijn aan de mensheid en niets liever zou willen dan hen helpen. Maar daarin vergisten ze zich.

Ook Stein en Elizabeth kwamen van de voorgenomen aanval op de hoogte. Elizabeth had Breede geholpen door haar psychische vermogens te vergroten, maar ze was nog steeds van plan uit de hoofdstad met haar ballon te ontsnappen om haar verdere leven in eenzaamheid door te brengen. Stein was met het vooruitzicht meer dan ingenomen, maar Aiken was bang dat de buitenaardsen in staat zouden zijn het plan in Steins simpele geest te ontdekken. Daarom plaatsten hij en Gomnol een blokkade in het bewustzijn van de Viking, maar beiden hadden er geen idee van dat Stein de grote lijnen van het plan mondeling zou doorgeven aan Sukey.
Het bondgenootschap tussen Aiken en Heer Gomnol was overigens zeer dubieus. Ze vertrouwden elkaar niet, maar de noodzaak

van het moment dwong hen tot samenwerking. Aiken droomde ervan koning te worden over heel het Veelkleurig Land en zou heel wat hulp nodig hebben bij het vervullen van die ambitie. Gomnol, die gehaat werd door Nodonn, wist dat zijn huidige positie als vertrouweling en adviseur van de koning bezig was af te brokkelen. De monarch zelf was zijn positie niet meer zeker en het was heel goed mogelijk dat hij Gomnol in zijn val zou meesleuren.
De koning had geloofd dat zijn ras baat had gehad en zou blijven hebben door de toevoeging van menselijke genen aan het gezamenlijke voortplantingsmateriaal en de toepassing van de menselijke technologie. Maar Grenfells culturele onderzoek, net voltooid en voor de meesten nog geheim, toonde het tegendeel aan. Mensen zouden te zijner tijd in het Veelkleurig Land gaan domineren, wanneer Thagdal zijn huidige politiek voortzette. De koning verdacht zijn oudste zoon Nodonn er terecht van dat die de inhoud van het onderzoek tijdens de Grote Veldslag openbaar zou maken om hem in diskrediet te brengen. Daarnaast was de koning door een tweede tegenslag getroffen, want Breede had het voortplantingsschema tussen Elizabeth en de koning verboden. Elizabeth was nu taboe en Thagdal zou dus niet de vader worden van een mentaal volledig werkzaam superras zoals hij had gehoopt. Integendeel, die eer kon heel goed aan Aiken Drum te beurt vallen!
Wanhopig zocht de koning troost bij zijn vrouw en bekende haar wat hem dwars zat. Koningin Nontusvel wist precies wat voor soort afleiding haar echtgenoot kon troosten. Door middel van een koninklijk bevel stond ze erop dat Sukey aan haar echtgenoot werd geschonken en daardoor was Heer Dionket verplicht om Sukey uit te leveren. Terwijl Thagdal met haar deed wat hij wenste, liet Sukey zich een wraakzuchtige gedachte ontsnappen over de saboteurs die spoedig in Muriah wraak zouden komen nemen. De koningin ving die gedachte op en stelde Nodonns broer, Culluket, de Ondervrager, daarvan op de hoogte. Culluket was een nogal sinister en machtig lid van de Clan. Hij wist alles uit Sukey te wringen wat Stein haar had verteld met als resultaat dat Stein en Sukey in de gevangenis werden geworpen in afwachting van hun dood tijdens de finale van de Grote Veldslag.
Aiken, die beschouwd werd als Steins beste vriend, zag ondanks dat kans om Culluket ervan te overtuigen dat hij met de samenzwering niets te maken had gehad en er ook niet van op de hoogte was. Maar de gehele Clan bleef geloven dat zowel Aiken als Gomnol banden had met de Minderen.

Ondertussen hadden de saboteurs Muriah bereikt en waren gereed om aan te vallen. Ze riepen Aiken naar hun schuilplaats en stonden hem met enige tegenzin de toen nog onbruikbare Speer af. Hij beloofde te zullen proberen dat wapen te herladen, maar hij was

niet werkelijk van plan het aan hen terug te geven. Want de Speer moest een belangrijk element worden in zijn eigen toekomstplannen. Toen Aiken niet op de afgesproken tijd met het wapen terugkwam, begonnen ze zonder hem de stad binnen te dringen in het vertrouwen dat de groeiende kracht van Felice voldoende was om de fabriek te vernietigen. Vermomd slaagden ze erin het gebouw van het Gilde binnen te dringen. Felice smolt de deur naar de fabriek door, alleen om tot de ontdekking te komen dat daarachter zo'n zestig ridders van de Clan, aangevoerd door Imidol en Culluket, op hen stonden te wachten. Ondanks die hinderlaag slaagden de Minderen met hun ijzeren wapens en Felice met haar psychische krachten erin om vijftien Tanu te doden. Maar uiteindelijk werd Felice toch overweldigd. Al de anderen, op Basil, Amerie en Commandant Burke na, werden gedood. De fabriek zelf bleef onbeschadigd.
Gomnol arriveerde pas toen het gevecht al voorbij was en vertelde de Clan dat hij alles onder controle had. Maar ze weigerden zijn beweringen van onschuld te aanvaarden. Gedurende hun futiele aanvallen op Elizabeth hadden de leden van de Clan geleerd hoe ze moesten samenwerken en nu verenigden ze hun krachten om Gomnol te doden, maar al te goed wetend dat Felice daar de schuld van zou krijgen. De gouden halsring werd haar ontnomen en ze werd overgeleverd aan ondervraging door Culluket. De andere drie, allemaal zwaar gewond, werden in dezelfde gevangenis geworpen waar Stein en Sukey al op hun einde wachtten.

Ver noordelijk van Muriah, in de omgeving van de tijdpoort bij kasteel Doortocht, hadden Madame Guderian en Claude zich voorbereid om te handelen. Ze hadden tabletten met een ingegrifte boodschap vervaardigd van barnsteen, een materiaal waarvan bekend was dat het de tijdreis in omgekeerde richting overleefde. In die boodschappen stelden ze de technici die in de 22e eeuw de tijdpoort bedienden, ervan op de hoogte dat in het Plioceen mensen door buitenaardsen als slaven werden gehouden. Toen de zon opging renden de twee oudjes, verborgen achter een mentaal scherm dat door Madame was opgetrokken, naar de tijdpoort.
Hoog in de hemel lag Aiken op de loer. Hij wilde niet dat de poort werd gesloten, want dat zou betekenen dat hij het als toekomstig koning zonder nieuwe aanvoer van onderdanen moest doen. Maar voor Aiken zijn prooi in het oog kreeg, werd hijzelf getroffen door een kleine tornado en ver weg geslingerd. Die wervelwind was veroorzaakt door Nodonn, die zijn eigen plannen had met de twee oude mensen.
Terwijl Claude en Madame de tijdpoort naderden, werd hun geest gevuld met het beeld van Nodonn. Hij was er niet om hen tegen te houden, vertelde hij, maar om uit te leggen waarom hij hun toe-

stond verder te gaan.
Vanwege de gevoelens die de meeste Tanu hadden in verband met de tijdpoort, had Nodonn het niet aangedurfd deze zelf te sluiten; toch wist hij dat het voortbestaan ervan een dodelijke bedreiging inhield voor zijn ras. Daarom vertelde hij Claude en Madame dat ze hun werk in volle openheid moesten doen zodat er geen twijfel over bestond wie de schuldigen waren. Daarna liet hij hun geesten los.
Hand in hand stapten de twee oude mensen in het tijdveld dat hen naar de 22e eeuw terugbracht. Hun lichamen vergingen direct tot stof, maar de barnstenen kokers bleven bewaard. De tijdpoort werd daarna onmiddellijk gesloten.

Inmiddels was het tijdstip voor de Grote Veldslag bijna aangebroken. Vooral de lagere adel onder de Tanu legde een vreemde voorkeur voor Aiken Drum aan de dag en zijn ambities voor het koningsschap begonnen ernstiger vorm aan te nemen. Het was hem gelukt het fotonenwapen weer te herladen. Dit heilige wapen was voor de laatste maal gebruikt in een ritueel gevecht tussen twee grote helden bij het Scheepsgraf, duizend jaar eerder toen de Tanu en de Firvulag op Aarde arriveerden. De held van de Tanu, Lugonn, de Glanzende, had de Speer gebruikt en de held van de Firvulag, Sharn de Verschrikkelijke, had een soortgelijk laserwapen gebruikt dat het Zwaard werd genoemd. In de eeuwen die volgden was het Zwaard de trofee geworden die telkens toeviel aan de winnaar van de jaarlijkse Grote Veldslag en het was nu in het bezit van Nodonn de Strijdmeester. Het feit dat Aiken nu de Speer bezat, verleende zijn aspiraties een zekere geldigheid. Overeenkomstig de strijdcodes van de Tanu zou Aiken Nodonn in een tweegevecht mogen ontmoeten, Speer tegenover Zwaard, wanneer het hem lukte gedurende de eerste dagen van de Grote Veldslag voldoende aanhangers achter zijn persoonlijk banier te krijgen.
Nu ontstond er echter voor Aiken een bedreiging uit een onverwachte hoek: zijn vriend Stein. Stein zuchtte in de gevangenis met Sukey die vroegtijdig was bevallen van een zoon. Zijn geest dreigde te bezwijken onder de invloed die het dragen van de halsring op zijn bewustzijn uitoefende en daarmee begon ook de blokkade die Aiken en Gomnol daar hadden aangebracht, te verzwakken. Het zag ernaar uit dat Stein op die manier zonder het bewust te willen het geheim zou gaan prijsgeven over de band tussen Aiken en de saboteurs om maar niet te spreken van zijn samenzwering met de inmiddels gedode Heer Gomnol.
Aiken weerstond de verleiding om zijn vriend Stein en Sukey uit eigenbelang te doden en smeekte Mayvar ervoor te zorgen dat die twee uit Muriah werden gesmokkeld, buiten het mentale bereik van leden van de Clan. Mayvar stemde daar in toe en vertrok daar-

na naar een ontmoeting met de geheime vredelievende groepering onder de Tanu, die hoopte dat Aiken erin zou slagen het koningsschap te verwerven om zo een nieuw tijdperk van vrede en beschaving in te luiden.
Afgezien van Mayvar bestond die groepering onder andere uit verschillende gemengdbloedige leden van de Hoge Tafel, Bleyn, Alberonn en Katlinel de Donkerogige (die aankondigde verloofd te zijn met niemand minder dan Sugoll, de heerser over de Huilers); voorts Dionket, Heer Genezer, Creyn en twee verbannen edelen die wellicht nog een grote rol zouden spelen in de komende Grote Veldslag.
Een van hen was Leyr, vader van Katlinel, dic Heer der Bedwingers was geweest voor hij door Gomnol werd onttroond. Nu deze dood was en diens positie vacant, zou de Clan ongetwijfeld Imidol naar voren schuiven als hun kandidaat voor die functie. De vredesfactie drong er bij Leyr op aan dat hij Imidol zou uitdagen tot een persoonlijk gevecht om zo te voorkomen dat de Clan de controle verkreeg over dit belangrijke Gilde. Leyr was heel wat jaren ouder dan Imidol, maar die was op zijn beurt zwakker geweest dan Gomnol. Er was dus een kleine kans dat Leyr Imidol zou verslaan.
De andere verbannen Tanu die op deze geheime ontmoeting aanwezig was, heette Minanonn de Ketter. Vijfhonderd jaar eerder was hij de Strijdmeester geweest, maar zijn pacifistische opvattingen waren toen te strijdig geweest met de barbaarse strijdreligie van de Tanu en dat had geleid tot zijn verbanning naar de Pyreneeën.
De vredesfactie hoopte dat wanneer Aiken Nodonn zou verslaan, Minanonn wilde vechten tegen Kuhal Aardschudder om het presidentschap over het Gilde der Psychokinetici. Minanonn weigerde echter en wilde zijn vredelievende overtuiging geen geweld aandoen. Maar Leyr beloofde om Imidol uit te dagen.

Later op dezelfde avond wachtte Elizabeth hoog op de berg boven Muriah met haar ballon op de komst van Creyn. Hij moest haar Stein en Sukey brengen zodat ze alle drie veilig konden wegvliegen. Maar toen de Tanu arriveerde, had hij geen twee mensen bij zich maar drie. De derde, bewusteloos op de bodem van het rijtuig, was Felice. Creyn had haar in een cel gevonden naast die van de anderen, bijna dood na de martelingen die Culluket haar had doen ondergaan. Net als Stein droeg Felice nu een grijze halsring maar Sukey had een ijzeren schaar meegekregen om die ringen te verwijderen zodra ze veilig waren opgestegen.
Er was maar één probleem: de gondel van de ballon kon maximaal drie personen vervoeren.
Elizabeth was wanhopig en woedend. Zowel Breede als Dionket hadden haar dringend verzocht te blijven om voor hen werk te

doen waartoe alleen een Grootmeesteres in de metapsychica in staat was. Maar Elizabeth wilde die verantwoordelijkheid niet, vooral niet omdat dat inhield dat de Clan haar onophoudelijk zou blijven bestoken. Kijkend naar de rampzalige Felice, Stein en Sukey voelde ze zich gevangen in een web dat de Scheepsgade voor haar had gesponnen.
Ten slotte stuurde ze de drie bevrijde gevangenen toch weg in haar ballon. Zelf keerde ze terug naar Breedes kamer zonder deuren waar ze zich terugtrok binnen een woedende mentale cocon die haar van elk ander bewustzijn buitensloot.

De Eerste Dag van de Grote Veldslag brak aan.
Dat was een dag van weinig bloedige sportieve evenementen en ceremonieel. Mercy woonde de wedstrijden bij in gezelschap van Bryan die bijna stierf van liefde voor haar. Later op de dag liet ze hem alleen om formeel de oude Aluteyn uit te dagen, want ze begeerde het presidentschap van het Gilde der Scheppers.
Tegelijkertijd droeg de ballon Felice, Stein en Sukey naar het westen waar ze ten slotte landden in de buurt van de Lange Fjord bij de berg Alborán. Felice had inmiddels zichzelf hervonden en zelfs meer dan dat. Door zijn martelingen had Culluket de Ondervrager ongeweten en ongewild een drastische verandering in haar bewustzijn aangebracht die overeenkwam met de techniek die Elizabeth had gebruikt bij Breede. Felice kwam daardoor weer in het volle bezit van haar psychische vermogens zonder een halsring nodig te hebben. En die vermogens, en daarvan vooral de destructieve aspecten van scheppend vermogen en psychokinese, waren groter dan van enig ander persoon in de wereld.
Eindelijk was Felice dan in staat wraak te nemen op de Tanu. Ze was van plan de landengte van Gibraltar op te blazen met psychoenergie waardoor de Atlantische Oceaan in het lege bekken van de Middellandse Zee zou lopen. De Witte Zilvervlakte, het strijdveld waarop de Grote Veldslag werd uitgevochten, lag ver beneden de zeespiegel. Het maakte Felice niets uit dat op die manier ook duizenden Firvulag en mensen in de vloed zouden verdrinken. Ze vertrouwde de vriendschapsbetuigingen van de Firvulag niet (Madame Guderian had dat ook nooit gedaan) en de meeste mensen in Muriah waren willige volgelingen van de Tanu. Maar om haar plan te kunnen uitvoeren had ze de hulp van Stein nodig. Die bezat als boormachinist van planeetkorsten de technische kennis om haar te kunnen vertellen op welke punten ze haar krachten moest richten.
Stein weigerde aanvankelijk om aan dit afschuwelijke plan mee te werken. Hij koesterde tegenover de Tanu geen wraakgevoelens die groot genoeg waren om een dergelijke verschrikkelijke repressaille te rechtvaardigen.
Maar op dat punt vertelde Felice hem triomfantelijk dat koning

Thagdal verantwoordelijk was voor de miskraam van Sukey, iets waarvan Stein tot nu toe had gedacht dat het zijn schuld was. In zijn woede beloofde en gaf hij Felice alle hulp die ze wilde. Hij liet haar zien hoe de fjord moest worden afgesloten zodat zich een springvloed van water opbouwde achter die dam. Daarna liet hij haar beginnen aan het opblazen van de landengte van Gibraltar. Hoe machtig ze nu ook was, Felice raakte uitgeput voor het werk was afgerond. In opperste woede bad Felice tot wat voor krachten er ook maar in de duisternis mochten schuilen om haar te helpen en *ergens vandaan* kwam die hulp inderdaad. Een geweldige watervloed begon het bekken van Alborán te vullen, slechts tegengehouden door een primitieve dam bij de Lange Fjord.

Op de Tweede Dag van de Grote Veldslag werd het hoogtepunt gevormd door de selectie van aanvoerders, zo nodig na een manifestatie van hun krachten. De negen leiders van de Firvulag werden niet uitgedaagd en hun leiderschap werd bij acclamatie geaccepteerd. De sluwe oude Pallol-Eenoog, die in de Veldslagen lang had ontbroken, gaf vrijwillig een demonstratie van zijn formidabele psychische krachten.
De selectie van de Tanu-leiders verliep minder ordelijk. Het begon rustig genoeg, want Bleyn de Kampioen, Alberonn Geesteter, Vrouwe Bunone, Meesteresse van Krijgskunst en Tagan, Heer der Zwaarden, werden niet uitgedaagd. Dionket riep Culluket uit tot zijn vertegenwoordiger zoals iedereen had verwacht en Nodonn deed hetzelfde met zijn broer Kuhal Aardschudder, omdat hij zelf tijdens de slag Strijdmeester zou zijn. Maar de wanorde brak uit toen zowel Imidol als de verbannen Leyr beiden aanspraak maakten op de vacante plaats van Gomnol. Beiden kwamen overeen het duel om het leiderschap in het strijdperk uit te vechten.
Toen was het de beurt aan Aluteyn, Hoofd der Scheppers. Hij werd uitgedaagd door Mercy en tijdens de krachtmanifestatie die daarop volgde, werd Aluteyn door haar verslagen. De trotse Aluteyn verkoos de dood boven verbanning en liep naar het grote glazen bouwwerk dat de Grote Retort werd genoemd waarin allen werden opgesloten die ter dood waren veroordeeld. Mercy, die nu de nieuwe Vrouwe der Scheppers was geworden, stond haar plaats op het slagveld af aan Velteyn, de vroegere heerser over het nu verwoeste Finiah.
De laatste der Tanu die naar voren kwam was Mayvar, presidente van het Gilde der Vérvoelenden. Zij koos Aiken als haar afgevaardigde boven Riganone, die lid was van de Clan.
Nadat koning Thagdal Nodonn had aangewezen als Strijdmeester, trok iedereen zich terug voor uren van schranspartijen en feesten. De eigenlijke Veldslag zou de volgende dag beginnen en twee en een halve dag aan één stuk duren. Maar ergens in dat tijdsverloop

zou de watervloed achter de dam bij Gibraltar het hele bassin van de Middellandse Zee vullen.
Terwijl ze haar laatste stoot psycho-energie verbruikte om de uiteindelijke doorbraak te forceren, viel Felice vanuit haar ballon in zee. Stein en Sukey konden geen spoor meer van haar vinden. Stein verwijderde Sukey's zilveren halsring zodat zij geen telepathische waarschuwing meer naar Muriah kon verzenden en zette daarna koers naar het noorden, op weg naar de vrijheid ergens in een afgelegen streek in Frankrijk.

De enige persoon die tijdens de Grote Veldslag iets van een voorgevoel had over de naderende ramp, was Aluteyn. Terwijl de veldslag begon, nam hij subtiele geologische veranderingen waar en probeerde anderen te waarschuwen vanuit zijn gevangenis. Niemand sloeg er acht op. De Tanu en Firvulag hadden enkel oog voor hun rituele strijd. Raimo Hakkinen werd gedwongen om daaraan deel te nemen en werd eenmaal van de ondergang gered door Aiken Drum. Vervolgens probeerde Raimo van het slagveld te ontsnappen door zich dood te houden. Maar hij werd gevonden en vanwege zijn lafheid veroordeeld tot de dood en eveneens opgesloten in de Grote Retort.
Anders dan tijdens de voorafgaande veertig Veldslagen die door de Tanu makkelijk waren gewonnen, leek het er ditmaal op dat de balans vrijwel in evenwicht was. De Firvulag gebruikten de nieuwe tactieken die ze in de strijd in Finiah hadden geleerd en die ze nu aanwendden tegen de strijdrossen van de Tanu en de grijsringen. Het Kleine Volk lag zelfs voor in de telling van het aantal door hen gedode tegenstanders, maar de Tanu behielden een voorsprong in het aantal veroverde banieren en dat telde zwaarder. Velteyn van Finiah, al te belust op wraak na het verlies van zijn stad, was door zijn overmoed verantwoordelijk voor een aanzienlijk verlies aan de kant van de Tanu. Aiken Drum daarentegen behaalde een hele reeks overwinningen door het toepassen van allerlei krijgslisten waar de meer progressief denkende Tanu verrukt over waren, maar die het bloed van de orthodoxie deed koken, vooral bij de leden van de Clan en Nodonn de Strijdmeester.
De rivaliteit tussen Nodonn en Aiken werd nog erger gedurende de tweede dag van de strijd. Tijdens een nachtelijk feest probeerde Nodonn Aiken Drum in diskrediet te brengen door op dramatische wijze Bryan Grenfell naar voren te halen en de inhoud openbaar te maken van diens onderzoek over de invloed van de mensheid in het Veelkleurig Land.
Sommigen van de Tanu lieten daarna Aiken inderdaad in de steek, maar de meesten dachten nog steeds pragmatisch genoeg om hem hun steun te blijven geven. In het duel tussen de twee Bedwingers versloeg Imidol de oudere Leyr. De taaie oude Celadeyr van

Afaliah nam echter de plaats in van Velteyn als Tweede Schepper onder Mercy.

Kort voor de Veldslag begon had Breede de Scheepsgade in het geheim een hoeveel Huid meegenomen naar de cellen waarin Commandant Burke, Basil en Amerie stervende waren. Huid was een genezende, plastische substantie die een van de grootste verworvenheden was van de medische kennis der Tanu. Alle drie werden ze daardoor volledig genezen op de laatste dag van de Veldslag en Breede bracht hen daarop naar een kamer die hoog in de rotsen lag van de Berg der Helden, binnen het hoofdkwartier van de Herstellers. De kamer keek uit over de Witte Zilvervlakte en bevatte kasten vol met uitrusting en materiaal uit de 22e eeuw, die de Tanu in de loop der tijden van hun menselijke gevangenen in beslag hadden genomen. Nog belangrijker was dat ook Elizabeth zich daar bevond, blijkbaar diep in coma. Breede droeg de verraste drie op om zorg te dragen voor Elizabeth en de daar aanwezige uitrusting. Ze zouden tot de volgende ochtend in de kamer moeten blijven, daarna zouden de gebeurtenissen vanzelf duidelijk maken wat er diende te gebeuren. Onder geen enkele voorwaarde zouden ze de kamer voordien mogen verlaten.
De Grote Veldslag spoedde zich naar een finale waarin de beste kampioenen van Tanu en Firvulag elkaar in gevechten van man tegen man zouden bestrijden. In de eerdere, meer algemene fase hadden de Tanu een minimale voorsprong opgebouwd tegenover het Kleine Volk, maar die voorsprong kon tijdens de Ontmoeting der Helden makkelijk ongedaan worden gemaakt. De Firvulag waren daarover voor het eerst in jaren hoopvol gestemd omdat noch Nodonn noch Aiken aan de eerste ronde konden meedoen. Beide kandidaten voor het Strijdmeesterschap in de komende jaren hadden nu vier Helden aan zich verbonden en de kandidaat wiens afgevaardigden de meeste duels wonnen van de Firvulag, zou pas daarna in het hoogtepunt, de Ontmoeting der Strijdmeesters, vechten tegen Pallol-Eenoog.
Aikens medestanders wonnen er twee en verloren de andere. Nodonn won er één, verloor er twee, één bleef onbeslist. Dit betekende dat Aiken de tegenstander werd van Pallol. Wanneer hij verloor, zouden de Firvulag de hele Veldslag hebben gewonnen. Maar Aiken hield vol dat hij de monsterlijke Firvulag kon verslaan op voorwaarde dat de leden van de Hoge Tafel hem toestonden dit op de menselijke manier te doen, precies zoals hij Delbaeth had verslagen. Met tegenzin stemden Nodonn en zijn Clan daarin toe. Daarop betrad Aiken het strijdperk en versloeg Pallol de Strijdmeester precies zoals hij had beloofd. De Tanu werden daarmee tot overwinnaars van deze Grote Veldslag verklaard.

Hun harten gebroken door een verlies dat lang zo dicht bij de overwinning was geweest, besloten de meeste Firvulag het strijdtoneel te verlaten nog voor de overwinningstrofeeën werden uitgereikt. Enkel de Firvulag-koning, de hoge adel en hun bedienden bleven achter.

De Tanu-overwinning werd ceremonieel geproclameerd en Aiken werd beloond met het Zwaard van Sharn (een fotonenwapen dat qua werking gelijk was aan de Speer). Hij werd verondersteld dat Zwaard in een gebaar van trouw aan koning Thagdal aan te bieden, daarmee te kennen gevend wie hij als zijn uiteindelijke Heer beschouwde. Maar Aiken Drum joeg het wapen in de grond. De uitgedaagde Thagdal wees daarna Nodonn aan als de Koninklijke Kampioen. Ondertussen hielpen de bondgenoten van Aiken hem in de wapenrusting waaraan de Speer was bevestigd. Daarna begon het tweetal aan hun duel op het moment waarop de aanstormende oceaan zich over de Witte Zilvervlakte uitstortte.

De mentale doodskreten uit het bewustzijn van zoveel duizenden stervenden deden Elizabeth ontwaken uit de psychische coma waarin ze zichzelf had gebracht. Zij en haar drie menselijke metgezellen keken door het venster uit en zagen hoe Muriah goeddeels werd verwoest en hoe de Witte Zilvervlakte door water werd overstroomd. Het Huis der Herstellers bleek meerdere overlevenden te bevatten en Commandant Burke trof voorbereidingen voor hun evacuatie.

Niet alle strijders en toeschouwers op de grote vlakte vonden de dood. De meesten van de Tanu stierven omdat heel dat ras bevreesd was voor water en niet kon zwemmen. Sommigen werden echter door de vloed ergens op een kust geworpen of zagen kans hun uitgeputte psychische krachten te gebruiken en zo te overleven.

Heel wat mensen en halfbloeden zwommen naar de veiligheid. Aiken Drum zag kans aan boord te klimmen van de Kral, een grote ceremoniële ketel en redde daarmee later Mercy. De Grote Retort bleef ironisch genoeg drijven op de vloed en werd daardoor de redding voor Aluteyn, Raimo Hakkinen en talrijke anderen, voornamelijk mensen.

Aan het einde van het tweede boek, *De Gouden Halsring*, werd duidelijk dat er nu een volledig nieuw machtsevenwicht in het Veelkleurig Land zou ontstaan. De Firvulag waren verhoudingsgewijs sterker geworden onder hun nieuwe koning Sharn-Mes en diens koningin Ayfa. De steden van de Tanu waren, door het sterven van zoveel machtige psychische talenten, bijzonder kwetsbaar geworden voor aanvallen door Minderen of het Kleine Volk. De meeste leiders der Tanu, onder wie Breede de Scheepsgade, waren gestorven. Zij die overbleven zouden ieder voor zich moeten beslissen of ze trouw wensten te zweren aan een menselijke usurpator die beloofde dat alleen hij in staat was hen van de ondergang te redden.

Op dit punt begint dit derde boek waarin, na een kort verslag van een gebeurtenis uit het verleden de kroniek weer wordt vervolgd met de periode die volgt op de Grote Vloed.

Proloog

De doden en de gewonden en zij wier hersenen waren doorgebrand waren allemaal verwijderd, het beboste hoogland lag weer onschuldig onder het Pliocene maanlicht. Benzoëbomen en orchideeën vermengden hun geuren in de onderste begroeiïng. Vliegende eekhoorns kwamen uit hun schuilplaatsen te voorschijn en scheerden tussen de lijsterbessen en de berkebomen.
Tegen de helling van de vulkaan van Mont Doré waar de bomen minder dicht opeenstonden, bevond zich de dodelijke halve bol, bewegingloos, zwakjes glanzend. Het had een diameter van ongeveer vijftien meter. Het spiegelende oppervlak verleende het voorwerp het uiterlijk van een kolossale toverbal, half begraven in de berg en gespietst op een grote, slanke boomstomp.
Eén enkele stoutmoedige vliegende eekhoorn wiekte uit het woud te voorschijn, kwam omlaag en maakte een professionele landing op de top van de boomstomp, niet ver van de glanzende ronde curve.
'Dappere, kleine sodemieter,' mompelde Leyr, Heer der Bedwingers.
'Alleen maar nieuwsgierig,' zei de mens Sebi-Gomnol op milde toon.
Het kleine schepsel kwam langs de schorsloze stomp omlaag, stak een poot uit en raakte de ronde vorm aan. Er gebeurde niets. Met de kop omlaag snoof de eekhoorn een keer en leek toen een besluit te nemen. Hij liet zich vallen op het spiegelende oppervlak, verloor direct zijn evenwicht en gleed slingerend naar de grond waarop hij zwaar beledigd terecht kwam.
Er ontstond bitter gelach onder degenen die toekeken terwijl het schepseltje de benen nam.
'Nu weet hij precies evenveel als wij,' merkte Bormol van Roniah op. 'Hadden wij onze les maar zo goedkoop geleerd!'
Ze stonden met hun zessen op een respectabele afstand van de halfronde bol. Een van hen was een mens met een buitengewoon grote neus, de anderen waren allen leden van het fraai gebouwde Tanuras, gemiddeld twee hoofden groter dan die ene mens. Ze droegen schitterende glazen wapenrustingen met gefacetteerde punten en edelstenen, de geopende helmen bekroond door hoorns en de afbeeldingen van heraldieke dieren. Allemaal gloeiden ze met een zachte, interne glans. De enige mens in het gezelschap rookte een sigaar.
'Zestien vechters van de strijdcompagnie uit Roniah verslagen,' zei Condateyr, een van de voornaamste aanvoerders onder Bormol. 'Om nog maar niets te zeggen van die twintig of dertig grijze-halsringdragers die bij kasteel Doortocht werden gedood nog voor we met de Jacht konden aanvangen. Mensen met volledig werkzame vermogens! Grote Tana, die zijn nog nooit eerder door de tijdpoort gekomen! Daarom hebben we u direct gewaarschuwd, Strijdmee-

ster!'
Nodonn bewoog instemmend knikkend zijn hoofd. Het rozige gouden licht dat zijn ontzagwekkende lichaamsvorm verspreidde leek de blauwe en groenig glanzende wapenrustingen van de overigen te verduisteren. Zoals gewoonlijk liet zijn geest aan de oppervlakte niet meer zien dan een nietszeggende glimlach en de woorden die hij sprak klonken heel zacht. 'De tijdpoort. Die verdoemde tijdpoort!'
'De mentale vuurstoten waardoor de bewakers van het kasteel werden overweldigd, werden door een paar dapperen van mijn Jacht snel afgeschermd. Maar die binnendringende Minderen beschikten blijkbaar ook over een of ander technisch hoog ontwikkeld wapen dat een coherente energiestroom produceerde. Toen we ze ten slotte hadden gevonden, gebruikten ze dat ding tegen ons. Onze metapsychische schilden konden daar niets tegen uitrichten totdat Condateyr en ik eraan dachten om een massaal bewustzijnsscherm op te richten zoals we dat vroeger gewoon waren. En dat was maar net op tijd.'
Sebi-Gomnol grijnsde rondom zijn sigaar in de richting van de Heer van Roniah. 'En daarna een strategische terugtocht achter dat scherm. Heel behoedzaam, waarde gildebroeder.'
'Ik heb geleerd om behoedzaam te zijn als het om jullie mensen gaat . . . waarde gildebroeder.'
Gomnol deed alsof hij de beledigende kleine pauze niet opmerkte en richtte zich tot Nodonn. 'Strijdmeester, het wapen dat door deze menselijke metapsychici wordt gebruikt is ongetwijfeld een soort draagbaar fotonenkanon. De werking ervan komt ongeveer overeen met dat van het heilige Zwaard van Sharn, de trofee van de Grote Veldslag.'
Nodonn wees naar het spiegelende oppervlak van de bol. 'En dat ding waarachter ze zich schuilhouden?'
'De wetenschap uit mijn toekomstige wereld zou dat een sigmakrachtveld noemen. Ik neem aan dat de indringers enige tijd nodig hebben gehad om de generator daarvoor aan het werk te krijgen.'
'Geen enkele van onze wapens of psychische energie is in staat geweest dat ding te doorboren,' zei Bormol. 'Je kunt door vérvoelen op een wat wazige manier achter die zilveren bel komen, maar deze vreemdelingen denken op een golflengte die voor ons onbegrijpelijk is. De meesten van hen hebben de afgelopen uren geslapen, al hebben we daar niets aan.'
Aluteyn vroeg aan Gomnol: 'Hoe sterk is dat sigmaveld precies, mijn jongen?'
'Het zou absoluut ondoordringbaar zijn voor elke aanval die *wij* zouden kunnen lanceren.' De menselijke glimlach liet even een vleug zien van chauvinisme.
Leyr, Heer der Bedwingers, keek woedend. 'Ik dacht dat de mense-

lijke regels rondom de tijdpoort het vervoeren van dergelijke uitrusting strikt verboden?'
'Dat is waar, Heer. Moderne wapens mogen niet naar het Plioceen worden gebracht. Ten strengste verboden door het Concilie van het Galaktisch Bestel.' Gomnol haalde zijn saffierkleurige schouderstukken op. 'Maar de overbrenging van mensen met werkzame psychische vermogens was ook verboden.'
De oude Aluteyn barstte los in kleurrijke woede. 'Maar op de een of andere manier hebben meer dan honderd van die rotzakken kans gezien er doorheen te sluipen! Ze hebben Bormol hier de stuipen op het lijf gejaagd. En wat nu? Ik vraag jullie, *wat nu*?'
Hij schudde een glinsterend groene vuist naar het ronde krachtveld waarin een miniatuurmaantje en de vertekende en beboste horizon werden weerkaatst.
'Ik heb je hierheen geroepen in de hoop op bruikbaar advies, Scheppende Broeder,' zei Bormol met de nodige waardigheid. 'Om retorische vragen zit ik niet verlegen. De vreemde indringers slapen nu, maar ze zullen wakker worden. En wanneer ze dat doen . . . ik neem aan dat ze een manier weten om met dat wapen dwars door hun eigen krachtveld te schieten?'
'Dat hangt van het type generator af,' antwoordde Gomnol. 'Maar laten we er maar vanuit gaan dat ze dat kunnen.'
Alle zes verenigden ze zich tot een wat grof metapsychisch samenspel om met hun vérvoelende vermogens de binnenzijde van de bol af te tasten, maar ze werden niets anders gewaar dan een onsamenhangende wazigheid. Ook met de oren van hun geest vingen ze niets anders op dan de rondgaande en zich herhalende bewustzijnsgolven van de slapers en te midden daarvan één enkele wakkere draad van bewustzijn – blijkbaar een wachter – wiens mentale uitstraling zich bijna volstrekt buiten het perceptievermogen van de Tanu bevond.
'Zou je nog eenmaal de treurige gebeurtenissen van deze dag willen herhalen, Bedwingende Broeder?' vroeg Gomnol aan de Heer van Roniah. 'In alle details?'
Terwijl Condateyr hem hielp, liet Bormol de andere vier in zijn geest zien hoe de ramp zich had ontwikkeld. De aankomst van een menigte vreemde meta's werd het eerst ontdekt door een soldaat met een grijze halsring die op de kantelen van kasteel Doortocht de wacht liep. Gelukkig overleefde hij de daarop volgende slachting. De binnendringers kwamen door de tijdpoort op een volkomen ongebruikelijk uur, om ongeveer elf uur in de morgen in plaats van bij de dageraad zoals dat tot nu toe alle voorafgaande veertig jaren punctueel het geval was geweest. Daardoor was er rond het tijdveld niemand van de gewone bewakers aanwezig om hen te kunnen overmeesteren gedurende die korte periode van desoriëntatie die vrijwel altijd op het tijdtransport volgde en toen er ten slotte solda-

ten vanuit het kasteel te voorschijn kwamen om de zaak te onderzoeken, werden die geveld door een gezamenlijke stoot psychische energie. Daardoor werd de slotvoogd, een mens met een zilveren halsring, gewaarschuwd die op zijn beurt de twee Tanu verwittigde die op dat moment in het kasteel waren.
De binnendringers hadden daarna hun mentale wapens tegen de staf van het kasteel gebruikt, samen met een of ander soort fotonisch handvuurwapen. Er ging een telepathisch alarm naar Roniah dat ruim dertig kilometer verder lag, maar tegen de tijd dat Bormol en Condateyr twee uur later met een Grote Jacht arriveerden, waren de indringers al verdwenen en de beide Tanu en de helft van alle menselijke personeel dood. De gewone tijdreizigers in hun gevangenisbarakken waren catatonisch geworden door een of andere wijziging in hun hersenstructuur die de indringers hadden aangebracht.
De achtervolgers onder leiding van Bormol werden opgehouden door mentale barrières en afweerschichten, maar na verloop van tijd werden die zwakker en toen was het spoor van de binnendringers en hun kleine terreinwagens makkelijk te volgen. De vreemdelingen trokken naar het westen, over de steppe van de hoogvlakte van Lyon en doken daarna in de wouden die tussen dit tafelland en de enorme vulkaanhellingen van Mont Doré lagen. De chaliko's waarop de leden van de Jacht reden, waren op dit ruwe terrein efficiënter dan de terreinwagens van de vreemdelingen, vooral toen de bodem moerassiger werd in het daarop volgende laagland. Bijna een dozijn van die dikwielige vernuftige wagens werd achtergelaten in een nauwelijks doordringbaar bamboebos in het moeras; later vonden ze er nog twee op een wildspoor, tot schroot vertrapt door olifanten.
Kort na zonsondergang maakten de vluchtelingen de vergissing een vallei in te gaan die naar het westen boog en eindigde in een steile helling die doodliep in een kloof. Uitgeput, angstig en met het gevoel in de val te zijn gelopen, lieten de vluchtelingen hun mentale afweerschermen een ogenblik haperen en daardoor kregen Bormols beste vérvoelenden voor het eerst de gelegenheid vast te stellen wie de vluchtelingen precies waren: honderdeen menselijke wezens, allemaal meta's, enkelen in zeer slechte fysieke conditie en allemaal mentaal diep getraumatiseerd. Ze waren uitgerust met negenentachtig kleine, gekoppelde voertuigen die afgezien van de mensen, waren volgestouwd met gereedschap en uitrustingsstukken uit de 22e eeuw.
Een aftastende mentale aanval door Bormol en diens beste mannen leverde slechts een zwak metapsychisch verweer op. De schermutseling bij het kasteel en de lange achtervolging hadden de binnendringers blijkbaar uitgeput. En nu bevonden ze zich in de val.
De Jacht van Roniah was ten aanval getrokken, hun woeste strijd-

kreten schreeuwend en te trots om hun mentale wapens te gebruiken. Ze werden ontvangen door het fotonenkanon.
Na de bloedige en chaotische terugtocht, het verzamelen van de gewonden en het hergroeperen, kwamen ze erachter dat de meta's één zijde van de kloof hadden weggebrand, daarvan een oplopend talud hadden gevormd en zo waren ontsnapt. Toen de nacht viel, rapporteerden verkenners van Bormol het nieuwe verschijnsel van de reusachtige spiegelende halve bol en op dat punt besloot de Heer van Roniah het voor gezien te houden en de hulp in te roepen van de Strijdmeester en diens adviseurs.
'Er is één punt dat ik nogal verontrustend vind,' zei Nodonn. 'De menselijke gevangenen in kasteel Doortocht. De gewone tijdreizigers in hun barakken. Je zegt dat hun hersens goeddeels zijn *leeggezogen*?'
Bormols stem klonk meelevend. 'Hun geesten even schoongeveegd als de Witte Zilvervlakte, Strijdmeester. Tabulae rasae. Het ergste dat ik ooit heb gezien. Nog een geluk dat het vroeg in de week was, waardoor we maar van twee dagen gevangenen hadden. Maar die zestien zijn nu niets meer dan vegeterende voorwerpen. Wie dat gedaan heeft, moet een handlanger van de duivel zelf zijn geweest.'
'Hij moet alles aan de weet zijn gekomen dat de gevangenen over *ons* wisten,' gromde Leyr.
'En veegde ze daarna schoon,' voegde Gomnol eraan toe. 'En dat houdt in dat de pas aangekomen tijdreizigers waarschijnlijk in staat waren geweest om ons iets te vertellen over deze binnengedrongen meta's. Dat is interessant.'
'We weten dat een paar van deze vreemdelingen – misschien wel allemaal – behoren tot de groep meta's die de mensen met "meesterklasse" omschrijven,' zei Condateyr. 'Anders zouden ze niet in staat zijn geweest om Tanu te doden. Want Heer Moranet en Vrouwe Senevar waren ieder op hun eigen gebied zeer bedreven.'
Nodonn de Strijdmeester opende zijn geest voor hen en deelde zijn gedachten en overwegingen met de anderen:
Sommigen van deze vreemdelingen beschikken over ontzagwekkende mentale krachten, groter dan die van ons. Ze hebben die tegen de Jacht van Bormol niet ten volle gebruikt, maar verlieten zich liever op de kracht van een fysiek wapen. Daar kunnen we nog aan toevoegen dat ze blijkbaar de voorkeur gaven aan een vlucht in plaats van stand te houden. Een aantal van hen is duidelijk verzwakt. *Gewond.* Deze menselijke meta's, de elite van hun eigen ras, zijn tot het uiterste van Ballingschap gedreven, een weg die officieel niet voor hen openstaat. De conclusie moet zijn dat ze uit het eigen Galaktisch Bestel zijn verbannen. Maar dat is met zichzelf in tegenspraak! Alle meta's uit die toekomstige wereld maken deel uit van een mentale broederschap die zij Eenheid noemen. Daar kun-

nen geen verworpelingen zijn, geen rebellen!
'Niet voor zover wij weten, Strijdmeester,' zei Gomnol hardop. 'Maar al de kennis van de Tanu over de Oude Aarde is afkomstig van menselijke tijdreizigers. En wat wisten gewone mensen – zelfs zij met latente vermogens zoals ikzelf – echt over het leven van de meta's en de innerlijke tegenstellingen binnen het Galaktisch Concilie?'
Zijn glimlach had een wrange bijsmaak terwijl hij de gouden halsring aanraakte achter het blauwglazen halsstuk van zijn wapenrusting. 'Wij zijn naar het Plioceen gekomen en hebben pas hier waarachtige verwantschap gevonden, de kracht van het delen der gedachten en het uitoefenen van goddelijke krachten. Dank zij de Tanu.'
De zonneglans van Nodonns geest zette de donkere grotten van boosaardigheid die diep verborgen lagen in het menselijke hart van Gomnol even in het licht, maar het gezicht van de Apollo bleef even sereen als altijd.
'We hebben je dankbaarheid opgemerkt, Geadopteerde Broeder. Maak nu die dankbaarheid zichtbaar! Jij bent in staat, wij niet, om deze vreemde invallers te vragen wie ze zijn en wat ze willen. Jij kunt mentaal met hen spreken over de menselijke golflengte die voor ons niet verstaanbaar is.'
Gomnols schuldige opwelling van angst leverde hem direct een zorgeloze geruststelling van de Strijdmeester op. 'Natuurlijk, Eusebio Gomez-Nolan. We weten er alles van. Dat kleine beetje schooljongensgeheim om de trots overeind te houden van jullie mensen met een gouden halsring. Maar nu kun je daar iets mee doen. Spreek in de geest tot deze binnengedrongen Minderen, Tweede Bedwinger. En vertel me vooral getrouw wat voor antwoord zij geven.'
Gomnols blauwgloeiende gestalte leek te huiveren, zijn gezicht werd asbleek binnen de fantastische helm en de sigaar viel uit zijn mond. De metapsychische greep van de Strijdmeester richtte zich met alle vijf vermogens in een precieze aanval op het neurologisch circuit en kneep even toe. Het veroorzaakte de verschrikkelijkste pijn die Gomnol ooit had ervaren. Daarna werd de pijn direct vervangen door een weldadige sensatie van genot.
Nodonn wachtte rustig af tot de mens zijn evenwicht had hervonden. Toen herhaalde hij: 'Spreek in de geest tegen hen, Tweede Bedwinger!'
Gomnol ademde langzaam uit. Zijn eigen mentale afweerschermen gingen nu omhoog om zijn ontsteltenis te verbergen, zijn ontsteltenis en zijn haat. 'U . . . en Heer Aluteyn zullen in de buurt moeten blijven. Voor het geval de indringers agressief reageren. Dat fotonenkanon zou kunnen . . .'
'Nodonn en ik kunnen samenwerken en een stevig klein afweer-

scherm opbouwen. Zolang we maar weten wat ons ongeveer te wachten staat, kunnen we ons allemaal beschermen,' zei de oude Aluteyn. 'Schiet op met je werk, mijn jongen.'

Gomnols zelfvertrouwen herstelde zich snel. Hij knikte ernstig, nam een indrukwekkende houding aan en reikte naar buiten met al de kracht waarover hij beschikte. Zijn gedachtenpatroon was nu voor de Tanu niet te ontcijferen, maar ze waren zich wel bewust van de superieure techniek, de subtiel insinuerende sluipgang dwars door het krachtveld, de abrupte samenballing tot een stootgolf en de onweerstaanbare invloed daarvan op het vermoeid-waakzame patroon van kil bewustzijn dat binnen die spiegelende bol ineenhurkte. Gomnol sprak en de verborgen waker werd gedwongen om te antwoorden.

Leyrs verbitterde commentaar over de demonstratie van zijn ondergeschikte kraakte over de intieme golflengte van de Tanu: Kijk hoe dat blufferige kleine uilskuiken bezig is, Broeders! Nog geen tien jaar geleden hebben we hem een gouden halsring gegeven en zijn bedwingende kracht is nu al bijna zo groot als de mijne! Hoe lang zal hij er nog genoegen mee nemen Tweede Bedwinger te zijn?

De anderen hielden hun geesten gesloten. Het was een ongemakkelijke vraag.

Na een tijdje trok Gomnol zijn geest uit de halve bol terug en sprak met moeite.

'Hij zegt . . . zijn mensen willen alleen maar met rust worden gelaten. Ze zullen Europa verlaten omdat hier de Tanu heersen. Ze zullen naar Noord-Amerika gaan en niet terugkomen.'

'Tana zij gedankt!' gromde Bormol. 'En hoe eerder hoe liever.'

Maar Gomnol protesteerde heftig. 'Jullie begrijpen het niet! Deze hele groep . . . allemaal meta's van de meesterklasse! Er is een soort mislukte metapsychische staatsgreep geweest in mijn wereld, zes miljoen jaar in de toekomst. Deze groep vormt het restant van de verliezers. Maar ze hadden bijna gewonnen! Dit kleine groepje menselijke rebellen had bijna de metapsychische grootheden van al de zes rassen van het Galaktisch Bestel overklast! . . . Ze zijn nu in een verschrikkelijke conditie, maar ze zullen herstellen. En wanneer ze zover zouden zijn en wij konden van hen onze bondgenoten maken . . .'

'De vreemdelingen moeten worden vernietigd.' Nodonns stem en gedachten klonken donderend als de zee.

'Maar denk eens aan de voordelen! De Firvulag . . .'

'Elk voordeel zou enkel mensen ten goede komen, Tweede Bedwinger! Deze meta's hebben geen halsringen nodig. Ze kunnen nooit deel uitmaken van onze broederschap.'

'Natuurlijk heeft de Strijdmeester gelijk,' riep Leyr uit. Hij zond een dwingende gedachte in de richting van Gomnol. 'Probeer jezelf

in de hand te houden, Nummer Twee.'
De toon van Aluteyns gedachten was minachtend. 'Verdomme, zoon . . . waarom zouden deze meta's met ons willen samenwerken wanneer ze waarschijnlijk in staat zijn heel het Veelkleurig Land van ons over te nemen zodra ze zijn uitgerust en weer hersteld?'
'En misschien hebben ze tegen die tijd nog één of twee fotonenkanonnen meer in gereedheid gekregen,' zei Bormol.
'Wanneer we met een gezamenlijk bewustzijn handelen, kunnen we hen overmeesteren,' hield Gomnol vol. 'Er zijn duizenden dragers van een gouden halsring. En maar een handvol vluchtelingen. Sommigen zijn stervende. De anderen hebben zwaar geleden onder hun falen en het afscheid van de wereld die ze kenden. Elk aanbod van vriendschap zal welkom zijn, dat verzeker ik!'
De Strijdmeester sprak met ingehouden woede.
'Ik heb telepathisch met de koning gesproken. Hij is het eens met mijn beslissing.'
In een laatste poging zond Gomnol een pleidooi naar Nodonn over diens zeer persoonlijke golflengte.
'Denk na Strijdmeester, denk! Unieke gelegenheid! Leider invallers is magnaatConcilie MarcRemillard. Hele familieRemillard werkzaam op hoogsteniveau MenselijkeBestelpolitiek. Marc/hersteld + anderen potentiële SLEUTEL Clan Nontusvel ambities tegenover Firvulag . . .
Nee.
Ik zag Marc getraumatiseerdkwetsbaar. Anderen veelzwakker. Samen handelen meta-overreding Clan + ik gemakkelijk . . .
Nee.
Marc is JonRemillardbroeder! En Jon = *Jack de Lichaamsloze!* Marc bijna even sterk als broer herinner ik van Milieupolitiek . . .
Nee.
Maanlicht glinsterde in de zweetdruppels die van Gomnols gezicht naar beneden druppelden. Uit het duistere woud kwamen zwakke geluiden en het stampen van geklauwde poten. De bepantserde chaliko-rijdieren van de Jacht kwamen op Leyrs telepathische commando aangelopen. Nodonn wierp zich in het zadel.
'Ik heb ook gesproken met mijn broeders van de Clan,' zei hij, neerkijkend op Gomnol. 'Hual Groothart en Mitheyn, Heer van Sasaran, zullen een Grote Expeditie organiseren. Hual zal het Zwaard van Sharn uit Goriah meenemen en ik zal dat gebruiken tegen deze bende van Minderen. Mitheyn komt uit het noorden en neemt uit Sasaran over land een strijdmacht mee die sterk is in psychokinese, bedwingen en scheppen van illusies. We zullen de invallers de kans geven verder westwaarts te trekken naar het dal van de Donaar. Ergens in de Grotten Wildernis, op een plek die wij uitkiezen, zullen we hen vernietigen.'

'Tana's wil geschiede,' zei Gomnol, zich onderwerpend. Nadat hij zijn gezicht had afgeveegd met een witte zakdoek en een verse sigaar had uitgezocht, besteeg hij zijn eigen chaliko en reed met de anderen weg.

Drie dagen later, bij een rivier die veel later de Dordogne zou worden genoemd, overviel een grote legermacht van bereden Tanu de voorttrekkende karavaan van 22e-eeuwse voertuigen. Maar omdat de menselijke meta's, zelfs in hun verzwakte staat, de Tanu verre overtroffen in het vermogen tot gewaarworden op afstand, liep die poging tot een hinderlaag op niets uit. Hoogwaardig technisch materiaal, waarmee de vluchtelingen aanvankelijk niet vertrouwd waren geweest en die ze haastig en op goed geluk hadden meegenomen, werd nu met overleg gebruikt. Krachtbronnen waren volledig geladen, kleine wapens en persoonlijke krachtschermen in gereedheid en het fotonenkanon tactisch opgesteld.
Vierhonderdnegentien ridders van de Tanu, onder wie de Heer van Sasaran en Hual Groothart, werden in het daaropvolgende gevecht afgeslacht. En daarboven raakte nog eens twee maal dat aantal, in feite bijna al de overblijvenden, gewond.
Nodonn de Strijdmeester moest toezien hoe zijn Vliegende Jacht werd gedecimeerd terwijl zijn favoriete chaliko onder hem werd weggeblazen. Het scheelde maar weinig of hij had het roemruchte Zwaard van Sharn laten vallen in de rivier de Donaar. Hij verloor er niet alleen al zijn waardigheid, maar ook zijn humeur.
Leyr, Heer der Bedwingers, verloor een arm, de helft van een been en de linkerkant van zijn lever. Hij moest acht maanden in Huid doorbrengen voor hij was hersteld en in die tijd consolideerde zijn ondergeschikte, de mens Sebi-Gomnol zijn eigen positie en besloot zijn falende superieur tijdens de Manifestatie van Krachten het volgende jaar uit te dagen.
De invallers trokken verder naar de Atlantische kust. Daar voegden ze hun terreinwagens aaneen tot schepen, riepen een psychokinetische wind op en verdwenen bij zonsondergang.
Na een hiaat van twee maanden werden de transporten door de tijdpoort op de gewone wijze hervat.
Luisterend naar het advies van zijn Strijdmeester, negeerde de Hoge Koning Thagdal de hele invasie en de daarop volgende nederlaag alsof die nooit hadden plaatsgevonden.
En gedurende de daarop volgende zevenentwintig jaren bloeide het koninkrijk van de Tanu . . . totdat de sluis bij Gibraltar werd geopend en de Lege Zee werd gevuld.

I. Na de Vloed

1

De grote raaf vloog over het desolate Muriah. Ze moest deze dagen ver vliegen vanaf haar berg, want de nabije kusten van Spanje en het geslonken Aven waren vrijwel schoongepikt van alle buit, de lichamen steeds dieper begraven onder het zoute slik van de rijzende Middellandse Zee. Ze had de makkelijk bereikbare gouden halsringen maanden geleden al geroofd en grote schatten gevonden. Wat er nu nog aan buit onder haar bereik kwam was des te kostbaarder omdat het zo zeldzaam was geworden.
Beneden haar werden de ruïnes van Muriah verzacht door een zich verspreidende sluier van groen. Na bijna vier maanden regenseizoen leek de vroegere Tanu-hoofdstad van het Veelkleurig Land zich te hebben overgegeven aan de woekerende vegetatie van het Plioceen. Uitlopers en nieuwe scheuten van de vroegere sierstruiken die niet meer werden gesnoeid nu de kleine aapachtige tuinlieden allemaal waren gestorven, verstikten de binnenhoven, de grote trappen, de muren van sierwerk en wit marmer. Nieuw groen drong door deuren en vensters naar binnen, klom langs daken omhoog, rukkend en zich hechtend aan de rode en blauwe tegels. Bomen ontvouwden nieuwe loten uit witte, versplinterde stompen. Paddestoelen en zaden, door het water in de kleine holten van metselwerk en plavuizen gedreven, schoten omhoog in spookachtige overvloed.
De brede, majestueuze avenues, de sportarena, het Handelsplein, de herenhuizen en al die trotse gebouwen die waren opgetrokken door de Tanu en hun intelligente menselijke slaven, werden erdoor overweldigd en langzaam uiteengetrokken. Zwammen, mossen, allerlei soorten wilde kruiden overdekten de renbanen en het dof geworden mozaïek. De colonnade voor het paleis van koning Thagdal zag haar pilaren ontwricht door de onweerstaanbare groei van kleine, bruine paddestoelen. De gedoofde zilveren lampen langs de verlaten boulevards sloegen zwart uit door de zeemist. De voorgevels van de vijf metapsychische gildehuizen zagen hun heraldieke kleuren aangetast door donkere vlekken meeldauw. Zelfs de uitdagende glazen torenspitsen, hun sprookjeslichten voor altijd gedoofd, waren beslagen met gedroogde zoutaanslag en schimmels.
In het rond cirkelend concentreerde de raaf haar speurtocht op het noorden van de verwoeste stad. Het gehele havengebied was onder water verdwenen. Goedmoedige golven reikten tot halverwege het talud van het hoofdkwartier van het Gilde der Bedwingers. De lampen in één deel van dat grote gebouw waren allemaal verwoest en de fabriek van halsringen bevatte geen schatten meer. De raaf had daarvoor gezorgd.

Haar vérziende oog drong diep door, reikte door water en rotsen tot in de onderwatergrotten die eens hoog en droog boven de zoutvlakten uitrezen. Maanden geleden, toen de stad nog leefde, had ze in een van die grotten verborgen gezeten, samen met haar ten ondergang gedoemde vrienden. Toen was de bedrieger gekomen en had haar beroofd! (Maar ook daar had ze inmiddels voor gezorgd.)
En vroeg of laat zou ze alle onafgehandelde zaken afwerken, want in al haar waanzin was ze een methodisch schepsel, deze vogel die op een grijze maartse dag eindeloos zoekend over een grijze nieuwe zee wiekte.
Ze onderzocht de ene rotsholte na de andere waar drijfhout hoog lag opgetast, omhooggestuwd door de hoge eerste golven van de Vloed en later begraven toen de wateren stegen. In sommige van die grotten was nog steeds lucht aanwezig in de bovenste delen. In één daarvan ontdekte ze ten slotte de makkelijk te herkennen dichtheidsstructuur van kostbaar metaal.
Goud.
Haar rauwe kreet van vreugde echode tussen de klippen van Aven. Ze dook omlaag en brak haar val net boven het loodkleurige water, onbeweeglijk, de grote zwarte vleugels gespreid. Een kleine vrouw met een wolk blond haar nam de plaats in van de raaf; een vrouw gekleed in een kuras, scheenplaten en zwarte pantserhandschoenen. Felice lachte hardop en was direct daarna naakt, bleek als zoutaanslag op de donkere ogen na.
Ze dook in het water als een pijl van vlees. Eén enkele torpedoachtige beweging bracht haar door de onderwatertunnel in de grot. Als een bleekblauwe vlam wandelde ze over het water naar de plek waar het lichaam lag. Ze lachte nog eens bij het zien van de dode vijand totdat ze zich realiseerde dat de glazen wapenrusting niet de kleur had van amethist zoals haar eigen zachtblauwe uitstraling het deed lijken, maar robijnrood, de kleur van het Gilde der Herstellers.
'Nee!' schreeuwde ze terwijl ze zich op haar knieën liet vallen naast het lichaam van de Tanu-ridder. Zijn kaak hing open en de gerimpelde oogleden waren gesloten. Hij droeg geen helm. Steil blond haar bezette nog de al half ontblote schedel. Zijn gouden halsring was bevuild door de rottenis van het zich ontbindende hoofd.
'Oh nee,' huilde ze, 'nog niet.'
Ze schraapte de rommel van het kuras waarachter het heraldische motief op de borst verborgen ging totdat het ontwerp helemaal zichtbaar werd. Het was een gestileerde boom, beladen met fruit in de vorm van juwelen, niet het persoonlijk motief van Culluket de Ondervrager.
De ene schaterlach na de andere weerklonk door de vochtige grot. Wat een gek was ze toch. Natuurlijk was hij het niet.

Felice sprong overeind, greep naar de scharnierende halsplaten van het kuras en trok ze van hun plaats. Ze vielen kletterend op de rotsbodem. Toen viel ook het afgerukte hoofd, want ze verwijderde de halsring met zoveel kracht dat de halswervels erdoor van hun plaats losraakten.
Ze hield de halsring omhoog. Hij gloeide en was schoon. Ze dook terug in het water en een ogenblik later cirkelde de raaf omhoog in de hemel, een gouden ring tussen de machtige klauwen. De stem van haar geest liet een kreet van triomf en opluchting horen. Ze riep naar haar Geliefde zoals ze dat zo vaak had gedaan, de draaggolf van de mentale spraak gebruikend die continenten en zeeën kon overspannen en rondom de wereld echode als de sonore weerklank van de donder.
Culluket!
Ze riep. Hoog in de vormloze grijze wereld boven het verdronken Aven bleef ze roepen.
De duivels antwoordden.
Felices uitbundige opwinding veranderde in angst. Ze schrompelde in elkaar achter een ondoordringbaar gedachtenscherm en stuurde het vogellichaam als een steen in de richting van het Spaanse vasteland, beschermd tegen de wrijvingshitte door een ander afweerscherm. Pas toen ze in de buurt kwam van de berg Mulhacén verminderde ze haar tomeloze snelheid en gunde zichzelf een behoedzame blik om zich heen om te zien of de duivels haar waren gevolgd.
Maar dat hadden ze niet. Andermaal was ze hen ontlopen.
Ze liet al haar schermen vallen en gaf stem aan een rauwe, uitdagende krijs. Daarna vloog ze huiswaarts, haar nieuwste schat veilig tussen haar klauwen.

2

Meer dan achtduizend kilometer ten westen van Europa was de grote buldogtarpoen van het Plioceen begonnen aan de voorjaarstrek naar de broedgronden in de buurt van het eiland Ocala. Het was tijd voor de oudere broer van de heilige om zijn uitputtende zoektocht tussen de sterren op te schorten in ruil voor de enige vorm van ontspanning die hij kende, het jagen op deze zilveren monsters.
De man in het bootje wachtte de vissen op en sloeg hen gade met zijn verziende vermogens. Hij was doodstil en maakte geen enkel geluid, verborgen achter een wirwar van mangroven en bloeiende parasietbloemen in het mondingsgebied van de Suwanee aan de

westkant van het eiland. Met opzet verminderde hij zijn vérziende vermogens tot hij niet meer kon waarnemen dan een paar honderd meter rivier voor hem uit. Want hij had regels bij het verschalken van de grote tarpoen en was niet van plan die te schenden. Niet met opzet.
Op de voor hen zo typische manier kwamen de vissen boven water, heen en weer rollend en ademhalend. Hun schubben waren groter dan een handpalm en weerkaatsen de tropische zon alsof het spiegels waren. Met hun achteruitwijkende onderkaak, de glinsterende zwarte ogen en de wuivende bloedrode kieuwborstels leek elke tarpoen eerder op een draak dan op een doodgewone vis. Vele van hen werden makkelijk drie meter en sommige konden zelfs groter worden, zoals de visser maar al te goed wist. Aan de haak geslagen, vocht een tarpoen met maniakale woede en zo'n gevecht kon meer dan twintig uur duren.
Hij sloeg hen gade terwijl ze voorbijkwamen en de zon steeg hoger en hoger en bracht een waas van zweet te voorschijn op zijn diep gebruinde huid. Hij droeg enkel een broek van gelapte zware stof, gebleekt door ouderdom en zout water. Zijn zichzelf verjongende lichaam was sterk en stevig gespierd als altijd, maar op die kaart van vlees en been op zijn gezicht waren de pijnlijke lijnen te zien van de odyssee die het merkteken was van de mislukte idealist. Alleen toen er een bijzonder groot exemplaar van een tarpoen voorbijgleed, de kaakplaten beschadigd door een gevecht van seizoenen geleden, gleed er iets als een opmerkelijk prettige, scheve glimlach over het gezicht van de visser.
Jij niet, vertelde hij de grote vis. Je hebt je beurt aan de haak al gehad. Een ander. Een nog grotere.
Al was hij nog zo verdiept in het bestuderen van de vissen, hij werd zich toch direct bewust van een vederlichte aanraking: het vérvoelen van kinderen die hem gade wilden slaan, ook al wisten alle inwoners van Ocala dat het ten strengste verboden was hem lastig te vallen wanneer de tarpoens kwamen.
Niemand van de overlevende oudere rebellen zou dat durven, ze herinnerden zich maar al te goed de kwaliteiten en vaardigheden van de man die hen had aangevoerd tijdens hun poging de rassen van een heel sterrenstelsel uit te dagen. Maar de tweede generatie, nu bezig aan hun ongeduldige jonge jaren, was minder geneigd tot eerbied. Zelfs zijn eigen kinderen, Hagen en Cloud (aan wie nooit iets was verteld over wat hij met hen van plan was geweest als de Rebellie zou zijn geslaagd) geloofden dat zijn mentale vermogens met het verstrijken van de jaren achteruit waren gegaan. En die slijtage schreven ze ook toe aan de kracht die nodig was geweest om tevergeefs en met zo grote zorgvuldigheid zo'n 36 000 Pliocene zonnestelsels te onderzoeken in een poging ergens bewuste geesten te lokaliseren.

De hoogmoed van de jongeren was maar één keer goed geschokt: de afgelopen herfst toen Felice Landry in uiterste nood hulp had gezocht tegen wat zij duistere krachten waande. Zo sterk was de om hulp vragende projectie van het meisje geweest dat al de werkzame meta's in Ocala aan de andere kant van de wereld overduidelijk hadden kunnen waarnemen wat ze in Gibraltar probeerde te voltooien. Hij had gelachen om haar uitzinnige woede op die vreemde manier die bij hem hoorde en had gezegd: 'Waarom zou de Engel van de Afgrond niet voor de zijnen zorgen?' En direct daarna had hij de psycho-energie van de drieënveertig overlevende rebellen gecombineerd en samengevoegd met de nog ongearticuleerde maar overdadige scheppende energie van de tweeëndertig vrijwel volwassen kinderen en dat totaal aan energie getransporteerd en overgedragen aan die waanzinnige meid. Daarna had de Lege Zee zich gevuld.
Dat was niet meer dan een schaduw geweest van zijn potentieel, een vingerwijziging. Maar het was voldoende geweest om de meer verbeeldingsrijken onder de jongeren te dwingen tot een herziening van het beeld dat ze hadden gevormd over deze eenzame sterrenzoeker.
Zittend in zijn boot voelde hij hun aandacht weer over hem heen strijken, uiterst discreet. Hij wist wat hen dwars zat. Ze waren moe van hun verbanning op Ocala, verveeld door de moordlustige intriges en strenge voorschriften van hun ouders en bovenal verveeld door hun eigen gebrek aan mentale Eenheid (want niemand van de vluchtende rebellen had beschikt over de speciale vaardigheid die nodig was voor het onderwijzen daarvan). Nu Europa, dat mysterieuze en verleidelijke Veelkleurig Land tot een staat van chaos was vervallen, droomden de meer ambitieuze leden van de tweede generatie onervaren over veroveringsplannen. Zij voelden niets voor het geduldig onderzoekvan planeet na planeet op zoek naar zachtmoedige geesten, dromend van redding uit deze verbanning. De kinderen hadden hoop hier op de Pliocene Aarde macht en Eenheid te verwerven. En de meest stoutmoedigen koesterden zelfs een nog grotere ambitie. Te groot om zelfs maar aan te denken.
Buiten onder de zon sprong een enorme vis omhoog in de stroom.
Hij haalde de hengel uit de hoes, controleerde het mechanisme van de opwindspoel en begon de lijn vast te maken. De hengel was gemaakt van gelamineerd bamboe, dat hij zelf nog had gemaakt, zo'n twintig jaar geleden. Ook de spoel waarover de lijn liep, had hij zelf vervaardigd. Maar de vislijn was het produkt van een wereld die zes miljoen jaar verwijderd lag van de monding van deze rivier. Onverwoestbaar, volkomen in balans en gewapend tegen de staalharde kaken van de tarpoen, eindigde hij in een

kwetsbare haak die de vis een bijna overweldigend voordeel gaf op de visser. Om daarmee zelfs maar de minst grote van deze prachtige ondieren te vangen (zonder enige mentale kracht te gebruiken, dat sprak vanzelf) was een prestatie van uitzonderlijke betekenis. Maar dit seizoen had hij zich voorgenomen te streven naar het uiterste, het onmogelijke. Hij zou proberen één van de Ouden te vangen, die glinsterende monsters van de tarpoenfamilie die bijna vier meter lang waren en driehonderd kilo zwaar werden. Hij was van plan één van die vissen op die kwetsbare lijn en met zijn zelfgemaakte spullen naar boven te halen.
Ik kan het, glimlachte hij tegen zichzelf met die aantrekkelijke glimlach die slechts op één kant van zijn gezicht te zien was. Het ene oude monster tegen het andere.
Het vérvoelen van de kinderen gleed weer over hem heen.
Terwijl hij ieder ander binnenkomend signaal uitsloot, zette Marc Remillard zich neer in zijn boot onder de zon en wachtte op zijn prooi.

3

Toen in Goriah na middernacht de maan was ondergegaan, brak het wolkendek boven de Bretonse kust en liet de maartse meteoren zien in al hun pracht. In een opgewekte en speelse bui gaf Aiken Drum de opdracht dat alle lichten in de stad moesten worden gedoofd en liet Mercy wekken en brengen naar de plaats waar hij op haar wachtte, een nauwe omgang rondom de hoogste toren van het Glazen Kasteel.
Ze stapte naar voren onder die verbazingwekkende hemel en slaakte een kreet. Onder de sterrenconstellaties in het westen spreidden zich ontelbare witte vonken uit in hun neergaande bogen van beweging; grotere meteoren met zilverglanzende staarten en af en toe een oranje bal van vuur, stormend tegen de hemel en heftig nagloeiend. Ze leken allemaal uit één centraal punt te voorschijn te komen als spaken aan een wiel van sterren, als bloembladen die zich eindeloos bleven ontvouwen uit de kern van een astrale chrysant. De meteoren vlogen over de hoofden van Aiken en Mercy en doken dan weg. Sommige doofden zichzelf in de zwarte zee. De nacht was vervuld van een zwak, ritselend geluid, een dun, etherisch gefluister.
'Voor jou!' riep Aiken hoogdravend uit terwijl hij het indrukwekkende spektakel met een grootse zwaai van zijn arm probeerde te omvatten. 'Een van mijn mindere prestaties, maar toch nog goed genoeg voor een koningin der Tanu.'

Lachend kwam ze naar hem toe. 'Nog geen koningin, mijn glanzende opschepper, ondanks al je sappige beloften. Maar die sterrenregen is prachtig, al geloof ik geen moment dat jij die hebt veroorzaakt.'
'Twijfel je weer aan me, vrouw?'
De kleine man in zijn glinsterende pak met de talloze zakken hief zijn beide armen omhoog. Een dozijn van de meteoren leek ineens recht naar hem toe te vallen. Het veroorzaakte een verzengend gesis, maar kromp toen ineen om een kroontje van witte lichten te vormen die aan en uit flikkerden. Met een triomfantelijke grijns hield hij het voor zich uit.
'Ik kroon u tot Koningin van het Veelkleurig Land!'
'Illusies!' riep ze uit. 'Kijk maar wat er met jouw liefdesgaven gebeurt, Heer Lugonn Aiken Drum!'
Ze knipte met haar vingers in de richting van het diadeem dat uitdoofde terwijl de stervende vonkjes door Aikens handen vielen als sinteltjes door een rooster. Maar terwijl zijn gezicht betrok, vuurde ze ineens in de vonkende duisternis een glimlach op hem af die zijn hart weer overstag deed gaan.
'Maar ik houd van echte meteoren en jij bent een lieve bedrieger door me wakker te laten maken zodat ik het zien kon.'
Ze kuste hem lang en vol op zijn mond, haar wilde ogen wijd open. En toen hij ontwapend was en niet meer op zijn hoede, onderzocht ze in een onverwachte flits zijn geest.
'Je houdt echt van me!' riep ze uit.
'Natuurlijk, verdomme!' Hij herstelde zijn defensies, zijn zelfcontrole, en probeerde onder haar mentale onderzoek uit te komen zonder haar te kwetsen. Zijn kolossale metavermogens, die in de afgelopen wintermaanden alleen nog maar waren toegenomen en die bewonderende onderdanigheid of verdoofde afgunst hadden teweeggebracht bij de overlevende Groten van de Tanu, leken tegenover Mercy-Rosmar te falen.
'Ik houd niet van je!' protesteerden de stemmen van geest en mond. 'Het is nergens voor nodig.'
Haar vrolijkheid borrelde omhoog. '*Nodig?* Maar je zou mijn liefdesgaven wel aanvaarden of niet, aartsbedrieger die je bent! En het liefst nu als je de kans kreeg. Geef het maar toe. Nou, vooruit dan . . .'
Het lancet dat zijn geest had doorzocht, veranderde in een zoete, brandende pijn die langs zijn zenuwbanen gleed en hem in machteloze seksuele opwinding op de grond deed vallen. 'Tovenares,' gromde hij, terwijl hij plat op de glazen vloer van de omloop terechtkwam, zijn voeten verstrikt in haar peignoir. Terwijl hij zich herstelde, begon hij te lachen om die andere emotie te verbergen.
Mercy knielde naast hem neer, nam zijn hoofd in haar armen en

kuste zijn oogleden.
'Wees niet bang,' zei ze, 'het zal allemaal gebeuren zoals je gepland hebt.'
'Ik ben nergens bang voor!' protesteerde hij. 'Samen geven we ze er allemaal van langs, Vrouwe Wildvuur.'
'Dat bedoel ik niet, intrigant.'
Ze keek op hem neer. Hij was nu ontspannen en liet zijn hoofd tegen haar gezwollen buik rusten.
'Maar je zou me bijna laten geloven dat je al de glorie van vroeger kon herstellen.'
'Dat kan ik. Vertrouw me. Ik heb het allemaal uitgedacht. Hoe we de Firvulag moeten bespelen, hoe we de trouw winnen van de Tanu die zich nog koppig van ons afkeren, het herstel van de economie, alles. Ik zal koning worden en jij koningin en al de dromen van deze winter zullen waarheid worden.'
Zijn gezicht stond weer grijnzend en helder, stralend van ondeugd. Hij voelde hoe Mercy's bewustzijn ineens werd overvallen door een gevoel van déjà vu dat zo sterk was dat zelfs de slapende foetus in haar buik erdoor werd aangeraakt.
'Ik heb je gezicht eerder gezien,' zei ze verbaasd. 'Ginds in de Oude Wereld. Ik ben er zeker van. Het was in Italië . . . in Florence.'
'Niet erg waarschijnlijk. De enige keer dat ik de Aarde heb bezocht was tijdens mijn reis naar de herberg en ik ben zonder omwegen rechtstreeks naar Frankrijk gegaan. En dat was nadat jij al door de tijdpoort was verdwenen.'
'Toch heb ik je gezien,' hield ze vol. 'Of was het een portret van jou? Misschien in het Palazzo Vecchio? Maar wiens portret?'
'Geen Italiaanse genen in mijn voorgeschiedenis,' mompelde hij, half overeind komend om haar haren te strelen. Meteoren op de achtergrond schetsten een surrealistische halo achter haar hoofd. 'Dalradia, waar ik ben opgegroeid, was een Schotse wereld. En al het jonge gebroed in de reageerbuizen was gegarandeerd afkomstig van chromosomen met een Schots ruitje.'
Hij kwam omhoog tot hun lippen elkaar ontmoetten. Zij liet zich weer met hem versmelten, precies zoals hij had verwacht en veroorzaakte andermaal die zinderende ontsteking langs zijn zenuwbanen waar hij ondanks zijn angsten zo gretig naar verlangde. Toen hij weer bij zinnen kwam, nog steeds in haar schoot liggend, schopte de baby tegen zijn oor en die verdomde meteoren staken nog steeds hun belachelijke vuurwerk af.
'Schaam je,' zei ze, 'je hebt die lieve Agraynel wakker gemaakt.'
Aiken werd zich bewust van haar moederlijke gedachtenzang die troostend naar de baby ging. Zonder aanwijsbare reden vulden zijn ogen zich ineens met tranen. Dodelijk verschrikt joeg hij zijn ondoordringbaarste gedachtenscherm omhoog zodat Mercy niet zou weten hoezeer hij haar baby benijdde.

Hij zei: 'Nog maar een maand totdat het geboren wordt. En dan zul jij de mijne zijn, Vrouwe Wildvuur! Dan zal ik erachter komen hoe je mij zo door elkaar schudt en dan krijg je iets daarvan met de nodige rente van mij terug.'
'Pas in mei,' probeerde ze, 'op het Grote Liefdesfeest. Dat hebben we afgesproken.'
'Oh nee! Dat is de officiële bruiloft. Zolang kun je mij niet buiten de deur houden! . . . Trouwens, nu ik erover nadenk, waarom zou ik je op dit ogenblik niet op de psychische manier nemen, precies zoals je mij in mijn hoofd hebt genaaid?'
Hij sloeg zijn armen rond haar schouders en trok haar krachtig omlaag. Zijn overredende vermogen begon zich in haar te dringen.
'Laat me zien hoe jouw magische seks werkt. Laat het me zien. Of moet ik er al uitproberend achterkomen?'
'Dat mag je niet!'
Ze schreeuwde het bijna uit en joeg hem terug met een psychocreatieve tegenaanval die hem bijna verblindde. 'Je zou een beving in de baarmoeder veroorzaken. Dat is heel slecht voor de baby. Zo zijn wij vrouwen nu eenmaal gemaakt.'
Hij liet haar los. Die vervloekte angst kwam weer terug. De tranen ook.
'Naar de bliksem met die baby.'
Haar gezicht kwam dicht bij het zijne. De uitdrukking van onverschilligheid op haar gezicht maakte plaats voor tederheid. 'Ach, arme kleine. Ik zie het. Nu zie ik het.'
Haar lippen kwamen lager om zijn tranen te drinken.
Hij sloeg wild om zich heen om haar fysieke omarming te ontlopen, spartelend op de vloer. Zijn mond trok samen tot een dunne streep en zijn ogen werden wijd en duister.
'Dat wil ik niet van jou! Nooit!'
'Dan moet je het zelf weten.' Ze haalde haar schouders op. 'Maar je hoeft er echt niet bang voor te zijn. Het is heel gewoon voor een vrouw om die twee functies in de liefde met elkaar te combineren.'
'Jij houdt niet van mij en ik houd niet van jou! Waarom zouden we doen alsof? En ik heb jouw verdomde medelijden niet nodig!'
Hij probeerde van alles. Zij moest de schuld krijgen.
'Waarom vind je het nooit goed als ik jou genot wil geven? Nog niet één keer. Altijd klaar om mij in een coma te jagen, maar nooit, *nooit* mag ik jou aanraken. Ben ik zo afschuwelijk om te zien?'
'Stel je niet aan. Het gaat om de baby. Dat weet je best.'
'Toen Nodonn nog bij je was, neukten jullie met zijn tweeën op orkaankracht. Toen maakte je je geen zorgen over de baby. En die arme sodemieter van een antropoloog kreeg ook al het lekkers dat hij hebben wou. De hele verrotte stad wist wat jullie aan het doen

waren.'
De glimlach ging haar goed af.
'Agraynel had er toen geen bezwaar tegen. Ze was toen vijf en zes maanden. Maar nu is ze gegroeid en ze is ongeduldig. Ze wil geboren worden.'
'Houd die onzin maar voor je.'
Hij kwam overeind. Zijn gezicht glansde niet langer en zijn stem klonk metalig. 'Je wilt me niet bij je binnenlaten omdat je nog steeds rouwt om Nodonn.'
'Wat had je dan gedacht?' gaf ze ijzig toe. Ze leviteerde en kwam recht voor hem. De bleke zijde van haar kleding leek opgewonden te golven.
Hij begon woest te schreeuwen.
'Mayvar heeft me alles verteld over jouw kostbare Zonnegezicht. Dat zou me een fraaie koning zijn geweest! Een koning van de Tanu wordt verondersteld de kwaliteit van zijn superieure genen aan de rest van het volk door te geven. Weet je wel dat die prachtige Nodonn van jou bijna steriel was? De Grote Strijdmeester! Achthonderd jaar heeft hij geleefd en al die tijd niet meer dan een handvol kinderen gemaakt. En onder dat stelletje nergens eentje van echte kwaliteit. Mayvar de Koningmaakster heeft hem geweigerd. Hij werd alleen maar tot kroonprins uitgeroepen omdat de Clan van Nontusvel dat aan Thagdal opdrong. Waarom dacht je dat Mayvar zo blij was om mij te zien opdagen? Waarom denk je dat ze mij Lugonn noemde, de naam van de echte kroonprins?'
Mercey greep zijn bewegende handen. Ze stonden blootsvoets met hun gezichten tegenover elkaar en zij was verscheidene centimeters groter.
Zachtjes zei ze: 'Het is waar dat de Koningmaakster jou heeft uitgekozen. En misschien zou je je duel met de Strijdmeester op de Witte Zilvervlakte hebben gewonnen, misschien ook niet. Maar Nodonn is dood. Verdronken. En jij leeft nog, Heer Aiken-Lugonn, heer over Goriah in plaats van Nodonn. Wie zou hebben gedacht dat zoiets gebeuren kon, toen we elkaar tegenkwamen als spugende verdronken katten, voortdrijvend in een gouden ketel te midden van de grote watervloed? We zijn nog geen vijf maanden bij elkaar en toch heb ik het gevoel dat ik je al een eeuwigheid ken, jou Koning der Wanorde! En een koning zul je zijn. Twijfel daar niet aan. Ik kan het zien, ik weet het. Er is geen Tanu of mens met gouden ring in dit Veelkleurig Land die zich mentaal met jouw vermogens kan meten. Niemand anders had zoals jij de stukken bijeen kunnen rapen om te beginnen aan de herbouw. Daarom blijf ik bij je, daarom werk ik met je samen. En nadat ik de dochter van Thagdal heb gebaard, zal ik met jou trouwen en je koningin zijn. In mei, tijdens het Grote Liefdesfeest, zoals we hebben afgesproken. En wat je eigen kinderen betreft, we zullen zien wat de Godin met

ons voorheeft.'
De woede verliet hem en er bleef slechts één vage gedachte over: als jij maar van me wilde houden, dan zou ik veilig zijn.
Haar geest glimlachte naar de zijne terug, veranderlijk als de zee in het westen. Al de tijd dat ze samen waren, hadden ze dit spel gespeeld en tot nu toe had hij geloofd de winnaar te zijn, immuun voor de betovering waarmee ze zoveel anderen aan zich had onderworpen.
'Je bent bang voor me,' zei ze. 'En je hoopt in de liefde de controle over mij te houden. Maar ben je bereid om mij in ruil ook liefde te geven, liefde gevend en delend? Of wil jij enkel maar heersen?'
De grote barrières waarachter de waarheid verborgen lag, verschrompelden. 'Je weet dat ik al van je houd.'
'Genoeg om er niets voor in ruil te vragen? Onzelfzuchtig?'
'Dat weet ik niet.'
Haar stem werd uitdagend en onverschrokken. 'En wat zal er gebeuren als ik je liefde niet beantwoord, Hermes Chrysorapis? Wat zul je dan met me doen?'
Hij omvatte haar met zijn armen, zijn gezicht begravend in de waterval van haren die over haar schouders golfden. Hij hoorde de ironische klank van triomf in haar stem. Ze wist het. Ze wist het.
Hij maakte zich van haar los en stond weer alleen. De hemel werd grijs bij het naderen van de dageraad. De meteoren doofden uit.
'Ik heb die sterrenregen niet echt gemaakt,' zei hij. 'De meteoren komen elk voorjaar rond deze tijd. Ze geven het einde aan van het regenseizoen. Maar ik wilde je ermee verrassen.'
'Wat zul je met me doen als ik je niet kan liefhebben?' herhaalde ze de vraag.
'Ik denk dat je dat al weet.'
Hij reikte haar zijn hand en samen gingen ze de duistere toren binnen, terwijl achter hen de laatste meteoren explodeerden in de koele donkerte.

4

Nog één dag en het zou Tony Wayland zijn gelukt om te ontsnappen. Nog één dag en hij zou op weg kunnen zijn gegaan met de normale karavaan naar Fort Roest en dan de benen hebben genomen zonder dat iemand het in de gaten had gekregen.
Maar de Huilers hadden de IJzeren Maagd-mijn overvallen voor de karavaan vertrok. En Tony wist dat hij sterven ging.
Hij was een uitzonderlijk persoon in het Plioceen van nu, een metallurgisch ingenieur en bovendien een vroegere drager van zil-

ver die volkomen bij zijn verstand was gebleven. Zijn psychische vermogens waren eigenlijk zeer bescheiden geweest, maar hij dankte zijn hoge status onder de Tanu aan de introductie van een belangrijke zuiveringstechniek die hij in de bariummijn in Finiah had toegepast. Tony had van de nieuwe leiders, leden van het stuurcomité van de Minderen, opdracht gekregen zijn leven onder geen enkele omstandigheid nodeloos in gevaar te brengen. De rondreizen langs de IJzeren Dorpen die gevaar konden opleveren, volbracht hij altijd bij daglicht wanneer vijandige buitenaardsen zich zelden lieten zien. Bovendien werd hij overal geschaduwd door Sir Dougal, de vastberaden lijfwacht die hem door Oude Man Kawai was toegewezen. De pseudo-middeleeuwse afwijkingen van Dougal werden ruimschoots in evenwicht gehouden door diens fanatieke toewijding aan plicht en door zijn vaardigheid met de boog. Om eerlijk te zijn, het voelde voor Tony goed aan dat er tenminste één persoon in de buurt was die hem met 'Heer' bleef aanspreken. De meerderheid van Minderen in de ijzerindustrie waren bijna beledigend democratisch en hij mocht al blij zijn als ze geen uitgesproken minachting aan de dag legden voor een van zijn voetstuk gevallen drager van zilver zoals hijzelf. Hij had met de Tanu samengewerkt en dat uit vrije wil gedaan. Dus was hij een verrader van het menselijk ras.
Niet dat iemand het waagde hem zoiets in zijn gezicht te zeggen! Verre van dat. Zijn talenten waren van onschatbare waarde. Wanneer de vrije mensen die in de wildernissen van de Vogezen leefden – Minderen en de vroegere vluchtelingen uit Finiah – nieuwe slavernij door de Tanu wilden voorkomen en de bedreiging door de Huilers ontlopen, dan was de produktie van ijzer een bittere noodzaak.
Het 'bloedmetaal' was giftig voor al de soorten van het buitenaardse ras en dat ijzer was een voorname factor geweest bij de verwoesting van Finiah door een coalitie van Firvulag en Minderen. Tony Wayland was een van de grootste prijzen geweest tijdens die menselijke overwinning. De meeste andere dragers van zilver hadden veilig kunnen vluchten naar gebied dat door de Tanu werd beheerst op het moment dat Heer Velteyn de inwoners van zijn gedoemde stad evacueerde. Maar Tony had geen geluk gehad.
Een monkelende bende van binnenvallende Minderen had hem bij wijze van spreken op heterdaad betrapt in de Koepel van Genot van Finiah, te mesjokke na een vrijpartij met een Tanu-vrouw om onderscheid te kunnen maken tussen het vuurwerk in zijn kop en het kabaal van de Götterdämmerung die boven de stad hing. Dus namen ze hem tussen zich in en lieten hem afmarcheren naar één van hun tribunalen waar hij voor de keus werd gesteld die ieder mens met een halsring na de val van Finiah onder ogen moest zien: *leef vrij of sterf.*

Tony was een pragmaticus en had zich dus onderworpen aan het verwijderen van de halsring en aan de tantalizerende pijnen die volgden in de weken van psychische aanpassing. Maar hij had het niet vergeten of vergeven. En hij zou al lang naar de Tanu zijn weggeglipt als zich niet die veel grotere ramp had voorgedaan die de hoofdstad van de buitenaardsen, Muriah, goeddeels had verwoest en het merendeel van de edelen daar gedood. De Grote Vloed had zoveel verwarring gezaaid dat hij geen kans meer had gezien uit te maken waar nu zijn beste kansen lagen. Het fort aan de Uirivier en de andere versterkingen langs het water waren sinds lang verlaten. Kasteel Doortocht, onbruikbaar geworden sinds de tijdpoort was gesloten, was, naar ze zeiden, overgenomen door de Firvulag. Het Kleine Volk had ook de stad Burask ingenomen die langs de nu gevaarlijk geworden weg lag die naar Armorica en Goriah voerde.

Al met al had Tony eigenlijk geen andere keus gehad dan bij de Minderen in de Vogezen te blijven. Hij liet het voorkomen alsof hij van ganser harte met de opstandelingen samenwerkte, hoewel het leven in de pas gevestigde IJzeren Dorpen een brute achteruitgang betekende vergeleken bij de fijnzinnige verrukkingen van Finiah. Er waren zes van die nederzettingen waar samen ongeveer vierhonderd mensen woonden, voornamelijk mannen. Vijf dorpen lagen in de directe omgeving van het toekomstige Nancy. Ze heetten IJzeren Maagd, Hematiet, Mesabi, Haut-Fourneauville en Vulcanus. Ze hadden allemaal open ertsgroeven en een simpele smelterij omgeven door een zware palissade. De grootste, IJzeren Maagd, deed ook dienst als depot voor het ijzer dat elders werd geproduceerd. Ze lag vrijwel naast een gebied waar het woud van coniferen was gedood door een of andere ziekte en op Tony's suggestie was daar een hoogoven gebouwd. Vulcanus en Haut-Fourneauville bezaten kleine, primitieve smidsen en walserijen. Stroomopwaarts en zuidelijk van dit vijftal dorpen, ongeveer halverwege Verborgen Bron, op negentig kilometer afstand lag Fort Roest, de grootste nieuwe nederzetting. Dit was de grootste industrie waren staven en baren ijzer werden omgesmeed tot wapens. Het fort bezat een kalkbrander en houtskoolovens. Deze vitale grondstoffen werden over de Moezel per vlot naar de werkplaatsen vervoerd, net als voedsel en andere voorraden. Karavanen van chaliko's en helladotheria brachten het ijzer naar Fort Roest.

Omdat de hele onderneming nog maar net was opgezet, waren er nauwelijks pogingen gedaan ijzeren wapens te exporteren naar andere groeperingen van Minderen. Maar iedereen had er inmiddels over gehoord. En gedurende heel het regenseizoen kwamen moedige expedities uit het Parijse Bekken en de Zwitserse bergen en zelfs uit de buurt van Bordeaux en Engeland de Vogezen binnenslippen om hun deel van het bloedijzer op te eisen. De nieuw-

komers werden tot arbeid gedwongen, verwerkten kalksteen of stookten moeizaam de onverzadigbare cokesovens wekenlang. Daarna werden ze betaald in ijzer en teruggestuurd naar hun huizen, klaar om ook actie te ondernemen.
Heel die lange winter vanaf november had Tony twaalf tot veertien uur per dag gewerkt. Hij was in zijn eentje alles tegelijk, trainingsprogramma, analytisch laboratorium, opzichter, kwaliteitscontrotroleur. Iedereen prees hem, maar niemand was zijn vriend, behalve de half gekke Dougal, die in en uit zijn ridderpersonificatie sprong als een Shakespeariaans acteur die zijn teksten vergat. Tony kon niets anders doen dan geduldig afwachten tot de politieke situatie in het Veelkleurig Land weer overzichtelijk was geworden.
Als de geruchten die door de laatste nieuwkomers werden meegebracht, vertrouwd konden worden, dan was de tijd eindelijk rijp! Er werd verteld dat een of andere omhooggevallen mens zichzelf tot heerser had uitgeroepen over het rijke Goriah dat eens aan de nu dode Strijdmeester Nodonn had toebehoord. Er waren aanwijzingen dat deze overweldiger door de overlevenden van de Hoge Tafel der Tanu was geaccepteerd en zelfs welkom geheten. Er werd verteld dat hij zou gaan trouwen met de weduwe van de Strijdmeester en dat hij alle mensen met halsringen zou verheffen tot een nieuwe aristocratie! (Hoe had Tony's arme hals gejeukt bij het horen van dat laatste gerucht en hoe venijnig had de herinnering gebrand aan al de extases die met het verlies van zijn halsring eveneens verloren waren gegaan!)
Toen het regenseizoen zijn einde naderde, had Tony zijn plannen klaar. Op het moment dat die bende Minderen uit Bovenlaar hun arbeid hadden volbracht en uit Fort Roest wegtrokken met een lading bijlen, messen en speerpunten, zou hij hen kunnen volgen om zich op een veilige afstand van de Vogezen bij hen te voegen wanneer de onvermijdelijke achtervolgers die hem zouden zoeken, moe waren geworden en het hadden opgegeven. De trouwe, nooit vragen stellende Dougal zou hem volgen en wanneer ze eenmaal de Laar hadden bereikt, zouden ze over de oceaan naar Goriah kunnen zeilen. Tony twijfelde er niet aan dat ze in Goriah door de nieuwe monarch warm zouden worden ontvangen. Glanzende gouden halsringen zouden hun deel zijn . . .
En het had allemaal kunnen gebeuren zoals hij had voorzien wanneer die overval door de Huilers hem niet had verneukt.
Een kei ter grootte van een pompoen kwam door het ravijn naar beneden, dwars door de palissade en smakte als een kanonskogel tegen de balken wanden van de barakken.
'Verdomme, jongens. Ze zijn nog steeds buiten schootsafstand!'
De voorman uit de mijn, een kerel uit de heuvels met grote kaken die Orion Blauw heette, kuchte en hoestte en spoog. De zware

eiken boomstammen bogen bij iedere volgende inslag iets verder naar binnen. De belegerde mannen binnen het kleine fort stikten half in een steeds opwarrelende wolk droge klei, stof en zaagsel. Dougal sloeg geen acht op het bombardement. Modderig zweet droop uit zijn rossige baard op de schakels van zijn kuras dat van titanium was gemaakt. Het overkleed met zijn blazoen dat bij zijn zelfverzonnen ridderschap hoorde (een gouden leeuwekop op een keel van rood) was vlekkeloos als altijd. Het 22e-eeuwse textiel was geïoniseerd en daardoor stofafwerend.
'Hellehonden! Laat jezelf zien!' schreeuwde hij, terwijl hij de ene pijl na de andere door de opening joeg. Opnieuw smakte een zware kei tegen de wand en deed het hele fort trillen. Toen de trilling uitstierf was ergens in de verte een vage kreet hoorbaar.
'Aha! Aha!' krijste Dougal. 'Sterf dan, misgeboorte en Huilersvuil!'
Orion Blauw loerde door het kijkgat naast de Middeleeuwer.
'Ze zijn bezig een zware kanjer klaar te maken, Dougie. Kan je ze niet tegenhouden?'
'Buiten bereik,' zei de ridder kortaf.
Boven van de helling kwam een donderend lawaai.
Beniamino, met een plotselinge falsetstem van angst, deinsde van het kijkgat achteruit.
'Terug! Allemaal achteruit! Dat loeder van een kei is groter dan wat ook en komt recht op ons af.'
De verdedigers stoven vloekend opzij. Alleen Tony Wayland bleef staan, als bevroren, niet in staat zijn blik af te wenden van die kolossale brok graniet die van boven op hen af kwam rollen. Boven op de heuvel, buiten bereik van de met ijzer beslagen pijlpunten van de mijnwerkers, sprong een horde dwergen schreeuwend op en neer. Ze verspreidden een zwakke gloed in de ochtendnevel.
'Voorzichtig, mijn Heer,' schreeuwde Dougal. Tony voelde hoe hij werd beetgegrepen, opgetild en verscheidene meters naar rechts geworpen. Bijna tegelijkertijd volgde de oorverdovende inslag. Een van de grote boomstammen in de westelijke muur schoof naar binnen. De balken daarboven zakten gedeeltelijk ineen en kraakten ellendig. Maar de structuur bleef voor het ogenblik nog overeind. Als echter één van de projectielen nu het dak trof dat heel wat minder solide was vervaardigd, dan zou het hele gebouw hen om de oren vliegen.
Orion lag spartelend in het vuil en deed niet eens moeite overeind te komen. Hij kroop naar de noordoostelijke hoek van de barak waar de meesten van de overlevende mijnwerkers bijeen waren gekropen achter een extra barricade van leren zakken, gevuld met ijzeren pijlpunten.
'Het is met ons afgelopen, jongens. Er zijn nog maar negen van ons moederskindertjes over tegen een hele horde van die spoken. Ze

zullen deze plek opblazen en dan onze geesten gaar branden zoals ze met die arme donders die buiten waren al gedaan hebben.'
Tony kroop naar de anderen, de onbruikbare kruisboog onder een arm. Alleen Dougal bleef uitdagend staan bij de westelijke muur waar kleinere keien nog steeds met donderend lawaai tegen de versplinterde eiken vielen.
Hij sloeg met de vlakke hand tegen de gouden leeuw op zijn borst.
'Ah, gij kinderen van de angst! Zult ge lafaards zijn voor de duistere onderdanen van de nacht, gij hoerenzonen? Niet ik!' Hij greep een nieuwe handvol pijlen. 'Nu dan, Goden. Sta op tegen de bastaards.'
Bij zijn volgende schot brak de pees en de brokstukken snaar zwierden machteloos rond.
'Oh, shit,' zei Dougal.
Hij liep terug naar het wanhopige groepje, zakte voor Tony op een knie en trok ondertussen een stalen dolk die hij met de punt naar voren vlak bij zijn gezicht hield.
'Ik heb gefaald, Verheven Heer. Ik ben u mijn leven schuldig. Maar als u dat beveelt, wil ik dit gebruiken om u en deze deernen een schrikwekkende dood te besparen uit handen van de demonen der Huilers.'
'Wie is er hier een deerne?' snauwde Orion.
Verschillende andere mannen deinsden met open mond terug van de knielende figuur.
'Verdomde halve gare,' mompelde er een. 'Roep hem terug, Wayland.'
Op datzelfde ogenblik sloegen drie zware rotsblokken in, de gebroken balk kwam nog verder naar binnen. Kleine Beniamino likte zijn lippen, de bloeddoorlopen ogen schoten heen en weer.
'Dougie heeft misschien gelijk, jongens. De lui die buiten werden overvallen, stierven vlug. Maar als die ijskouwe Huilers ons te pakken krijgen, konden ze er wel eens de tijd voor nemen om ons de lampjes uit te blazen. Herinneren jullie je die arme Alf en Veng Hong nog, vorige maand?'
Dougal liet de punt van de dolk zakken tot op de hoogte van Tony's maag.
'U hoeft maar te spreken, Heer. En we zullen elkaar weerzien voor de troon van Aslan.'
'Doe dat weg!' riep de metallurg uit, terugdeinzend tegen de oostelijke muur. Hij hield zijn kruisboog voor zich uit. Na een korte aarzeling stak Dougal de dolk weg in de schede en maakte een hoffelijke buiging.
'We hebben de andere bogen nog, Sir Dougal. Al dragen die niet zo ver als de uwe. En de meeste balken buigen wel, maar ze zijn nog steeds op hun plaats. In Fort Roest en op andere plaatsen moeten

ze nu zo langzamerhand weten dat er hier moeilijkheden zijn. Als we het vol kunnen houden totdat er versterkingen zijn gestuurd . . .'
'Blijf jij maar dromen, Wayland,' zei een van de mijnwerkers bitter.
Een andere man kromp in elkaar, het hoofd tussen zijn knieën. Zijn lichaam schudde van de onhoorbare snikken.
Hamid, die voor de produktie van terpentijn zorgde, controleerde het gyrokompas op zijn pols om er zeker van te zijn in welke richting Mekka lag, zes miljoen jaar verder, en knielde op de grond om zijn laatste gebeden te zeggen.
Orion Blauw liep naar een van de oostelijke uitkijkspleten en wierp een blik op de Moezel waar mist boven het water hing. Hij gebruikte een kleine verrekijker.
'Donder en bliksem!' vloekte hij en deinsde achteruit alsof hij een schok had gekregen. 'Er komt iets uit het zuiden. Maar zo zeker als wat, dat zijn geen troepen uit Fort Roest.'
Iedereen behalve Hamid en de huilende mijnwerker drong opeen voor het uitkijkgat om er een blik door te werpen. Een groot vlot was bezig aan te meren. Het vervoerde een torenachtig houten apparaat dat nog het meest leek op een kraan of een bok op wielen. Het bovenste deel van het ding bezat een zwenkarm met een grote lepelachtige container aan één kant en een vormloos zwaar voorwerp aan de andere. Een ingewikkeld stelsel van touwen hield het vastgebonden op het onderstel. Toen het vlot was vastgemaakt, begonnen drie monsterachtige Huilers kabels aan het houten gevaarte vast te maken, spanden zichzelf in en begonnen het ding naar de open poort van het dorp te trekken.
'Maledizione!' huilde Beniamino. 'Una bombarda!'
'Wat is dat voor de donder?' vroeg Tony.
Sir Dougal bestudeerde de machine met professionele belangstelling.
'Is het een gewone blijde? Een perrier? Een stormram? Gek . . . Ik heb nooit gehoord dat de Huilers mechanische werktuigen gebruikten.'
'Maar wat *doet* het?' schreeuwde Tony uitgeput.
Dougal wendde zich ernstig naar Orion Blauw. 'Mag ik uw kijkglas een ogenblik lenen?'
De voorman van de mijn gaf het hem zonder een woord te zeggen. Dougal begon er ingespannen door te staren, bijna onhoorbaar mompelend.
'Geen ballista. Het heeft een tegengewicht. Heel vreemd allemaal . . . Aha, ik denk dat ik het weet. Het is een *trebuchet*!'
Tony schreeuwde het bijna uit.
'Wat . . . doet . . . dat . . . ding!'
De ridder haalde zijn schouders op.

‘Wel, het is een middeleeuwse katapult, moet u weten. Ze willen er een eind aan maken door keien op het dak te laten komen.’
‘Hellevuur!’ kreunde Orion.
Tony keek naar het dichterbij komen van de belegeringsmachine met een fatalistisch ontzag. Het middelste monster in de trektouwen was een afschrikwekkende verschijning die Dougal typeerde als een ‘fachan’. Het bewoog zich voort in vreemde sprongen omdat het maar één pilaarvormig been bezat. Een hand zonder arm, meer dan een meter groot en uitgerust met zwarte klauwen, sprong direct uit de smalle kippeborst te voorschijn. Het hoofd bezat een cyclopenoog, een kikkerachtige bek en een obscene heen en weer glijdende grijptong. Zijn maten onder hetzelfde juk zagen er iets conventioneler uit: een twee meter grote hagedis met brandende vuurrode ogen en een groot wrattenzwijn, hemelsblauw dat op zijn achterpoten liep.
Toen het trio Huilers binnen de dorpsomheining kwam, slaakten ze een strijdlustig gehuil. Hun kameraden op de hogere grond boven het fort antwoordden vol leedvermaak terwijl ze tegelijkertijd een ware lawine van keien lieten neerkomen op de barak. Ironisch genoeg was het juist die overvloed die de ingesloten mijnwerkers tijdelijk respijt gaf. Want er waren nu zoveel rotsblokken en keien tegen de westelijke muur gegooid dat ze samen een uitspringende hoek vormden, een wigvormige massa die de neiging had nieuwe projectielen naar rechts of naar links te doen afwijken. Toen de buitenaardsen in de gaten kregen dat hun bombardement niet langer effectief was, staakten ze het om te wachten op de aankomst van de trebuchet.
Dougal hief zijn armen. De glinsterende maliën en het rood van zijn wapenrok verleenden hem een luisterrijk uiterlijk te midden van de stofnevels.

‘Stijg hoog, stijg hoog, mijn ziel, uw zetel is daarboven,
wijl hier mijn grove vlees tot in de dood moet doven.’

Hij sloot zijn ogen even met een zucht vol theatrale melancholie.
‘Verdomde achterlijke idioot!’ Orion greep de kruisboog die de ridder had laten vallen en een leren emmer vol pijlen. ‘Kom eruit, Dougie en ga met je luie reet naar de voorkant. Die spoken aan die machine komen binnen bereik van je boog.’
Dougal schudde de aura van berusting van zich af.
‘Wat zegt gij, gij ongewassen handwerksman?’
‘Ze hebben die duivelse machine nu in de buurt van de scheepsbenodigdhedenopslag en ze klimmen overal in en uit. Ze maken zich klaar, denk ik. Maar je kan ze nou zien en misschien kan je die zeikers raken als je het goed uitkient.’
Dougal, Tony en de meeste andere mijnwerkers renden naar Orion toe bij de noordelijke muur. Het vlakke terrein tussen de barak en de andere gebouwen lag bezaaid met lichamen van mensen en cha-

liko's. Toen de Huilers hun verrassingsaanval begonnen, was een karavaan beladen met ruw ijzer net op weg naar Fort Roest. De katapult stond nu op ongeveer negentig meter van de barak, deels afgeschermd door de hoek van een schuur waar hout werd gestookt. Een grote stapel boomstompen naast het gebouw met de scheepsvoorraden verschafte de vijand enige dekking, maar de mannen binnen de barak konden een donkere vorm zien op het bovenste deel van de belegeringsmachine. Hij was waarschijnlijk bezig het werptuig af te stellen.
'Vijand in beweging!' Beniamino tuurde door een van de uitkijkgaten aan de westkant. 'Ze komen de heuvel af en gaan naar het noorden. Ze willen waarschijnlijk hun makkers helpen met de ammunitie voor het bombardement.'
Ver buiten het bereik van hun bogen konden ze nu vormen waarnemen die voortbewogen tussen de palissade van het dorp en de open mijn waar het rode ijzerhoudende erts fel contrasteerde met het groen van de bossen, alsof daar een open wond in het land lag te bloeden.
Het was spookachtig stil geworden, een stilte die slechts af en toe verbroken werd door krakende geluiden wanneer er door een van de Huilers aan de katapult werd gewerkt.
Dougal legde aan. *Woenng*, zong de kruisboog. Aan de overzijde liet iemand een gorgelend gebrul horen. Een hemelsblauw karkas tuimelde uit de toren van de katapult en leek tijdens het vallen tot een veel kleinere, zwarte vorm te slinken. Een koor van woedend gehuil weerklonk vanachter de stapel rotsblokken.
'Hee-hoo!'
Orion sloeg enthousiast op zijn dij, de verrekijker nog steeds voor zijn ogen. 'Kijk goed uit! Aan de andere kant van die stapel! Daar beweegt wat in die bosjes!'
Woenng.
Een verschijning als een met klauwtjes bezette donsbal sprong hoog in de lucht, de rudimentaire ledematen fladderden en het slaakte een gekrijs als een wilde kat. Terwijl het buiten gezicht viel, leek ook hij van vorm te veranderen.
'Raak, overduidelijk raak!' zei Dougal.
'Dat zijn er al twee!' grinnikte Orion.
Tony sloeg de grote ridder op een gemaliede schouder. 'Goed gedaan, mijn beste.'
'Uw dienaar, Heer.'
Beniamino zoog sissend zijn adem in. 'Hé, de werparm op dat ding is in beweging. Ze zijn klaar om te vuren.'
Dougal gluurde wanhopig langs zijn vizier. 'Ik zie verdomme geen mallemoer . . . ik bedoel, de vijand bedriegt mijn ogen, Goede mens uit Napels, en ik . . . hoho, jongen. Daar komt ie!'
Het van een tegengewicht voorziene werptuig was nu helemaal

naar beneden. De hele machine stond te trillen. Plotseling viel het contragewicht, de arm zwaaide omhoog en een blok graniet dat zeker vijftig kilo moest wegen, kwam suizend over het dak van de barak waar het met donderend lawaai in de verste hoek insloeg.
'Bismallah!' schreeuwde de zoon van de Profeet, terwijl hij opnieuw op zijn knieën viel. 'Nu is het met ons gedaan.'
'Doe iets, Dougal!' maande Tony zijn vazal. Maar de rossig gebaarde kop waggelde in hopeloos chagrijn heen en weer. 'Ik kan de demonen niet helder waarnemen, mijn Heer. Ze verschuilen zich achter de branderij.'
'De branderij!'
Tony's gezicht lichtte op. 'De scheepsbenodigheden! Teer, terpentijn, pek, vaten vol met die rotzooi. Als je dat zou kunnen raken met een brandende pijl . . .'
Een heftige klap onderstreepte het inslaan van een ander rotsblok op nog geen vijf meter van de barak.
'Ze raken ingeschoten,' gromde Orion. 'Maak dat je uit de vuurlijn komt, allemaal.'
Ze verspreidden zich. Tony vloekte woest en probeerde een pijl zo te bewerken dat hij geschikt werd voor de kruisboog. Iemand vond een fles vol met brandbare pek en Beniamino gebruikte zijn bekwaamheid als kampkok door vliegensvlug vuur te maken.
Het eerste projectiel dat echt raak was, viel door het dak precies op het ogenblik dat Tony het probleem met de pijl had opgelost. Een vallend stuk hout raakte een van de mijnwerkers op de schouders en sloeg hem tegen de grond. Schreeuwend en hoestend kwamen anderen aangerend om het slachtoffer te bevrijden, terwijl Tony de nu loeiende vuurprop aan de pijl bevestigde. Hij overhandigde hem aan Dougal.
'Je hebt maar één kans. Recht door het open raam van de winkel. Maak ze dood, grote man.'
Dougal legde aan en liet los. Meteen leek alles tegelijk te gebeuren. Nog een groot rotsblok verwoestte het dak precies boven het kijkgat waar Tony en Dougal stonden. Terwijl ze hun hoofden probeerden te beschermen, kwam een regen van balken en stukken hout naar beneden. Tony merkte hoe hij viel, er weerklonk een overweldigend *whoemp*, een gekletter dat geen einde leek te nemen en daarna het verwarde koor van buitenaards geschreeuw.
Terwijl Tony als een gebroken pop gevangen raakte in een wirwar van reusachtige brokken balk en planken, hoorde hij nog de juichkreet van Orion waaruit hij opmaakte dat de vuurpijl doel had getroffen. Daarna kwam de vergetelheid.

Helemaal verbonden en gespalkt werd hij wakker. Het gezicht van Denny Johnson, één van de legeraanvoerders van de Minderen, keek op hem neer uit een gezicht dat eruitzag als een geteerd mas-

ker. De medicus uit Verborgen Bron, Jafar, was er ook en naast hem een van de grote mannen, Oude Man Kawai in eigen persoon.
Tony probeerde te praten. 'Was 'ebeurd?' informeerde hij wauwelend.
De arts tilde zijn hoofd op, bood hem een glas water aan met een rietje en hielp hem drinken.
'We hebben je gebroken kaak opgebonden. Doe het rustig aan.'
'Ah daz veel beetzer.' De metallurg slaagde erin een verfrommelde glimlach te voorschijn te toveren. 'Duz jullie ..amen ne op ei eh?'
Denny knikte.
'We hebben met de boot uit Fort Roest een afdeling vechters laten landen, terwijl die monstertjes bezig waren hun brandende katapult te blussen en hun gewonden te redden. We hebben ze allemaal afgemaakt.'
'Jij en de andere verdedigers hebben voortreffelijk weerstand geboden, Wayland-san,' zei Oude Man Kawai. 'De vrije mensheid is jullie veel verschuldigd.'
'Mmm . . . ooie oovver.inning,' mompelde Tony vermoeid. 'die thsoken ve'moo'dden dertig, veertig ve onz . . .'
Kawai haastte zich met zijn uitleg. Zijn vuilgele, ongelofelijk gerimpelde gezicht bibberde van opwinding.
'Het verlies aan mensenlevens is betreurenswaardig, Wayland-san, maar deze kameraden zijn niet voor niets gestorven. We hebben onschatbare informatie aan dit gevecht te danken.'
Tony interrumpeerde hem met de prikkelbaarheid van de invalide.
'Dougie! Waarz Dougie?'
De dokter rommelde wat met een soort monitor op Tony's voorhoofd.
'Die is helemaal overstuur.'
Tony probeerde overeind te komen. Zijn ogen gingen wijd open.
'Zje bedoel nie Dougiez *dood*?'
'Sir Dougal leeft en is herstellende,' zei Kawai. 'Datzelfde geldt voor vijf van de anderen.'
Tony zuchtte en ontspande. Het werd weer schemerig in zijn bewustzijn, maar toen gingen zijn ogen ineens weer open. Hij keek de oude Japanner met doordringende intensiteit aan.
'Invoormaardzie? Waz voor invoormaandzie?'
Denny Johnson boog zich over het bed.
'Maandenlang hebben we de Huilers de schuld gegeven van deze onverwachtse overvallen omdat zij eigenlijk nooit deel hebben willen uitmaken van het bondgenootschap tussen mensen en Firvulag. We wisten zeker dat onze aanvallers Huilers moesten zijn, want de leden van het Kleine Volk zijn onze beste vrienden geweest sinds de val van Finiah. Dat is tenminste wat we *dachten*.'

'Zje bedoel deeze zzpoken . . .'
Kawai's zwarte knoopogen glinsterden boos.
'De dode lichamen van jullie aanvallers keerden terug naar hun gewone vorm. Toen Denny en zijn troepen het slagveld nazochten, vonden ze niet de lichamen van mutanten maar van normale Firvulag. Onze geliefde bondgenoten.'
Hij schudde zijn hoofd.
'Madame Guderian vertrouwde ze nooit. Ze heeft gelijk gekregen. De Firvulag hebben deze verraderlijke aanvallen ondernomen in de hoop dat wij de IJzeren Dorpen zouden verlaten. Ze zijn bang voor het bloedmetaal ondanks onze beloften dat we nooit ijzer tegen onze vrienden zouden gebruiken.'
Tony knipperde met zijn ogen.
'Mezjien . . . 'lleen hheethoofden.'
'De lichamen droegen wapenrustingen van obsidiaan,' antwoordde Denny. 'Ze zijn zonder twijfel afkomstig uit het gewone leger van koning Sharn en koningin Ayfa. En het gebruik van die nieuwe machine laat duidelijk zien dat ze niet van plan zijn tijd te verspillen met het adopteren van nieuwe vechttechnieken nu ze weten dat het machtsevenwicht in hun voordeel is verschoven.'
'En we zouden dat nooit hebben ontdekt,' voegde Kawai eraan toe, 'als jullie je niet zo dapper hadden geweerd.'
Tony kreunde en draaide zich om.
'Hij kan nu maar beter rusten,' drong de dokter aan.
De gewonde metallurg mompelde nog een laatste zin en gleed toen weg in de slaap.
Kawai's wenkbrauwen kwamen vragend omhoog. 'Dokter Jafar? Wat zei hij precies?'
De arts keek fronsend. 'Ik geloof dat ik verstond: breng me terug naar Finiah.'

5

Vrouwe Estella-Sirone, de weduwe geworden kasteelvrouwe van Darask, was er zo zeker van geweest dat Elizabeth het chalet naar haar genoegen zou vinden, dat ze haar majordomus vooruit had gezonden om de nodige voorbereidingen te treffen, samen met hen die zich vrijwillig hadden aangeboden voor huishoudelijk werk en de bewaking. Het merendeel van de vluchtelingen bleef in het kamp aan de westelijke zijde van het Lac Provençal. Van daaruit was het slechts een halve dag rijden naar het jachthuis op Zwarte Piek, midden in het gebied van de Zwarte Bergen in zuidelijk Frankrijk.

Tegen de tijd dat Elizabeth, haar vier vrienden en hun escorte van trouwe mensen en Tanu op hun inspectietocht arriveerden, had de onmisbare en onschatbare Hughie B. Kennedy VII de romantische toevlucht van zijn meesteresse al helemaal geveegd, schoongemaakt en ingericht voor de gasten. Een tafel in de afzonderlijke eetzaal naast de voornaamste suite (die bedoeld was als appartement voor Elizabeth) was gedekt en voorzien van wat volgens deze Ierse majordomus een lichte lunch was: gemarineerde paddestoelen, kikkerbilletjes in aspic met champagne, gevulde groene olijven, gerookte zalm, kievitseieren à la Christiana, hamsoufflé met aspergepunten, kwartels, geroosterde koude hipparion, Waldorfsalade, paté van ganzelevers, vers zuurdesembrood, partjes sinaasappels en koekjes van gemalen peulen.
Het was het eerste feestelijke en beschaafde maal dat de vijf leiders van de evacuatie uit Muriah in lange maanden hadden gezien. Het veroorzaakte een atmosfeer van bitterzoete vreugde.
Het was duidelijk dat dit jachthuis in de bergen uitstekend geschikt was voor de behoeften van Elizabeth, en Creyn zou bij haar blijven. De anderen zouden echter verder trekken naar Verborgen Bron zoals ze van plan waren geweest.
Het was mogelijk dat hun scheiding hierdoor definitief zou worden, ook al zouden ze in staat blijven tot onderlinge communicatie doordat Basil en Commandant Burke nu ook gouden halsringen droegen. Daardoor kreeg echter hun conversatie iets mistroostigs en de pijn van de op handen zijnde scheiding vergalde hun eetlust.
Ten slotte lieten ze de pogingen tot valse opgewektheid maar achterwege en spraken over die verschrikkelijke reis die nu vrijwel ten einde was. Eerst de onverdraaglijke tocht over het verwoeste schiereiland van Aven waarbij de uit drie rassen bestaande groep evacués veranderde in een psychosociale nachtmerrie.
De verraderlijke vlucht van de Firvulag die ervandoor gingen met het merendeel van hun overlevingsmateriaal midden in het ergste deel van het regenseizoen. Het geworstel met de zieken en gewonden die moesten worden meegenomen, de wanhoop van de verslagenen. Hun vlucht hals over kop voor Celadeyr van Afaliah met diens bende orthodoxe fanataci. De afschuwelijke tocht door de Catalaanse Wildernis waarbij ze een zelden gebruikt spoor hadden gevolgd dat uitliep op een moeras vol giftige slangen, reuzenmuskieten en bijtende bloedzuigers . . .
Daarna eindelijk een wijkplaats. De laagste heuvels van de oostelijke Pyreneeën vol mijnen en plantages en de gevaarlijk ontvolkte steden Tarasiah en Geroniah die maar al te graag nieuwe burgers welkom heetten. (Tegen die tijd was het nieuws van de verovering van Barask door de Firvulag naar het zuiden doorgesijpeld en er waren aanwijzingen dat andere, niet voldoende verdedigbare steden als volgende hoog op de lijst stonden.) Ongeveer een derde van

de evacués, mensen en Tanu, besloot zich in Spanje te vestigen. Maar de overigen van de ongeveer 3700 vluchtelingen hoopten hun oude thuis te bereiken en trokken verder in de richting van de glimlachende kusten van Lac Provençal waar de vrijgevigheid van Estella-Sirone van Darask hun alle comfort schonk. (Dat waren ten slotte de gezellen van Elizabeth die het leven van de Vrouwe had gered terwijl ze beviel.)
De gedecimeerde steden in de Languedoc wedijverden met elkaar om de gunst van de vluchtelingen. En nog aantrekkelijker aanbiedingen kwamen uit het verre Goriah in Armorica, waar Aiken Drum zijn positie consolideerde en een hoge positie en ongekende rijkdommen bood aan elke Tanu die nu geen thuis meer had en zich om hem wilde verzamelen. Hij beloofde gouden halsringen voor elke strijder van menselijke afkomst die trouw wilde zweren aan Heer Aiken-Lugonn. Aiken had persoonlijk een telepatische invitatie verzonden naar Elizabeth en bood haar volstrekte zelfstandigheid 'onder zijn bescherming'. Ze had dat met een koel bedankje afgewimpeld.
Dionket, Heer der Genezers, en andere overlevenden van de vredesfactie vertrokken om zich te voegen bij Minanonn de Ketter, die in zijn afgelegen enclave in de bergen de leider was van een klein groepje Tanu, Firvulag en een handvol vrije mensen die met elkaar onder Spartaanse omstandigheden maar in vriendschap leefden. Dionket had er bij Elizabeth op aangedrongen dat ze hem voor haar eigen veiligheid daarheen zou vergezellen. Maar ook zonder helderziende waarneming wist Elizabeth maar al te goed dat een vredelievend zich terugtrekken en verbergen nooit haar bestemming kon zijn in het Veelkleurig Land. Later was het nog moeilijker geweest om Commandant Burke, Zuster Amerie en Basil Wimborne te vertellen dat ze ook hen niet vergezellen kon op weg naar Verborgen Bron. Zij had een geïsoleerde toevlucht nodig, waar ze zich voor het ogenblik volledig kon terugtrekken om te herstellen en zich voor te bereiden op de nieuwe rol die ze vrijwillig op zich had genomen.
Elizabeth stond op van de tafel en glimlachte terwijl ze met een handgebaar de kruimels van haar japon veegde.
'Nu is het onvermijdelijke ogenblik dus bijna daar. Zullen we allemaal naar buiten gaan, het balkon op. Ik geloof dat het helemaal rondom het huis loopt.'
Creyn was al uit zijn stoel en had de halfglazen deuren al geopend voor de anderen in beweging konden komen. De Tanu had zijn ruige reiskleren voor de maaltijd verwisseld en droeg nu weer het rode en formele wit van zijn hoge rang. Terwijl hij de anderen in het zonlicht volgde, verkleinden zijn pupillen zich tot speldepunten. Binnen in de diepe oogkassen werden de irissen van een onaards ondoorzichtig blauw. Zijn blonde haar was voor het begin

van hun exodus kort geknipt en hij torende boven Elizabeth uit als een vermagerde serafijn van El Greco die er tegelijk wereids en kwetsbaar uitzag. Hij was nu zeshonderdvierendertig jaar oud en hij was bereid om de rest van zijn leven in dit huis op de Zwarte Piek door te brengen als een soort oudste bediende voor de menselijke vrouw die door Breede de Scheepsgade 'de belangrijkste persoon in deze wereld' was genoemd.
Basil leunde over de balustrade, pretenderend het panorama naar het oosten te bewonderen. 'Ik denk dat deze plek uitstekend voor je geschikt is, Elizabeth.' Zijn stem klonk te hartelijk. 'Afgezonderd, veilig, een prachtige omgeving. Onze vrienden in Darask aan de andere kant van het meer dichtbij genoeg om je van alles te voorzien. Vrouwe Estella-Sirone had helemaal gelijk. Dit jachthuis is een perfecte woonplaats voor een kluizenaarster. Een zetel Odin waardig! Een hoge uitkijkplaats over de wereld!'
Ze lachten allemaal bij het zien van het mentale beeld dat hij projecteerde, behalve Amerie, die nog steeds geen halsring droeg.
'Is dat soms weer een van jullie grappen in de geest,' gromde ze.
'Gewoon een gek plaatje.' Elizabeth nam de non bij een arm. 'Stel je een derderangs produktie van een Wagner-opera voor. Een berg van gips met een heleboel flikkerlampjes en donderslagen waar je het blik doorheen hoort. En ik als een noordse godin in een fraaie houding op de top van mijn namaak-Asgard met een helm met vleugeltjes en een zwaarwichtige uitdrukking op mijn gezicht, terwijl ik beneden mij Middelaarde gadesla. En als ik ergens iets van sterfelijk gedonderjaag zie, dan heb ik een handige mand met bliksem bij me om mee te gooien.'
'Behalve dan dat je dat *niet* zou doen,' zei Amerie.
'Nee.'
'En daar zit 'm nou net de kneep.' Peopeo Moxmox Burke sprak heftig, zelfs op een toon alsof dat hem niet aanstond, terwijl hij tegelijkertijd heel onhandig probeerde zijn mentale scherm omhoog te krijgen om zijn emoties voor Elizabeth te verbergen. Die verdomde gouden halsring! Als het niet zo broodnodig was . . .
De goede, oude Basil kreeg zijn gestuntel in de gaten, hij werd een toenemende stroom van onrust en sentimentaliteit gewaar die de zaken voor Elizabeth en hen allemaal nog moeilijker zou maken. Met de tact van een edelman wendde hij zich over de persoonlijke golflengte tot Creyn:
Help hem. Help ons allemaal om het deksel weer op de ketel te krijgen.
Uit niets bleek dat de Tanu hem had gehoord. Maar direct merkten de twee mannen dat het mogelijk was hun bange voorgevoelens in te tomen, zowel fysiek als in de buitenste 'sociale' laag van hun mentale aura's. Basil werd weer het toonbeeld van praktische nuchterheid en Burke, de vroegere rechter, werd weer de archetypi-

sche Roodhuid, stoïcijns en streng als uit hout gesneden.
Als Elizabeth al iets merkte van dat metapsychische gemanoeuvreer, dan liet ze daar niets van merken. Ze wandelde over het balkon, bewonderde het ongewone houtsnijwerk en het adembenemende uitzicht. In het zuidwesten staken de witte sneeuwkronen van de Pyreneeën schitterend af tegen de hemel. De lucht was rustig, een klein beetje benauwd en van een zekere stille doorzichtigheid die doorgaans aan storm voorafgaat.
'Ik kan Minanonns territorium waarnemen,' zei ze. 'Een vallei met eromheen sneeuw bedekte pieken. Zoiets als Shangri-La.'
'Je zou veiliger zijn geweest bij hem en Heer Dionket,' zei Amerie. 'Zelfs veiliger bij ons in Verborgen Bron. We kunnen die bastaard Celadeyr niet vertrouwen. Hij kan vliegen en zelfs iemand in zijn vlucht meenemen. Hoe moeten we voorkomen dat hij hier naar toe komt en je kidnapt? Je zou een belangrijke gijzelaarster zijn. En ons bedrieglijke kleine vriendje Aiken Drum kon wel eens soortgelijke plannen hebben.'
Elizabeth keek haar drie vrienden aan en projecteerde een grote golf van welbehagen en geruststelling. Creyn torende hoog in de achtergrond.
'Ik heb al geprobeerd uit te leggen waarom ik niet bij Minanonn kan blijven,' zei ze, 'en ook niet in de Vogezen bij de rest van de vrije mensheid. Ik kan geen voorkeur laten blijken. Ik moet bereikbaar blijven voor iedere groepering in het Veelkleurig Land. Als mijn nieuwe rol tenminste succesvol wil zijn. En dat geldt vooral voor Aiken Drum en Celadeyr van Afaliah.'
Met een vinger volgde Basil de lijnen van een grotesk stuk houtsnijwerk in de balustrade. Het was een dwergengezicht.
'En wat doen we met de Firvulag? Ze zijn nu tienmaal zo groot in aantal als wij en Sharn en Ayfa zijn heel andere tegenstanders dan die arme ouwe koning Yeochee. De bediende van Vrouwe Estella, Kennedy, vertelde me dat het Kleine Volk uit de Zwitserse Alpen zich samentrekt in de buurt van Bardelask. Dat is een nogal klein stadje langs de Rhône, ongeveer tachtig of negentig kilometer ten noorden van Lac Provençal. Die plek is bijzonder kwetsbaar nu Heer Daral en de meesten van de ridders onder zijn banier in de Vloed zijn verdronken. Kennedy denkt dat de Firvulag van plan zijn de zwakkere steden één voor één in te nemen ondanks onze papieren wapenstilstand. Sharn en Ayfa kunnen altijd nog de Huilers de schuld geven.'
'Wanneer je met ons naar Verborgen Bron ging,' zei Burke, 'zouden we je met ijzer kunnen beschermen.'
Elizabeth legde een kleine hand op een van de massieve onderarmen van de Indiaan, die met littekens waren overdekt. 'Ik heb nu mijn eigen manieren om me te verdedigen, Peo. Geloof me. De Firvulag zullen me niets doen. En iemand anders evenmin.'

Burke keek dreigend en raakte met een bijna ritueel gebaar de gouden halsring aan. 'Als er ook maar de minste bedreiging is, uit welke hoek dan ook, moet je ons direct waarschuwen. We kunnen niet vergeten wat Breede over jou heeft gezegd.'
'Breede!'
Elizabeth lachte en keerde zich half om. 'De Scheepsgade was altijd al een melodramatische oude ziel. En ze wist heel goed hoe ze ons allemaal moest manipuleren!' De Grootmeesteres draaide zich opnieuw rond en opende haar armen. Ze leek hen alle drie te omarmen en hun zielen vleugels te geven. 'Maar manipulatie is niet mijn manier. Ik wil een magneet zijn, geen force majeure.'
Amerie pleitte bij de grote Tanu. 'Als ze ons nodig heeft, Creyn, zul *jij* ons dan roepen?'
'Dat zal ik, Zuster.' Hij aarzelde even en voegde er toen spijtig aan toe: 'Als jullie van plan zijn vandaag met de karavaan verder te gaan naar Sayzorask, dan moeten jullie nu op korte termijn vertrekken. Ik zal beneden wachten om jullie vaarwel te zeggen.'
Hij trok zich met een hoffelijke hoofdknik terug.
Tranen glinsterden in Ameries ogen. De symbolische scheiding tussen Elizabeth en haar drie mensenvrienden was in een ogenblik gemaakt, niemand had het werkelijk verwacht tot nu ineens het moment daar was.
'Maak je geen zorgen.' Elizabeths gezicht en geest glimlachten beide. 'Het komt allemaal in orde. We hebben allemaal ons werk te doen. Dat zal ons afleiding geven.'
Basil brak de betovering, deed een stap naar voren en nam Elizabeths hand. 'Creyn . . . een fijne kerel. Menselijker worden ze niet gemaakt. Hij en zijn mensen zullen goed voor je zorgen. Daar ben ik zeker van.'
'Lieve Basil.' Ze kuste hem op zijn verweerde wangen.
Hij liep achteruit, pauzerend bij de deur naar het balkon. 'Je kunt erop rekenen dat ik mijn best zal doen in die zaak met Sugoll. En wanneer dat voorbij is en de rust is weergekeerd, dan neem ik je mee op een bergbeklimming, precies zoals ik heb beloofd.'
Ze projecteerde gemaakt scepticisme. 'Je zult me nog moeten bewijzen dat er in jouw Alpen zoiets als een Pliocene Everest bestaat! Ik kan daar vérziend niets van waarnemen, weet je.'
'Hij bestaat!' Hij hief een onderwijzende wijsvinger. 'Het is lastig voor amateurs om hoogten te schatten. Zeker met het geestes oog.'
Met een laatste gebaar van vaarwel verdween hij naar binnen.
Nu was de beurt aan Burke. Hij torende boven de vrouw in het zwart uit, zijn gezicht onbeweeglijk. Hij sprak moeizaam door middel van de halsring met haar geest.
Ik zal leren vérspreektechniek. Praten met je overvelekilometers. Mijn beste Peo . . . Ik ben er nog steeds niet zeker van of het goed

was voor jou en Basil om die halsringen te gebruiken.
Creyn heeft ons getest. We kunnen ertegen, hij bewees. Maak je geen zorgen overons. Alleen antwoorden alswij advies nodig hebben.
'Je weet dat ik jullie altijd raad zal willen geven,' zei ze hardop. 'Dat is mijn manier. Maar jij en Basil en de andere sterken zullen de mensheid en de buitenaardsen van goede wil moeten leiden. Ik kan dat niet. De evacuatie van Muriah was maar het begin, al was het een goede start, vooral dank zij jou. Zelfs de Firvulag die gevlucht zijn, hebben geleerd dat vriendschap tussen onze rassen mogelijk is. En noodzakelijk.'
Nu kwam al het cynisme van de vroegere rechtsgeleerde toch naar boven. 'Die buitenaardsen waren mak genoeg direct na de ramp, toen ze nog met glazige ogen van de shock rondliepen. Niemand van die Tanu of Firvulag had het ooit eerder meegemaakt dat de grond onder hun voeten werd weggespoeld. Wij arme tijdreizende schooiers hebben wel andere dingen meegemaakt! Dus waren ze maar wat graag bereid mijn leiderschap te aanvaarden aan het begin van de tocht over het schiereiland. Maar je hebt gezien hoe snel de zaken erop achteruit gingen toen we Afaliah op het vasteland naderden. Zodra ze weer de lucht roken van het vertrouwde verleden en weer een psychologisch anker hadden, *whammm*!, waren ze ineens weer dezelfde bloeddorstige en arrogante Tanu en Firvulag van vroeger. Het had wel eens allemaal heel vervelend kunnen aflopen als het Kleine Volk tegen die tijd niet de benen had genomen naar de bossen.'
Ze wisselde voor een ogenblik woordeloze geruststelling met hem uit. Toen vroeg ze: 'Hoeveel menselijke vluchtelingen denk je mee te zullen nemen tot in Verborgen Bron?'
'We hebben besloten tot niet meer dan dertig van de allerbesten. Technici die we nodig hebben, dapperen die het niet op zullen geven als we proberen weer een expeditie uit te rusten om nieuwe vliegtuigen te bemachtigen. We hebben kans gezien zo'n twaalf vroegere specialisten bij elkaar te schrapen die vertrouwd zijn met gravomagnetische technieken en die vliegtraining hebben gehad.'
'Geweldig! En als Sugoll en Katlinel willen helpen . . .'
'Dat is ze geraden!' Burke keek somber. 'Maar Felice en de anderen die precies wisten waar het Scheepsgraf was, zijn dood.'
Elizabeth en Burke waren Amerie voor een moment vergeten. Toen de naam van Felice werd genoemd, ontsnapte de non een lage kreun van verdriet. Op Burkes gezicht was duidelijk te lezen wat hij dacht: Oh, godnogantoe! Ik ook met mijn grote mond. Maar hardop zei hij: 'Het is tijd om te gaan.' Hij sloeg zijn grote armen om Elizabeth heen en zei: 'Mazzel tov!' en liep daarna met snelle passen het huis in.
'Het spijt me dat ik jullie onderbrak,' zei Amerie stijfjes, 'maar

toen hij mij eraan herinnerde dat Felice dood was . . .' Gekweldheid trok haar hele gezicht strak. 'En met Gibraltar op haar geweten . . . zo te moeten sterven . . .'
'Ik dacht dat het beter was wanneer de anderen dat geloofden,' zei Elizabeth, 'maar jij hield van haar. Je hebt er recht op de waarheid te weten.'
De non stond doodstil voor haar. Zuster Amerie droeg geen gouden halsring, ze bezat geen merkbare metapsychische vermogens; toch sprong op dat moment de verschrikkelijke waarheid van het ene vrouwenbrein naar het andere.
'Felice is niet dood,' zei Amerie.
'Nee.'
'Hoe lang ben je daar al zeker van?'
'Ongeveer zes weken. Ik heb van die eigenaardige kreten gehoord, gevoeld is een beter woord. Ze leken eerst nauwelijks menselijk. Ik besteedde er weinig aandacht aan. De problemen van alle dag op onze reis waren overweldigend genoeg. Je krijgt de neiging om de uitingen van anderen buiten je geest te sluiten om je eigen energie te sparen. Anders zou je gek worden van de mentale statische ruis. Maar dit roepen . . .'
'Je bent er zeker van dat het Felice was?'
'Ze heeft maar één keer op afstand tot me gesproken, toen jullie allemaal op weg waren van de Rhône naar Muriah om de fabriek te overvallen. Maar ik herinner me haar geestelijke handtekening.' Elizabeth keerde zich af, starend naar de verre bergen. 'Dat is iets waar Grootmeesteressen goed in zijn.'
'Elizabeth, waarom . . . waarom?' De stem van Amerie brak af. Ze probeerde zichzelf weer onder controle te krijgen. 'Waarom deed ze het? Ik wist natuurlijk dat ze wraak wilde nemen. Toen we voor het eerst in kasteel Doortocht werden getest en die Tanu-vrouw ons vertelde dat we Tanu-kinderen ter wereld zouden moeten brengen net als de rest van de menselijke slaven, toen was ze buiten zichzelf van woede. Het leek, het leek alsof de slavernij van de mensheid in het Plioceen door haar werd opgevat als een persoonlijke belediging.
'Je bent arts en je bent een geestelijke. Moet ik het voor je uittekenen?' Je houdt van haar, maar je weet wat ze is.'
'Ja.'
De stem van de non klonk triest.
Elizabeth begon langs de rand van het balkon te lopen terwijl Amerie haar volgde. Zo kwamen ze aan de oostzijde van het jachthuis. Daar lag het Lac Provençal als een azuren uitgestrektheid, vervagend tot leisteenkleur tegen de verre horizon. De storm zou uit die richting komen.
'Herinner je je Culluket, de Ondervrager van de koning?' vroeg Elizabeth.

'Ik heb hem één keer gezien. Na het mislukken van onze aanval op de fabriek. Hij was degene die ons grijze halsringen omdeed en ons wegstuurde om in gevangenschap te sterven. Ja, ik herinner me hem. Hij droeg een gloeiend rode wapenrusting en het was de mooiste mannelijke Tanu die ik ooit had gezien.'
'Hij nam Felice mee en martelde haar.'
'Oh, Jezus.'
'En hij deed heel wat meer met haar dan nodig was om de informatie te krijgen die hij hebben wilde. Dionket vertelde me daarover tijdens de evacuatie. Als hoofd van het Gilde der Herstellers wist Dionket wat Culluket van plan was, maar er was geen enkele manier waarop hij zich kon bemoeien met de plannen van de Clan. Die marteling – die pijnbeleving – veranderde Felice. Ze werd erdoor als het ware naar volledige mentale werkzaamheid gedrongen en dat stelde haar in staat om volledig wraak te nemen.'
Elizabeth pauzeerde een ogenblik.
'Maar Cullukets handenarbeid lijkt ook een of andere perverse band tussen hen te hebben gesmeed. Daarom kijkt ze overal naar hem uit, daarom roept ze hem overal. Felice is er niet zeker van dat haar beminde folteraar de Vloed heeft overleefd. Ik wel, jammer genoeg. Cull leeft en is naar Goriah gegaan in de hoop dat Aiken hem zal weten te beschermen tegen de macht van Felice. God helpe hem als Felice hem ooit op het spoor komt.'
De arts raakte een ogenblik in conflict met de minnares in Amerie. Voor het moment won de arts.
'Ik begrijp wat je bedoelt. Haar karakter heeft een diepe hang naar zelfkwelling. Culluket heeft haar niet alleen verschrikkelijke pijn gedaan, maar haar ook de mentale vermogens geschonken waar ze haar hele leven naar had gezocht. Geen wonder dat ze nu van hem houdt . . .'
Elizabeth zei niets.
'Wat moeten we met haar doen? Als ik denk aan haar kracht! Goede God, Sint-Jack de Lichaamsloze of Diamant Masker zouden dat bij Gibraltar nog niet teweeg hebben kunnen brengen. Niet in hun eentje!'
'Felice heeft haar verwoestende kracht sinds de Vloed niet meer gebruikt. Misschien kan ze dat niet meer. Het grootste deel van de tijd trekt ze rond als een donkere aasvogel. Ze verzamelt gouden halsringen en die verbergt ze ergens. Ik weet niet waar. Ze weet zich heel goed verborgen te houden, behalve wanneer ze Culluket roept.'
De vrouwen stonden naast elkaar tegen de balustrade. Elizabeth in haar lange, zwarte jurk en de grotere Amerie in een witte overal met een halsboord die naar haar religieuze status verwees. Er was wind opgestoken die de donkere dennen deed bewegen die dicht opeen rondom het huis stonden. Ergens kraakte een rots, een

onzichtbare waarschuwing dat het weer ging veranderen.
'Zou jij Felice niet kunnen helpen met je krachtige herstellende vermogens?' vroeg Amerie. 'Haar psychose genezen?'
'Mogelijk. Als ze helemaal meewerkte. Maar het is misschien veiliger om haar voorlopig in haar huidige toestand te laten als dat betekent dat daardoor haar destructieve vermogens worden ingeperkt. Dat is een van de dingen waar ik diep over moet nadenken.'
De non trok zich terug en keek naar de ander terwijl ontzetting op haar gezicht langzaam doorbrak. Maar Elizabeth glimlachte enkel, berustend.
'Je hebt zoveel zaken om over te beslissen,' zei Amerie
Elizabeth haalde met een wrang gebaar een schouder op. Ze had zich omgedraaid zodat de non haar gezicht niet kon zien.
'Het is koud en eenzaam op de Olympus.'
'Kon ik je maar helpen . . . kon iemand van ons . . .' zei Amerie.
Elizabeths handen klemden zich om de houten balustrade, de knokkels werden wit.
'Je zou iets kunnen doen. Nogmaals. Omwille van mijn scrupules.'
'Natuurlijk.'
Uit een van de zakken van haar witte overal haalde Amerie een smal paars lint te voorschijn, kuste het en hing het om haar hals. Opnieuw zei ze de oude formules zoals ze dat had gedaan toen de slaapster wakker werd in de veilige kamer hoog in de berg van waaruit ze de Vloed hadden gadegeslagen; zoals ze dat ontelbare nachten had gedaan gedurende de lange exodus terwijl Elizabeth huilde en de winterregens hun geïmproviseerde onderdak bestormden.
'Probeer het te *geloven*, Elizabeth.'
'Dat doe ik, dat probeer ik.'
Amerie zegende het afgewende hoofd. 'Kom, kind van God en leg je lasten neer. Want hij heeft tot de Zijnen gezegd, "wiens zonden gij zult vergeven, die zullen vergeven zijn".'
'Zegen mij, Zuster, want ik heb gezondigd.'
'Laat de mens die dorstig is komen. Laat ieder die dat wenst het geschenk aanvaarden van het water des levens.'
'Ik beken trots. Ik beken hoogmoed en de zonde van de arrogantie. Ik beken blasfemie van de genezende Geest. Ik beken minachting voor geesten minder dan de mijne. Ik heb de liefde afgewezen van andere denkende wezens. Ik beken wanhoop. Ik beken het onvergefelijke en ik vraag om vergeving. Het spijt me. Help me te geloven. Help me te geloven dat er een God is die het onvergefelijke vergeeft.'
Help me geloven dat ik niet alleen ben.
Help me.

6

De grote wilde chaliko trok de nauw om hem heengeplaatste box met zijn klauwen van elkaar, krijsend en blazend, maaiend met zijn massieve romp tegen de stevige houten planken tot de nagels die het bijeenhielden het leken te begeven. Vier mannen met grijze halsringen worstelden om hem eronder te houden, twee aan de lange lijn en twee aan de korte. Ze straalden pure paniek uit terwijl Benjamin Barrett Travis de drie Verhevenen naar de omheining leidde om het breken gade te slaan.

'Ben je echt van plan om die klauwpotige moordenaar eronder te krijgen, Brazos?' informeerde Aiken Drum, diep onder de indruk. 'Goeie godnogantoe!'

De vastgezette chaliko steigerde op zijn niet-gekluisterde achterpoten en liet een oorverdovend gehinnik horen. Het was een blauwe ruin, minstens twintig handbreedten hoog met zwarte manen en vetlokken en verontrustende zwart omwalde oogkassen.

'Tana's linkertiet!' vloekte Alberonn Geesteter. 'Die is zo groot als een rinoceros.'

Brazos Ben bevoelde zijn zilveren halsring. De chaliko kwam tot rust.

'Hel, hij is niet half zo woest als sommige andere wilden die ik onder handen heb gehad. Hij is zelfs niet eens vals uit zichzelf. Alleen maar bang.'

'Travis heeft helemaal gelijk,' zei de Ondervrager. 'De geest van het dier is geschokt door diepe angst. De breidel, de kluisters en touwen aan zijn poten, het zadel, al die dingen, gecombineerd met de aanwezigheid van mensen en het verlies van zijn vrijheid, hebben hem bijna gek gemaakt. Alleen zijn natuurlijke intelligentie en het feit dat niets hem nog werkelijk heeft gewond, weerhoudt hem ervan om tot gewelddadige zelfvernietiging over te gaan.'

Brazos Ben glimlachte zwakjes.

'En tegen deze heb ik een hele week gepraat, Heer Cull. U hebt gezien hoe kalm hij werd toen hij mij voelde. Chaliko's zijn slimmer dan paarden in het herkennen van een goedgezinde geest.'

'Waarom worden die beesten dan niet alleen tam gemaakt door ze mentaal te bewerken?' wilde Alberonn weten. 'Waar is al dat wilde cowboygedoe dan voor nodig?'

'Een chaliko moet op twee manieren worden onderworpen, Heer Alby. Anders kan hij alleen door dragers van zilver en goud worden bereden. Geen man met een grijze halsring of zonder zou zelfs maar in zijn buurt kunnen komen. Nadat een chaliko is getemd en getraind en de gebruikelijke fysieke signalen heeft geleerd, komt pas de mentale scholing. Natuurlijk praat ik de hele tijd tegen m'n beesten, ook daarvoor al. Op mijn manier kun je twintig keer

zoveel dieren temmen dan door mentale onderwerping en het kost nog minder tijd ook. We kunnen grijzen en blootnekken als trainers gebruiken in plaats van zilverdragers totdat ze aan de laatste telepathische programmering toe zijn. Met al eerder getemde dieren ligt het wat anders. Da's makkelijker. Maar de Strijdmeester . . .' Brazos Ben stopte en keek naar Aiken. 'Ik bedoel, de overleden Strijdmeester wilde dat Goriah het best voorzien werd van cavalerie tegen de tijd van de Veldslag. En dus moesten we ook wilde dieren vangen.'
Aan de overkant hinnikte de chaliko. Brazos Ben haalde een klein doosje pruimtabak uit zijn borstzak en stopte een vingervol ervan achter zijn kiezen.
'Wel, zijn de Verhevenen klaar voor een beetje actie?'
'Ga je gang, BB!' grinnikte Aiken.
De temmer ging weg terwijl Aiken, Culluket de Ondervrager en Alberonn Geesteter dichter naar de omheining van de kraal liepen en een plekje zochten dat niet al te modderig was. Hoewel het niet regende, was de hemel donker en laaghangend en er blies een ijskoude wind vanuit de Straat van Redon tussen de stallen. De drie mannen droegen de traditionele Tanu-stormkleding: gekleurd leer met puntige capuchons en laarzen tot over de knieën. Dat van Aiken was goudkleurig, afgezet met zwarte strepen, de Ondervrager droeg dieprood en Alberonn turquoise. Alberonns menselijke afkomst werd zichtbaar in zijn chocoladekleurige huid die een merkwaardig contrast vormde met zijn groene Tanu-ogen en de overvloed van loshangend blond haar dat vanonder de capuchon te voorschijn kwam. Dit gemengdbloedige lid van de Hoge Tafel was bijna een half hoofd groter dan Culluket en torende boven de dwergachtige Aiken uit als een reus uit een sprookje.
'Mijn heengegane broeder Nodonn beschouwde deze man Travis als een van de meest waardevolle onder al zijn bedienden,' merkte Culluket op.
Aan de overkant hield Brazos toezicht op het verwijderen van de achterste kluister.
'Ik wilde dat we er vijftig meer hadden zoals hij,' zei Aiken. 'Grote aantallen goed getrainde rijdieren nemen een belangrijke plaats in binnen mijn strategische plannen tegen de Firvulag. Tenminste totdat ik die vliegtuigen heb gevonden.'
'Het is geen goed teken dat het Kleine Volk de oude vooroordelen tegen rijden heeft laten vallen,' zei Culluket.
Aiken knikte. 'Een van mijn spionnen rapporteerde dat ze zelfs proberen die kleine hipparionsoort te temmen zodat ook de dwergachtigen kunnen rijden. En we weten dat ze tamme chaliko's gestolen hebben waar ze ze maar vinden konden, op de plantages rond de steden in het oosten, voor hun reuzenbataljons.'
'Bleyn heeft me gezegd dat hetzelfde gebeurt rondom Rocilan.

Overvallen, hinderlagen, diefstal. En natuurlijk krijgen de Huilers de schuld. Maar daarginds moet wat meer gebeuren dan een paar tegenmaatregelen uit de losse hand. Het vervelende is dat de lagere adel en de mensen met halsringen de neiging hebben niet te luisteren naar het leiderschap van Bleyn, zelfs niet wanneer Vrouwe Eadnar hun dat opdraagt. Bleyn is een buitenstaander, ook al is hij haar zwager en hij bezit geen enkele autoriteit. Verdomme, Aiken, ik zou er veel voor voelen om erheen te gaan en Eadnar nu te trouwen in plaats van te wachten tot het Grote Liefdesfeest in mei.'
'Dat kan niet, Scheppende Broeder,' zei de Ondervrager. 'Dat zou nog meer tegenstand veroorzaken. De oude Vrouwe Morna-Ia staat er met grote koppigheid op dat de rouwperiode voor haar dode zoon strikt in acht wordt genomen. Zij vindt zelfs mei al een te vroege datum voor een huwelijk.'
Alberonn keek misnoegd.
'Ik had die ouwe vleermuis moeten laten verdrinken. Maar daar zat ze op dat drijvende wrakhout, samen met Eadnar. Wat kon ik anders doen?'
'Daar begint het gedonder al,' merkte Aiken op terwijl hij zijn hoofd door de planken van de omheining werkte. De knechten maakten de box open. Brazos Ben, nu nadenkend kauwend, hield een lange lijn in zijn linkerhand en een ander, korter touw dat op een ingewikkelde manier aan de voorpoten was vastgemaakt, in zijn rechter. Het dier gleed uit in de modderige ondergrond, de ogen rolden schrikachtig heen en weer, de trappelende klauwen maakten doffe geluiden in de modder.
'Wat is dat voor de donder voor een ding aan zijn poten?' vroeg Alberonn. 'Ik dacht dat Ben van plan was het beest te berijden?'
'Houd je kop dicht en kijk,' beval Aiken.
Brazos Ben probeerde nu niet langer het dier via zijn halsring te kalmeren. Integendeel, hij leek het schepsel met opzet te willen provoceren door scherp en heftig aan de lange lijn te trekken. De flanken van het beest begonnen te sidderen, de hals ging heen en weer en de kop werd gestrekt. Net toen Ben kans had gezien het dier naar het midden van de kraal te dirigeren, begon het als een woesteling te bokken. De stijgbeugels van het op een grote stoel lijkende zadel sloegen tegen zijn schoften. Modder vloog alle kanten op en Aiken stelde haastig een PK-veld in werking.
Nu haalde Ben behoedzaam de korte lijn naar binnen die vanaf de rechterkant van het zadel door een ring bij de rechterenkel naar beneden ging, vervolgens via een roller weer omhoog naar de zadelriem, weer omlaag naar de linkerenkel, omhoog door de rechter stijgbeugel en daarna in de handen van de temmer.
'BB noemt dat een lopende W,' zei Aiken. 'En het moet met overleg worden gebruikt, anders mishandel je de chaliko en is hij voorgoed bedorven. Maar als het goed wordt gedaan, krijgen die onbeschofte

bruten er geweldig ontzag voor.'
Toen de lijn nog strakker kwam te staan, viel daardoor de grote chaliko op zijn knieën in de modder. Ben hield hem daar, al die tijd zachtjes tegen hem pratend en sussende geluiden makend. Hij wreef het dier aan beide zijden langs de hals, maar bleef uit de buurt van de kop. Na een paar minuten liet hij de W-vormige lijn vieren en daardoor kon de chaliko weer overeind komen. Er nog steeds tegen pratend, moedigde hij het nu aan om te lopen door steeds even zachtjes aan de lange lijn te trekken. Opnieuw kwam de chaliko op de achterbenen, schreeuwde en maakte zich klaar om weg te rennen. Maar voor het daaraan kon beginnen, trok Ben opnieuw de W-lijn strak. Opnieuw wankelde het dier en ging langzaam door de knieën, diep in de modder verdwijnend.
'Nu reikt Travis weer naar zijn geest,' zei Culluket, terwijl bewondering de sombere schoonheid van zijn gezicht verhelderde. 'Hij vertelt hem wie de baas is, maar dat doet ie heel voorzichtig, heel vriendelijk. Zie je? Hij begint al te reageren. Dat beest is beslist niet gek. Maar hij zal toch nog een keer proberen los te breken om helemaal zeker te zijn.'
Dezelfde procedure werd herhaald, terwijl Brazos Ben nu eentonig neuriede en erin slaagde de chaliko een dozijn gehoorzame stappen te laten maken voor het andermaal losbarstte in uitdagend bokken en slaan met de voorbenen. Ben spoog een straaltje tabakssap uit en dwong de chaliko opnieuw op oneervolle wijze in de plassen te duiken. Zelfs hurkte hij erbij neer, masseerde nu de kop, voortdurend mompelend en het dier geruststellend. De zwarte achterwaarts geplaatste oren kwamen naar voren, de lange, koordachtige spieren in de nek ontspanden zich. Ten slotte liet Ben de grote ruin opstaan, gaf een klein rukje aan de lange teugel en stond met een tevreden gezicht toe te zien hoe de chaliko langzaam om hem heen begon te draaien, nu gehoorzaam luisterend naar elk rukje aan de teugel. Toen kwam de droge gedachte:
Hij is helemaal getemd, Verhevenen.
Ze gaven hem een van harte gemeend *Slonshal*! De trainer wenkte een van zijn helpers om de beide lijnen over te nemen en stond nog een paar minuten stil om er zeker van te zijn dat de chaliko verder geen duivelse streken meer in de zin had. Daarna verliet hij de modderige kraal en keerde terug naar Aiken, Culluket en Alborann.
'Je gaat hem dus vandaag niet berijden?' vroeg de halfbloed teleurgesteld.
'Dat zou kunnen, als ik de W-lijn bleef gebruiken. Maar dat doe ik maar liever niet. Die klauwen snijden een lijn maar al te makkelijk door wanneer het in draf is. Hij hoeft er voor vandaag alleen maar achter te komen wie hier de baas is. Nog een paar dagen wennen aan zadel en stijgbeugels en singels en dan beginnen we met het

rijden. En vanaf dan zal hij geen kluisters meer nodig hebben.'
'Geweldig werk, BB,' zei Aiken.
'Ik neem aan dat je vroeger op de Oude Aarde veel met vee bezig bent geweest,' zei Alberonn.
Benjamin Barrett Travis spoog beleefd over zijn schouder.
'Hemel nee, Heer Alberonn. En misschien had ik er daar niet eens van gehouden. Nee, ik erfde het bureau van mijn vader als controleur bij Westex Foodex in El Paso, de grootste exporteur van Zuidamerikaanse voedingswaren in heel het Bestel.' Zijn bleke ogen twinkelden. 'Ik wil van mijn leven geen gekookte bonen meer zien . . .'
Hij sjorde zijn broek omhoog.
'Ik wou nu verder gaan met een werkelijk eersteklas witte hengst die dit al achter de rug heeft en die nu mentaal geprogrammeerd moet worden. Als de heren zin hebben om mee te helpen? Als u opzij mee blijft rijden, dan versterkt dat de programmering.'
'Klinkt geweldig,' zei Alberonn enthousiast.
'Ga jij dan maar mee met Ben, Alby,' zei Aiken. 'Cull en ik hebben nog dingen te bespreken.' Tegen de temmer zei hij: 'Kom vanavond naar het Glazen Kasteel om te eten, BB. En breng Sally Mae mee.'
'Dik voor mekaar, Strijdmeester.'
Met een vluchtig handgebaar wandelde de man in de bemodderde spijkerbroek weg in het gezelschap van de reuzenstrijder, telepathisch iets vertellend over beroemde strijdrossen die hij had gekend.
'Ik heb net een boodschap ontvangen van commandant Congreve,' zei Aiken tegen de Ondervrager. 'Er is zojuist een grote groep nieuwkomers gearriveerd en daar kunnen jij en ik maar beter bij zijn. Achtendertig Tanu en bijna honderd mensen onder wie twaalf dragers van goud en een heleboel technici met zilver. De meesten komen uit Afaliah. Die oude Celadeyr heeft een of andere zuivering doorgevoerd. Al zijn menselijke personeel en alle technici eruit gegooid en de grond zo heet onder hun voeten gemaakt dat de halfbloed aristocraten er allemaal vandoor zijn gegaan met achterlating van alles wat ze hadden.'
'We zullen er snel genoeg achter komen wat er ginds aan de hand is.'
'De andere nieuwkomers zijn afkomstig uit die Spaanse stad die Celadeyr net over heeft genomen, Calamosk.'
'Bloedende Godin! Dat moeten de lafaards zijn die in de Retort zaten te wachten! Schorem dat nog maar een dag te leven had aan het einde van de Veldslag! Ben je van plan zulk tuig binnen te laten?'
Aikens kraalogen glinsterden koud.
'Houd je gelul maar voor je, Mooigezicht. We hebben nieuwe

regels in het Veelkleurig Land. Was je dat vergeten? Nog niet zo lang geleden werd ik zelf een beetje tot het schorem gerekend! Laten we gaan vliegen.'
Ze trokken de transparante gezichtsschilden uit hun capuchons en stegen omhoog. Regendruppels tikten tegen hun lichamen. Ze vlogen over de chalikoboerderij die noordelijk van Goriah lag en passeerden boomgaarden en olijventuinen. Even later lag daar de stad.
Goriah was gebouwd op een grote verhoging en besloeg bijna vier vierkante kilometer. De meeste gebouwen, behalve de magnifieke centrale citadel en een klein aantal landhuizen van de Groten, waren opgetrokken uit keurig gewit metselwerk met daken in roze en rood. De herenhuizen van de Tanu waren versierd met torentjes en omlopen en kantelen in roze en goud, een eerbetoon aan de status van de vroegere stadsheer, Nodonn, hoofd van het Gilde der Psychokinetici. Het Glazen Kasteel had voorheen ook die kleuren gedragen, maar sinds de komst van de kleine man die de macht nu had overgenomen, waren de meeste roze elementen daarin verwijderd en vervangen door accenten van nachtzwart en purper, kleuren die de nieuwe Strijdmeester tot de zijne had gemaakt. 's Avonds was ieder woonhuis van de gewone burgerij verlicht door talloze kleine olielampjes die aan snoeren langs de gevels en de randen van de tuinen hingen. De huizen van de Tanu daarentegen werden verlicht door de feeërieke op mentale energie brandende lampen in veel verschillende kleuren en het Glazen Kasteel zelf schitterde van goud en amethist, helderder dan ooit het geval was geweest in de tijd van Nodonn. Het werd een baken dat zelfs op dertig kilometer afstand bij de rivier de Laar nog zichtbaar was.
Terwijl de twee leviterenden afdaalden naar het grootste ontvangstcentrum bij de oostelijke stadspoort, merkte Aiken op: 'Commandant Congreve denkt dat er een grote vangst bij is. Een mens met een gouden halsring, Sullivan-Tonn, oorspronkelijk afkomstig uit Finiah. Heb jij ooit van hem gehoord?'
De Ondervrager vloekte kleurrijk. 'Die vette pis-in-de-broek! Als die zijn krachten had willen gebruiken zoals een strijder dat behoort te doen, dan hadden we destijds Finiah misschien kunnen behouden in het gevecht met Guderian. Of ik hem ken!'
Snel kreeg Aiken de gegevens voor zich.
Aloysius X. Sullivan, later Sullivan-Tonn. Zesennegentig jaar oud, verjongd, sinds ongeveer tweeëndertig jaar in het Plioceen. Vroeger professor in moraaltheologie aan de Fordham Universiteit, later een hooggeplaatst toeziend psychokineticus onder Heer Velteyn van Finiah. Een van zijn vermogens was werkelijk opzienbarend. Hij was in staat veertig mensen of circa vijf ton ruw materiaal te leviteren, maar zijn bruikbaarheid voor de Tanu werd zeer beperkt door zijn pacifisme waarachter een ongeneselijke verle-

genheid schuilging. Hij was erom berucht dat hij altijd keihard geweigerd had zijn psychokinetische vermogens te gebruiken in de Grote Veldslag, bij de Jacht of andere agressieve activiteiten, maar voor het overige voerde hij zijn plichten voorbeeldig uit. Na de val van Finiah had hij meegeholpen bij de evacuatie door de lucht van de vluchtende burgers en was uiteindelijk ook zelf in kasteel Doortocht terechtgekomen dat toen als opvangcentrum werd gebruikt. Toen de Vloed kwam, bevond hij zich veilig in de kleine Spaanse stad Calamosk als persoonlijk verzorger van een Tanu-meisje in haar tienerjaren, Vrouwe Olone, die tevens zijn verloofde was. Zij had de Grote Veldslag moeten missen, want in een al te drieste en onbezonnen poging om zelfstandig te vliegen, had ze haar rug gebroken en werd dus nu in Huid verpleegd. Later was Olone, een zinnelijke, honingblonde vrouw met een groot maar ongevormd talent voor bedwinging, hersteld en nu dus blijkbaar met Tonn naar Goriah vertrokken.
'Ik zal hen beiden grondig nagaan,' zei Culluket. 'Maar het ligt voor de hand waarom ze gekomen zijn. De vader van Olone is in de Vloed omgekomen en de oude Celadeyr zal niets willen weten van haar bekoorlijke nukken. Tonn is vaak een zelfingenomen kwast en zij een sluwe dondersteen, maar ik denk dat we op hun trouw kunnen rekenen.'
Aiken en Culluket daalden naar beneden waar de Tanu en de dragers van goud afgezonderd waren van de nieuwkomers met een eenvoudiger status. Congreve, in het blauwe pantser van de bedwingers, sloeg saluerend op zijn borstplaat en begon direct aan een telepathisch verslag:
Gegroet Strijdmeester en Verheven Heer Ondervrager! Afgezien van Sullivan-Tonn en Vrouwe Olone, beschikken de nieuw aangekomen dragers van goud niet over respectabele vermogens. Die uit Afaliah behoren tot de gerespecteerde adel van gemengdbloedigen die de reactionaire nieuwe regels van Heer Celadeyr niet wensten te slikken. Elf raszuivere Tanu uit uit Calamosk behoren samen met Aluteyn tot de gevangenen uit de grote Retort. (Classificatie.)
Dank je, Congreve. Wat een shit. Vier verraders, zes vrouwenmoordenaars en een belastingontduiker onder onze buitenaardse gevangenen. Maar met zo weinig overlevenden onder de Tanu moet ik ieder van hen wel welkom heten. Cull, onderwerp ze aan een grondig onderzoek, vooral de verraders!
Dat spreekt vanzelf, Glanzende. En precies zo zal ik die twintig menselijke dragers van goud uit Calamosk onder handen nemen. Voer voor de Retort, daartoe veroordeeld wegens lafheid tijdens de Veldslag. Maar Tonn en zijn liefje hebben wat vriendelijker attentie nodig. Ze lijken hun voorlopige afzondering hier niet goed op te nemen.

'Heil, overwinnende Strijdmeester Aiken-Lugonn!' trompetterde een deftig uitziend heerschap in kostbare gewaden van cerise en goud. Maar voor Sullivann-Tonn verder kon gaan, werd hij onderbroken door een kelig geschreeuw:
'Aik! Aik . . . ben jij dat echt?'
Uit de bonte groep mensen met gouden halsringen kwam een tanige man te voorschijn met touwkleurig haar en platte, enigszins mongoloïde trekken. Hij droeg een hemd van geblokt flanel, een broek van keper en zware schoenen met geprofileerde zolen. Hij viel op zijn knieën voor de kleine nieuwe heerser van Goriah en ging mompelend verder: 'Ik bedoel, Heer Lugonn. Sorry dat ik die andere kerel onderbrak, maar . . .'
Volslagen verrast wierp Aiken de gouden kap van zijn regenkleding naar achteren.
'Raimo! Ouwe houthakker! Jij?'
'Als je me wilt, jongen. Helemaal de jouwe. En ik heb nog een paar anderen meegebracht ook.'
'Of ik je wil?' schreeuwde de Glanzende. Ze vielen in elkaars armen, giechelend als idioten.
'Wel, wel!' Sullivan-Tonn bevroor in een hooghartige pose.
De tedere ontmoeting werd onderbroken doordat Culluket Aiken op diens persoonlijke golflengte benaderde.
Congreve vooronderzoek vindt deze RaimoHakkinen vol informatie. Dring aan voldiep onderzoek direct door mij toegestaan??!
Vergeet het maar. Verontwaardiging. 'Ray, kerel . . . bedoel je dat ze van plan waren *jou* te roosteren in dat ding? Alleen omdat het je allemaal te veel werd in de Veldslag?'
Luister Glanzende deze ene veelinformatie vredesfactie Dionket + Minanonn de Ketter strategie tegen Celo Afaliah ook –
'Heer Aiken Drum, wilt u mij toestaan verder te gaan?' schetterde Sullivan-Tonn.
De gedachten van Aiken en de Ondervrager kraakten door over de persoonlijke golflengte.
Cull onderzoek dieschijterdTonn niet Raimo handjes af. MIJN.
Ik weet Raimjuwvriend Glanzende maar hij weet veelwaardevols ook over *Felice*. Sta me toe . . .
Blijf met je poten van Raimo. Jij van Felice bezeten Cullukervrager.
Raimo gerucht dat Felice SPEER haalde van bodem Nieuwe Zee.
Christus!
Zelfrechtvaardiging. Dacht wel dat dat aandachtverdiende. Welnu? Toestemming voor ondervraging?
Raimo weet waar Felice en Speer zijn?
Geen data. Doodvriendje Raimo zag Vogelmeid vliegen. Plaatselijke Firvulag spraken hem over Felice had Speer. Moet diepgaan voor waarheid. Ga akkoord?

Nee! . . . Ja . . . *shit.* Later maar. Maar wanneer *ik* het zeg en in *mijn* aanwezigheid en daarna jij volledigherstellen zijn hersens. Hoor je dat Bedwingende Broeder/Grootvizier/CullMooiSmoel?
Ik hoor en bevestig uw gezag Koning. (Maar u/ik moeten vinden schoftvaneenvliegendehoerenwijf voor ze ONS achternakomt waarom heb ik haarniet gedood toenkanserwas?)
Berisping. Weet je niet waarom?
'Nou dan!' riep Aiken luid en vrolijk. De mentale gedachtenwisseling met Culluket had ongeveer tien seconden geduurd. Nu wierp Aiken de nog verdergaande bezweringen van de Ondervrager ter zijde en zond zijn charme op vol vermogen naar Raimo, Sullivann-Tonn, de ranke Vrouwe Olone (die Aiken sinds zijn aankomst heel aandachtig was blijven gadeslaan) en al de andere nieuwkomers in de weinig vrolijke ontvangstruimte. Daardoor moed vattend, begon Sullivan-Tonn opnieuw:
'We zijn buitensporig onbehoorlijk behandeld door die militaire bevelhebber van u, Heer Lugonn. Zijn mannen hebben de brutaliteit gehad onze bagage te doorzoeken en een of andere onhandige lummel liet een kostbare fles vierentwintig jaar oude Jamesons uit zijn handen vallen. Ik kon hem nog maar net met mijn PK redden!'
'Schandalig!' riep Aiken terwijl hij zijn wenkbrauwen fronste. Hij wendde zich met een mentale knipoog tot zijn commandant: 'Je weet toch wel, Congreve, dat een Verheven Personage met de status van Heer Sullivan-Tonn van dergelijke procedures wordt gevrijwaard? Ik moet je ernstig berispen.'
Congreve salueerde. 'Verontschuldigingen, Strijdmeester. Maar zulke onderzoeken zijn een standaardveiligheidsmaatregel geworden waaraan alle mensen zich moeten onderwerpen die zich permanent in Goriah willen vestigen. Door de komst van het bloedmetaal werd die regel onder Heer Nodonn met alle strengheid ingevoerd.'
'Nodonn,' zei Aiken, 'is nu voer voor de vissen. En ik zeg dat van nu af aan mensen en Tanu bij hun aankomst gelijkelijk zullen worden welkom geheten. Denk daaraan, of je zult je tegenover mij moeten verantwoorden.'
Sullivan-Tonn glansde van voldoening. Hij trok de gemaakt zedig kijkende Olone naar voren en stelde haar voor aan Aiken en de Ondervrager.
'Vrouwe Olone van Calamosk, dochter van de overleden Heer Onedan de Trompetter, die dit jaar mijn vrouw zal worden bij het Grote Liefdesfeest.'
Een kortstondige vuurflits uit de geest van het meisje werd snel verborgen. Ze boog gracieus. Grinnikend boog de Glanzende zich over haar handpalm en kuste die langdurig.
'Is het waar, Heer Strijdmeester, dat u koning zult worden?' vroeg

ze met een lage stem.
De zwarte ogen glinsterden. 'Als Tana dat wil, liefje.'
'Met al de koninklijke voorrechten?'
Er gleed een glimlach langs haar koraalrode lippen. Sullivan-Tonns gezicht stond onbeweeglijk.
'Dat recht hoort bij het spel,' verzekerde Aiken haar.
Hij liep met grote passen naar de grijnzende Raimo, sloeg een arm om de schouders van zijn oude makker en riep luidkeels: 'Maar nu, allemaal. Verheug jullie. Aiken Drum is hier! Geen gevangenissen meer, geen onderzoeken, geen nare ondervragingen! Jullie gaan allemaal met mij mee naar het Glazen Kasteel en daar gaan we een prachtig feest op touw zetten.'

7

De oude Isak Henning bleef zeuren en zeuren net zolang tot Huldah erin toestemde de zware en vermoeiende klim naar de uitkijkpost te maken en daar de wacht te houden tot middernacht, hoewel ze wist dat het zou gaan regenen.
'Wij zijn de enigen die zijn overgebleven om het waarschuwingsbaken te ontsteken, kind!' Zijn benige vingers begroeven zich in haar sterke bovenarmen. Isaks met een waas overdekte ogen keken onrustig in de richting van de diepste kamer van de grot. 'Dit is de meest gevaarlijke tijd van het jaar. Volle maan na de voorjaarsdag-en-nachtevening! De Jacht moet komen. Dat gebeurt elk jaar. Dus je luistert naar me, meisje! Zodra je ze over de lagune vanuit Aven aan ziet komen vliegen, dan steek je het baken aan. Heel Kersic is van jou afhankelijk!'
'Ja, grootvader.'
'Het kan zijn dat hij hen roept! Zelfs in zijn slaap!' De stem van de oude man veranderde in een vijandig en kwaadaardig gesis.
'Ja, grootvader.'
Bevend van ouderdom veegde Isak gloeiende kolen uit het kookvuur bijeen in een stenen pot. Daar strooide hij as overheen om te snelle verbranding tegen te gaan. Huldah nam de pot van hem over en de dikke toorts van in pek gedrenkte bossen riet die hij eerder had klaargemaakt.
'En je weet wat je hiermee moet doen?' blafte hij.
'Wat?' vroeg het meisje.
'Het signaal, jij verdomde stomme koe!' barstte hij los. 'Als je de Vliegende Jacht ziet, dan gebruik je de hete kolen om de toorts aan te steken. En met de toorts steek je de houtstapel aan.'
Huldah glimlachte.

'De toorts aansteken. Het hout aansteken. Ja, grootvader.'
De oude man schreeuwde het nu bijna uit. 'Maar alleen als je de Jacht ziet, verdomme! Alleen als je ze naar ons toe ziet komen alsof ze uit de sterren vallen, draaiend en rijzend en vallend als een lange slang van regenboogvuur.'
'Goed.'
Ze keek op hem neer met een trek van afstandelijkheid op haar gezicht. Ze was niet mooi, maar haar lichaam straalde kracht en gezondheid uit. Haar lippen en wangen glansden van de botervette geroosterde zevenslaper die ze eerder die avond hadden gegeten. Haar herteleren kleed was nog redelijk schoon. Haar borsten, die nu zwollen om redenen die Isak maar al te goed kon raden, deden het leer uitrekken en spannen over haar harde tepels.
'Nou!' brulde hij. 'Ga je nog of niet, uit je krachten gegroeide teef!'
Maar ze bleef nog steeds stilstaan in de voorste ruimte van de grot. Haar volgeladen handen hingen slap langs haar dijen. 'Je zult de God niets doen terwijl ik weg ben, grootvader.'
Isaks ogen veranderden van uitdrukking. 'Ga jij nu maar omhoog naar de kaap. Doe je plicht en laat hem aan mij over.' Zij ademde nu sneller. 'De Vliegende Jacht zou nu al naar Kersic onderweg kunnen zijn.'
'Je zult de God niets doen!'
Huldah zette de pot met gloeiende kolen en de toorts terug op de rotsvloer. Isak probeerde weg te komen, maar ze was veel te vlug voor hem. Ze kreeg zijn stokdunne armen te pakken en drukte die tegen de zijden van zijn ribbekast en tilde hem zo omhoog. Hij schopte en schreeuwde en worstelde en spoog, maar ze liet hem hoog in de lucht bengelen. Een titanenvrouw die een dwerg vasthield. Ten slotte brak hij in tranen uit. Toen zette ze hem met grote voorzichtigheid op de grond, kroop naast hem toen hij in elkaar zakte en veegde zijn gezicht schoon met een hoek van haar rok.
'Je zult mijn God van de Zee geen kwaad doen,' zei ze tevreden.
'Nee.' Het beven wilde maar niet ophouden. Haar muskusachtige lichaamslucht was overweldigend.
'Dan ga ik,' zei ze. 'En als ik de Vliegende Jacht zie, dan steek ik jouw signaalvuur aan. Ook al zijn er op Kersic geen mensen achtergebleven die daar wat aan zullen hebben.'
'Ze zijn er, ze moeten er zijn,' weeklaagde de oude man. Hij bedekte zijn gezicht met zijn handen.
'Nee,' zei Huldah tegen hem. 'Ze zijn weggezeild toen het zoute water omhoogkwam. Alleen jij bent nog hier en ik en de God.'
Ze klopte Isak teder op zijn met sproeten overdekte kale schedel en pakte het vuur en de toorts weer op.
'De Vliegende Jacht zal nooit meer komen. Het water is te diep geworden. Het is nu diep genoeg om in de laagte te tuimelen waar

de zon ondergaat, dus de Jagers kunnen er niet meer door om ons te pakken.'
'Verdomde gekke koe,' mompelde Isak. 'Ga, ga. En let goed op.'
'Al goed. Het kan geen kwaad.'
Ze liet hem ineengedoken achter en wandelde weg in de schemering. Boven het water had de hemel de kleur van een eendeëi gekregen, diepblauw doorregen met violette streepjes boven de ruggegraat van Kersic. Een paar beverige sterren kwamen te voorschijn. Huldah neuriede woordeloos onder het voortgaan. Het was vochtig en koud, maar daar gaf ze niets om. En de God lag goed beschermd onder het kleed van konijnehuiden.
Haar hart sprong op wanneer ze aan hem dacht. Zo mooi, zo'n vreugde om te zien, zelfs in zijn slaap die niet wilde eindigen! (De arme hand die hij was kwijtgeraakt zou snel worden hersteld wanneer haar oude grootvader eindelijk klaar was met schuren en slijpen.) Wanneer ze snel terug kwam na deze zinloze wacht, dan was er nog tijd over om hem te vereren en dan zou grootvader weer wakker worden en toekijken en grommen.
'Ik haat jou, grootvader,' zei ze hardop.
Ze werkte zich door het hoge struikgewas en kwam ten slotte aan de landengte waar een open ruimte was gemaakt temidden van de kromme parapludennen. Daar lag een grote, zilver glanzende houtstapel. Huldah zette de vuurpot neer en de toorts en liep naar het meest westelijke einde van de kaap. Daar ging ze zitten terwijl haar sterke benen naar beneden bungelden en de opstekende wind haar onder haar rok kietelde.
Ergens daar beneden in een holle ruimte te midden van scherpe rotsen die nu door het water werden bedekt, had ze hem gevonden. Het wonder. De vreugde. Het ongelofelijke. De God van de Zee. Zijn ogen waren in al die maanden van verzorging nooit opengegaan, maar ze wist dat dat op een dag toch zou gebeuren nu zijn verschrikkelijke wonden langzaam aan genazen. Dan zou hij wakker worden en haar liefhebben.
'En dan zullen we grootvader doodmaken,' besloot Huldah.

8

Op de kust van Maghreb in Afrika likten zwarte golven aan de voet van het Rif Gebergte en de oude vulkanische heuvels die vroeger een slordige dam van afval met het land hadden verbonden. Een druilerige regen was net begonnen.
Kuhal Aardschudder, Tweede Heer der Psychokinetici, had zijn kamp opgeslagen op de droogste plek die hij had kunnen vinden,

een diepe lege waterbedding waar niet meer dan een spoortje water doorheen vloeide dat in het zand van het strand verdween nog voor het de Lege Zee had bereikt. Er stonden palmen en bloeiende acacia's en een opvallende hoeveelheid roze narcissen die met hun kopjes knikten in de schaduwen van een kleine bron.
Hij had de van riet en huiden vervaardigde Firvulag boot ondersteboven gekanteld waardoor een koepeltje was ontstaan boven een redelijk droge nis in de grond. Daaronder lag Fian te rusten. Kuhal had kans gezien met zijn geringe scheppende vermogen een vuurtje te maken, maar het maal voor die avond zag er magertjes uit: een palmhart, een paar gekookte volgeleieren en enkele verrukkelijke maar weinig voedzame acaciabladeren, gebakken in het laatste beetje vet dat van een hamster afkomstig was. Een slang met afmetingen die hem het water in de mond hadden doen lopen, had kans gezien om weg te komen. En Kuhal paste er wel voor op om de overvloedige maar zeer giftige bollen van de narcissen op tafel te brengen.
Fian kreunde. De motregen veranderde in harde regenbuien die op de huiden van de boot ratelden.

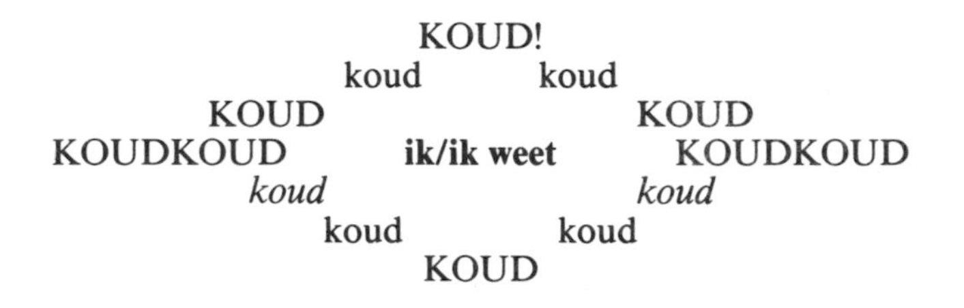

Het slaapkleed dat Kuhal had gemaakt viel nu bijna uit elkaar. De draden van pees waren weggerot en het meeste bont was van de huiden gevallen. Hij had geprobeerd het kleed met nieuwe huiden te herstellen, maar de oudere stukken hadden de neiging om op de naden los te laten. Hij trok het gerafelde ding zo goed en zo kwaad als dat ging over Fian heen en ging daarna op pad om meer hout te zoeken. Hij vond een handvol dode takken aan een boom hogerop. De doorns scheurden zijn handen open terwijl hij de takken in stukken brak en op het vuur wierp. Daarna kroop ook hij onder het afdak van de boot en trok zijn doorweekte en glibberig geworden poncho uit en hing die voor de opening waardoor hij dienst deed als gordijn en als scherm om de warmte van het vuur binnen te houden. De antilopehuid stonk erbarmelijk.
Fian bewoog en plukte aan de verbanden om zijn afschuwelijke hoofdwonden, die Kuhal van nu vuil geworden roze en gouden weefsels had gemaakt. Hij pakte de beide handen van zijn broer en dwong die onder de deken van bont terug. Ze voelden klam aan, de

huid lag strak getrokken over het bot en de spieren, de polsslag beefde zachtjes door het web van bloedvaten.

stervende . . .
Nee.
We sterven samen . . .
Nee.
Sterven we koud?
NEE!
zokoudbloedlangzamer
slaathethartlangzamer
NEE IK/IK
WARM ONS!

De onderling verbonden geest worstelde. De ene helft probeerde zich heftig los te maken om op die manier maanden van lijden tot een einde te brengen. Maar de andere helft, meedogenloos in haar liefde, beval dat het leven moest.

(*psycho* A *kinetisch*)
(*vaat* A *verwijding*)
(*stimu* A *latie*)
A
A
H
!

De pijn was vooral afkomstig van de volledig geïnfecteerde gezichtsspieren. Ook de koude speelde een rol. Hij had maar net genoeg PK kunnen opbrengen om de vertraagde bloedcirculatie van zijn broer weer enigszins op gang te brengen. Nu maakte Kuhal zich klaar om de pijn met zijn genezende vermogens tegen te gaan. Zijn krachten waren daarvoor nauwelijks toereikend. Dit zou zijn tiende nacht achtereen worden zonder slaap, de limiet van wat hij verdragen kon. Rust uit, je bent warm en droog. Ik zal morgen voedsel vinden.

Slaap, Fian.
ja
Slaap, bemindebroeder.
ja
Slaap, spiegelvanmijnziel.
ja
Slaap, vriendelijkaanvoelende.
j a
Slaap, geliefdezelfgewonde

j a
Slaap, Fiangeestvanmijngeest, slaap.
(*langzamer golvend theta-ritme*)
Slaap.

Het grootste deel van de dag had Fian geijld en de mentale stormen in de rechterhersenhelft van het Brein betekenden een voortdurende aanval op de door vermoeidheid verzwakte defensies van de linkerhelft, totdat Kuhal zelf in een hallucinatie weggleed.
Hij liep langs een baai die eeuwig en zonder einde scheen, Fian door het ondiepe water voorttrekkend in het lekker wordende vaartuigje van de Firvulag. Plotseling leek hij door de mistige nevels boven het water in de verte een stad te zien. Zij zag er stralend uit als een zon, Muriah, opnieuw in pracht herboren! Kuhal hoorde de vrouwen van de Tanu het Lied zingen. Grote menigten in de arena riepen luidkeels tijdens de Voorjaarstoernooien; de glazen trompetten weerklonken, samen met het donderen van met juweel bezette zwaarden op de schilden van glas.
Betoverd liet hij het touw vallen waaraan hij het bootje voorttrok. Thuis! Ze waren bijna thuis! Na maandenlang voortkruipen langs de Afrikaanse kust, verworpelingen, half gek geworden en hongerig, hun mentale vermogens tot impotentie gemokerd, was hier ineens het wonder.
Met uitgestrekte armen waadde Kuhal in de richting van het visioen, naar dieper water.
De veel ernstiger gewonde broer, die veel meer intuïtief vermogen bezat in zijn deel van hun gezamenlijk Brein, herkende het fantoom voor wat het was. Door een stroom overredingskracht op te roepen, had hij Kuhal teruggedwongen, het touw weer in zijn hand.
'Nu zullen we samen naar het Gezegende Eiland gaan,' had Fian gezegd.
Maar de storm had Kuhals geest verlaten. Koppig koos hij voor beiden opnieuw het leven en bracht hen aan land.
'Ik ben langzaam stervende,' had Fian gezegd. 'Waarom maken we er niet een eind aan?'
'Je zult niet sterven. Ik laat het niet gebeuren. We gaan terug naar het vasteland van Europa. Zodra de regens stoppen, draait de wind naar het zuiden. Ik zal een zeil maken voor de boot.'
'Het zal ons niets helpen om naar de overkant te gaan. Al de anderen zijn gestorven in de Vloed.'
'Dat weten we niet! Onze vermogens kunnen ons niets meer vertellen. Ik kan nauwelijks buiten gehoorafstand helder zien.'
'Kuhal! Geest van mijn geest. Alleen de dood blijft nog voor ons over . . . als we tenminste verenigd willen blijven . . .'
Schreeuwend had Kuhal dat ontkend. De dood was een ondenk-

baar iets. Scheiding was een ondenkbaar iets.
'Vertrouw me! Je hebt me altijd vertrouwd, je bent me altijd gevolgd. Wij zijn *één*.'
Maar de pijn en de machteloosheid vloeiden verder en Fian zei: 'Als jij mij niet volgt, zal ik misschien alleen moeten gaan.'
'Nee!'
Op het allerlaagste niveau van bewustheid kroop bij Kuhal de waarheid naar buiten.
Ik ben bang . . .
In hun door de regen gebeukte schuilplaats hield Kuhal, die eens Kuhal Aardschudder was geweest en Tweede Heer der Psychokinetici na Heer Nodonn, zijn slapende tweelinghelft stevig tegen zich aan. Het vuur siste, de regens zouden er spoedig een eind aan maken. De hersengolven van Fian bewogen zich langzaam en vredig. Hij voelde geen pijn. Maar voor zijn wakende broeder lag dat anders.

(*langzaam theta*)
(*langzaam theta*) **ANGST** (*langzaam theta*)
(*langzaam theta*)

9

Het regende pijpestelen en het begon behoorlijk donker te worden tegen de tijd dat de ronin Yoshimitsu Watanabe bij de twaalfde tolpoort van de trollen kwam langs de weg vanaf Redon.
'Verdomde Firvulag-afzetters,' gromde hij.
Hij hield de teugels in en overdacht de zaak eens met een vermoeid soort afkeer. Hij had al zoveel tijd verloren door overstroomde fjorden over te zwemmen en omwegen te maken voorbij ondergelopen en weggespoeld land. Als hij Goriah vanavond al bereikte, dan zou dat in de kleine uurtjes zijn wanneer gastvrijheid moeilijk te vinden was, zelfs voor een reiziger die geld bij zich had. En als hij zonder kwam . . .
Zijn hongerige chaliko nam de pauze te baat om wat groens uit de modderige aarde te trekken.
Met een zacht: 'Hop, Kiku,' bracht hij het dier weer naar voren. Daardoor kwamen ze bij de rand van een verhoogd plateau. Beneden schuimde de woedende rivier. De chaliko deinsde terug. De engte was smal maar bijzonder steil en diep, deels verstopt door gevallen boomstronken. Hij werd overspannen door een simpele brug van met een bijl bekapte planken. Aan weerszijden daarvan bevonden zich de 'poorten', manshoge steenhopen met daarin een

paal geplant waaraan een gekleurde perkamenten lantaarn hing in de vorm van een surrealistisch gehoornde schedel. De gevangen grote vuurvliegen binnenin zorgden voor de verlichting.
Wanneer een reiziger de brug wenste te gebruiken, was het verplicht om de gebruikelijke hoeveelheid munten in het gat te werpen dat zich aan de basis van de steenhoop bevond. Zij die probeerden zonder te betalen te passeren, werden opgegeten door de trol.
Yosh maakte de kleine cape van stro los en liet die zover zakken dat de overduidelijke pracht van zijn door rode veters bijeengehouden uma-yoroi zichtbaar zou zijn voor iedere nachtelijke aanvaller. Met twee snelle bewegingen verving hij de strooien regenhoed door zijn bepantserde kabuto. Toen zijn handen vanaf het hoofd omlaagkwamen, greep hij de primitief gemaakte (maar dodelijke) nodachi die achter zijn rechterschouder in een schede zat.
Hij stak het lange zwaard voor zich uit. Hij en Kiku stonden onbeweeglijk als standbeelden. De spookachtige lantaarns flikkerden en dansten. De lauwe regen ratelde in het groen van de bossen en een paar boomkikkers begonnen aan een voorjaarsmadrigaal.
'Luister naar me!' riep Yosh luidkeels. 'Ik ben een man van eer. Ik houd me aan het bondgenootschap tussen mensen en Firvulag. Ik heb bij al die verdomde tolpoorten betaald tussen het Parijse Bekken en hier zonder een woord van protest. Nu heb ik nog maar drie zilverstukken over. Als ik die aan jou geef, ben ik platzak wanneer ik vannacht in Goriah aankom. Dat wil zeggen, geen geld voor een bed, voor eten, voer voor mijn chaliko, niks. Dus ik betaal niet! En daar moet je maar genoegen mee nemen!'
De kikkers zwegen. Alleen het geluid van de regen en het onderdrukte dreunen van de waterval beneden bleef hoorbaar. Plotseling ontstond aan het einde van de balkenbrug een groenige gloed. Iets groots en druipends en monsterachtigs verscheen op de weg en kwam dreigend in de richting van de Japanse vechter en diens paardachtige rijdier. De verschijning leek op een reptiel met van vliezen voorziene handen en een geschubde huid. De kop leek op de gehoornde schedel van de lantaarns en ergens zaten enorme uitpuilende ogen die als groene zoeklichten alle kanten uit schenen.
Voor het ding dichterbij kon springen, opende Yosh zijn mond. Hij riep de kiai op, de geestschreeuw van de oude bujutsu-meesters. Een vocale vibratie van zo'n oorverdovend volume en zo'n afschuwelijke toonsoort dat het de trol leek te raken als een fysieke klap, Het creatuur wankelde achterwaarts, viel op een knie en sloeg de flapachtige uitsteeksels tegen de zijkanten van zijn kop.
Aangespoord door Yosh sprong de chalikomerrie naar voren. Het was een groot beest, bijna negentien handen hoog. Haar voorpoten, goed bewapend met half intrekbare klauwen ter grootte van een halve mannenhand, kwamen op een paar centimeter voor de trol in de grond. De punt van de grote nodachi hing boven de buik van de

Firvulag.
'Dit zwaard is van ijzer, niet van brons of glas,' waarschuwde Yosh. 'Spreek je standaard-Engels? Dit is een wapen van bloedmetaal. Nopar o beyn! Eén steek en je bent alleen nog maar warm vlees. Ik heb hier tweeëntwintig Huilers en twee Tanu mee gedood en ik ben klaar voor mijn allereerste Firvulag als je zelfs maar het lef hebt om gemeen met je ogen te knipperen.'
De trol liet zijn adem in een bevende snik ontsnappen. 'Je zegt dat je je aan het bondgenootschap houdt, Mindere?'
'Dat heb ik tot nu toe gedaan. Ben je van plan redelijk te zijn over het tolgeld?'
De ogen van het schepsel vonkten woedend. 'Heb ik geen recht op een bestaan? Drie keer al deze winter is de brug weggespoeld en drie keer heb ik hem moeten maken! Twee zilverstukken is goedkoop. Ik haal daar zelfs de kosten van onderhoud niet uit. En daarnaast pakken die koninklijke belastinguitzuigers ook nog eens dertig procent.'
Het zwaard bleef waar het was.
'Ik kan het niet betalen. De tijden zijn hard in het noorden nu de wereld ondersteboven lijkt gekanteld sinds de Vloed. Daarom ga ik naar Goriah. Wat zal het zijn? Ben je bereid te sterven voor twee luizige geldstukken?'
De gloed die het monster uitstraalde, verminderde. 'O, hel. Ga maar door en wees vervloekt. Hé, kan ik even van vorm veranderen en overeind komen? Deze koude modder is de pest voor mijn spit.'
Yosh knikte en tilde zijn zwaard op. De reptielvorm huiverde en leek doorschoten te worden met gekleurde vonken tot het geheel veranderde in het glanzende lichaam van een middelgrote Firvulag. Zijn gezicht was met littekens bedekt, zijn neus was lang en puntig en zijn kraalogen glinsterden onder buitengewoon dikke en rossige wenkbrauwen. Hij droeg een kegelvormige rode muts met een bijpassende broek (die nu doorweekt was van de modder), een verfomfaaid hemd dat met vetertjes rond de keel bijeen werd gehouden en een leren wambuis met een smaakvol en kostbaar geborduurd ontwerp van in elkaar vervlochten dieren. Zijn schoenen waren zwaar bespijkerd en hadden naar boven omgekrulde punten.
'Moet je horen,' zei de trol, 'ik doe je een voorstel. Je bent zeker nog dertig van jullie mijlen van de stad van de Glanzende verwijderd. Dat is een lange weg voor een kwade nacht als deze. En zoals je zei, je geldbuidel komt getinkel te kort. Je zult meer dan drie zilverstukken nodig hebben om in Goriah behoorlijk onderdak te vinden. Maar mijn schoonbroer Malachee drijft een mooie herberg, een paar kilometer hier vandaan. Daar kun je een goed maal krijgen en een drankje en een zak wortels voor dat ondier voor niet

meer dan twee zilverstukken. De volgende dag laat ik je voor de helft over de brug, één zilverstuk in plaats van twee. Wat zeg je daarvan?'
Yosh' ogen werden kleiner.
'Je belazert me niet?'
De Firvulag draaide zijn handen om met de handpalmen naar boven.
'De mensen en het Kleine Volk zijn bondgenoten! Koning Sharn en koningin Ayfa hebben dat officieel verklaard. Niemand zal je in een bed van Malachee om zeep helpen.'
'Maar een mens in een kroeg van de Firvulag . . .'
'In het achterland komt dat misschien niet zoveel voor. Maar hier in de buurt begint het heel gewoon te worden, vooral sinds de Glanzende overal op zoek is naar nieuwe rekruten. En ons volk kan wat handel goed gebruiken. Ik heb vanavond al twee mensen naar Malachee doorgestuurd, kerels te voet, allebei. Je zult dus gezelschap hebben.'
Yosh grijnsde. Hij stak het lange zwaard terug in de schede op zijn rug. Met een kleine tik van zijn hielen en een heel lichte beweging van zijn lichaam dwong hij de chaliko achteruit en weg van de bemodderde buitenaardse.
'Goed. Ik ga ermee akkoord. Hoe vind ik die plek?'
'Ga terug langs het pad tot je bij de bocht komt bij de klippen langs de Straat van Redon. Houd rechts aan bij een groeve vol kurkeiken en volg de baan tot je pal tegen een grafheuvel aanloopt. Daar is het. Malachee's Slok. Zeg maar dat Kipol Groentand je heeft gestuurd.'
Hij scharrelde naar de rand van de kloof en keek toen over zijn schouder. 'Die strijdkreet van jou, weet je dat dat een oud kunstje is van de Firvulag? Maar ouwe trucs doen het vaak het best. Ik ben er niet kwaad meer om.'
Met een sardonisch saluut verdween Kipol Groentand onder de grond.

De grafheuvel bleek, toen Yosh haar gevonden had, de grootte te hebben van een flinke circustent en was helemaal bedekt met struikgewas. Hij zag er in de stormachtige nacht volstrekt verlaten uit, liggend op een door de wind gegeselde hoogte die maar zo'n vijfhonderd meter van de zeestraat verwijderd was. De regen was voor het ogenblik opgehouden. Verscheurd wrakhout van wolken dreef door de hemel als een bataljon misvormde heksen. Tegen de zuidwestelijke horizon lag een parelachtige glans die lage kustheuvels zichtbaar maakte. Dat tantaliserende licht moest afkomstig zijn van Goriah, het nieuwe hoofdkwartier van Aiken Drum en nu in feite de hoofdstad van het Veelkleurig Land. Nu een mens met volledig werkzame mentale vermogens het oude koninkrijk van de

Tanu regeerde, zouden de omstandigheden in Ballingschap volkomen andere spelregels krijgen.
'En ik kan nauwelijks wachten om mee te spelen,' vertelde Yosh tegen de geduldige Kiku.
Hoe dan ook, hij zou morgen bij daglicht een heel wat opvallender entree maken in Goriah. Kiku zou uitgerust zijn en haar pas gemaakte tuig met veel plezier dragen. Ze zouden een bontgekleurd stel vliegers meetrekken en die pal onder de stadsmuren goed laten zien om de aandacht te trekken. Daarna zou hij Goriah binnenrijden, tiptop gekleed in de prachtige wapenrusting van een samurai uit de Muromachi-periode, het zwaard in de presenteerhouding. Dat zwaard van handgesmeed ijzer zou hij Heer Aiken-Lugonn aanbieden. En dan zou Yoshimitsu Watanabe niet langer een ronin zijn, een man zonder meester, op drift op de levenszee. Hij zou een goshosamurai zijn, een keizerlijk strijder!
Even vroeg Yosh zich af wat zijn collega's uit de 22e eeuw bij Rocky Mountains Robotics in het goeie ouwe Denver, Colorado, daar wel van zouden denken als ze hem nu konden zien in zijn uur van glorie.
De werkelijkheid bracht hem naar de Pliocene Aarde terug. Zijn gelamineerde wapenuitrusting was zwaar doorweekt en lekte als een zeef. Zijn maag klotste leeg tegen zijn ruggegraat. En arme Kiku had niet meer gehad dan een karige mondvol takjes.
Waar kon die verdomde taveerne zijn? Hij reed de heuvel rond en scheen met zijn op zonne-energie werkende zaklantaarn in holen en struiken. Maar hij vond enkel een kleine, recht overeind staande grafsteen, smal en niet meer dan een halve meter hoog, waar een zwart ideogram op geschilderd was. Terwijl hij voorover leunde in het zadel om dat te bestuderen, hoorde hij zwakjes ruw gelach en muziek.
Kwam dat *vanuit die heuvel?*
'Hallo!' schreeuwde hij.
De aangename geluiden leken te verwaaien op de fluitende wind.
'Is er iemand binnen? Is dit Malachee's Slok? Ik eh . . . Kippy Groentand heeft me gestuurd.'
Er klonk een schrapend gerommel en de chaliko deinsde achteruit. Een vierhoek van zwak geel licht, bijna drie meter hoog en iets minder breed, verscheen op de helling voor hem. De aarden wal verzonk en onthulde een tunnel van flinke afmetingen verlicht door laaiende toortsen aan de wanden. Zijgangen verdwenen naar links en naar rechts. Aan het einde van de tunnel bevond zich een zware houten deur met twee kijkgaten als vuurrode ogen en daarachter vandaan kwam het onderdrukte geluid van verward gelach, gezang, geklos en geklap en soortgelijke aanwijzingen van een nogal levendige communicatie.
'Blijf je daar de hele nacht staan, Mindere, of kom je naar

binnen?'
Een jonge Firvulag, een beetje krom en sproetig maar met een superieure glimlach, wenkte Yosh naar binnen. Terwijl Yosh de jeugdige buitenaardse in de rechter doorgang volgde, gleed de toegang tot de holle heuvel achter hem dicht. Terwijl hij zijn paniek onderdrukte (en Kiku onder de duim hield die schichtig reageerde op deze onverwachts veranderende omgeving), reed Yosh een droog in de aarde uitgegraven vertrek binnen dat volgestouwd lag met balen, verzegelde kruiken, zakken en allerhande huishoudelijke uitrusting.
De opgeschoten jongen leunde onderuit tegen een vat terwijl hij met een groezelige vingernagel zat te plukken aan een ontstoken puist op zijn neus. Met de andere hand wees hij naar een plek bij een van de muren die bedekt was met stro.
'Jij zet beest daar neer. Aan ring in muur vastbinden. Wortels voor eten in zak. Jij zelf voeren en borstelen. Chaliko's mogen me niet.'
Hij giechelde en een vleugje duistere katachtige trekken gleden even over zijn gezicht. Kiku hinnikte en liet het wit van haar ogen zien.
Yosh steeg af. Terwijl hij het dier verzorgde, voelde hij hoe de blik van de buitenaardse jongen zich leek te boren in de achterplaat van zijn pantser waar de grote gebogen nodachi nog steeds bevestigd was.
Het hakkelende Engels van de jongen klonk strijdlustig. 'Jij laat bloedmetaal zwaard hier in voorraadkamer.'
Yosh keek hem niet aan. Hij ging door Kiku droog te wrijven met een handvol stro. 'Nee. Ik houd mijn wapens en mijn uitrusting bij me. En morgenvroeg kijk ik alles na om er zeker van te zijn dat er niets van mijn spullen . . . eh . . . verkeerd is weggelegd. Ik zou het waarachtig nogal vervelend vinden als er iets zoekraakte . . .'
In een onderdeel van een seconde wervelde hij rond, het zwaard kwam als een valbijl in een flitsende jaijutsu-beweging omlaag om pal voor het voorhoofd van de volstrekt overdonderde Firvulag tot stilstand te komen.
' . . .en dat zou voor jou ook heel vervelend kunnen zijn, jongen. Als je bijvoorbeeld zou gaan donderjagen met mijn chaliko. Begrijp je?'
'Mala-*chee*?' krijste de jongen.
Yosh was alweer bezig het zwaard op een heel wat onschuldiger manier te gebruiken om een zak met wortels open te krijgen, toen de dwergachtige herbergier naar binnen kwam gestormd.
'Nou, nou, wat is dit voor een opschudding, Nuckalam? Ik zie een nieuwe gast? Welkom, menselijke vriend.'
Het gezicht van Malachee was plomp en roze. Zijn gepunte oren staken uit een kruin vol zilverwit haar omhoog. Hij had zijn mou-

wen tot aan de ellebogen opgerold waardoor onberispelijk schone handen zichtbaar werden. Hij droeg een leren schort met een soort slabbetje. Hij wierp een korte blik op het zwaard en gaf Yosh een knipoog. 'Natuurlijk kunt u uw wapen bij u houden, mijnheer. Maar altijd in de schede, alstublieft. Demonstraties van vechtkunst zijn in Malachee's Slok niet toegestaan.'
De jongen Nuckalam, wiens gezicht nu witte angstvlekken vertoonde in contrast met de al aanwezige puistjes, ontblootte zijn lippen in geforceerde overmoed.
'Hij zegt hij me opensnijden met bloedmetaal? Varkenszoon van een Mindere!'
Malachee trok een berispende wenkbrauw op in de richting van Yosh.
'Een misverstand.'
De krijger lachte verzoenend naar Malachee en sloeg volstrekt geen acht op de scheldnamen die de jonge Firvulag nu in zijn eigen taal mompelde. Nadat zijn zwaard weer ingepakt op zijn rug was bevestigd, haalde hij twee klompjes ruw zilver te voorschijn uit zijn uchibukuro en hield ze de herbergier voor.
'Sta mij toe vooruit te betalen als bewijs van mijn goede wil. Uw zwager heeft uw zaak zeer aanbevolen.'
Malachee keek verheugd, nam het geld aan en ging hem voor naar de gelagkamer. Toen de grote deur openzwaaide, kreeg Yosh de indruk van pulserend rossig licht, een tumultueus kabaal, de geur van geroosterd gebraad en gemorst bier en een menigte buitenaardse pretmakers die in grootte varieerden van dwergen met rode appeltjeswangen die over de vloer buitelden tot en met reuzen die bijna de kroonluchters raakten. Niet één van de Firvulag gebruikte een illusie om zijn uiterlijk te vermommen, terwijl ze dat bijna altijd overal deden waar ze met mensen in contact kwamen. Yosh merkte met belangstelling dat geen van deze Firvulag, ondanks het enorme verschil in grootte, fysiek was gedeformeerd zoals de Huilers en ze waren al evenmin armoedig gekleed. Wanneer de Firvulag van gemiddelde lengte die hier aanwezig waren, gekleed waren geweest in typische 22e-eeuwse kleding, dan zouden ze onder het publiek in een gemiddelde barruimte op de Oude Aarde volstrekt niet zijn opgevallen.
Malachee moest boven het lawaai uit schreeuwen.
'Deze kant op naar een goede tafel! U kunt er aanzitten met twee van uw soortgenoten.'
Het decor van de gelagkamer was ongewoon. Veel verwrongen en gepolijste boomstronken, grote brokstukken mineralen en massieve draagbalken versierd met gargantuesk houtsnijwerk.
Terwijl Yosh zijn gastheer door de menigte volgde, gingen heel wat gasten met een achterdochtige blik even opzij. Sommigen mompelden binnensmonds of scholden. Ondanks alle koninklijke decreten

was het bondgenootschap met mensen overduidelijk een kwetsbare afspraak.
In de onduidelijke gloed aan het andere eind van de grote kamer wiekte een kolossale zuiplap met zijn armen als een gek geworden molen. Op smekende toon en met een verrassend rijke bariton zong hij steeds weer hetzelfde woord met grote heftigheid.
'Vaaf-na!'
En de rest van het gezelschap volgde hem in koor. 'Vafna! Vafna!'
Yosh werd in een zittende houding gedrukt op een van de paddestoelvormige houten krukken rondom een tafel aan de muur. Malachee schreeuwde in zijn oren:
'Geniet u maar van de vertoning, ik zal zorgen dat u te eten krijgt. De twee zilverstukken zijn voldoende voor alles wat u maar wilt eten of drinken. U deelt een slaapkamer met deze beide reizigers hier! En dank u voor uw komst.'
Het dieprode licht aan het verste eind van de gelagkamer veranderde in oranje. Yosh wierp een schattende blik op de twee mensen met wie hij zich nu aan dezelfde tafel bevond. De één was jong. Hij droeg het begin van een donzige baard en een smerige leren broek met franjes. De verlegen glimlach waarmee hij Yosh begroette, gaf blijk van een kinderlijke eenvoud. De andere man was beduidend ouder. Zijn versleten hemd en gescheurde cape waren van het soort dat door soldaten met grijze halsringen veel werd gedragen. Hij had een vooruitspringende onderkaak, vettig haar dat over ogen viel die in vijandigheid een beetje waren samengeknepen. Hij maakte de indruk van een voortdurend gespannen, niet te vermurwen hardheid, een onveranderlijke rotzak.
'Hé, man,' riep de jongste naar Yosh. 'Dat is een mooi pak dat je daar aan hebt! En gaven die spoken jou even mooi de ruimte! Allemachtig!'
Hij liet zijn stem zakken tot een samenzweerderige toon.
'En is dat een zwaard, dat ding op je rug? Hé, is het van *ijzer*?'
'Ja,' antwoordde Yosh.
De rotzak loerde naar hem over de rand van zijn beker bier.
'Ben jij zo'n soort Mongool, spleetoog?'
'Japanse afkomst,' zei Yosh gelijkmoedig. 'In Noord-Amerika geboren.'
'Man, zijn wij effe blij jou tegen te komen!' zei de jongste. 'Wij hebben niet meer bij ons dan een bronzen dingetje om varkens aan het lopen te krijgen en een vilmes van vitredur. Hoehoe! Maar met jouw ijzer zullen we wel wat meer respect afdwingen. Hé, ik heet Sunny Jim Quigley en hij hier is Vilkas. En wie ben jij?'
'Ik heet Watanabe.' Zijn antwoord ging bijna verloren in het toenemende muzikale gehuil van de grote Firvulag.
'Vaaaf-na!'
'Vafna! Vafna! Vafna! Vafna!' schreeuwden de andere klanten. Ze

sloegen met bekers en messen en vuisten op de tafels. Onzichtbare trommels namen het ritme over. Er klonk gefluit en gesis. De herberg schudde van opwinding.
Een instrument dat op een piano leek produceerde een sterk basritme en vijf kleine Firvulag-vrouwen kwamen, trots als paardjes, uit het niets die ruimte vol heldhaftige overmoed binnenstappen. Ze zongen uitdagende liederen in hun eigen taal en de mannelijke stamgasten reageerden in goedmoedige harmonie. De dametjes droegen lange rokken die aan de landelijke Middeleeuwen deden denken. Hun haardracht, de lijfjes en de gespen van hun knalrode schoenen waren overvloedig bezet met edelstenen die hypnotisch het licht weerkaatsten en waardoor het vertrek gevuld werd met wentelende kleine vonkjes terwijl de danseressen hun wervelende tempo opvoerden.
Yosh spande zich in om in de schemer iets te blijven zien. Die vrouwen! Waren zij echt . . .?
Het gezang werd opgewondener. De gedanste uitdaging en het antwoord daarop van de Firvulag smolten samen tot één brok tastbare erotiek. Een korte muzikale uitroep van de toeschouwers was het sein voor de danseressen om één voor één hoog in de lucht te springen. Daarbij leken hun rokken tot rook te vervagen en kregen de toeschouwers de indruk van zachthuidige nymfen met golvend haar die zich wentelden in een cycloon van opgewonden kleuren. Slaginstrumenten weerklonken nu overal en de zich vermengende mannen- en vrouwenstemmen reikten naar een hamerend hoogtepunt. Toen doofden die haast doorzichtige lichamen uit, het geluid viel weg, verdronk. Melancholie viel als as over de tafels.
De lichten werden weer helderder. Een andere vrouwelijke vorm materialiseerde uit het niets, eenzaam en uitzonderlijk, haar borsten en dijen gekneed uit vloeiend schuim. Ze zong een kort lyrisch lied van hartbrekende helderheid en droefenis. Toen de laatste noot verklonken was, doofde ook het licht.
Er viel een doodse stilte. Toen kwamen al de buitenaardsen als één man uit hun stoelen overeind voor een laatste donderen *'Vafna!'*
'Mijn God,' zei Yosh.
Zweet druppelde uit de wenkbrauwen van zijn jongste tafelgenoot.
De onbeschofte blootnek die Vilkas heette, leegde zijn beker, smakte die ruw op de tafel en vervloekte de Godin van de Tanu.
'Die zat jullie mooi op te jutten, of niet? Daar word je nog es geil van, hè? Nou, geniet er maar van, kloothommels en laat je maar mooi opnaaien. Want dat is alles wat je krijgen zal. Alles wat wie dan ook hier van die varkens krijgen zal.'
Hij maakte een wijde armbeweging waarmee hij de hele troep kroeglopers omvatte die met glazige ogen langzaam uit hun trance terugkeerden.

'Verdomde Firvulag-hoeren. Ze komen allemaal alleen maar op deze mentale manier klaar totdat ze een kerel vinden om mee te trouwen. En wij mensen zitten op de verkeerde golflengte, dus wij krijgen der niks van. En ze weten ook dat wij ze nooit zover zullen krijgen vanwege hun verdomde tanden. Dus lachen ze ons lekker uit. Ze weten ook dat we zelf hier nauwelijks vrouwen hebben.'
'Tanden?' vroeg Yosh. 'Ik ben nooit dicht genoeg bij één van die Firvulag-vrouwen geweest om ze in de mond te kunnen kijken. Wat is er zo speciaal met hun tanden?'
Sunny Jim keek beschaamd ter zijde.
Vilkas liet een bulderend, somber gelach horen. 'Geen gewone tanden, spleetoog.' Hij gluurde een ogenblik veelbetekend in de richting van Yosh en fluisterde toen: 'Andere tanden. Van onderen.'
'Aha.'
De ronin glimlachte koeltjes. 'Ik begrijp hoe dat jouw stijl in de war stuurt. Je ziet er niet uit als iemand die ergens vriendelijk om vraagt. En nog minder als iemand die iets voor niets aangeboden krijgt.'
Een kelnerjongen dook naast Yosh' elleboog op en begon een dienblad af te laden. Er was een bord vol grote gebraden ribstukken, drijvend in een pittige saus, een terrine met iets dat naar oesters rook, een paar purperkleurige sneden brood en een geweldige kroes bier. Bij wijze van finale zette de jongen een pannetje neer dat gevuld was met kleine paddestoelen, rood met witte vlekken.
Yosh reikte ernaar. 'Wat zijn dit? Voorafjes?'
Een behaarde hand sloot zich om zijn pols. 'Doe voorzichtig an met die hapjes, spleetoog. Die Firvulag worden er helemaal high van maar mensen gaan er nog vlugger van naar de bliksem dan van methylalcohol.' Vilkas liet zijn greep met beledigende traagheid verslappen. 'Tenzij goedkope paddestoelen *jouw stijl* zijn?' Hij vloekte de kelner naar zich toe. 'Meer bier, verdomme!'
Sunny Jim probeerde een verzoenende glimlach. 'Kom nou, Vilkas. Hé. Schei uit met die flauwekul.' Zijn ogen keken Yosh smekend aan. 'Vilkas bedoelt het niet zo. Hij heeft 'em een klein beetje om. Veel bier van die griezels. En de afgelopen maand is hard voor hem geweest. Hij zat in Burask toen de Huilers kwamen en de stad in puin hakten en daarvoor . . .'
'Houd je smoel, Jim,' zei Vilkas.
Zijn bier werd gebracht en hij goot een volle liter achter elkaar naar binnen zonder te pauzeren om adem te halen.
Yosh bekeek Vilkas zonder opwinding.
'Kampai!' toostte hij, terwijl hij een slok van het brouwsel nam. 'Ah, Burask. Ik miste het feestje daar. Pech. Maar een week of wat daarna liep ik een troep Tanu tegen het lijf die de stad waren ontvlucht.'
Hij begon met een lepel in de oestersoep te roeren en at er toen van.

De smaak zou iedere lekkerbek uit het Galaktisch Bestel hebben bevredigd.
De ogen van Jim puilden uit zijn hoofd. 'Heilige blauwe shit, man! Wat gebeurde er toen?'
'Hun mentale aanvalskrachten waren zwak. Ik heb er twee de kop afgeslagen. De anderen namen de benen. Jammer genoeg raakten de gouden halsringen bij het gevecht beschadigd. Maar ik hield er een mooie chaliko aan over voor mijn moeite.'
'Gelukkige sodemieter,' mompelde Vilkas door het bierschuim heen. 'Gelukkige smerige sodemieter van een spleetoog. Wil je weten wat ik voor geluk heb gehad?'
Jim onderbrak een blijkbaar overbekend verhaal.
'En nu ben je op weg naar Goriah?'
Toen Yosh knikte, riep hij uit: 'Hé! Da's prima. Wij ook. Toen ik hoorde dat die kerel die daar koning wil worden, gouden halsringen uitdeelt, wist ik niet hoe gauw ik m'n kont uit het moeras thuis moest trekken om op weg te gaan! En Vilkas, je snapt die hoefde niet erg aangemoedigd te worden na wat er in Burask is gebeurd.'
'En vergeet Finiah niet!' schreeuwde de man in het soldatenhemd. 'Ik ontsnapte aan die zuipende Minderen nadat ze me die halsring hadden afgeslagen en toch werd ik door de Tanu in Burask als een verrader behandeld! Ooit zoiets gehoord? Ik heb nooit geluk. Nooit gehad ook. In het Bestel ook niet. Litouwers zijn geboren verliezers. Ze wilden ons niet eens een eigen planeet geven. Verdomme . . . zelfs die maffe Albaniërs kregen er eentje, maar wij mooi niet. Raad es wat dat bekakte Concilie ons vertelde? Ga zelf maar een wereldje koloniseren! Zeien dat we niet genoeg etnische dynamiek hadden! Konden we mooi een planeet gaan delen met een stelletje luie Letten en Costaricanen en Sikkim!'
Hij werkte zijn laatste bier naar binnen en gleed voorover met zijn gezicht op het smerige tafelblad.
'Die rotyankees kregen twaalf planeten. Die rotjappen kregen er negen. Maar niks voor ons.'
Hij begon te snikken.
'Ah, Vilkas,' zei Sunny Jim. 'Hé, kom op nou.'
Yosh beschouwde het vreemde tweetal. Ze zagen er niet al te fraai uit, maar zelfs een tweetal voddige ashigaru zouden beter staan dan wanneer hij in Goriah aankwam met niemand. Hij had genoeg extra spullen bij zich om ze toonbaar te maken. De jongen kon voor het touw met de vliegers zorgen en die gewetenloze ex-soldaat kon de standaard dragen en het net met de hoofden van de Tanu.'
'De weg van hier naar Goriah is nog steeds niet helemaal zonder gevaar,' zei Yosh. 'Je kunt morgen met me meereizen als je daar zin in hebt, Jim. En Vilkas ook. Alles wat ik vraag is dat jullie een deel van mijn spullen dragen.'
'Hé, dat is verdomd geschikt van je, man!' Sunny Jim werd er vro-

lijk van. 'Die spoken zullen bij ons uit de buurt blijven zolang jij dat zwaard bij je hebt! Is dat een goed idee of niet, Vilkas?'
Het vettige hoofd kwam omhoog. 'Geweldig.'
Zijn bloeddoorlopen blik richtte zich een ogenblik op Yosh en leek toen broodnuchter. 'Hoe zei je ook weer dat je heette, spleetoog?'
Yosh legde de kluif neer waarop hij had zitten kauwen en glimlachte als tegen een lastig kind.
'*Jij* mag me Yoshi-sama noemen,' zei hij.

10

Het ontvangstcomité wachtte geduldig op de kade van Goriah terwijl het schip uit Rocilan langzaam naar de aanlegplaats werd gemanoeuvreerd.
Al de prachtige banieren met het ondeugende blazoen van Heer Aiken-Lugonn, de opgestoken gouden vinger, hingen slap in de armetierige regen. De aristocratische ruiters op hun uitbundig versierde rijdieren waren net zo doorweekt als de vlaggen; maar Mercy had Aiken ertegen gewaarschuwd om dit keer niet met de elementen te knoeien, zelfs niet uit het oogmerk van gastvrijheid. Het afschermen van de regen, of wat voor daad van uitzonderlijk psychisch vermogen dan ook, zou in de ogen van de Tanu kunnen worden opgevat als een ongepastheid, die de aspirant naar het koningschap als gebrek aan bescheidenheid kon worden verweten.
De havenwerkers met hun grijze halsringen worstelden om een rijk geornamenteerde loopplank uit te leggen. Aiken had een nieuwe formatie van soldaten met gouden halsringen om zich heen; ze stonden als een erewacht opgesteld en met hun glanzende wapenrustingen van glas en brons maakten ze er een mooie show van die nog schitterender werd doordat al dat gepoetste materiaal extra glom door de regen. Lakeien schoven een bank naar voren die het opstijgen vergemakkelijkte. Alberonn Geesteter zelf leidde vier witte chaliko's voorwaarts ten behoeve van de zich ontschepende gasten.
Aan boord van het schip weerklonk één enkele toon uit een gestoken hoorn. Verschillende Tanu-dames uit het gezelschap van Aiken hielden in antwoord hun trompetten hoog en antwoordden met een fanfare.
Eadnar, weduwe van de overleden Heer Gradlonn van Rocilan, begon de loopplank af te dalen gevolgd door haar eerbiedwaardige schoonmoeder Vrouwe Morna-Ia, haar zuster Tirone met het Zingende Hart met haar echtgenoot, Bleyn de Kampioen.

Aiken nam zijn gouden hoed met de druipende zwarte pluimen af, leviteerde discreet totdat hij ongeveer recht overeind in zijn zadel stond en spreidde zijn armen in een welkomstgebaar.
'Slonshal!' riepen de geest en de stem van de kleine overweldiger van Goriah. De kracht van zijn uitroep deed de rotsige havenmuren echoën.
'Slonshal!' zei hij nog eens, zijn groet voegend bij die van Mercy terwijl de bezoekers hun chaliko's bestegen. En voor een derde maal riep hij en nu vulden de scheepszeilen zich met wind en de zeemeeuwen stegen verschrikt op van alle havenhoofden en bolders als een wolk confetti in grijs en wit en roze.
Uit de kelen en geesten van allen die zich aan de haven verzameld hadden, kwamen de betoverende regels van het Lied der Tanu, waarvan de melodie zo merkwaardig vertrouwd was voor alle mensen in Ballingschap.

Li gan nol po'kône niési,
'Kône o lan li pred néar,
U taynel compri la neyn,
Ni blepan algar dedône.
Shompri pône, a gabrinel,
Shal u car metan presi,
Nar metan u bor taynel o pogekône,
Car metan sed gône mori.

Er is een land dat schijnt door tijd en leven,
Een vriendelijk land in werelds lange jaren,
Veelkleurige bloesems bedekken het
Uit de oude bomen waarin de vogels zingen.
Iedere kleur gloeit, verrukking allerwegen,
Muziek doorstroomt de Zilveren Vlakte
Op de zoet gestemde Vlakte van het Veelkleurig Land
Op de Witte Zilvervlakte in het zuiden.

Daar zijn geen tranen, geen bedrog, geen verdriet,
Daar is geen ziekte, geen zwakheid of dood,
Daar ligt de rijkdom in talrijke kleuren,
Zoete zang voor het oor, speelse wijn voor de tong.
Gouden strijdwagens meten zich op de Vlakte van Wedijver,
Kleurige rossen rennen in gelijkmatig klimaat.
Noch de dood noch het ebben van de tijd
Bedreigen hen in het Veelkleurig Land.

De geëerde gasten uit Rocilan zongen mee, maar bij het laatste couplet weenden de rouwende Alberonn en Eadnar openlijk en het verweerde gelaat van de oude Vrouwe Morna verhardde tot een

masker van verdriet. Mercy's geestesstem verloor haar muzikaliteit en ging over in een Keltische klaagtoon: *Ochone, ochone!*
Het werd stil. De zeevogels vlogen terug naar hun rustplaatsen. Het havenwater kalmeerde tot een loodkleurig, door de regen betrommeld vlies.
'Welkom,' zei Aiken. 'Welkom, Verhevenen uit Rocilan.'
En zijn geest verklaarde: Het lachen en de vreugde zullen terugkeren. De liefde en de wedstrijden en al de schatten van het hart. De Glanzende belooft het!
Vrouwe Morna-Ia keek hem scherp aan. 'U ziet er in werkelijkheid kleiner uit dat wat u over afstand hebt geprojecteerd, Strijdmeester. En *veel* jonger.'
'Ik word tweeëntwintig jaar op de dag voor het Grote Liefdesfeest, Vérziende Vrouwe,' antwoordde de schelm. 'Op mijn thuiswereld, Dalradia, zou ik al vier jaren tot de volwassenen worden gerekend. En oud genoeg om voor openbare ambten gekozen te worden, als mijn medeburgers mij niet als een bedreiging voor de publieke veiligheid hadden beschouwd.'
Morna's onbewuste vocalisatie was mentaal toch nog verstaanbaar: Heel begrijpelijk!
'En wat mijn afmetingen betreft,' voegde hij er met een grijns aan toe, 'ik was meer dan groot genoeg voor Mayvar de Koningmaakster die voor haar dood zuster van uw gilde was.'
De Vrouwe wist zich maar nauwelijks in te houden bij het horen van die toespeling, maar Aiken ging onverstoorbaar door. 'En als de Vloed mijn duel met Nodonn niet had onderbroken, dan zou ik hem ook op maat hebben gesneden.'
'Dat is wat u beweert,' snauwde de Vrouwe. 'Grootspraak schijnt in deze tijd van het jaar in Goriah ruim voorhanden te zijn. Samen met het bespotten van oude tradities.'
Haar blik viel op haar weduwe geworden schoondochter, Eadnar, die zonder woorden communiceerde met Alberonn, die nog steeds de teugels van haar chaliko vasthield.
'En dat komt door uw eigen schaamteloze voorbeeld, Strijdmeester, door te proberen u nu al, tegen al onze rouwtradities in, te verbinden met Vrouwe Mercy-Rosmar. Daardoor komt ook Eadnar ertoe de herinnering aan mijn overleden zoon te profaneren.'
Aiken bracht zijn voordracht direct in een andere versnelling en liet ieder spoor van overmoed en gepeperde opschepperij achterwege terwijl hij de oudere dame nu toesprak over haar persoonlijke golflengte met al de overtuigende charme die hij wist op te brengen:
Vérziende Vrouwe Morna-Ia, u behoort tot de Eersten die hier kwamen, een steunpilaar voor uw gilde, iemand met grote wijsheid en metapsychische kracht. U bent zich bewust van het gevaar dat wij trotseren, nu zovelen van onze strijders in de Vloed zijn omge-

komen. De Aartsvijand is vastbesloten ervan te profiteren zodra ze iets van zwakheid bij ons opmerken nu ze ons in aantal zoveel keren overtreffen. *Zij* zullen zonder gewetensbezwaren de oude tradities laten vallen als dat onze nederlaag kan verhaasten! Denkt u maar eens aan die aanval op Burask, dat verwoest zou zijn door zogenaamde Huilers. Daarbij hebben de aanvallers op nooit eerder voorgekomen wijze gebruik gemaakt van pijl en boog. Of aan de schermutselingen aan de voet van de Alpen rondom Bardelask waar reuzen en dwergen gezien zijn die op chaliko's en paardachtigen reden, volkomen in strijd met hun meest oude gewoonten!
De Aartsvijand is van plan één voor één al die steden in te nemen die hun sterke Heren en vechtende Vrouwen verloren hebben. Zelfs Rocilan aan de Atlantische kust en een protectoraat van Goriah is kwetsbaar voor de Firvulag uit de Grotten Wildernis. De mooie Eadnar is een creatief genie in mode en ontwerpen, maar ze is nauwelijks de aangewezen persoon om uw stad te verdedigen tegen een horde goed bewapende bereden monsters. Daarom heeft Alberonn Geesteter op mijn aandringen zijn hofmakerij voortgezet ondanks de tradities van rouw. U weet welke kwalificaties hij bezit. Het is een eer voor Rocilan om geregeerd te worden door een lid van de Hoge Tafel die bovendien een militair specialist is! Voeg daar nog eens aan toe dat Alberonn Eadnars leven en het uwe heeft gered na de Vloed . . .
'Wij zijn Heer Geesteter meer verschuldigd dan wij terug kunnen betalen,' zei Morna hardop, haar gezicht koeltjes. 'Wij verwelkomen hem nederig en met vreugde. Maar desondanks . . .'
Aha. Ik zie wat u met zo weinig probeert te verbergen! Ik ben het. Tegen mij hebt u bezwaren. Mijn bemoeienis met Rocilan. Het maling hebben aan uw tradities. Mijn macht over Goriah en mijn gooi naar het koningschap!
U bent een mens.
En een kwajongen. Ik weet het. Maar als u uw grote mentale vermogens wilt gebruiken om voorbij te zien aan mijn afmeting, mijn menselijke afkomst, mijn jeugd, mijn opschepperij en mijn vreemde streken . . . dan zult u zien dat ik de enige ben die dit koninkrijk werkelijk nodig heeft. Ik ben degene die alles kan herbouwen en tegelijkertijd de Aartsvijand gepakt en gezakt naar huis kan sturen. Wie dat gelooft? Bleyn en Alberonn onder andere, die me nu volgen, precies zoals ze dat tijdens de Grote Veldslag hebben gedaan. Mercy-Rosmar, nu presidente van het Gilde der Scheppers, heeft in een huwelijk met mij toegestemd. En dan is er nog Heer Cullucket, die juist deze maand naar Goriah is gekomen om zijn lot aan dat van mij te verbinden. Vier van de vijf leden van de Hoge Tafel die de Vloed overleefden, hebben mij op mijn woord geloofd! Waarom zou u dat niet?
'Het is blijkbaar waar wat ze zeggen over uw slimme geest en uw

gladde tong.'
Maar het gezicht van de oude vrouw werd voor het eerst verzacht door iets als een karige glimlach. 'Het ene ogenblik lijkt u een onbeschaamde parvenu, en het volgende . . .'
'Dat is niet zo onmogelijk of onwijs voor iemand die Hoge Koning wil worden!'
Hij giechelde, zette zijn breedgerande gouden hoed met een klap terug op zijn hoofd en knipperde toen de kletsnatte pluimen hem voor de ogen vielen.
'Thuis op het beminde, soppige Dalradia, zouden we dit een prachtige zachte ochtend hebben genoemd. Wat zou u ervan zeggen, vrouwe, als we een uitstapje maakten ter inspectie? Niet meer dan een kleine omweg op uw reis naar Glazen Kasteel? Ik wil u en de andere Verhevenen van Rocilan graag laten zien welke grote zaken ik inmiddels tot stand heb gebracht. Het heilige Meiwoud opnieuw beplant voor het Liefdesfeest van dit jaar. U zult verbaasd staan!'
'Oh, goed dan,' zei Morna.
De overige gasten en de leden van het ontvangstcomité die zich onder elkaar hadden vermengd en ernstig spraken, werden nu stil en vol verwachting. Mercy, die schrijlings op haar witte chaliko zat, nam Aikens suggestie over alsof het een idee van het moment was geweest, niet iets dat ze ruim van tevoren zo hadden gepland. Haar psychische scheppingskracht stroomde van haar uit en de levenslustige glans die haar nu overtoog deed zelfs de mooie zusters uit Rocilan erbij verbleken.
'Laten we vliegen!' riep Mercy uit. 'Het is een heerlijke dag voor een sprookjesrit!'
Ze wierp de capuchon van haar fluwelen Kinsale-cape achterover, zodat haar prachtige kastanjebruine haar krulde en donker werd van de regen.
'Alle soldaten en zij die ons vergezelden om behulpzaam te zijn, keer terug. Wij zullen uw diensten niet nodig hebben tot we weer in Goriah zijn. En u, beminde gasten, volg mij! Laten we vliegen!'
Ze steeg omhoog in de stortbui en liet Aiken even met open mond achter. Want het vliegen was niet gepland en van al de anderen was alleen Culluket tot levitatie in staat. Aiken werd daardoor gedwongen de vier gasten uit Rocilan en Alberonn zelf te dragen en daarmee zou hij hun afspraak over bescheidenheid geweld aan doen. Voor de zwangere Mercy hinderde dat niet, want de traditie onder de Tanu stond zwangere vrouwen elke buitenissigheid toe. Maar hem maakte ze het behoorlijk lastig.
'Wat zou het ook,' zei Aiken schouderophalend. 'Omhoog. Omhoog en wegwezen! Ik zal nog wel een hele rij meer van jullie heilige regels ondersteboven gooien om jullie van de Firvulag te redden, dus laten we dit soort onzin dan meteen maar onder handen nemen.'

Hij wuifde met zijn beide handen. De regen stopte en viel niet langer op de gasten en op Aiken zelf, tegengehouden door zijn psychokinetische vermogen.
'Als we nu op Dalradia waren,' zei hij, 'dan konden we comfortabel vooruit in een plezierig vliegtuig in plaats van te moeten zitten op deze uit hun krachten gegroeide bloembollenvreters. Maar houd je vast. Ook aan dat probleem wordt gewerkt.'
Zonder moeite bracht hij hen allemaal bij elkaar omhoog, de chaliko's leken zich stapvoets door de met vocht beladen wolken voort te bewegen. Ze hadden Mercy spoedig ingehaald. Maar die lachte enkel en vloog naar het oosten over een rij lage, zwaar beboste heuvels. Beneden hen boog de brede Laar naar het noorden af voor zij verder kronkelde door het Gevlekte Moeras en vandaar in de Atlantische Oceaan. Een goed onderhouden weg vanuit Goriah liep hier een tijdlang parallel met de rivier. Op die weg was het verkeer levendig. Door paardachtigen getrokken karren en chalikokaravanen brachten ladingen bewerkte steen, hout, grote rollen graszoden en in jutezakken verpakte planten en struiken naar een ruw stuk open terrein, grenzend aan de Laar. De acht vliegende ruiters kwamen omlaag en verminderden hun snelheid tot een wandelgangetje tot ze ten slotte bleven zweven boven de kruinen van de grote magnolia's en de zwarte gombomen. Overal waren arbeiders in de weer. Mensen met en zonder grijze halsringen hielden toezicht op grote hoeveelheden gehoorzame kleine rama's die groeven en harkten, plantten en sjouwden.
'Dit hele gebied langs de rivier ziet er anders uit sinds Tirone en ik zijn getrouwd,' merkte Bleyn op. 'Wat moet het worden, Aiken?'
'Een luxueus kampeerterrein voor onze Firvulag-gasten. Verrassing!'
Bleyns mond viel open. Hij zag eruit als een door een donderslag getroffen Siegfried.
'Tana's tanden! Je kunt *hen* niet uitnodigen!'
'Dat spot met alles!' zei Morna. 'Firvulag zullen nooit van hun leven . . .'
'Ze hebben de uitnodiging al aanvaard,' zei de Glanzende opgewekt. 'Alleen de grote jongens natuurlijk. Koning Sharn en koningin Ayfa en de naaste familie uit het nest. We houden de gastenlijst een beetje bescheiden. Tussen de twee en de driehonderd. Met een beetje geluk nemen ze geschenken mee.'
Tirone protesteerde. 'Het Kleine Volk heeft zijn Liefdesfeest altijd afzonderlijk gevierd. Tanu en Firvulag ontmoeten elkaar tijdens de Veldslag. Zo behoort het voor Aartsvijanden. Maar nooit tijdens het Liefdesfeest!'
Aiken zei: 'Het gewone volk onder de Firvulag kan doen waar het zin in heeft, meisje. Maar ik heb speciale redenen om te willen dat hun adel ons feestje bijwoont. Het zal heel leerzaam voor hen zijn

om te zien hoe de Tanu en al de mensen met halsringen zich rondom Mij verzameld hebben.'
'Als we er maar zeker van kunnen zijn dat de stadsheren dat ook zullen doen,' gromde Alberonn. Zijn geest was bezorgd en hij liet het iedereen zien.
Aiken bracht het gezelschap zwevend naar beneden. Daarna reden ze langs een weg die met houtsnippers en schors enigszins was geplaveid en die door het bos bij de rivier liep.
'Mijn Heer Lugonn en ik hebben heel wat gedachten besteed aan het Liefdesfeest van dit jaar. De hele winter hebben we plannen gemaakt om de bevolking van het Veelkleurig Land een Meifeest te geven zoals ze nog nooit eerder hebben gezien,' zei Mercy.
Ze opende haar geest voor hen en liet hun zien welk soort werk ze op de Oude Aarde had gedaan, waar ze grote historische shows had geregisseerd die de erfenis van het middeleeuwse Europa voor sentimentele kolonisten weer tot leven brachten. De trucs van Mercy's toneelvak zouden een verfrissende en erotische smaakmaker worden voor een feest dat, volgens de traditie van de Tanu, tot nu toe slechts het karakter had gehad van een nogal naïef vruchtbaarheidsritueel.
Dank zij Aiken, die van alle markten thuis was en dank zij haar eigen vaardigheden als presidente van het Gilde der Scheppers, waren ze in staat geweest haar meest gewaagde plannen tot werkelijkheid te maken. Het hinderde niet dat ze daarvoor de hulpbronnen van Goriah hadden moeten plunderen en dat een aanzienlijk deel van de arbeidskrachten in de stad daar gedurende de winter en het vroege voorjaar mee bezig was geweest. Ze hadden een spektakel aangekondigd en dat zou er komen.
'We hebben al de oude en waardevolle aspecten van het Grote Meifeest bewaard,' verzekerde Mercy ter geruststelling van Vrouwe Morna, 'de beloften van trouw, het dansen rond de Meiboom, de huwelijkssluitingen en de liefde in het bedauwde gras van mei. Maar we zullen er nieuwe verrukkingen aan toevoegen.'
De voorstellingen gleden uit haar geest in levendige opeenvolging.
'De oude plaatsen van samenkomst zullen helemaal opnieuw worden ingericht – mooier dan we ooit hebben gedroomd! Er komen nieuwe vormen van vermaak naast de oude; nieuwe liederen en dansen, komische verhalen en romantische drama's, maskeradekostuums voor iedereen tijdens de Nacht van de Geheime Liefde. En het voedsel! Jullie weten allemaal hoe heerlijk ik het vind om goede eetbare dingen te scheppen. Wacht maar af tot je hebt geproefd van onze nieuwe picknicklunches en de feestmalen bij maanlicht en het grote de min bevorderende trouwbanket ter afsluiting van de huwelijksbeloften. Zelfs de bezoekende Firvulag zullen onze gastvrijheid moeilijk kunnen weerstaan. Jullie weten wat een

parfumfetisjisten het zijn . . . Wel, we hebben bijna zestig wagenladingen orchideeën en nachtjasmijn en waterlelies langs de lagunenoevers overgeplant. Het Kleine Volk zal bij wijze van spreken gebalsemd worden in de verrukkelijkste geuren.'
'En wanneer ze hun neuzen voldoende hebben geoefend,' zei Aiken, 'dan kunnen ze andere onderdelen van hun anatomie uitproberen. Tegen die helling daar hebben we een heel konijnenpark aangelegd van nieuwe, bemoste grotten. Precies het soort mollige schuilplaatsen waar die kleintjes hun voorjaarsfeesten zo graag in houden.'
'En er is een kleinigheidje aan toegevoegd,' zei Culluket de Ondervrager met een koude glimlach vanonder de schaduw van zijn cape en capuchon. 'Let u eens op de lijn die van die noordwestelijke hoogte naar de torens van het Glazen Kasteel in Goriah loopt. Vrij uitzicht . . . Ziet u het, Vrouwe Morna?'
'Heel slim,' zei de vérvoelende oude dame, 'nergens een rots in de buurt zodat we onze Aartsvijanden toch ongezien gade kunnen slaan. Ik ben blij om te midden van al dit fanatieke feestvertoon iets van een voorzichtigheidsmaatregel terug te vinden.'
Aikens glimlach onder haar afkeuring was onverwoestbaar.
'Het is *allemaal* gedaan om der wille van de voorzichtigheid, Vrouwe Morna,' zei hij. 'Kunt u dat zien?'
'Misschien wel,' gaf ze met tegenzin toe.
'Laten we gaan kijken hoe het amfitheater vordert,' stelde Mercy voor. En direct daarop galoppeerde ze weg.
Het gezelschap volgde de weg verder landinwaarts. Oude bespikkelde platanen, soms meer dan vier meter in diameter, stonden als wachtposten aan iedere kant van de kaarsrechte laan die verderop in de mist verdween. Aan weerskanten van deze brede allee werkten rama's in bloembedden, aan bloeiende struiken of ze schraapten het mos van de prieeltjes en rustplaatsen die spoedig weer opnieuw zouden worden ingericht. Nog meer leden van die kleine apesoort werkten op de daken van overwoekerde pergola's en verwijderden wespenesten, spinnen en hele kolonies ander klein gedierte die sinds het Liefdesfeest van vorig jaar hier ongestoord hun gang waren gegaan.
Ze reden nu langzamer voort en ten slotte kwam de centrale plaats van dit lustoord in zicht.
'Een nieuwe Meiboom!' riep Eadnar verrukt uit. 'En zo groot!'
Ze reed er op volle snelheid nieuwsgierig heen, na even aarzelen gevolgd door haar lachende zuster Tirone. Ze sloegen geen acht op de regen die nu onvermoeibaar weer op hen neerkwam nu ze de psychokinetische schuilplaats rondom Aiken hadden verlaten. Alsof het niets was, verbreedde die de actieradius van zijn mentale krachtveld tot bijna een halve kilometer.
'Tana's erbarmen!' riep Vrouwe Morna ondanks zichzelf uit. 'Uw

kracht is groter dan die van Kuhal en Fian van de Clan wanneer zij een beschermdak maken boven de arena in Muriah.'
Aiken lachte kakelend van genoegen. Hij hield zijn hoofd scheef om Eadnar in de verte te volgen die nu samen met Tirone even was afgestegen om een boeket narcissen te accepteren van een van de landschapsarchitecten met een zilveren halsring die daar bezig was.
'Het is goed om de kleine weduwe nu weer wat opgewekter te zien. Misschien begint ook zij naar de meimaand te verlangen.'
Hij gaf Alberonn Geesteter een mentale plaagstoot, maar de halfbloed verborg zijn erotische emoties beschaafd.
'Mijn schoondochter is nog jong,' zei Morna, 'amper drieënzeventig. En haar jeugd maakt het haar gemakkelijk ons tragische verlies te dragen.' Ze keek naar een goudvink met een helderrode kop die zoetjes kwinkelerend op een struik in beginnende bloei zat. 'Maar het leven moet doorgaan.'
'Juist in het voorjaar,' voegde Aiken eraan toe.
Mercy, die rustig aan zijn zijde reed, hield haar gedachten verborgen achter een helder scherm van ondoorzichtigheid. Maar er krulde een steels glimlachje rond de hoeken van haar mond.
Ze kwamen nu op een open stuk terrein dat vroeger, voor Mercy haar verbeelding aan het werk zette, niet meer dan een weiland was geweest. Nu was het veranderd in een grote schaalvorm van smaragd, een geleidelijk aflopend amfitheater dat eindigde in een vlakke dansvloer. Op het gras wemelde het van de schapen. Er was een soort reusachtig podium van aarde en mos, overdekt met winterharde struiken en uit die afgeknotte heuvel verrees een reusachtige Meiboom.
De top van die naakte houten spar ging verloren in laaghangende nevels. Dertig meter links van de paal stond een zwaarbeladen wagen te wachten, omringd door arbeiders met grijze halsringen.
'Nu komt mijn grootste verrassing!' zei Aiken. Hij knipoogde naar Mercy. 'Dit was ik al die tijd van plan, etikette of niet.'
Eadnar en Tirone keerden naar het gezelschap terug.
'Het is een prachtige Meiboom,' zei Tirone. 'Onbegrijpelijk hoe u erin bent geslaagd zo'n slanke boom te vinden die tegelijk zo hoog was.'
'Dat lukte ook niet,' zei Aiken laconiek. 'Hij is deels kunstmatig en helemaal versterkt. Maar dat is nog maar het begin, Scheppende Zuster. Nu komt het echte spektakel!'
Hij riep de arbeiders vanuit de verte aan. Klaar allemaal?
Ze riepen in koor terug: Klaar, baas!
De grappenmaker maakte een goochelaarsgebaar in de lucht. De dekkleden vlogen van de wagen en onthulden platte houten kratten. Nog een gebaar, de deksels vlogen eraf en vielen kletterend op een hoop. Aiken fronste, duwde zijn hoed naar achteren, maakte

de manchetten van zijn hemd los en stroopte zijn mouwen op.
'Allemaal achteruit!' schreeuwde hij.
Iedere zenuw spande zich terwijl hij al zijn kracht verzamelde.
Shazoem!
Uit de open kratten vlogen honderden dunne metalen vellen die als gouden bladeren in de mistige lucht wapperden. Een dirigerend gebaar van Aiken deed ze gezamenlijk rijzen en vallen, dansend als een zwerm vlinders. Maar de gouden folie vormde daarna een stroom, een rij die zich splitste, zich onderling weer met elkaar vervlocht totdat de vellen als een glinsterende stroom rondom de Meiboom wervelden. Onderaan werd die werveling steeds sneller tot ze leek te versmelten met de boom zelf. Sneller dan het oog in staat was het te volgen, smolt de rest van het goud op zijn plaats waardoor de hoge spar van onder tot boven verguld werd. Toen dat karwei achter de rug was, stond de Meiboom daar stomend in de regen terwijl de arbeiders luidkeels juichten.
'Er is nooit eerder zo'n prachtige Meiboom geweest,' zei Eadnar ademloos. 'En u weet wat er de symboliek van is, Glanzende?'
Aiken knikte waardig.
'Oh ja. Daarom heb ik er zo hard aan gewerkt. Het moet extra overweldigend zijn als hij Mij moet voorstellen.'
'En hoeveel uit de schatkist van Goriah heeft deze extravagantie gekost?' informeerde Vrouwe Morna ijzig.
Aiken bleef beleefd. 'Niet zoveel . . . en we zullen het twintigvoudig terugkrijgen door wat ik van plan ben de Firvulag af te nemen. Oh, niet door hen te plunderen of te overvallen. Ze zullen het uit vrije wil afstaan, op voorwaarde dat ik Sharn en Ayfa zover kan krijgen dat ze akkoord gaan met mijn wijzigingen voor de eerstvolgende Grote Veldslag in oktober.'
'Weer zo'n menselijke nieuwigheid?' Morna's stem klonk nu bijna berustend.
'Ik zit er vol mee,' vertelde Aiken haar warm. 'Maar het hele scala daarvan moet wachten tot het Meifeest.'
'We willen het festival van dit jaar tot het meest roemruchte uit de hele geschiedenis van de Tanu op Aarde maken,' zei Mercy. 'We willen ons eigen volk een hart onder de riem steken en de Firvulag goed onder de indruk brengen. We willen hen allemaal dwingen ons nieuwe regime serieus te nemen. Drie dagen lang zal het feest zonder ophouden doorgaan.'
'En tijdens de grote finale,' zei Culluket de Ondervrager, 'zullen al onze gasten – Tanu, mensen en Firvulag – getuige zijn van de kroning van Heer Aiken-Lugonn en Vrouwe Mercy-Rosmar tot Koning en Koningin van het Veelkleurig Land.'
De geesten van de gemengdbloedigen en hun vrouwen, en van de douairière van Rocilan bevroren in stomme verbazing. Niemand merkte dat het PK-scherm was opgelost terwijl Aiken al zijn krach-

ten bundelde voor het vergulden van de Meiboom en dat nu de regen weer zachtjes op hen neerdaalde.
'Veel te vlug!' riep Bleyn ten slotte uit. 'Te zijner tijd, natuurlijk. Maar de volbloed Tanu zijn nog niet klaar om een mens als koning te aanvaarden, Aiken! Het duurde meer dan zestig jaar voor Alberonn en ik tot de Hoge Tafel werden toegelaten. Bij Katlinel gebeurde dat pas verleden jaar. Onze menselijke genen stonden in de weg.'
'De Hoge Tafel heeft destijds Gomnol aanvaard,' antwoordde Aiken. 'En hij was een mens.'
'Hij dwong hen ertoe en daarom zijn ze hem altijd blijven haten,' snauwde Morna.
'En Mercy is een mens,' zei Aiken.
'Is ze dat?' vroeg de Ondervrager zich mompelend af. 'Mijn overleden broeder, de vorige Strijdmeester, dacht daar anders over.'
Dit was nieuws voor Aiken. Over de persoonlijke golflengte wendde hij zich tot haar. *Wat* bedoelt hij?
Telepatische vrolijkheid. Nodonn heeft Greg-Donnet een genetisch onderzoek laten doen. Die oudelieverd beweert dat ik meer Tanugenen heb dan menselijke. ArmeGreggy was gek natuurlijk.
Dat nieuwtje peuter ik er later wel uit Vrouwe Wildvuur?
Hardop zei Mercy: 'Er zijn nog maar ongeveer vijfentwintighonderd volbloed Tanu over. De meesten daarvan beschikken slechts over geringe vermogens. Meer dan twee maal zoveel halfbloeden hebben het overleefd dank zij hun grote uithoudingsvermogen. Mijn Heer en ik hebben berekend dat wij een grote kiesvoorsprong zullen hebben onder de lagere adel.'
'Celadeyr van Afaliah en zijn orthodoxe volgelingen zouden wel eens de voorkeur kunnen geven aan een gevecht boven berusting,' zei Vrouwe Morna grimmig. 'En ik kan hun gevoelens heel goed begrijpen. Celo en ik behoren allebei tot de Eerstkomers en u, jonge Strijdmeester, bent bezig de religieuze principes te schenden die ons juist hierheen hebben gebracht!'
Tirone, die in het geheim deel had uitgemaakt van de vredesfactie, onderbrak haar nu met een gedachte die zacht maar helder was: Die oude strijdreligie moet nu verdwijnen, liefste Verwant-Moeder. Breede zelf heeft het gezegd. En velen van ons beschouwen Heer Aiken-Lugonn als degene die zo'n verandering teweeg kan brengen.
Morna's woede laaide hoog op. 'Je zult zelf ervaren wat strijd betekent, meisje, wanneer deze menselijke jongeman probeert de troon te krijgen zonder de goedkeuring van de Hoge Tafel!'
De bezwaren van Eadnar waren van meer praktische aard.
'Zelfs wanneer een meerderheid van de leden der Hoge Tafel uw kant zou kiezen, Glanzende, dan nog kan de koppigheid van Celadeyr een fatale scheiding tussen onze steden teweegbrengen. De

Firvulag zouden profiteren van elke onderlinge onenigheid en daardoor misschien afmaken waar de Vloed mee begon.'
'We vragen alleen maar, Aiken, dat je met behoedzaamheid te werk gaat,' zei Bleyn. 'Roep jezelf niet tot koning uit voor je zeker weet dat al de stadsheren jou zullen volgen en niet Celo. Wanneer je nu de troon in bezit neemt maar de dissidenten negeren je opdrachten en bevelen, dan zul je voor gek staan.'
'De hele machtsstructuur van de Tanu is gebaseerd op unanieme trouw aan de soeverein,' zei Morna. 'Hij is niet zomaar een heerser, gekozen op de wijze waarop het Kleine Volk zijn vulgaire democratische koninkjes kiest. Onze koning is een vader voor allen.'
Aiken stond nog steeds te glimlachen, maar achter zijn zwarte ogen brandde minachting.
'Er staan meer dan tachtigduizend Firvulag klaar om jullie op de rug te springen,' zei hij. 'Wat willen jullie, vrienden? Een koning en een strijdmeester? Of een lieve vaderfiguur die jullie onder wol stopt terwijl buiten de demonen onder jullie vensters huilen? Iemand om jullie billen af te vegen wanneer je het van angst in je broek hebt gedaan?'
'We willen jou,' bevestigde de Ondervrager. Zijn onderzoekende mentale vermogen gleed als een ijzige schijnwerper over de anderen. 'Alleen jij bezit de agressieve macht en het vermogen om ons mentaal tot één aanvallende kracht te vormen. Dat hebben we nodig om onze vijand te verslaan.' Hij pauzeerde even. 'En de Firvulag zijn niet onze enige Aartsvijanden.'
Het vernietigende mentale uiterlijk van de bedrieger onderging een bliksemtransformatie. Nu werd zijn trouw, zijn bereidheid om hen te verdedigen als ze hem maar wilden accepteren, onweersprekelijk zichtbaar. Een ogenblik liet hij hen een glimp opvangen van de omvang van zijn vermogens voor hij die weer verborg achter een ijzig, spottend gordijn. Toen riep hij herinneringen voor hen op met de bedoeling hen daarover na te laten denken terwijl hij hen tegelijk suste en troostte met een slepende mentale welsprekendheid die in zijn gesproken woorden maar zo zelden tot uitdrukking kwam:
Laat uw twijfel en angsten achter, vrienden! Herinner u wat de Koningmaakster over mij heeft geprofeteerd. Denk eraan hoe ik Delbaeth heb gedood, die Vorm van Vuur. Zij heeft nooit haar vertrouwen in mij verloren! En hoe heb ik Pallol-Eenoog, de Strijdmeester van de Firvulag, gedood? Als u nog steeds twijfelt omdat daar enig bedrog aan te pas kwam, bedenk dan hoe ik op het veld triomfeerde tijdens de Grote Veldslag en hoe de grote kapiteins en heel de lagere adel samenstroomden rondom mijn onbeschaamde banier. Tagan, Heer der Zwaarden, juichte mij toe! Bunone, de grootste van jullie strategen! En jij, Alberonn, en jij, Bleyn! Herinner je hoe het gewone volk en de adel mij gelijkelijk bewonderde

om mijn moed en vermetelheid. Denk aan de manier waarop de Speer van Lugonn mij in handen viel. (En ook al is die heilige Speer voor het ogenblik buiten bereik, ik weet waar hij moet zijn en ik zal hem terugkrijgen, wees daar niet bang voor.)
Herinner je hoe mijn recht om Nodonn uit te dagen door iedereen werd erkend. Ook en vooral door Breede! Ik zou dat duel tussen de Strijdmeesters hebben gewonnen als Tana niet haar eigen ideeën had gehad over hoe het schaakbord moest worden schoongeveegd om een heel nieuw spel op te zetten.
Nog altijd twijfels? Hebben jullie geen geloof dan? Overweeg dit: Aiken Drum leeft en is gezond. Hij is Heer van het Glazen Kasteel, heerser over Goriah door zijn overduidelijk overwicht, soeverein over Rocilan en Sasaran en Amalizan en talloze andere nederzettingen tussen Bordeaux en Armorica. En waar is de enige andere die dat bijeen had kunnen houden? Verdronken!
(Mercy kon de klaagkreet van haar geest niet binnenhouden en Aiken hoorde het: Nodonn, mijn Nodonn!)
Oh, mijn vrienden, jullie weten dat de Tanu een koning nodig hebben. En als ik het niet ben, wie dan wel? Willen jullie Celadeyr van Afaliah? Hij zegt dat hij de troon niet begeert en ik geloof hem. Mijn bronnen hebben me verteld dat die arme oude man ervan overtuigd is dat de Vloed het einde betekent van het Veelkleurig Land. Hij traint zijn kleine legertje voor iets dat hij de Oorlog der Schemering noemt. En zoals ik dat begrijp bedoelt hij daarmee een soort Ragnarok of Armageddon. Daarna valt het gordijn, zowel over de Tanu als de Firvulag. En dat is idioterie en zelfmoord! Sharn en Ayfa wachten niet op een Apocalyps. Zij willen winnen en op onze nekken staan!
(Ze moesten wel reageren: het is waar. Het Kleine Volk heeft geen last van fatalisme. Ze gooien de tradities van zich af die hen hinderen. Voor hen was de Vloed een geschenk van de Godin.)
Luister naar me! Als we op onze achterpoten willen staan om terug te vechten, dan moeten we een leider hebben. De leden van jullie Hoge Tafel weten dat ik sterker ben dan jullie. Wie moet het dan worden? Minanonn de Ketter? Ik heb begrepen dat hij een verscheurende knokker was toen hij nog Strijdmeester was. Maar hij is nu pacifist en niet beter geschikt om jullie te verdedigen dan Dionket de Genezer. De enige anderen van de Hoge Tafel die in aanmerking komen zijn Katlinel de Donkerogige en Aluteyn. Maar dan zul je haar moeten vergeven dat ze de heer van de Huilers gaat trouwen en hem dat hij verslagen werd door Mercy.
(En andermaal moesten ze het toegeven: Nee. Niemand van hen kan ons aanvoeren tegen de Firvulag.)
Aiken Drum zat op zijn grote zwarte chaliko. Een enkele waterdruppel bengelde komisch aan het puntje van zijn lange, goed gevormde neus. De mond die zich in een seconde tot een kwaa-

daardige grijns kon plooien, glimlachte nu terwijl hij hen allen in de geest omarmde en zijn kracht door hen heen liet stromen.
'Jullie zien hoe de zaken ervoor staan,' zei Aiken hardop. 'In de loterij om het koningschap ben ik de enige zonder schrammen. Zij die in principe geen mens als koning willen, mogen schreeuwen en jammeren en bezwaar maken, maar op het eind zullen ze me toch moeten accepteren. Hemel, zelfs die ouwe Celo krijgt misschien nog zijn gezonde verstand terug als hij doorkrijgt dat er een kans is dat we onze Aartsvijand verslaan.'
'Mijn kennis over de Heer van Afaliah bevestigt dat laatste commentaar van de Glanzende,' zei Culluket. 'Celadeyr is koppig, het was ongelofelijk stom om zijn menselijke technici weg te sturen. Maar hij is op geen enkele manier gek. En evenmin uit op zelfmoord.'
Bleyn was nog steeds geneigd om bezwaren te maken.
'De narigheid is dat die reactionairen jou niet kennen zoals wij, Aiken. Daarom gaan ze ook zo tekeer. Acht steden moeten nog antwoorden op jouw invitatie voor het Grote Liefdesfeest en Celo heeft die al afgewezen. Wanneer je voor mei een kroning afkondigt, loop je de kans op een fiasco.'
'Op de een of andere manier,' zei Alberonn, 'moeten we de twijfelaars tot andere gedachten dwingen en zoveel mogelijk harde tegenstanders aan onze kant zien te krijgen.'
Aikens wenkbrauwen gingen omhoog en zijn gezicht gloeide ineens van intense opwinding. Toen begonnen zijn ogen te twinkelen. Hij wendde zich tot zijn toekomstige bruid.
'Mercy, liefje, herinner je je nog toen we dit hier allemaal bedachten, dat je me een paar bizarre dingen hebt zitten vertellen over de oude Engelse koningen en wat die allemaal uitspookten om hun weifelende vazallen in het goede spoor te houden? Vooral Henry VIII en koningin Elizabeth. Hoe ze het hele koninkrijk doortrokken, in elke stad stoppend en gunsten rondstrooiden? Ze gebruikten al hun charmes en lieten zo nodig ook de zwaarden een beetje kletteren.'
Mercy zag direct waar hij heen wilde. 'Koninklijke rondreizen, werden dat genoemd. Een bruikbaar politiek wapen!'
Opnieuw werd ze overvallen door een vreemd en intens gevoel van déjà vu, de tantaliserende zekerheid dat ze dat gezicht van Aiken ergens eerder had gezien. Italië! Het portret in een paleis in Florence.
'Ik zal mijn koninklijke rondreis *voor* de kroning houden, niet erna,' was hij bezig te zeggen. 'Ik zal elke stad op haar beurt bezoeken, daar uitleggen hoe de zaken ervoor staan in dit Veelkleurig Land. Ik zal al de beminnelijke overredingskracht en vriendelijke nuchterheid gebruiken die de mijne is. En dan heb ik ook nog wel een paar verrassingen in petto.'

'En wie zou je in je gezicht willen afwijzen, Glanzende?'
Tussen Aiken en Mercy werd een opwindende stroom voelbaar. Was haar oude behoedzaamheid bezig het te begeven ondanks haar gezonde oordeel? Maar hij was een zeldzame verschijning!
'Zo'n manoeuvre zou kunnen werken,' zei Culluket. 'Het is precies de goede mengeling van nederigheid, koninklijke tegemoetkoming en uitgesproken lef. Je moet eerst naar de steden gaan, zoals elke aspirant zou doen en dan kunnen de Heren van elke stad zelf vol vertrouwen naar jou toe komen wanneer ze je krachten hebben herkend.'
Alberonn knikte tegen de Ondervrager. 'Wij zouden er het prestige van de Hoge Tafel aan toe kunnen voegen als we Aiken vergezellen. De afwezigheid van de Vrouwe is onder de omstandigheden volkomen begrijpelijk.'
'Dit bevalt me,' zei Bleyn gespannen. 'We beschikken over genoeg Tanu en mensen met gouden halsringen om er een indrukwekkende show van kracht van te maken.'
Aiken maakte zijn manchetten weer dicht en zette zijn hoed recht. Met een achteloos gebaar verwijderde hij al het vocht van hun kleding en richtte de metapsychische paraplu weer op.
'We glippen heel rustig de Garonnevallei binnen en druppelen vandaar Spanje binnen. En de eerste stad die we aandoen is Afaliah!'
Vrouwe Morna was sprakeloos. Eadnar en Tirone straalden krachtig bezorgdheid uit.
'Zoveel gevaar is er niet bij,' stelde Aiken hen gerust. 'Celo's volgelingen zijn mentaal allemaal tweedeklas en ik zal er echt geen moeite mee hebben om de oude knakker persoonlijk in bedwang te houden. Maar we zullen niets laten merken, doen alsof we niet weten dat hij mijn gezag probeert te ondermijnen. Ik bedoel maar . . . ten slotte is hij nooit ronduit provocerend geweest. Zelfs zijn weigering voor het Liefdesfeest was nog tamelijk beleefd en ik zou kunnen zeggen dat we die brief nooit ontvangen hebben.'
'Als Celo bezwijkt, vallen de anderen als rijpe sinaasappels in je schoot,' zei Culluket.
'Klaar om geperst te worden,' stemde Aiken in. 'Wel, wat vinden jullie ervan? Als we eens teruggingen naar Goriah om vast onze mooiste wapenrustingen te poetsen?'
Hij lanceerde het hele gezelschap met hun dieren in de lucht, hield ondertussen het mentale regenscherm in stand en zei tegen Mercy: 'Ik hoop dat de oude Peliet en zijn wijze mannen gelijk hebben dat het regenseizoen bijna over is. Grote groepen leviteren gaat me nog steeds niet vlekkeloos af. En er zijn hier in het Plioceen blijkbaar nergens gecomputeriseerde vluchtroutes die een kerel als ik door die soppige bergpassen helpen.'
Mercy lachte vrolijk. 'Het zal je op de een of andere manier wel lukken, bedriegertje van me.' Jij koninkje zonder stamboom uit

het verre Dalradia, zes miljoen jaar vooruit! Zaten er een handjevol fraaie Italiaanse genen tussen om de Schotten een loer te draaien? En wat was er daarna gebeurd? Alles goed bevroren om weer tot bloei te komen in een of ander genetisch laboratorium in het Bestel, zodat deze vreemdeling, die haar tot koningin wilde, er het resultaat van was?
Wiens portret had Aikens gezicht gedragen?
De troep ruiters spoedde zich door de lucht voorwaarts in de richting van Goriah waarvan de glazen torens zich helder aftekenden tegen een stukje onverwachts blauw wordende hemel.
De kwellende vraag bleef Mercy bezighouden en ging ongewild over in een duidelijke mentale projectie.
Aikens geest was ergens anders, maar de Ondervrager antwoordde direct over haar persoonlijke golflengte. Culluket was als altijd onberispelijk beleefd.
Kan ik je helpen met mijn speciale talenten, Vrouwe?
Als je zo goed wilt zijn, Herstellende Broeder. Dit gekmakende beeld! Als je mijn herinneringen zou willen sorteren om het overzichtelijk te maken?
Dat is een kleine moeite voor iemand met mijn specialisatie.
Oh!
Ik ben blij dat de onthulling je vermaakt, Vrouwe. En ik moet toegeven dat de gelijkenis meer dan opvallend is. Dat lijkt overigens een tamelijk gevaarlijk uitziende knaap, die Florentijnse politicus. Op een goede dag moet je me eens alles over die man vertellen.

11

De vérziende raaf zwierf boven de kusten van Maghreb. De regens hadden gras te voorschijn gebracht en op de hellingen waren vlekken rose en geel te zien, afkomstig van nieuw opgeschoten bloemen. Al de geulen en ondiepten waren veranderd in kleine oases die vol verbazing in de richting van de blauwe zee leken te wijzen.
De vogel genoot van het veelkleurig landschap. Meer dan iets anders hielp de schoonheid van de natuur haar om de verschrikkingen op een afstand te houden. Op deze manier, hoog zwevend in het voorjaarslicht en met de hulp van de wind hoger klimmend boven een wereld die ze zelf had geschapen, was er iets van vergeten en van evenwicht.
Ze werd iets gewaar van voelend leven en van goud!
Haar geest riep een stormvlaag op die haar op grote snelheid naar het oosten bracht. De oorspronkelijke flits van die onbekende

levensaura leek zich terug te trekken, maar de roofvogel zag kans om het spoor te blijven volgen tot in een zwaar bebost ravijn met steile hellingen. De geur van het kostbare goud, of het nu levend was of dood, wond haar mateloos op. In de metapsychische stormwind die ze sterker en sterker maakte, verloor ze zwarte veren uit haar vleugelpunten tot ze krijste van pijn en verrukking.
Toen ze aankwam, kalmeerde de wind. Ze landde op een uitstekende rotspunt in de buurt van een druppelende bron.
Er was een kleine open plek en daar knielde een schipbreukeling, een Tanu naast het lichaam van een tweede. De raaf bestudeerde hen. Ze voelde dat ze dit tweetal kende.
Het waren identieke tweelingen. Dat was duidelijk genoeg ondanks de afzichtelijke hoofdwonden die het ene lichaam misvormden. De huilende overlevende was nog altijd mooi en droeg de klassieke gelaatstrekken van een lid van de Clan van Nontusvel. Hij was blijkbaar net van de jacht teruggekeerd, want het lichaam van een gazellekalf lag naast hem, samen met een primitieve speer gemaakt van een glazen dolk, die aan een stuk boomtak was vastgemaakt. Hij droeg roze en goudkleurige vodden en ook de dode helft van de tweeling was overeenkomstig gekleed in de restanten van de luxueuze kleding die bij het Psychokinetische Gilde hoorde.
Het had er de schijn van dat de dode man niet had willen wachten tot zijn broeder met voedsel terugkwam. Er lag een hoopje dodelijke roze narcissen, die naast de bron hadden gestaan, naast hem op de grond, nog maar deels opgegraven. Een half opgegeten bloembol liet zien wat er was gebeurd.
De reusachtige roofvogel trok de schouders in. Haar krijsende uitroep – *pruuk, pruuk* – deed de rouwende opkijken, bevend en met wijd open ogen.
Met meer dan gewone belangstelling ontdekte de raaf dat de levende letterlijk maar halfwijs was. Hij en zijn broer hadden kennelijk in een geestelijke symbiose van de meest intieme soort geleefd; ze moesten samen tot machtige daden in staat zijn geweest voor de Vloed hen had verslagen en hen hier in Afrika aan land spoelde. Maar nu de broeder dood was, werd de overlevende daardoor gereduceerd tot een latente mentale staat die nog beneden het peil lag van de gemiddelde 'gewone' mens.
De reusachtige vogel gleed van de rotspunt omlaag en tripte naar het hoofd van de dode man. De van zijn andere helft beroofde Tanu staarde stom naar de vogel, de groene ogen wazig van tranen, de mond een strak vierkant van pijn. Pas toen de bek van de raaf bij de keel van de dode kwam, schreeuwde hij het uit.
'Fian!'
Dus ze kende hen inderdaad, deze roze-gouden tweeling! Een paroxysme van woede deed het vogellichaam oplossen en veranderen in een slanke menselijke vrouw in een glazen blauwe wapenrusting.

Ze droeg geen helm en haar haren vormden een wolk van stralend blond. In haar ogen weerlichtte de woede van Hecate.
Ook Kuhal Aardschudder herkende haar. Hij herinnerde zich de duistere, geweldig grote ruimte binnen de sterkte van het Gilde der Bedwingers waar de samengebalde macht van de Clan van Nontusvel stond te wachten op de menselijke aanvallers die de fabriek van halsringen waren binnengedrongen. Die saboteurs, gewapend met ijzer, werden toen aangevoerd door deze kleine, verschrikkelijke vrouw. Kuhal herinnerde zich ontploffingen, neerstortend metselwerk, een mentale en fysieke slachting. Daarna kwam de glorie van de overwinning voor de Clan te midden van rook en bloed, een overwinning ondanks de macht van dit vrouwelijke monster.
Dit was Felice die zijn zuster Epone had vermoord, die gezworen had het hele ras van de Tanu te vernietigen en die in plaats daarvan verslagen en vernederd in de hinderlaag van Imidol was gevallen om uiteindelijk overgeleverd te worden aan de martelingen van Culluket.
Felice lachte. Ze hield dit onbeduidende bewustzijn vast in haar ijzeren greep en wroette in de restanten.
Kuhal en Fian! De broeders van mijn Geliefde. Wat een vreemd soort geest . . . de één was de linker hersenhelft en de dode vormde de rechter. Een merkwaardig stel, een vreemd soort verbintenis! Kuhal Aardschudder, Tweede Heer der Psychokinetici en zijn betere helft, Fian Hemelbreker.
Haar waanzinnig giechelen veranderde in rauw gekrijs. De grote roofvogel stond er weer, klapwiekend met zijn boze vleugels. Kuhal deinsde achteruit, beide handen tegen zijn gouden halsring.
De geeststem van Felice werd kribbig.
Maar waar is de Geliefde? Waar is *hij*? Ik roep en ik roep, maar alleen de duivels van verre en de Glanzende geven antwoord. Ze proberen me in de val te lokken. Ik wijs ze allemaal af. *Hij* is de enige van wie ik houd en die ik terug wil hebben. Waar is hij die mijn ondergang wilde bewerkstelligen en die in plaats daarvan mij het volmaakt mentale bewustzijn schonk?
Kuhal jengelde luidkeels, zijn geest stond op het punt te desintegreren.
Cull is verdwenen! En Imidol is verdwenen en Mayvar en de koning en de koningin en de glorierijke Strijdmeester! Allemaal zijn ze heengegaan. Mijn lief Fian mijzelf is heen en ik ben alleen en zonder macht. Je hebt overwonnen, wrekende Doodsvogel.
Het glinsterende oog van de raaf leek te knipogen. Nogmaals ging haar wrede bek in de richting van de keel van de dode Fian. De sluiting van zijn gouden halsring roteerde, bewogen door haar psychische kracht, de ring opende zich. Met een ruk trok de bek de halsring van de keel.

De nog levende broer kroop sidderend over de grond, hij had zijn armen beschermend om zijn eigen nek geslagen.
Bespotting kleurde de gedachten van de raaf.
Oh . . . goed, houd je ring nog maar een tijdje, Aardschudder.
Ze sprong in de lucht, het goud tussen haar klauwen en vloog weg in de richting van het Spaanse vasteland. Kuhal slaakte in de geest één enkele kreet, van een zo diepe verlatenheid vervuld dat het weerklonk tussen de uiteinden van de Nieuwe Zee. Daarna stortte hij in elkaar en bleef bewegingloos liggen.

Felice vloog de Middellandse Zee over, de bergen in naar de vallei waar de gezwollen Proto-Andarax voortstormde door het oerwoud op de hellingen van de berg Mulhacén. Zelfs in de tijd van het Bestel stak de top van de Mulhacén boven de rest van de Sierra Nevada uit en zelfs toen had hij nog kleine gletsjers op zijn koudste flanken. In het zachtere klimaat van het Plioceen rees de berg 4200 meter hoog, maar sneeuw was enkel op de hoogste top te vinden.
De vogel vloog hoger en maakte een bocht om de berg van de noordkant te naderen. Tropisch hardhout maakte plaats voor laurierstruiken. Op de schralere gronden groeiden dennen en een wirwar van rododendron vol met witte en karmijnrode bloesems. Een sabeltandtijger zat geeuwend op een rotsblok te zonnen. Zijn katteogen volgden de reusachtige raaf, in de war gebracht door het glinsteren van goud tegen de achtergrond van de hemel.
Ze bereed nu een stijgende luchtstroom die haar in staat stelde de verre zachtgroene omtrekken van de Golf van Gualdalquivir in het noorden waar te nemen. Daarachter lagen de Duistere Bergen waar de wilde Firvulag leefden. Ze slipte uit de luchtstroom, verloor hoogte en dook naar de uitnodigende kloof van de rivier Genil. Ze was bijna weer thuis na een lange jacht. Lijsters en tuinfluiters kwinkeleerden een welkom. Vette bruine forel sprong omhoog in het water. Zoals gewoonlijk wachtten haar vrienden buiten de ingang naar haar leger. De otter met een geschenk van vis. Het hert met haar kalf dat haar melk wilde delen. De gele panda met zachte bamboescheuten in zijn klauwtjes die hij helemaal vanuit de laaglanden had meegenomen. Eekhoorn en boomrat met noten en meelachtige knollen. Dwergmastodont, wuivend met een tak vol glanzende vruchten.
Felice stond voor hen en hield de gouden ring omhoog.
'Zien jullie het? Weer één.'
De lynx, Pseudaelurus, wreef zich aanvallig tegen haar blote benen. Al haar andere vrienden, zich badend in de warmte van haar geest, kwamen dichterbij met hun offeranden. Ze accepteerde het allemaal: het voedsel, de guirlandes van bloemen die de wevervogels hadden gebracht, het geurende droge gras dat muizen en konijnen hadden verzameld om een verse en frisse slaapplaats van

te spreiden.
'Dank jullie! Dank jullie allemaal!' zei ze, en ze zond hen pas weg toen ze alle hun deel hadden gehad van haar mentale communie.
De zon begon onder te gaan en een kille wind stak op vanuit de kloof waarin de Genil stroomde. Verschillende van de bastaardnachtegalen bleven nog in de buurt om voor haar te zingen terwijl ze een vuur ontstak en haar maaltijd begon klaar te maken.
Zoals zo vaak tegen het vallen van de avond begonnen de duivelsstemmen weer, leugens vertellend en pratend over wonderen terwijl ze haar eraan herinnerden hoe zij haar geholpen hadden toen haar kracht bij Gibraltar niet voldoende was gebleken.
Ze negeerde hen en na een tijdje hielden ze op. Ze mocht dan gek zijn, maar ze was niet gek genoeg om hen in de geestspraak te antwoorden over een golflengte die makkelijk zou kunnen verraden waar ze ongeveer uithing. Laten ze het maar proberen om door driehoeksmeting uit te vinden waar ze zat. Ze mochten het allemaal proberen, de verre duivels, Aiken Drum, zelfs die belachelijke Elizabeth! Felice wist precies hoe ze zich voor hen moest verbergen. (En ze riep haar Geliefde enkel wanneer ze zich heel hoog in de lucht bevond, want dan dreigde er geen gevaar.)
Haar kookvuur begon te doven. Ze maakte het zitgedeelte van haar schuilplaats schoon en stond toen een tijdje rustig onder de helderder wordende sterren. Het was goed dat de regens bijna voorbij waren. De bloemen in haar haren en rond haar hals begonnen sterker te ruiken nu ze bezig waren af te sterven. Ook dat was goed.
Felice pakte de gouden halsring van Fian op en liep ermee de grot in. Ze kon uitstekend zien in de gitzwarte duisternis, maar ze wilde ten volle van haar schatten genieten en dus stak ze twee vingers omhoog waardoor een heldere vlam van energie ontstond. De met deeltjes mica overdekte rotsen glinsterden. Haar schuilplaats was een hellende grot, niet uitgesleten door water en volkomen droog. Voorbij haar slaapplaats werd de verdere doorgang geblokkeerd door een brok rots die verscheidene tonnen woog. Felice wuifde ernaar met de halsring en het rotsblok gleed gehoorzaam opzij.
In het kleinere vertrek daarachter lag het goud in hopen opgestapeld, tot boven haar hoofd. Een Nibelungenschat in vier maanden van geduldig en eindeloos zoeken bijeengebracht. Deze duizenden exclusieve geestverruimers hadden eens rond de nekken gezeten van de Tanu en hun gepriviligeerde slaven. Maar nu waren al die trotse dragers van weleer gestorven in haar Vloed. Hun lichamen waren van de ondergelopen Witte Zilvervlakte geveegd en voor de aasgieren achtergelaten. De aasgieren en Felice.
Ze had lichamen beroofd die te rotten lagen in ondiep water, skeletten doorzocht die begraven waren onder lagen zilt slik. En toen die manier van plunderen steeds minder opleverde, had ze de wanhopige overlevenden achtervolgd en het goud gestolen van hen die

te zwak waren om zich te verdedigen tegen een vogel met een lijf niet groter dan een mensenarm. Ze bevocht hen eerlijk en gebruikte haar psychische krachten niet. Haar bek en klauwen waren meestal afdoende om de gedemoraliseerde zwervers te verslaan die eens hadden geheerst over het Veelkleurig Land.
Felice wierp haar nieuwe aanwinst op de dichtstbijzijnde hoop. Het evenwicht werd erdoor verstoord en de grot weerkaatste het gerinkel. Gouden halsringen slipten uit positie en rolden naar alle kanten waardoor iets anders zichtbaar werd dat half onder die wirwar van kostbaar metaal begraven lag.
Ze haalde het ondanks de zwaarte gemakkelijk te voorschijn. Het was een grote speer van glas met goudluster die met een kabel bij de handgreep was vastgemaakt aan een met juwelen bedekt kistje waar gebroken riemen vanaf hingen. Felice zwaaide met de Speer en drukte op een van de knoppen. Zoals gewoonlijk gebeurde er niets. De onderdompeling in het zoute water had het fotonenwapen kortgesloten en het was nu even onbruikbaar als op de dag toen Felice het had afgenomen van Lugonn bij het Scheepsgraf.
De valse Glanzende had haar later bedrogen en was met de Speer ontkomen, maar de Vloed had hem ook klem gezet. Nu was de Speer voor altijd van haar.
Ze legde de trofee behoedzaam op het bed van goud terug en verliet de schatkamer om haar eigen slaapplaats op te zoeken. Op het kilst van de nacht kwam de koude omlaag van de bergtop en toen was de nachtmerrie er weer. Maar tegen de dageraad, toen de lynx opgerold aan haar voeten lag om warm te blijven, sliep Felice vredig.

Kuhal Aardschudder lag het grootste deel van de dag buiten zinnen, volkomen stukgebeukt door rouw en de heiligschennis van Felice. Toen hij ten slotte ontwaakte, was de avond al gevallen en met de duisternis kwamen de kleine kruipende dingen die het lichaam van zijn broeder zochten. Vloekend verdreef hij ze en begon daarna te wassen en voorbereidingen te treffen voor het doodsritueel. Hij bezat geen schone kleren, maar rondom Fians nek hing hij het zware medaillon met het Janusgezicht dat hun gezamenlijk wapenschild was. Het was het enige dat hun was overgebleven.
Daarna droeg hij Fian naar de vloedlijn en even later de boot. Hij legde zijn broeder erin en liet hem wegdrijven, terwijl hij zelf op de door zout gebleekte rosten knielde en probeerde het Lied te zingen.
Maar zonder Fian zou er nooit meer muziek zijn, dus hij deed weinig meer dan de woorden hardop uitspreken. Opnieuw meende hij in de verte, over het water, de omtrekken van een glanzende stad te zien in de nevels. Fian in zijn boot van riet en huiden volgde het zwak lichtende pad dat daarheen voerde, huiswaarts.

Na lange tijd verzamelde Kuhal zijn laatste krachten. Zijn vérsprekende stem schreeuwde luidkeels: *Wacht op mij, Broeder!*
En het van vlees ontdane antwoord kwam:
. . .Dus daar ben je!
De nevels van rouw trokken op en andermaal viel Kuhal ten prooi aan verschrikkingen. Als bevroren staarde hij naar het lichtend punt in de verte. Het was ditmaal geen paarlmoerglanzende illusie, maar een rauwe gloed, kryptongroen die snel in intensiteit toenam.
Een stem die uit het licht te voorschijn kwam, spoog obsceniteiten, maar sprak Kuhal aan over de persoonlijke golflengte:
Waarom in naam van de bloedhel verberg je je hier in dit ravijn vol naaiende kikkers in plaats van in de open lucht waar ik je volgen en vinden kan? We hoorden je doodsschreeuwvoorFian tot in Afaliah!
Een Tanu-ridder, volledig bewapend en gepantserd in gloeiend blauw materialiseerde uit de mist, rijdend op een enorme chaliko, en kwam zachtjes op de aarde neer.
'Celo? Ben jij het?'
Kuhals stem was niet meer dan een fluisterend gekraak.
'Natuurlijk ben ik het, jij stomme strontkop. Wie anders? Ik ben de enige levitant met genoeg vermogen om een tweede te dragen, afgezien van die kleine gouden schooier of Tonn de Overloper. En de kans dat zij je reet komen redden, is maar klein!'
'Ik dacht . . . Fian en ik dachten dat we alleen waren. De enigen die waren overgebleven.'
Het trotse oude gezicht met de zilverwitte wenkbrauwen gloeide. Celadeyr van Afaliah zond een weinig professioneel signaal uit om de verwarde geest van de jongere man te lezen.
'Grote Godin, wat een idee! Maar het verbaast me niets dat jullie zoiets dachten, gezien de staat waarin je verkeert. We hebben er nog meer gered, maar allemaal vanuit Aven of Europa. Hoe heb jij in Tana's naam kans gezien in Afrika aan te spoelen?'
Maar Kuhal gaf geen antwoord. Hij was flauw gevallen.
De oude held van Afaliah luchtte zijn hart en zijn medelijden met nog een handvol vloeken. Hij kreeg de weggedreven boot op het water in de gaten en gebruikte zijn scheppende vermogen om dat te omhullen met een brandstapel van astraal vuur. Toen hij het Lied had gezongen voor de dode tweelingbroeder, laadde hij de levende achter zich op de rug van zijn chaliko en vloog heen.

12

Elizabeth liet haar concentratie verslappen en glimlachte.
'Ik ben blij dat hij ten slotte werd gered. Arme man. Stel je voor, hij dacht dat hij en zijn broer de laatsten van de Tanu waren.'
Creyn kon de gedachte die bij hem opkwam niet tegenhouden: Ik herinner me een ander die wanhopig werd vanwege het alleenzijn.
'Ik heb geleerd hoe verkeerd dat van me was.' (De diepe twijfel die daarover nog altijd bestond lag ver buiten Creyns waarnemingsvermogen.)
De Tanu-genezer reikte met zijn lange arm over de tafel en schonk hun beiden nog eens koffie in. De donder rolde van de hoogten van de Zwarte Piek. Het begon weer te regenen en de druppels sproeiden tegen de kleine, in lood gevatte ruitjes aan de oostkant tot het onmogelijk werd buiten nog iets te zien.
'Afgezien van Culluket,' merkte Creyn op, 'is Kuhal Aardschudder de enige overlevende van de Hoge Tafel die tot de Clan van Nontusvel behoorde. De andere vijftien leden van de Clan die aan de Vloed ontkwamen, zijn talenten van kleiner formaat.'
'Ik neem aan dat Celadeyr hem met Huid zal laten behandelen in de hoop dat hij daardoor geneest en dan gevoegd kan worden bij de oppositie tegen Aiken.
Ten slotte zou de Tweede Heer der Psychokinetici een machtige bondgenoot zijn wanneer zijn vermogens terugkeerden. Hoe groot zijn de kansen op een volledige genezing?'
'Niet groot. De werkzaamheid van Huid is niet alleen afhankelijk van de bekwaamheid van de genezer die ermee werkt maar ook van het meewerkende wilsvermogen van de patiënt zelf. En Kuhal is de helft van zijn geest kwijt. Celo's genezer is Boduragol, competent genoeg, daar gaat het niet om, maar ik betwijfel of Dionket zelf in staat zou zijn om Kuhal volledig te genezen. En zelfs op zijn gunstigst zou dat een klein jaar kosten.'
'Zijn vermogen tot telepathische projectie was bijna nul,' zei Elizabeth. 'Ik had er geen idee van dat de tweeling in Afrika was totdat Kuhal de vorige avond die verschrikkelijke kreet liet horen.'
Weerlicht en een donderslag troffen het jachthuis tegelijkertijd voor de vierde maal tijdens deze buiïge avond. De elektrische lading vloeide zonder schade aan te brengen weg.
'Het verbaast me,' zei Creyn, 'dat je met al die atmosferische storingen nog in staat bent Afrika waar te nemen. Mijn eigen mentale uitzicht wordt beperkt tot Amalizan. Maar ik ben natuurlijk geen Grootmeester.'
Ze glimlachte naar hem en zette haar koffiekop neer.
'Nee. Maar het wordt tijd dat ik je iets begin te leren van de gespe-

cialiseerde technieken voor een hogere vorm van vérzien. Het vermogen om de ruis die daarbij hoort, eruit te filteren ligt beslist binnen je bereik als we maar oefenen.'
Ze liet hem het programma zien en werkte daarna met hem, zijn vermogens versterkend en corrigerend terwijl hij zich inspande om de ionisatie die het gevolg was van het onweer te overwinnen.
Genoeg, zei ze eindelijk tegen hem.
Hij zonk achterover in zijn stoel. Zijn leeftijdloze serafijnengezicht baadde van het zweet.
'Ja, ik begrijp het.' Zijn stem klonk treurig. 'En ik begrijp ook dat ik nog een depressief makende hoeveelheid te leren heb voor ik voor jou iets van hulp kan betekenen.'
'Nu nog wat koffie,' stelde ze voor. 'Dat helpt. We hebben geluk dat die struiken hier zo goed gedijen in het Plioceen! Maar in ernst, toch kun je me helpen, zelfs nu. Ik ben nog altijd niet zo krachtig als ik destijds was. En ik moet me bijzonder inspannen om over grote afstanden scherp te blijven stellen. Jij zou een paar extra mentale ogen voor me kunnen zijn gedurende de observaties. Wanneer je daarin met mij verbonden bent en meekijkt, kun jij misschien details waarnemen die ik over het hoofd zie.'
'Ik begrijp het.' Enkele ogenblikken verviel zijn geest tot zwijgzaamheid. 'Als ik je help, worden dan de kansen groter dat je Felice vindt?'
Elizabeths wenkbrauwen kwamen gespannen samen. Het beeld van de Raafvrouw was in beide geesten duidelijk aanwezig.
'Creyn, ik weet niet wat we met haar moeten doen. Zij vertegenwoordigt het grootste gevaar dat je je kunt voorstellen. Geen meta uit het Galaktisch Bestel heeft ooit zulke scheppende en psychokinetische vermogens bezeten als zij. En voor zover ik weet heeft er nooit zoveel destructief potentieel samengebald gezeten in één enkel individu.'
'Ook niet in jullie beschermheiligen? Of hun tegenstanders tijdens de Metapsychische Rebellie?'
'Niet één enkele meta uit het Bestel zou hebben kunnen doen wat Felice deed.'
De regen sloeg tegen de ruiten.
'Vooral die laatste klap waardoor bij Gibraltar de doorbraak kwam. Ik heb nooit de gelegenheid gehad om Felices geest te onderzoeken nadat ze een volledig werkzame meta werd. Maar als we haar konden lokaliseren en ik zou diep tot haar kunnen doordringen, dan is er een geringe kans aanwezig dat ik het gevaar dat zij vertegenwoordigt kan neutraliseren. Zelfs al zou zo'n onderneming fataal kunnen zijn voor ons alle twee.'
Creyns geest schreeuwde het uit: Je mag jezelf niet opofferen! Dat kan jouw bestemming niet zijn! Jij moet onze gids zijn, Weergekeerde Breede!

'Noem me niet zo!' riep ze. Haar geest deinsde terug. 'Ik ken mijn bestemming niet en Breede wist dat ook niet.'
De oude bitterheid kwam weer uit diep onbewuste niveaus naar boven.
'De Scheepsgade was vol vertrouwen in haar zelfgenoegzaamheid, maar misschien was het objectief gezien wel een groot kwaad toen ze jullie hier naar de Aarde bracht. Ik krijg zo langzamerhand de indruk dat jullie Tanu en Firvulag hier lang genoeg op Aarde zullen zijn om de menselijke ontwikkeling op de een of andere manier te beïnvloeden. Maar mijn ras had wel eens beter af kunnen zijn wanneer jullie elkaar in het Duat-sterrenstelsel duizend jaar geleden hadden afgemaakt.'
'Breedes helderziendheid voorzag voordeel voor beide rassen,' zei Creyn.
'Na hoeveel lijden? Na hoeveel miljoen jaren?' Elizabeths stem brak. Ze had een nietszeggend gordijn opgetrokken waarachter ze haar emoties verborg maar Creyn was een ervaren genezer en hij doorgrondde de trotse waarheid.
'Wanneer Breedes bemoeizucht met de toekomst van onze beide rassen aanmatigend was of zelfs slecht, dan laten de resultaten zoveel miljoen jaar later ook zien dat haar handelingen omschreven kunnen worden als een geslaagde zonde. In jullie filosofie heet dat geloof ik een felix culpa.'
Elizabeths lach was broos en kwetsbaar.
'Je begint de mensheid langzamerhand heel aardig te kennen, is het niet? Zelfs ons twisten met woorden is je niet vreemd meer.'
'Ik weet alleen maar,' zei hij eenvoudigweg, 'dat de motieven van Breede en haar Schip nobel en onzelfzuchtig waren. En ook haar leiding is dat tot het einde toe gebleven.'
'We weten allemaal dat ze het goed bedoelde. Zelfs wanneer ze me langs omwegen ergens toe probeerde te dwingen. Maar er zijn zoveel welwillende despoten geweest die het beste met hun onderdanen voor hadden. De menselijke rebellen in het Bestel koesterden een dergelijke overtuiging. En waren die even onbescheiden! Weet je, zij wisten zeker dat de menselijke geest het grootste metapsychische potentieel bezat van alle rassen. Dus was het voor hen logisch dat de mensheid een dominante rol moest spelen in die galaktische beschaving. En wel direct! Het Bestel was veel te belangrijk om de leiding ervan over te laten aan inferieure geesten . . . Maar het Bestel kon niet gedwongen worden tot een versnelde evolutie, net zo min als je kinderen naar een supervolwassenheid kunt laten groeien door de ongezonde technieken die de rebellen daarvoor hadden bedacht en aangeprezen. Volwassenheid en groei proberen te forceren is niet alleen boosaardig, het is ten slotte ook volstrekt zinloos, onverschillig of we nu praten over de groei van een kind of de perfectie van een Galaktisch

Bewustzijn.'
Ze liet de Tanu-genezer in haar geest iets zien van de vernielingen die door Marc Remillard en zijn volgelingen waren aangericht, de prijs die had moeten worden betaald om het evenwicht weer te herstellen.
'En dat is de reden waarom ik bang ben . . .'
'Ik zie de analogie,' zei hij, 'tussen de Metapsychische Rebellie en Breedes manipulatie van de toekomst van Firvulag en Tanu. Je bent bang dat wanneer je Breedes plaats inneemt, je medeplichtig wordt aan haar . . . zonde.'
Elizabeth zuchtte.
'Als het dat is . . . Thuis in het Bestel beschikte het Concilie over miljarden geesten die gezamenlijk tot een uitspraak kwamen. De Geest wist dat zij gelijk had en dat de rebellen fout waren. Maar wat kan ik weten in mijn eentje?'
De toenemende wind buitenshuis maakte een lawaai alsof er beerhonden op jacht waren. Een windvlaag kwam door de schoorsteen naar beneden en joeg de geurige rook van de houtblokken op de vuurplaats de kamer in. Het was Creyn die de rondstuivende as tegenhield, niet Elizabeth, die niet in staat leek er iets aan te doen en die de tranende ogen die er het gevolg van waren zelfs leek te verwelkomen.
Toen ze haar ogen had drooggewreven en die afleiding achter de rug was, gingen ze over tot de ernstiger aangelegenheden van die avond.
De avond was veruit de meest gunstige tijd om over grote afstanden waarnemingen te doen. De zon, die dan achter de massa van de planeet verborgen ging, was een heel wat groter obstakel bij dergelijke waarnemingen dan welke storm dan ook. 's Nachts kon de geest zich vrijer bewegen, makkelijker doordringen in geheime plaatsen, luisteren naar het zwakste gefluister en het meest overredend inpraten op het weigerachtige oor van andere bewustzijnsvormen. Zelfs voor de dagen van het Bestel had iedereen dat geweten. Het gewone volk wist en vertelde dat de tovenaars 's nachts dun werk deden, dat in die uren onzalige wezens rondzwierven en dansten. De sterfelijke mens schonk de geest dan rust, samen met het lichaam en bevrijdde zich van de dagelijkse pijn en angst in ontlastende dromen.
Terwijl Elizabeths geest zich verbond met die van Creyn, leek de kamer waarin ze zich bevonden, op te lossen en liet hen hangende achter, zwevend boven het door de storm omspoelde massief van de Zwarte Bergen. Ze concentreerde al haar wilskracht in haar vermogen tot vérziendheid en nam hem net zo makkelijk met haar mee alsof hij een vlieger was.

Observeer en leer!

Kijk daar beneden, bijeengekropen tegen de Zwarte Piek, die kleine eilandjes van levensaura's, die markeren de mijnnederzettingen. Concentreer dat vermogen en focus dan pas in op individuele personen of op kleine groepjes. Gebruik *dit* vermogen om de gewone spraak te horen. (Het is vrijwel onmogelijk, zelfs voor een Grootmeesteres of Meester om over zo'n afstand diep tot hun gedachtenniveaus door te dringen. Diezelfde moeilijkheid doet zich voor bij het waarnemen van een persoon op die afstand die mentaal een redelijk goede afscherming heeft opgetrokken. Er zijn bepaalde kunstmatige afweermiddelen, de projector bijvoorbeeld in Breedes 'kamer zonder deuren' die op soortgelijke wijze de vérziendheid verhinderen.)
Let nu op hoe je te werk moet gaan bij het zoeken naar een bewustzijn dat je al kent. We hebben de kenmerken van dat bewustzijn al in onze herinnering opgeslagen, dus ons eerste, provisorische zoeken kan snel gebeuren, waarbij we alle onbekende aura's overslaan totdat we degene hebben gevonden die we zoeken. Aha, daar is hij al!
Het is Commandant Burke, diep in slaap samen met de andere leden van zijn gezelschap in een kampement net even naast de Grote Zuidweg, dertig kilometer onder Roniah. (Wees gezegend, geliefde broeders en zusters. Slaap veilig en wel.)
Nu ben jij aan de beurt, Creyn. Voeg je bij me en versterk mijn vermogen met het jouwe zodat we iets kunnen proberen dat moeilijker is: het lokaliseren van een ons bekende geest die zich half verborgen houdt en die bovendien oplettend en waakzaam is. Het moet zo gedaan worden dat hij ons niet bemerkt. We zullen dus geen poging doen om zijn woorden of gedachten af te luisteren.
Reik naar het noordoosten, want het is het meest waarschijnlijk dat hij op dit moment in zijn verblijfplaats is in Hoog Vrazel, in de Vogezen.
Probeer Sharn-Mes te vinden, de nieuwe jonge koning van de Firvulag die zichzelf nu onbeschaamd de stijl heeft aangemeten van een Hoge Koning van het Veelkleurig Land.
Zie de geduchte generaal thuis . . . Zijn zes kinderen roosteren kastanjes in het vuur en gebruiken een hete pook om nog een beker cider te warmen voor hun hardwerkende vader. De trotse generaal zwaait met een scherp mes van obsidiaan en mompelt een bloedstollende vloek. Dat weten we zeker, ook al kunnen we hem nu niet horen, maar het is te zien aan de afkeurende uitdrukking op het gezicht van zijn vrouw, koningin Ayfa, aanvoerster van de vleesetende krijgsvrouwen.
Opnieuw flitst het zwartglazen mes. Houtsnippers vliegen alle kanten uit. De kinderen juichen. De kinderen verdringen zich rondom de nu voltooide houten chaliko op wielen die hun vader op de tegels zet, allemaal belust om als eerste op dit nieuwe speelgoed te

mogen rijden. Traditie is kwetsbaar en soms in deze dagen, ook in Hoog Vrazel . . .
Laten we nu het moeilijkste van alles proberen: Felice.
Let eerst op haar kenmerken. Overweeg welke manieren van verbergen zij tot haar beschikking kan hebben. Ze is als meta niet getraind, haar verbergingstactieken zullen dus primitief zijn. Maar het grote creatieve vermogen in deze waanzinnge vrouw maakt alle verfijnde technieken overbodig. Er is dus weinig kans dat we zullen slagen. Desondanks zullen we het proberen. Elke nacht dat ze mogelijk moe is en minder waakzaam, zullen we het blijven proberen.
Zoek in het zuiden. Ten zuiden van Amalizan, nog voorbij Tarasiah. Reik dan in een boog naar het westen, heel ver. Voorbij het nieuwe onderkomen bij de Iberia van Heer Aluteyn. Voorbij de fronsende torens van Afaliah waar de grimmige oude Celadeyr achter zijn sterke stenen forten loert en zich zorgen maakt over degene wiens geest gebroken is en nu droomloos slaapt in Huid. Spoedig zal de ochtend aanbreken. De naderende zon wordt al aangekondigd door een duidelijk merkbare etherische donder. Er is een manier om zonne-ionisatie tegen te gaan, maar dat is heel wat moeilijker dan een storm omzeilen. Kijk en blijf me volgen. Houd je goed vast en kijk nog beter.
We zoeken! *Dit* is haar aura die we zoeken en we weten dat ze zich ergens in de Spaanse Cordillera verborgen houdt. Strijk er in grote bewegingen overheen. Let niet op die donsachtige mentale uitstulpingen van de Firvulag, van de Huilers, van de kleine kolonies buiten de wet geplaatste mensen of de buitenposten die van Afaliah afhankelijk zijn. Focus heel wijd en maak het daarna smaller. Gebruik het oog en oor van de geest en dat speciale zintuig dat enkel op de aanwezigheid van een aura reageert . . .
Er is niets.
(Waarom niet? Sharn was afgeschermd en die vond je makkelijk genoeg.)
Sharns vermogens zijn die van een kind. Maar we zullen wachten. De zwarte vogel vliegt tegen de dageraad weer uit en soms roept ze. Wanneer dat gebeurt, moet ze haar geest openen om antwoord van haar Geliefde te kunnen horen. Ons zou ze niet antwoorden, maar het is denkbaar dat er een aanduiding doorheen slipt die iets vertelt over haar spookachtige verblijfplaats. Dan kunnen we . . .
(Elizabeth. *Dat daar.)*
Ik zie. Ik zie en hoor. Boven de berg Mulhacén! Natuurlijk . . . Natuurlijk is dat de plaats waar ze zich zou schuilhouden . . . Kom er nu maar uit om te roepen.
Culluket!
De raaf stormt omhoog naar de stratosfeer. De hemel boven de Sierra Nevada is vrij van wolken en doorschijnend in de dage-

raad.
Culluket! Ik weet dat je nog leeft.
Ze roept naar hem die zich met haar vermengde in gedeelde doodsangst, zichzelf bevredigend en niet vermoedend dat haar bevrediging nog zou komen, nadat ze aan hem was ontsnapt en zij de hulpeloze aarde aandeed wat haar was aangedaan.
Culluket, geef antwoord!
Zie hoe ze glinsterend rondcirkelt in het hoge licht. Geen scherm dekt nu haar geest af, geen creatieve muur beschermt haar tegen vérziendheid nu ze zich open moet stellen om haar gehate geliefde te vinden. Maar hij is een hersteller, een geestveranderaar, een man van maskers. Hij is bedrieglijk en sterk en de schaduw van de vogel glijdt onbewust over hem heen.
Culluket, je moet er zijn. Help me om hem te vinden. JULLIE!
(Elizabeth! Heeft ze ons opgemerkt?)
Nee. Creyn, wees stil nu!
Jullie hebben me al eerder geholpen. Ik wend me weer tot jullie! Help me mijn Geliefde te vinden. Vertel me waar hij is. Praat tegen me! Zien jullie mij vliegen? Spreek tegen me en dit keer zal ik antwoord geven.
Zie hoe ze triomfantelijk nog eens haar liefdesdaad, het openen van de wateren bij Gibraltar, laat zien. Kijk, door haar herinnering heen, hoe die ramp werd bewerkstelligd. O God, zo dus. (Gelijktijdig de schok en de opluchting, want haar kracht was blijkbaar ten slotte niet enkel van haarzelf afkomstig, maar versterkt.)
Help me nog eens. Ik zal me niet meer voor jullie verbergen. We kunnen vrienden zijn.
Luister, Creyn! Nee, wacht. Ik moet de ontvangst nog zuiverder maken. De transmissie is zwak en tegelijk veelzijdig. Iets probeert onervaren, het is slecht gericht en het komt over een grote afstand. Het wordt niet uitgezonden over de golflengte van de buitenaardsen. En evenmin over de bastaardzenders van de mensen met halsringen hier in het Plioceen. Dit is de unieke menselijke draaggolf... God almachtig, mijn eigen golflengte! Help me, Creyn. Schraag me, beste vriend. Ga dit na, vind uit wie of wat dat is, alles wat je maar te weten kunt komen...
Duivels, zijn jullie dat?
Ja, Felice.
Hallo, duivels.
Hallo, Felice. We hebben je lange tijd geroepen.
Dat weet ik. Maar ik vertrouwde jullie niet. Ik heb zoveel vijanden.
Arme Felice. We willen alleen maar helpen. We hebben je geholpen.
Help me nog eens. Laat me zien waar Cull zich verstopt.
Wie? Aha... Wat interessant.
Let daar niet op. Laat me het zien!

Lieve Felice, we zouden het doen als we dat konden. Maar wij zijn ver bij je vandaan. En dus ook ver van hem. Om hem te vinden zouden we naar je toe moeten komen. Helemaal vanuit Noord-Amerika.
Ohhhhh.
Maak je geen zorgen. We zullen het graag doen. We hebben ernaar verlangd jou te ontmoeten.
Nee! Jullie zouden me kunnen bestelen . . . proberen me te bedriegen! Precies als die kleine gouden oplichter, Aiken Drum.
Zoiets zouden wij niet doen, Felice. Wij zijn niet als Aiken of je andere vijanden. We zullen onze vriendschap bewijzen. We zullen meer voor je doen dan vertellen waar je geliefde is. We zullen hem naar je toe brengen.
Kunnen jullie dat doen?
Eén van ons is bedwinger en hersteller van de meesterklasse. En al de anderen zijn ook sterk. En we zijn jong, Felice! Net als jij! We geloven in actie.
Jullie gaan niet met MIJ donderjagen!
Na . . . natuurlijk niet. We willen dat jij onze leidster bent. Jij bent sterker dan één van ons.
Misschien. Maar wanneer jullie samen zouden optreden . . . Luister . . . er kan er maar één van jullie komen.
Dat zou niet gaan, Felice. We moeten tenminste met zijn vijven zijn om jouw Culluket te kunnen verrassen en meenemen.
Vijf? Goed dan. Maar niet meer. Begrepen?
Uitstekend. We kunnen je ook op andere manieren helpen, moet je weten. En jij kunt ons helpen . . . Laat ons nu zien waar je precies bent in Spanje.
Ik ben hier. Zien jullie mijn schuilplaats in de berg Mulhacén?
We zien het. We zijn over vijftien dagen bij je. Wacht op ons. Tot ziens, Felice, vriendin.
Tot ziens, duivels.

Elizabeth zat tegenover Creyn aan de tafel. De storm was opgehouden. Zonnestralen vielen door de oostelijke ramen op de as in de haard en veranderden de verkoolde resten van houtblokken in stoffige witte brokken.
'Toen ik in het Plioceen aankwam,' zei Elizabeth, 'heb ik de hele planeet afgezocht in de hoop andere menselijke meta's te vinden zoals ikzelf.'
'Dat herinner ik me nog. Dat was op de avond toen we van kasteel Doortocht naar Roniah reden. Je had een sterk afweerscherm opgezet, maar ik was me ervan bewust dat je zocht.'
Elizabeth zakte onderuit in haar stoel, haar gezicht bleek en vermoeid. Creyn zond een telepathische oproep naar Mary-Dedra, een menselijke vrouw met een gouden halsring die eens de vertrou-

welinge van Mayvar was geweest, maar die nu Elizabeths persoonlijke bediende was.
De Grootmeesteres zei: 'Ik ontdekte één enkel moeilijk te duiden signaal op de menselijke golflengte. Het leek zich helemaal aan de andere kant van de Aarde te bevinden. Ik wist dat mijn onderzoek matig was omdat mijn vermogens toen nog herstellende waren. Dus heb ik die vage aanwijzing afgedaan als een echo. Maar het was werkelijkheid.'
'Je was niet in staat het van dichtbij te onderzoeken?'
'Het werken op zo'n grote afstand is een specialisme waar meer kracht voor nodig is. Een gezonde Grootmeester of Grootmeesteres kan korte perioden penetreren, ongeveer zoals menselijke zwemmers een tijdlang onder water kunnen blijven. Maar het is onmogelijk om die krachtsinspanning langere tijd vol te houden zonder de hulp van andere geesten of speciale ondersteunende technieken.'
Ze veegde met een vermoeide hand langs haar voorhoofd.
'Maar nu ik jouw hulp heb, moet het mogelijk zijn iets meer informatie te krijgen over deze zogenaamde duivels. Maar ik weet wie het moeten zijn. God, dat weet ik maar al te goed.'
Ze deelden de kennis.
Creyn zei: 'De Tanu hebben zich lang niet om hen bekommerd. Zevenentwintig jaar geleden is het sinds die groep rebellerende meta's door de tijdpoort kwam, vocht met onze strijdcompagnieën en ons een verpletterende nederlaag toebracht. De hele affaire werd uit de verslagen gehaald zodra ze Europa hadden verlaten. Slechts een paar van ons – vooral de overleden Gomnol – hielden zich actief bezig met de vraag wat er van hen geworden was. We kunnen makkelijk raden waarom hij daar zo in geïnteresseerd was! Maar Gomnols vermogens op dat gebied waren op zijn best matig. Hij heeft hen nooit kunnen vinden.'
'De rebellen bevinden zich op het westelijk halfrond. In een gebied dat op de Oude Aarde Florida heette.'
Elizabeth sloot haar ogen en verzonk in een pijnlijke herinnering.
'Ik was nog pas zeventien ten tijde van de Metapsychische Rebellie. Een leerlinge op een onbeduidende met sneeuw bedekte planeet. Maar ik maakte al deel uit van Eenheid en ik zal nooit de reactie vergeten van die driehonderd miljard niet-menselijke geesten toen de coup plaatsvond. Het Bestel had zoveel risico's genomen door ons te accepteren, Creyn. We waren psychosociaal nog te onvolwassen om deel te kunnen hebben aan hun ongelofelijke beschaving. En we hebben hun vertrouwen beschaamd.'
'Ik had begrepen dat de Rebellie maar kort duurde, dat de actieve fase ervan niet meer dan enkele maanden in beslag nam.'
'Dat is waar. Maar het heeft desondanks jaren geduurd voor de wonden waren geheeld. Voor de mensheid zelf was het de diepst

denkbare vernedering . . . De Staat trad zo hard op als nodig was om de samenzwering snel te beëindigen.
Maar veel onschuldigen hebben eronder geleden. Ook al was het Bestel daarna sterker dan voorheen.'
'Nog een felix culpa?'
Ze deed haar ogen open en keek de buitenaardse man onderzoekend aan.
'De menselijke geschiedenis lijkt er vol van te zijn.'
Er ging een binnendeur open. Mary-Dedra kwam groetend binnen met een blad waarop een ontbijt stond. Creyn stond op om heen te gaan.
'Zul je sterk genoeg zijn om het de komende nacht weer te proberen?' vroeg hij.
'Oh ja.' Haar stem klonk gelaten. 'We zullen die duivels van Felice nauwkeurig moeten lokaliseren. Ze tellen en zo grondig mogelijk identificeren. Daarna moeten we beslissen hoe we hun bedreiging afslaan. Neem jij je gemak en rust uit. Dan zien we elkaar tegen zeven uur.' Ze glimlachte sarcastisch. 'Dan proberen we ons eerste uitstapje naar de hel. Daarna zien we verder.'

13

In een van de moerassige rivierarmen van de Suwance aan de westkust van Ocala was het twee uur in de ochtend. De reusachtige zilveren vis hield zich voor het ogenblik rustig en hield zich gemelijk schuil in de diepten van het zwarte maangevlekte water. Even was er pauze in de strijd tussen hem en Marc Remillard.
Zestien lange uren had de buldogtarpoen geprobeerd los te breken van de hardnekkige lijn die hem verbond met de man. De tarpoen was 430 centimeter lang en woog 295 kilo. In een hoek van zijn kaken zat een 5/0-haak die goed was bewapend, want de tarpoenen uit het Plioceen hadden scherpe tanden. Dat deel van de lijn dat de vis in feite vasthield was zo zwak dat een gewicht van zeven kilo het al kon breken. Desondanks was de tarpoen niet in staat geweest zichzelf te bevrijden, zo groot was de vaardigheid van de visser die ermee speelde. Nu hadden zowel de man als de vis het einde van hun uithoudingsvermogen bereikt. Het zou niet lang meer duren voor de visser een vergissing maakte, verraden door zijn eigen pijnlijke spieren en dan zou de lijn breken. Of de tarpoen zou bezwijken aan een hartverlamming en hulpeloos boven komen drijven aan het einde van de draad terwijl de visspeer toesloeg.
Marc vierde een beetje en liet de onderkant van zijn zware hengel rusten in de zware leren ondersteuning aan zijn riem, wachtend tot

de vis het gevecht zou hervatten. De enige geluiden kwamen van een springende poon en een nachtreiger. Marcs ademhaling vergleed langzaam en gecontroleerd terwijl hij probeerde de stroom van afvalstoffen uit de cellen van armen en schouders te laten afvloeien. Zijn metazintuigen waren doof en blind. Hij kon de bewegingen van de tarpoen onder water niet waarnemen, omdat hij dat niet wilde. Ook nu de climax naderde, probeerde hij de vis het sportieve voordeel te geven dat hem naar zijn mening toekwam: Hij probeerde hem niet op te sporen door vérziendheid, probeerde evenmin zijn bewegingen te sturen en oefende geen enkele psychokinetische kracht uit, niet op het dier zelf, niet op de hengel of het snoer of de katrol. Slechts op één manier stond hij zichzelf toe af te wijken van wat onder gewone vissers normaal was: hij viste alleen en dus oefende hij mentale kracht uit om het bootje in evenwicht te houden dat anders tijdens de krachtmeting zou omslaan.
Ineens werd hij zich bewust van een subtiele verandering in de spanning van de lijn. Het ene ogenblik was het water van de rivier effen als een plas zwarte inkt, het volgende ogenblik barstte het open met vulkanische gewelddadigheid. Een immense glinsterende vorm, kronkelend onder de hoge maan, schoot als een kanonskogel meer dan zes meter in de lucht, buitelend in de sprong. De ogen zo groot als schoteltjes weerspiegelden een boosaardig oranje en de vinnen ratelden.
Marc boog zich in de richting van de vis en liet de top van de hengel zakken om de lijn ruimte te geven die nu in de lucht extra kwetsbaar was. Het grote zilveren schepsel viel terug in het water met een klap als van een vallende grote piano. Een fractie van een seconde later was het weer boven, draaiend en stuwend voor de volgende sprong. De boot schommelde heftig. Van hoofd tot voeten druipend van het water, schreeuwde Marc bemoedigend naar zijn tegenstander. Dit was de grootste tarpoen die hij ooit aan de haak had gehad en hij was bijna van hem.
De vis kwam in zijn richting. Marc haalde lijn in. Zoals hij had verwacht, sprong de tarpoen opnieuw, ditmaal een razende salto waarvan het traject hem in botsing moest brengen met de boot. Opgewonden lachend bracht Marc de boot buiten bereik, nog maar net op tijd. De klap waarmee de tarpoen weer in het water kwam, deed een golf over de reling komen waardoor de boot half vol liep. Marc verwijderde het water met zijn PK net voor de tarpoen aan de andere kant weer opdook en als een dolle dynamo over het wateroppervlak raasde in een poging los van de haak te komen.
Daarna dook hij opnieuw onder en de vislijn liep gierend over de spoel terwijl het dier op topsnelheid naar de linkerzijde van het vaarwater zwom. Marc stuurde de boot erachter aan, bedacht op een volgende sprong. En die kwam. Het enorme geschubde

lichaam kwam als in een vertraagde beweging omhoog terwijl het druppels van diamant als een stuifwolk van zich afwierp. Terwijl het sprong, klapten de kaken open en dicht en op het hoogtepunt van de sprong weerklonk een explosief gesteun voor het weer met geweld in het water terugkwam. Ditmaal sloeg Marc bijna overboord. Maar de haak bleef zitten.
De tarpoen zwom weer weg en de man volgde. De sprong die daarna kwam was maar halfhartig, het grote lichaam kwam amper voor de helft uit het water. In het daarop volgende geworstel aan de oppervlakte leek de vis zwakker en zwakker te worden.
Marc kon de verleiding niet weerstaan om de vis eenmaal mentaal aan te roepen.
Nu heb ik je, prachtige dondersteen. Nu heb ik je . . .
Een krachtige lichtstraal priemde door de duisternis over de rivier. Marc bevroor, staande in de boot, terwijl hij net bezig was met de delicate spanningsafstelling van de lijn. Fysiek en mentaal verblind was hij een ogenblik niet in staat zich te bewegen.
De tarpoen sprong.
De fragiele 6,75-kilo-lijn brak af.
Vader we hebben haar gevonden we hebben Felice gevonden!
Te laat doofde het psycho-energetische baken uit. Het was afkomstig van Hagen. Van hem kwam ook die triomfantelijke, onbedachtzame gedachtenprojectie.
De barkas met de jonge mensen erin voer stroomafwaarts de zijarm binnen en kwam met geweld tot stilstand alsof het op een muur van glas stuitte. Het kwam schommelend en schuivend te midden van schuim en opspattend water op 150 meter van de visser tot stilstand.
Voor de boeg van de vissersboot rolde de reusachtige tarpoen door het water, snakkend naar lucht maar de vrijheid proevend. Marc onderzocht hem nauwkeurig om er zeker van te zijn dat hij geen ernstige verwondingen had opgelopen gedurende de lange strijd en verwijderde toen met behulp van PK de haak uit de bek. De vis zonk langzaam terug in het zwarte water. Marc zag hem ten slotte wegzwemmen in de richting van de baai.
Vader . . .
Cloud wist beter dan haar broer wat hun tussenkomst had gekost. Haar spijt en verontschuldigingen liepen dood op een andere barrière. De metapsychische muur die de barkas had tegengehouden, loste op en de stroom droeg haar langzaam in de richting van de vissersboot.
Marc haalde de gebroken lijn binnen en keek hoe de barkas naderde. De drie andere inzittenden van de boot waren, precies zoals hij had verwacht, de aartssamenzweerders van de jongere generatie: Elaby Gathen, Jillian Morgenthaler en Vaughn Jarrow. Ze deden hun best hun onverstoorbare houding te handhaven onder het

besef van de blunder die ze hadden gemaakt. Het was overduidelijk dat ze alle vier niets anders hadden verwacht dan een hartelijk welkom toen ze vanuit het Serene Meer naar Marc waren gekomen om hem met het goede nieuwe 'te verrassen'.
De twee boten kwamen tegen elkaar te liggen. Jillian stopte de barkas met haar PK, liet het anker vallen en rende naar de achtersteven om de skiff van Marc op sleeptouw te nemen. Hagen hing de ladder uit, zijn geest nog steeds glimlachend en koppig vastbesloten te doen alsof er niets was gebeurd.
'Felice is in Spanje, vader. Precies zoals we hadden verwacht. Verstopt in een grot op de berg Mulhacén in de Sierra Nevada.'
Beeld. Richtingaanduiding.
'En raad es? Ze heeft ons uitgenodigd om naar haar toe te komen!'
Het scherm in Marcs geest bleef overeind. Hij greep naar de ladder en klom naar boven, afziend van de mogelijkheid om te leviteren. De jonge mensen weken achteruit, gezamenlijk mompelden ze nu onhandige mentale verontschuldigingen. Alleen in het bewustzijn van Cloud was iets merkbaar van echt verdriet om het verlies van de grote vis.
De kinderen van de rebellie, allemaal midden twintig, waren formeel gekleed. Er was die nacht een feest geweest bij het meer, culminerend in het geslaagde contact met Felice. Hagen en Elaby droegen een elegante tropensmoking; Vaughn, die min of meer hetzelfde droeg, slaagde er desondanks in slordig en pummelachtig te lijken, zoals gewoonlijk. De donkere Jillian droeg een gebatikte pareu van weefsel vervaardigd uit boombast. De japon van Cloud was even lichtgevend als haar geest, zwakjes glanzend in het maanlicht.
De man die ooit een heel sterrenstelsel had uitgedaagd en die nu blootvoets was, naakt tot op zijn middel en van wie het water afdroop op het gepolijste dek, stelde zich tegenover de vijf op.
'Er was jullie gezegd niet te komen. Niemand mag hier ooit komen wanneer de tarpoenen op weg zijn.'
Hagen barstte los: 'Wat kan die vis nou schelen, vader! We *hebben* haar! Felice!'
Zijn stem brak af. Hij drukte zijn handen tegen de zijkanten van zijn hoofd en schreeuwde.
De scherpe stank van braaksel vulde de warme nachtlucht en in de ether werd de reuk van doodsangst merkbaar toen Hagen voor het eerst iets zag van de ware aard van Abaddon. Maar direct rende Cloud naar haar verschrikkelijke vader, al haar milde vermogen tot overreding en geneeskracht gespreid als een gordijn waarachter het ergste van de werkelijkheid kon worden verborgen en verzacht.
Hagen wankelde achteruit en viel in de armen van Elaby en

Vaughn. De visser, zijn geest andermaal afgeschermd, wachtte.
Onder de invloed van Cloud hield Hagen met braken op, zijn gesnik verminderde. Hij probeerde weer zelfstandig op zijn benen te staan en trok zich iets van de anderen terug, wankelend en overdekt met zijn eigen vuil.
'Vader . . . je . . . moet . . . luisteren,' bracht hij er hijgend uit.
Marc moest inwendig glimlachen om zijn vasthoudendheid. Het lichte spleetje in zijn kin werd benadrukt door het schuin erop vallende maanlicht en de schaduwen deden zijn zware wenkbrauwen op vleugeltjes lijken. Het dikke krullende haar dat de laatste tijd grijs begon te worden ondanks zijn zelfverjongende vermogen, was nog steeds druipnat. Druppels zout water glinsterden als valse tranen op zijn wangen en op de smalle neus.
Marc weigerde de gegevens te accepteren die Hagens geest hem aanbood.
'Spreek hardop,' beval hij.
'Ze . . . ze gaat ermee akkoord dat wij naar Europa komen. We kunnen haar ontmoeten. We hebben beloofd haar te helpen bij het lokaliseren van een of andere Tanu die haar gemarteld heeft. Vader, je moet ons laten gaan!'
De geestgreep werd weer zachtjes in werking gezet, minimale druk uitoefenend, waardoor de jonge man al anticiperend op wat er zou komen de adem inhield. Hij was fysiek een minder nadrukkelijke replica van zijn vader, zonder de stierenek van Marc en zonder diens diepliggende ogen. Net als zijn zuster, had Hagen het roodgouden haar geërfd van de sinds lang overleden Cyndia Muldowney en behalve dat ook haar niets ontziende vasthoudendheid.
'Het is een uitgezochte kans voor ons! Felice kan worden gemanipuleerd, daar ben ik zeker van. Als we haar zover kunnen krijgen dat ze iets kalmerend van jou accepteert, dan hebben Elaby, Jillian, Cloud en ik voldoende vermogen in huis om haar eronder te houden. Het zal riskant zijn omdat ze er niet meer dan vijf van ons wil laten komen. Maar als u ons advies kunt geven hoe we haar moeten aanpakken, dan moet het lukken.'
De greep op zijn bewustzijn werd verstevigd. Hagen gromde en klemde de nagels van zijn vingers in zijn handpalmen. Hij voelde Clouds verzachtende geneeskracht klaar staan om de massaliteit van de pijn te verlichten als dat nodig zou zijn.
'Vijf van jullie?' herhaalde Marc.
'Er mogen er maar vijf komen, heeft ze gezegd. Ik weet niet of het waar is dat ze het kan merken als er meer komen, maar we durven dat risico niet te lopen.'
'Jij en Cloud, Elaby en Jillian en Vaughn vormen dan zeker de conferentieleden die haar eronder gaan praten?'
'Ja.'
De scheve glimlach van de oudere man werd killer.

'En wat gaan jullie daarna doen met de draak, verondersteld dat het lukt haar te onderwerpen?'
'Haar gebruiken om Europa te domineren! Elizabeth dwingen om ons allemaal naar de status van adept te voeren. Ook wij willen volledige metavermogens krijgen. Vader, we kunnen hier niet met jullie ouderen blijven wegrotten, dat kunnen we niet. Dat willen we niet. We zullen nog eens doodgaan op dit verdomde eiland!'
De klem op zijn bewustzijn verzwakte. Marc sprak zachtjes.
'Ik was van plan geweest om jou deze zomer te leren hoe je me kunt helpen bij het afzoeken van de sterren. Van de tweede generatie ben jij degene met het meeste potentieel, voldoende lef en een breed spectrum aan vermogens . . .'
'Verdomme, vader!' schreeuwde Hagen Remillard. 'Zul je dan nooit toegeven dat er *daarbuiten niemand is!* Dit Pliocene sterrenstelsel is veel te onvolwassen om zoiets als Eenheid en Geest te bezitten. Je bent alleen, vader, jij en de anderen. En samen met jou zijn wij hier ook alleen. En deze Elizabeth is een Grootmeesteres die ons tenminste de allereerste stappen kan leren, zodat we hier tenminste iets van een verenigde geest kunnen ervaren. Hier, op Aarde.'
Marc wendde zich tot zijn dochter. 'Denk jij ook dat mijn zoeken futiel is?'
Ze liet hem haar diepst verborgen gedachten lezen: Ja, vader. Er bestaat geen in de geest verenigd niet-menselijk ras in dit sterrenstelsel dat ons uit deze ballingschap kan redden. Alles dat er is, bevindt zich hier.
'En jij ondersteunt het idee van deze kidnapping? Deze overval door vijf boekaniers?'
Cloud draaide zich om, haar afsluitende scherm weer intact. Haar stem klonk snijdend.
'Er zijn andere menselijke wezens in Europa. Mensen van onze eigen beschaving die het met onze doeleinden eens zouden zijn. Nu de Vloed de gemeenschap van de Tanu volledig heeft ondermijnd, heeft het er de schijn van dat dit hele gebied onder de heerschappij van de Firvulag zal gaan vallen, tenzij wij ingrijpen. En de Firvulag beschikken wel over mentale vermogens, denk daaraan, Vader. Hun ontwikkeling op dat gebied is tot nu toe geblokkeerd door domheid en koppig volgehouden oude tradities en ze hebben nooit geprobeerd of geleerd hun geesten te verenigen. Het zijn individualisten. Maar hun gewoonten zijn nu snel aan het veranderen. Zelfs wanneer de Tanu worden aangevoerd door Aiken Drum, is hun aantal te gering. De Firvulag overtreffen hen in aantal zoveel malen dat ze niet zullen kunnen overleven. Maar mensen en Tanu zouden gemakkelijk de Firvulag kunnen weerstaan als wij hen hielpen.'
'We zouden een deel van de wapens moeten gebruiken die hier zijn

opgeslagen,' voegde Hagen eraan toe.
'Er is nog iets anders in Europa,' zei Marc.
De vijf jonge mensen staarden hem aan.
'De lokatie van een temporele eigenaardigheid. De tijdpoort.'
Ondoorzichtbaarheid.
'De tijdpoort heropenen, dat is jullie werkelijke verlangen. Maar nu van *deze* kant! Dachten jullie werkelijk dat je die waarheid voor mij verborgen kon houden?'
Berusting, maar ook koppige opluchting stroomde door Hagens geest.
'Natuurlijk heb je gelijk, vader. We zouden alles willen doen om weer te bezitten wat jij hebt verworpen! Dood me gerust als je denkt dat je daarmee de anderen kunt overtuigen van jouw gelijk. Maar het zal niet helpen . . . en dat weet je.'
Voor Marc kon reageren, duwde Elaby Hagen opzij. Zijn gedachtenprojecties barstten als een onweerstaanbare stormwind naar voren, even meeslepend als onverwachts. Ze hielden de toorn van Abaddon net lang genoeg tegen om daar nieuwsgierigheid en wrange appreciatie te wekken. In dat ene verhelderende moment wist Marc dat het hele plan van de overval, het zoeken naar Felice, en de speculaties rondom de tijdpoort, helemaal niet van Hagen afkomstig waren, maar van Elaby. Elaby Gathen, de onopvallende, de efficiënte, de samenbindende. De slimste van allemaal die nu afwachtte met zijn bewustzijn wagenwijd open om Marc de gelegenheid te bieden tot een onderzoek (en die niet eens geschrokken leek te zijn door zijn eigen brutaliteit).
Hij vond in de geest van de jonge man bewondering die oprecht was voor de leider van de Metapsychische Rebellie, samen met spijt om een grote droom die op niets was uitgelopen. Elabay Gathen die de moed had zijn dochter lief te hebben en daarnaast met het bewustzijn van zijn zoon jongleerde. En diep in Gathen vond hij een vastbeslotenheid die even onverwoestbaar was als de zijne: hij en zijn jonge medestanders behoorden de kans te krijgen om hun eigen bestemming en levenslot te kiezen.
'Ik wilde dat ik jou en deze achtergronden eerder had opgemerkt. Voor alles uitgegroeid was tot een overtuiging.'
'Mijnheer,' zei Elaby Gathen, 'we hebben alle gegevens van Guderian in onze computer opgeslagen. Wij hebben al het technisch gereedschap en al de gespecialiseerde kennis die nodig is om de onderdelen van zijn toestel na te bouwen. Wanneer wij Europa onder controle zouden krijgen, zouden we niet alleen toegang verwerven tot de plaats waar de tijdpoort zich bevindt, maar ook tot de ruwe materialen die Guderian heeft gebruikt. Zeldzame ertsen en niobium en cesium die in het Pliocene Noord-Amerika niet voorkomen. Eenmaal goed genesteld in Europa kunnen we de assistentie afdwingen van wat voor soort technici uit het Bestel dan

ook, die nu nog onder de tijdreizigers in leven zijn. Er zou tijd en overleg voor nodig zijn, maar we zouden Guderians ontwerp kunnen bouwen.'
Marc lachte. 'En op die manier een tijdpoort maken die in *twee* richtingen gaat! En jullie verwachten dat ik hiermee akkoord ga? De agenten van de Magistratuur hebben in jullie kinderen geen belangstelling. Maar ik verzeker je dat ze ook na zevenentwintig jaar nog een levendige belangstelling hebben voor mij!'
Elaby's geest en stem gaven uitdrukking aan een idee van de meest verfijnde tact.
'Nadat we door de tijdpoort terug zijn gegaan naar het Bestel, zouden we maatregelen treffen voor het vernietigen van beide toegangen. We zouden de geografische lokaties zelf kunnen verwoesten. De tijdpoort bezit die unieke factor dat zij blijkbaar alleen kan bestaan in dat vrij kleine gebied in de Rhônevallei. Wanneer de geologie daarvan in beduidende mate werd veranderd, zou de tijdpoort ophouden te bestaan.'
'Je zou dan nog steeds veilig zijn, vader,' zei Cloud, terwijl ze dichter bij Elaby ging staan. 'En wij . . .' haar stem stierf uit, maar haar mentale spraak maakte de zin af, . . . wij zouden naar huis kunnen gaan.
Elaby Gathen zei: 'U zou de afbraak van de tijdpoort aan deze kant zelf kunnen leiden, meneer.'
De barkas trok aan zijn anker. Het tij kwam op in het stroomgebied en het zoute inkomende water keerde zich tegen de trage riviervloed van de Suwanee. Spoedig genoeg zouden de tarpoenen hun voedselplaatsen tussen de kliffen van de golf weer verlaten en andermaal de rivier opzwemmen. Maar Marc had zijn belangstelling voor de grote vis verloren. Zijn onverwachtse nederlaag, net voor het behalen van de overwinning, had hem gespannen achtergelaten en hem beroofd van de mogelijkheid tot een katharsis. Hij was er niet in geslaagd zijn tegenstander te bedwingen en nu was de gelegenheid voorbij. Opnieuw beginnen was onverdraaglijk.
Gathen sprak met koele redelijkheid verder over zijn plannen.
'We hebben nog twee dagen nodig om onze uitrusting bijeen te brengen en de boot van Jillian in de baai van Manchineel te bevoorraden. De reis naar Europa zal ons elf dagen kosten. Volgens Phil is het weer op de Atlantische Oceaan perfect. We zullen geen tegenwind hebben om onze PK te dwarsbomen. Vaughn zal u op de hoogte houden van alles wat we doen. Wanneer we eenmaal contact hebben gemaakt met Felice, kunt u ons adviseren hoe we verder moeten handelen.'
'Jullie kunnen allemaal gaan . . . behalve Hagen,' zei Marc.
'Vader! Nee!' riep de zoon.
De ogen van Abaddon brandden onder de gevleugelde wenkbrauwen.

'Dit uitstapje is gevaarlijk, heel gevaarlijk. Op het waanzinnige af. Jullie hebben Felice schromelijk onderschat. Maar ik ken haar maar al te goed. Ik heb de gezamenlijke inspanning gecoördineerd die haar geholpen heeft. Het idee om haar langs kunstmatige weg te onderwerpen en te laten gehoorzamen is belachelijk. Met geen enkel middel zou dat lukken. Net zo min als bij mij. Jullie zullen haar moeten bedriegen, gebruik maken van de ongezonde aspecten in haar bewustzijn om haar op die manier te dwingen zichzelf te binden.'
Zijn geest wendde zich tot Cloud: Jij bezit een vaardigheid die vrijwel gelijk is aan de mijne, dochter. Maar ik weet niet zeker of je ook de moed ertoe bezit.
Zij antwoordde: Vader, ik zou alles doen om dit doel te bereiken. Ik weet het.
Zijn geest raakte verduisterd door verdriet. Hij zou haar moeten laten gaan, zelfs als dit avontuur naar haar dood voerde. Hij kon het risico niet lopen haar op Cyndia's manier tegen te houden. De dochter was verloren. Maar de zoon . . .
'Waarom moet ik hier blijven?' vroeg Hagen uitdagend.
'Voor het geval de anderen niet slagen. Er moet een opvolger zijn die de zoektocht tussen de sterren kan voortzetten.'
De jonge man barstte in woede uit.
'Oude gek! Kun je nooit ophouden te leven in die droomwereld? Ik mag vervloekt zijn als ik bereid ben om de rest van mijn leven door te brengen, vastgenageld aan jouw instrumenten om iets na te jagen dat niet bestaat!'
De andere vier weken verschrikt achteruit. Er werd een onverdraaglijke lichtflits zichtbaar en daarna een stroom hete lucht. Het lichaam van Hagen zwaaide heen en weer, versmeltend in de gloed. Zijn geschreeuw rees hoger en hoger tot het veranderde in ruw, ritmisch gesis. Iets groots en zilverachtigs, brandend binnen een mantel van astraal vuur, viel over de achtersteven van de barkas met een plons in het water.
'Jullie nemen Owen Blanchard mee naar Europa in plaats van Hagen. Hij was de beste van mijn bedwingers tijdens de Rebellie en hij is over grote afstanden vérvoelend genoeg in het al te waarschijnlijke geval dat er iets met Vaughn misgaat. Hij krijgt mijn volledige autoriteit achter zich en hij zal ervoor zorgen dat ik steeds een accuraat verslag ontvang van alles wat jullie ondernemen.'
'Maar hij is zo zwak!' begon Elaby.
'Dan zullen jullie speciaal op hem moeten letten!' donderde Marc. 'Blanchard gaat mee.'
'Ja, meneer.'
De geest van Cloud weende. Vader, die arme Hagen . . . Marcs hand hield plotseling het bovenste deel van een vislijn vast waar een groot formaat kunstvlieg van afhing. Te midden van de

veertjes en de drijvers glinsterde gepunt staal.
'Maak je over hem geen zorgen. Ik heb besloten om vannacht met zijn onderricht te beginnen. Niet de komende zomer.'
Vooruit in het zwarte water rolde een tarpoen door de golven, hapte naar adem en liet een spoor glinsterende bellen achter zich. De schubben van de vis glinsterden spookachtig. Marc Remillard observeerde het schepsel met genoegen. Hij begon over de reling terug te klauteren in zijn eigen boot.
'Ik ben er zeker van dat Hagen rustiger wordt en zich aanpast bij wat ik van hem wil. Nadat hij een tijdje aan de haak heeft gezeten.'

II. Het Grote Liefdesfeest

1

In de eerste weken van het tijdperk na de Vloed zocht en kreeg Sugoll van de Weideberg volledige burgerrechten voor zijn onderdanen, de gedeformeerde verworpenen van de Firvulag die de Huilers werden genoemd. Deze mutanten, die zich enige honderden jaren eerder van het Kleine Volk hadden afgescheiden, zwoeren nu andermaal trouw aan de Firvulag-troon in Hoog Vrazel en stemden in met de benoeming van beide monarchen, koning Sharn en koningin Ayfa. Sugoll stemde er ook mee in zich te houden aan het bondgenootschap tussen Firvulag en Minderen dat tussen de overleden Madame Guderian en koning Yeochee IV was overeengekomen. Hij besloot ook de wapenstilstand te eerbiedigen tussen de Tanu en de Firvulag, die de overheerser Aiken Drum had afgekondigd.

Door de geïsoleerde ligging van zijn domein ten oosten van het Zwarte Woud bleef Sugoll er onkundig van dat strijdkrachten van de Firvulag beide vredesovereenkomsten een hele winter lang gedurig schonden. Ze vielen steden van de Tanu aan, pleegden overvallen op de nederzettingen van Minderen en gaven de gedegenereerde Huilers de schuld.

Voor het overige besteedden koning Sharn en koningin Ayfa weinig aandacht aan hun zo ver verwijderde gemuteerde onderdanen tot vroeg in januari, toen de volgende boodschap in Hoog Vrazel werd afgeleverd:

AAN HUNNE VERBAZINGWEKKENDE HOOGHEDEN AYFA EN SHARNMES, Souvereine Heersers over Hoogten en Diepten, Monarchen van de infernale Oneindigheid, Moeder en Vader van alle Firvulag en onweersproken regerend over heel de bekende Wereld,
FELICITATIES VAN SUGOLL, Heer van de Weideberg en Hoofd over hen die de Huilers worden genoemd, uw gehoorzame vazal.

Mag ik u nederig uitnodigen u met mij te verheugen ter gelegenheid van de viering van mijn huwelijksinzegening waarbij de Zeer Verheven Scheppende Vrouwe, Katlinel de Donkerogige, voorheen lid van de Hoge Tafel der Tanu, erin zal toestemmen mijn gade te worden, een genade waarvoor Téah de Almachtige gedankt zij.
Neem nu kennis, Hoogheden, van een ernstige zaak die mijn aandacht meerdere maanden heeft gehad en waarover onlangs een beslissing is gevallen: in de periode die voorafging aan de laatste Grote Veldslag, werd mijn land bezocht door een expeditie van Mensen onder het mandaat van uw betreurde voorganger, Yeochee IV, die op zoek was naar het legendarische Scheepsgraf. Een zekere geleerde in dit gezelschap deed mij informatie toekomen die later van vitaal belang bleek te zijn voor mijn volk.

Namelijk: dat onze belangrijkste nederzettingen in en rond de Watergrotten van de Weideberg zonder dat wij dat wisten vlak bij gevaarlijke radioactieve afzettingen lagen en deze hebben, in de loop van vele eeuwen, de genen van mijn volk beschadigd, waardoor de verderfelijke afwijkingen zijn ontstaan waarvan de droevige uiterlijke tekenen maar al te goed bekend zijn.

De hypothese van deze geleerde werd naderhand bevestigd door iemand anders, Heer Greg-Donnet, Meester der Genetica, voorheen Gregory Prentice Brown, voorheen afkomstig uit Muriah en nu een geëerd burger van de Weideberg, die uitblonk onder de menselijke genetische ingenieurs in het Veelkleurig Land en die eens een belangrijke positie innam aan een befaamde universiteit in het Bestel.

Greg-Donnet heeft gedurende de afgelopen maand een analyse van onze situatie gemaakt met de bedoeling verbetering te bereiken. U zult zich met ons verheugen, Hoogheden, wanneer ik u vertel dat er nu inderdaad hoop is voor mijn arme volk. Sommigen kunnen worden genezen en een vrijwel normaal uiterlijk terugkrijgen door een gewijzigde toepassing van de Tanu-genezingstechniek die 'Huid' wordt genoemd, wanneer geschikte genezers onder onze voormalige Aartsvijanden ertoe kunnen worden overgehaald om met ons samen te werken. Anderen onder onze mutante onderdanen moeten echter hun blik op de toekomst gericht houden, waarin de normalisatie van nu nog niet geboren generaties tot stand zal zijn gekomen door genetisch ingrijpen en andere maatregelen. Aan sommige daarvan zal begonnen kunnen worden nog tijdens uw zegenrijk bestuur.

Weet dan, Hoogheden, dat Greg-Donnet heeft verklaard dat wij uit onze zo gevaarlijke woonplaatsen moeten wegtrekken naar gebieden die vrij zijn van radioactieve besmetting. Wij hebben daarom besloten onze domeinen rond en op de Weideberg te verlaten zodra de regens zijn opgehouden en onszelf aan u in Hoog Vrazel te presenteren – trouwe onderdanen, gereed om uit uw handen elk grondgebied te aanvaarden dat u ons als nieuw woongebied wilt aanwijzen.
Voorts zij u gemeld dat Greg-Donnet adviseert om onze beschadigde genen deels te vervangen door een hernieuwde toevoer van gewoon erfelijk Firvulag-materiaal, een maatregel die hij aanbeveelt naast de nog komende, moeilijker genetische operaties waarbij het wachten is op de beschikbaarheid van ervaren ingenieurs. Om dit te bewerkstelligen zweert mijn volk bij dezen dat het het oude antagonisme verwerpt dat sociaal en seksueel contact tussen ons en onze normale broeders en zuster uitsluit.

Tijdens het Grote Liefdesfeest van de Firvulag dit jaar, ben ik van zins een contingent bekoorlijke maagden uit onze beste families te laten deelnemen aan de paringsrituelen, die zodoende op de gebruikelijke wijze echtgenoten zullen verwerven uit de rangen van uw krijgshaftige jongemannen. De dames zullen vanzelfsprekend worden toegerust met de meest verleidelijke illusoire lichamen en zij zullen respectabele bruidsschatten met zich meebrengen uit de omvangrijke schatkamers van de Weideberg. Als een verder bewijs van onze liefde, dankbaarheid en goede wil, en opdat heel het Kleine Volk deelgenoot moge zijn in onze vreugde om de hereniging met verwanten van wie wij zo lang gescheiden waren, verklaren wij ons bereid de volledige kosten van het Grote Liefdesfeest der Firvulag dit jaar voor onze rekening te nemen.

U kunt ons over ongeveer twee weken, na de voorjaarsdag-en-nachtevening in Hoog Vrazel verwachten. Tegen die tijd zult u zonder twijfel een geschikte woonplaats voor ons hebben uitgezocht en aandacht hebben besteed aan de zaak van de onderlinge huwelijken tussen onze bruiden en de zonen van daartoe geschikte families uwerzijds.

Voor altijd tot uw dienst, Hoogheden, SUGOLL

'Dat noem ik lef hebben!' riep Sharn uit. Met zijn massieve vuist verkocht hij zijn schrijfbureau een geweldige opdonder waardoor zegelwas, boeken, een 22e-eeuwse stemschrijver en zijn meest geliefde bokaal (gemaakt uit de schedel van Heer Velteyn) kletterend op de gepolitoerde eiken plankenvloer terechtkwamen.
'Roep die koerier van de Huilers binnen, verdomme! Dan zal ik hem een antwoord mee teruggeven waar die kreupele Sugoll van zal verkleuren van de puntjes van zijn stinkende scheefgegroeide teennagels tot en met zijn gehoornde rotkop! Naar ons toekomen wil meneertje! Met een bende van seks bezeten monstertjes die ik aan mijn Volk moet zien te slijten! Tienduizend stinkende drollen!'
'Maar hij klinkt rijk,' merkte Ayfa nadenkend op. Zittend achter haar eigen bureau dat naast dat van haar man stond, knabbelde ze met delicaat gepunte tanden op het einde van een zilveren Parkerpen.
Het koninklijke studeervertrek diep in de ingewanden van de Grote Ballonberg in de mistige Vogezen was huiselijk en helder verlicht, verwarmd door een groot koperen vuurbekken dat stond te gloeien binnen een met keramische tegels belegd fornuis dat de vorm had van een holle knol. Op een buffet stonden nog de resten van de koninklijke lunch die ze vandaag al werkend onderwijl had den genuttigd. De muren waren behangen met een welgekozen selectie van veroverde banieren en wapens van de Tanu, verkregen tijdens de laatste Veldslag. Dikke kaarsen met drie pitten brandden op de tweelingbureaus.
'Die sloffende bastaard krijgt mij heus niet aan het lijntje,' snauwde Sharn. 'Wie denkt hij dat ik ben? Een zorgzame gek als die ouwe arme Yeochee?'
'Wij vormen *samen* het koninklijk bestuur,' zei de bevallige reuzin

met het pruimkleurige haar. 'En ik vind Sugolls brief nogal intrigerend.'
Ze viste het blad perkament dat Sharn woedend had weggegooid met haar PK van de vloer. 'Hervestiging! Hmmm!'
'Er is geen ruimte voor hen hier in Hoog Vrazel. Er zitten daarginds misschien wel zeven- of achthonderd van die monsters! We moeten ze zien kwijt te raken in de richting van Famorel, de Alpen in. Of misschien naar de Grotten Wildernis of zelfs Koneyn. Heilige Té aan een touwtje! Alsof we al niet genoeg gelazer hebben onze achterlanden zonder hen een beetje in toom te houden! Dan krijgen we er nog eens een zootje verse oproerkraaiers bij die alles op hun eigen manier willen doen en het kan ze geen reet schelen of onze koninklijke strategie daardoor fout loopt.'
'Nionel.' Koningin Ayfa glimlachte beminnelijk in de richting van de brief. 'Daar moeten ze heen.'
Sharns grote mond viel met een klap dicht, zich verslikkend in een nieuwe uitbarsting die net omhoog wilde borrelen. Zijn geest zond een waterval van vrolijke instemming over de hele psyche van zijn echtgenote. Die glimlachte zoetjes.
'Natuurlijk! Nionel!' bulderde hij. 'Daar alles opknappen, herbouwen, verzorgen, dat zal die Huilers jarenlang zoet houden. We kunnen daar in mei ons Liefdesfeest houden en later, tegen de herfst . . .'
'De nieuwe Spelen. En eindelijk ons eigen Veld van Goud.'
Ze omhelsden elkander mentaal, genietend van de verrukkelijke bruikbaarheid van haar idee. Sugoll en zijn ongetwijfeld welvarende bende zouden de Firvulag bijzonder goed van dienst kunnen zijn als ze ertoe konden worden overgehaald om de spookstad Nionel, vlak bij het Parijse Bekken, te restaureren en opnieuw te bevolken. Op het grondgebied van Nionel lag het rituele slagveld van het Kleine Volk. dat veertig jaren lang in feite niet was gebruikt doordat de Tanu elk jaar de Veldslag hadden gedomineerd en dus hun eigen terrein voor de Grote Veldslag mochten kiezen.
'Het is de enige logische plaats voor de Spelen van dit jaar,' zei Sharn. 'Ook al heeft dat kleine halsringloze haantje ons de overwinning op het laatste moment ontstolen, er is geen enkele kans dat hij voor de Tanu nog dit jaar een fatsoenlijk strijdveld kan prepareren. En de Witte Zilvervlakte ligt verzopen onder vijfenvijftig meter zout water.'
'Als we ons aanbod diplomatiek verpakken, dan zal Aiken het wel accepteren, denk ik. Zeker als we daar jouw idee aan toevoegen om een nieuwe trofee aan te bieden in ruil voor het verloren Zwaard . . . Oh ja, ik geloof dat dit allemaal prachtig uitpakt!'
'Maar er zit nog één dooie muis in de maaltijd, Ayfa. Die verdomde bruiden.'
Ayfa dacht hardop na.

'Ze zouden er toch heel behoorlijk kunnen uitzien. Als hun vormveranderende vermogens goed genoeg zijn. En ze brengen bruidsschatten mee. Trouwens, hoeveel kunnen het er maximaal zijn? Misschien twintig of dertig, afgaande op het aantal Huilers dat Guderian ooit tegen Fitharn heeft genoemd. We hebben toch zeker wel zoveel families die staan te popelen om van onze schuldenlijst af te komen door een gelegenheidshuwelijk te sluiten?'
'Ja, ja,' knorde hij. 'Misschien lukt dat toch. Het *moet* wel. We kunnen ons eigenlijk niet veroorloven om deze nieuwkomer tegen ons op te zetten, weet je. Helemaal afgezien van een mogelijke burgeroorlog, we moeten niet vergeten dat hij degene is die de weg weet naar het Scheepsgraf. En één dezer dagen zou die informatie wel eens bijzonder nuttig kunnen zijn.'

VAN SHARN EN AYFA, Hoge Koning en Hoge Koningin van het Veelkleurig Land
AAN SUGOLL, Heer van de Weideberg, onze geliefde en trouwe onderdaan: GEGROET.
Uw brief waarin u ons informeert over uw recente huwelijk en de hoop van uw volk om de genetische misvormingen te verzachten, heeft ons veel genoegen gedaan en onze warme sympathie opgeroepen.

Kom dus naar Hoog Vrazel en wees welkom! Wij hebben inderdaad een nieuwe woonplaats voor u en de uwen op het oog, die wij u na uw aankomst hier zullen meedelen.

Wij voelen ons geëerd door het aanbod uw zonder twijfel charmante dochters als verkiesbare bruiden beschikbaar te stellen tijdens de ceremonies van ons Grote Liefdesfeest. Ook die zaak zal bij uw aankomst in detail worden besproken.

Gelieve onze warme wensen voor geluk en een goed nageslacht over te brengen aan die zo bereidwillige dames. Heel uw volk zenden wij onze liefde en de verzekering van onze durende zorg. Aan u en aan uw illustere echtgenote, de Vrouwe Katlinel, zenden wij onze Koninklijke zegen en de bijgevoegde bewijzen van onze hoogachting, die hun bruikbaarheid zouden kunnen bewijzen op de reis hierheen, voor het geval u ontmoetingen mocht hebben met de verziekte ondieren van hyena's en amphicyons die jammer genoeg ons grondgebied ten westen van de Rijn verpesten. Lees de aanwijzingen zorgvuldig voor het gebruik.

Wij vestigen uw aandacht op de vereenvoudigde Koninklijke aanspraaktitels die wij in gebruik hebben genomen.

AYFA, HOGE KONINGIN
SHARN-MES, HOGE KONING

bijgesloten, drie door zonne-batterijen gevoede verdovingsgeweren, Merk Husqvarna, type VI-G.

Met het bevredigende antwoord van de koninklijke troon in zijn hand, begon Sugoll de grote volksverhuizing in beweging te zetten. Sharn en Ayfa hadden het mis in hun veronderstelling dat enkel de mutanten van het Feldberg-gebied naar Hoog Vrazel zouden komen. Veel meer concentraties van Huilers, die in de loop van de jaren een eindweegs waren weggetrokken van de radioactieve grotten uit het moederland, hadden gehoord over de hoopvolle perspectieven die Greg-Donnet had geschilderd en waren vastbesloten daar deel aan te hebben.
Al hun draagbare bezittingen ingepakt, lieten groepjes treurige en afzichtelijke schepsels hun stulpjes diep in Fennoscandia in de steek en trokken over en langs de Barnstenen Meren naar het zuiden waar de winternachten lang en warm waren onder voortdurend bewolkte luchten. Andere groepen Huilers trokken eerst in de richting van de Weideberg, komend uit de spookachtige Zwabische en Frankische Alpen of uit de aan mineralen rijke hooglanden van het Erzegebirge en het verre Bohemen. Vooral de laatsten brachten grote hoeveelheden juwelen en kostbare delfstoffen met zich mee die door hen niet om hun waarde werden gedolven maar uitsluitend om hun schoonheid. Ze hadden de gewoonte daar op een ironische manier hun misvormde lichamen mee te versieren. Ook mutanten uit het Hercyniaanse Woud ten westen van de Rijn, de meesten eenlingen en volstrekt verpauperd, gaven voor zover zij dat konden gehoor aan Sugolls uitnodiging. Zij maakten een moeilijke reis dwars door de Vogezen en het Zwarte Woud tot aan de eerste half ondergrondse nederzettingen rondom de Feldberg, waar ze door de zorgzame en meedogende Katlinel tijdelijk werden gehuisvest in de droogste, hoger gelegen grotten om aan te sterken, terwijl zij hen van nieuwe en voortreffelijke kleding voorzag. Allen die ervoor geschikt waren, werden aan het werk gezet bij het gereedmaken van schepen en voorraden, in afwachting van het moment waarop de meteorietenregens de komst van het Pliocene voorjaar aankondigden.
Eindelijk begonnen de sterrenregens dan toch, de gewone regens stopten en de rivieren die ondergronds door de Feldberg stroomden, herkregen de niveaus waarop ze weer bevaarbaar werden. De grote migratie van Huilers begon.
Tien dagen na de dag-en-nachtevening trok de ene stoet mutanten na de andere, allemaal goed gekleed en aan schatten dragend wat maar draagbaar was, naar dat afschrikwekkende gat in het ingewand van de berg dat Alliky's Schacht werd genoemd.
Na een korte invocatie aan Téah door Sugoll, begon de machinerie van het liftensysteem te kraken en de reusachtige manden vol groepen toortsdragende reizigers zakten naar beneden: mannen en vrouwen, hermafrodieten en geslachtslozen, oude mensen en kinderen, misvormden en zogenaamd normalen, zongen bij het afda-

len een weeklagend vaarwel dat uit de diepten omhoogsteeg als de zang van een koor verdoemden.
Ze stapten uit op het laagste niveau van de mijnen in de Weideberg en liepen over en langs achtergelaten granaatstenen, roze en gele beril en groene toermalijn die overal in hopen verspreid lagen. Na dat punt vormden ze allemaal één lange rij en daalden verder af in de granieten ingewanden van de berg, door natuurlijke grotten en doorgangen waar de toortsen flakkerden en rookten in de vochtigkoude dampen en waar het gedruppel van water hun spookachtige gezang begeleidde.
Ten slotte kwamen ze in een grote ondergrondse ruimte. Tonnen met brandende olie loeiden langs een nieuw aangelegde kade aan de oever van een ondergronds meer dat zwart was als onyx. Hier was een enorm flottielje van punters bijeengebracht, stoere scheepjes, bemand door bootslui met pikhaken en vaarbomen. Met hun fakkels hoog gehouden, klommen ze al zingend aan boord. Met Sugolls rijk versierde schip voorop, gleden de schepen één voor één van de oever tot zich over het water een door toortsen verlicht spoor uitstrekte zover het oog kon reiken.
Het was een reis die maar weinig Huilers eerder hadden gemaakt. Onder de massa van de Feldberg bevonden zich de ongetelde Watergrotten waar bronnen te voorschijn sprongen en duistere watervallen en waar kleine stroompjes en onverwachtse met water gevulde diepten in verwarrende veelheid voorkwamen. De bovenste lagen waren goed onderzocht en dat gold ook voor de ondergrondse waterwegen naar de Paradijsrivier en de Ystroll. Slechts enkele moedigen hadden zich ooit gewaagd aan de oversteek van het Zwarte Meer en zij waren allen sinds lang gestorven en van hun kennis waren slechts half vergeten verhalen overgebleven.
Katlinels vermogen om in de verte te schouwen was hun enige navigatiemiddel en dat was ondergronds beperkt. De boten voeren een natuurlijke tunnel in, breed maar met een lage zoldering. De toortsen toverden lichtflitsen op de natte minerale formaties. Het gezang echode heen en weer tussen de wanden tot verontrusting en verwarring de mensen tot zwijgen bracht. Op dat ogenblik zorgde Katlinel voor afleiding. Ze opende haar geest voor hen en vertelde hun verhalen over de wereld van de Tanu en de gewone Firvulag met als climax de gebeurtenissen tijdens de laatste Grote Veldslag en de daarop volgende Vloed, waarover zij haar kennis op haar beurt ontleende aan de overlevende leden van haar Gilde van Scheppers, die via hun mentale vermogens met haar in verbinding stonden.
Na een tocht van vijf uren vonden ze een geschikte plek waar iedereen kon rusten en eten. Daar werd de reis met nieuwe en frisse bemanningen voortgezet en ditmaal was het Greg-Donnet die voor afleiding zorgde door telepathisch uur na uur informatie te ver-

schaffen over de genetische gevolgen van harde straling en over de biotechnieken die beschadigde chromosomen konden herstellen. De toortsen sputterden en doofden één voor één en de reizigers in de boten doezelden weg, en nu waren nog slechts de geluiden van de vaarbomen in het water, het geplas en de onderdrukte huilpartijen van de kinderen te horen.
Nog meer uren gingen voorbij. Sugoll en Katlinel zaten naast elkaar in de voorste boot terwijl Greg-Donnet een dutje deed op een stapel met leer overtrokken kussens achter hen. De Heer en de Vrouwe van de Misvormden deelden elkaars hoop en angsten via hun gedachten, maar ze troostten elkander ook en wisten zelfs te lachen om de verrassing die Ayfa en Sharn te wachten stond. De bannelingen van overal hadden de oorspronkelijke bevolking van de Feldberg danig doen groeien, tot er ten slotte aan het eind, in plaats van de oorspronkelijke 700 inwoners van de Weideberg, zeker bijna 9 000 reizigers waren. En daaronder bevonden zich 1256 maagden van huwbare leeftijd.
Ongeveer vijftien uur na het vertrek over het Zwarte Meer werden de nog wakende reizigers zich bewust van luchtstromen die de geur van humus en groeiend groen met zich meedroegen. Slapers werden wakker en weer waakzaam. Kinderen begonnen te fluisteren en te babbelen. Vragende kreten vlogen van boot naar boot. Ten slotte wist Katlinel te bevestigen dat ze inderdaad het punt naderden waar de rivier de berg uitkwam.
Voor hen uit onthulde zich een bleke schemer. De bootslui hingen zwaar tegen hun vaarbomen en stuurden de schepen zo snel ze konden door een laatste lange bocht. Een dun gordijn van takken hing over de monding van de grot. Katlinel stond op, drukte haar vingers tegen de gouden halsring rond haar keel en deed de groene hindernis verdwijnen door een kleine stoot psycho-energie. Afgesneden takken tuimelden zonder schade aan te richten in het water en de boten dreven onder de open hemel. Ze kwamen te voorschijn aan de voet van een zwaar beboste rotsmassa waarachter een open vlakte lag die zilver glinsterde in het maanlicht. Steppen vol wuivend gras strekten zich aan weerszijden uit. Naast de oevers groeiden grote waaierpalmen en wilgen.
De Huilers in de overvolle punters begonnen spontaan van vorm te veranderen alsof ze erop belust waren hun misvormingen te verbergen nu ze eindelijk hun holen hadden verlaten. De gehoornde en bultige verschrikking die naast Katlinel had gezeten vanaf het begin van de reis, werd nu groot en menselijk en even goed van uiterlijk om te zien als welke Tanu ook, gekleed in een met juwelen versierd jachtbuis en getooid met een punthoed met een kroontje.
Sugoll vroeg aan zijn vrouw: 'Nu we de rotsen achter ons hebben gelaten, ben je nu in staat om de loop van deze rivier te volgen om

te zien waar zij heen stroomt?'
Haar metavermogens gebruikend zocht ze de eerste paar kilometers rivier naar het zuiden af.
'Ja, ik zie het. Verderop en lager bevindt zich een reusachtige rivier waar deze in uitkomt. Die rivier komt uit het oosten, uit een groot meer in Helvetia. Niet ver voorbij het samenstromen met deze rivier, maakt ze een scherpe bocht naar het noorden.'
Ze liet Greg-Donnet de mentale afbeelding zien.
'Oh ja, dat is de Rijn,' zei Greggie opgewekt. 'Precies zoals we hoopten. Nu hoeven we alleen nog maar op ons gemak stroomafwaarts te zakken en we landden zo in Hoog Vrazel op de stoep.'
'Hoe lang duurt het, denk je, voor we daar zijn?' vroeg Sugoll aan Katlinel.
Ze concentreerde zich. 'Minder dan een dag. De rivier stroomt snel nu al het smeltwater van het voorjaar uit de bergen komt. We zouden hier voor de rest van de nacht ons kamp kunnen opslaan en in de vroege ochtend verder reizen. De steppen zijn waarschijnlijk redelijk vrij van roofdieren en ik word nergens menselijk leven gewaar.'
'En als er toch iets rond komt snuffelen,' zei Greggie dapper, 'dan krijgt het een stoot uit die cadeautjes die Ayfa en Sharn hebben gestuurd. Hoe denk je dat zij aan dergelijke smokkelwaar komen? Het was natuurlijk bekend dat de tijdreizigers verboden wapens en andere begeerlijkheden meesmokkelden als daar de kans voor was. En wij mensen met onze privileges en halsringen dachten dat de Tanu die wapens vernietigden! Wat een fascinerend onderwerp voor speculatie!' Hij begon te giechelen. 'Wat zou ik het *zalig vinden* om zo'n kolossale geweidrager doormidden te branden! Tien ton bibberend olifantevlees aan mijn voeten!' Sluw ging hij verder. 'In Muriah mocht ik nooit aan de Jacht deelnemen. De Tanu zeiden dat ik te waardevol was.'
'En dat ben je ook, Greggie.'
Sugoll was bezig geweest telepathische commando's uit te delen om de schepen langs de oever te krijgen. Nu glimlachte hij tegen de vechtlustige geneticus. 'Ook voor ons ben je waardevol. Maar ik zal ervoor zorgen dat jij je kans op een jacht op groot wild toch krijgt op een geschikte tijd. Als je ons maar belooft dat je er niet in je eentje achteraan gaat. Het zou een catastrofe zijn als we jou kwijtraakten.'
De oudere man kwam snel met zijn verzekeringen en geruststellingen. Ondertussen keek hij om zich heen naar de aanleggende punters en de passagiers die in het maanlicht aan wal gingen.
'Ik vind dat jullie er allemaal volmaakt uitzien in jullie illusoire lichamen! En jij en Katy zijn een prachtig paar, Sugoll.'
De heer van de Huilers trok lichtjes zijn wenkbrauwen op. 'En je ziet daaronder niets van onze werkelijke monsterachtige vorm?'

'Geen spoor! Zelfs niet een . . . een debilissima!'
'Laten we hopen,' zei Sugoll, 'dat onze vermommingen voor de andere Firvulag even ondoordringbaar zijn. Niet alleen voor het koninklijk paar, maar ook voor de bruidegoms op het Grote Liefdesfeest.'

'Negenduizend!' zei Sharn, schor en gebroken. 'Goeie Godin!'
'De wachters langs de rivier hebben ze tweemaal geteld, Verschrikkelijke,' zei Fitharn. 'En het ziet ernaar uit dat er onder hen minstens duizend maagden zijn. Allemaal met glanzend rode schoentjes en bloemslingers en linten en zo stijf van de opalen, de saffieren en de robijnen dat ze nauwelijks kunnen lopen.'
'Maar hoe *zien* ze eruit?' informeerde Ayfa grimmig.
Fitharn pauzeerde. Hij klemde zijn lippen op elkaar, kneep zijn ogen dicht, krabde achter een oor en zette zijn punthoed weer recht. De stilte werd luider.
'Wel?' vroeg de koninklijke reuzin. 'Vertel op.'
'In een donkere slaapkamer, Majesteit, en als ik echt heel geil was . . .'
Sharn kreunde. 'Is het zo erg?'
'Hun verzonnen vormen zijn vindingrijk en aantrekkelijk, Verschrikkelijke, maar ik ben bang dat ze een echte Firvulag geen seconde zand in de ogen strooien.'
'We kunnen niet het risico lopen hen hier in de hal op een feestelijke receptie te moeten ontvangen,' besliste Ayfa. 'Daar zouden rellen van komen.'
'Op zijn minst,' verzuchtte de koning.
'Als je mijn advies wilt,' zei Fitharn, 'zorg dat ze ergens anders heen gaan nog voor ze hierheen komen. Ontmoet ze onderweg voor een inderhaast opgetrommelde feestelijke picknick. Genoeg muziek en te zuipen en een ontvangstcomité van vertrouwenswaardige edelen en hun dames die vooraf geïnstrueerd worden om tactvol te zijn. (Vraag niemand mee van mijn huwbare zonen, natuurlijk.) Geef die verzameling monsters wat mijn ouwe vriend Commandant Burke een nepfeestje zou noemen. Leg ze liefjes in de luren. Vertel ze dat je hen een onnodige omweg langs Hoog Vrazel wilt besparen waar alle donderstenen van het paleis op de loer liggen. Ten slotte moeten ze nog ver genoeg, helemaal sjouwend naar Nionel.'
Ayfa onderbrak hem. 'We kunnen ze iets vertellen over hun prachtige nieuwe thuisland dat te wachten ligt. Laat ze de mooiste plaatjes zien! Beloof ze korting op de bouwmaterialen die ze nodig hebben. Geef ze zoveel lastdieren en voedsel mee als ze nodig hebben om hun reis wat makkelijker te maken.'
'Niet mijn nieuwe kudden van chaliko's en helladotheria!' klaagde de koning.

'Je kunt nieuwe stelen,' zei de koningin ferm. 'Dit is een noodsituatie. Hoe sneller die bende kleine, ellendige sprinkhanen uit de Vogezen verdwenen is, hoe beter.'
Sharn schudde hulpeloos zijn grote hoofd.
'Maar daarmee stellen we het probleem alleen maar uit. We lossen niets op. Tot nu toe weten onze eigen mensen maar heel weinig over deze migratie. Maar wat doen we in mei? We hebben erin toegestemd dat ze deel kunnen nemen aan ons Liefdesfeest! Ze draaien zelfs op voor de kosten!'
'Dan moeten we tegen die tijd wat anders bedenken,' zei Ayfa sussend. 'Trouwens, jij en ik zullen hier tegen die tijd niet zijn. Weet je dat niet meer? Wij gaan het Grote Liefdesfeest dit jaar doorbrengen met Aiken Drum en Mercy-Rosmar en wat er nog over is van de bloem der Tanu in Goriah.'
'Nou, Té zij gedankt voor de kleine gelukjes. Alles waar ik me daar nog zorgen over hoef te maken, zijn moordaanslagen op mijn persoon.'
'Moet ik dan maar beginnen met voorbereidingen voor een leuke picknick onderweg?' vroeg Fitharn.
'Doe dat,' commandeerde Sharn, even weer zakelijk. 'Dat is een goed idee van je, Fitharn. Je moet zelf ook mee, als ceremoniemeester. Trek je beste kleren aan en dat houten been dat met goud en bloedsteen is ingelegd. We gaan dat legertje verschrikkingen vleien en in de watten leggen tot ze snorren van plezier. Ze zullen van zijn leven niet weten dat we van binnen op kotsen staan! ... Denk je dat ze hun schatten hebben meegebracht?'
De wachters langs de rivier melden dat de Huilers goed voorzien zijn van geldkistjes en afgesloten beurzen.'
Ayfa liet een diepe zucht van opluchting horen. 'Dan komt alles ten slotte toch nog in orde.'

Op die manier vond de feestelijke ontmoeting plaats vlak bij de Uirivier ten zuiden van Hoog Vrazel in een aangenaam deel van het woud waar lijsters zongen tussen de varens en waar bloesemende bomen hun blaadjes lieten vallen op een tafereel van rustieke schoonheid. De koning en de koningin van de Firvulag, een zestigtal van hun meest discrete hovelingen en een erewacht van reusachtige strijders en strijdsters plus de bijna volledige bezetting uit de koninklijke keukens, blonken uit in een fête champêtre dat een volle dag duurde en waardoor de argeloze Huilers volstrekt werden overdonderd.
Overladen met voedsel en drank en allemaal een beetje uit hun bol door het overmatige gebruik van de psycho-actieve paddestoelen, reageerden de emigranten enthousiast op het voorstel dat zij Nionel opnieuw zouden gaan bevolken. Een koninklijk geschenk van vierhonderd geheel getuigde en gezadelde chaliko's, tweemaal

zoveel trekdieren met karren en een kleine kudde onlangs getemde paardjes om mee te fokken, brachten uitbarstingen van sentimentele dankbaarheid teweeg onder de stomdronken monstertjes. Na een zorgvuldig geacteerde weigerachtige pose aanvaardden Ayfa en Sharn ten slotte hun eigen gewicht in edelstenen als een gedeeltelijke vooruitbetaling op achterstallige belastingen die de Huilers over een periode van 856 jaren nog aan de troon verschuldigd waren.
De zaak van de huwelijken met leden van vooraanstaande Firvulag-families werd delicaat omzeild. De gewoonte van het uithuwelijken, werd aan Sugoll verteld, was met de jaren onder de niet-gemuteerde bevolking in onbruik geraakt en gezien het aantal huwbare vrouwen onder de Huilers zou het plotseling weer invoeren ervan nogal vreemd overkomen. Vlot besloten de beide monarchen dat de bruiden heel wat gelukkiger zouden zijn (en meer bruikbaar ook) wanneer ze hun families gewoon vergezelden naar Nionel. Daar konden ze niet alleen aan de arbeid deelnemen, maar ook huishoudens inrichten voor hun toekomstige echtgenoten. Tijdens het Grote Liefdesfeest konden de jongedames de vruchtbaarheidsrituelen meevieren net als de andere meisjes van de Firvulag, waarbij jongens en meisjes er met elkaar vandoor gingen op basis van selectie over en weer. Ayfa deed luchthartig over angstige veronderstellingen dat de gemuteerde bruiden daarbij in het nadeel zouden zijn. Het was waar dat hun aantal buiten proportie groot was, maar zij zou er persoonlijk op toezien dat er dit jaar invitaties voor het Liefdesfeest werden verzonden naar zelfs de verst verwijderde kleine nederzettingen van 'wilde' Firvulag die enkel in naam trouw hadden gezworen aan de troon. Daardoor zou het aantal mogelijke kandidaten zeker worden vergroot. En als er enkele schoonheden waren die dit jaar door niemand werden opgeëist, dan zou dat zeker het jaar daarop gebeuren wanneer het gerucht over hun charmes en hun plezierig grote bruidsschatten de ronde deed in het Veelkleurig Land.
Na deze sierlijk wending in de communicatie nam het koninklijke gezelschap afscheid. Sugoll had het gevoel dat een berg lasten van zijn schouders was gelicht. Hij trok zich terug in zijn paviljoen van goudbrokaat en riep een tweedaagse periode van rust en herstel uit. Overal over de nu met afval bezaaide picknickplaats vielen verrukkelijk benevelde mutanten snurkend op de grond en terwijl ze in slaap sukkelden herkregen hun lichamen vanzelf hun gewone uiterlijk.
Enkel Katlinel en Greg-Donnet bleven wakker. Terwijl de maan onderging en de vreugdevuren doofden, ging de statige vrouw met een lantaarn rond om te zien of iedereen veilig was, vergezeld door de schrale academicus in zijn pandjesjas. Gedeformeerde en groteske lichamen waarbij hun rijke kleding vreemd afstak, lagen op

hoopjes bijeen in het vertrapte gras. Overal lagen vieze borden en lege flessen. Het leek een tafereel dat Dante had verzonnen.
Nadat ze een tijdje hadden rondgelopen, zei Greg-Donnet: 'Je hebt het Sugoll dus nog niet verteld?'
'Ik kon het niet. Nog niet. Hij heeft zich de hele winter zoveel zorgen gemaakt en daarna deze reis zonder te weten hoe ons nieuwe thuisland eruit zou zien. Hij was bang dat Sharn ons volk min of meer zou verbannen naar een of andere afschuwelijke wildernis zoals Albion! In vergelijking daarmee zal Nionel een paradijs lijken. Nee . . . we moeten wachten tot hij weer een beetje in zijn oude doen is voor we hem het nieuws vertellen. En zorg ervoor dat jij er niets van laat merken, Greggie, anders ben ik heel boos op je.'
'Wees maar niet bang, wees maar niet bang.' De geneticus schudde zijn aapjesachtige kopje. 'De koning en de koningin hebben hun best gedaan alles fraai te laten verlopen. dat moet gezegd. Maar terwijl ik zo wat rondliep, werd ik me bewust van nogal wat gemaskeerde wanhoopgevoelens. En jij, mijn beste, met jouw vermogens, moet de waarheid vrijwel direct hebben geweten.'
'Ik denk dan het allemaal logisch genoeg is,' zei Katlinel. 'Huilers onder elkaar kunnen hun vermommingen makkelijk genoeg doorzien. Waarom dan de Firvulag niet, ze delen hetzelfde metapsychische patroon.'
Greg-Donnet zuchtte treurig.
'Alleen mensen en Tanu zonder vérvoelende vermogens zouden hun illusies niet kunnen doorzien. Arme walgelijke bruidjes! Nou ja, het was maar een klein onderdeel van mijn plan om de genen met elkaar te vermengen. Onze genetische technieken blijven nog over en de mogelijkheid om Huid te gaan gebruiken.'
'Maar ze zullen allemaal tijdens het Grote Liefdesfeest zo vernederd worden! En wie zal zeggen wat ze dan gaan doen? Oh, Greggie, ik vind het zo verschrikkelijk!'
Ze bleef stilstaan, haar lantaarn hoog geheven. Tegen elkaar aangekropen onder de bescherming van een overhangende wilgeboom lagen drie afzichtelijke kleine wezentjes, de stengelachtige ledematen in elkaar verstrengeld, hun dwergensmoeltjes ontspannen en vredig. Ze droegen zwaar met juwelen bestikte rokjes, hoofdtooien van bloemenkransen en vuurrode schoentjes.

2

Gezeten op een solitaire boom in het midden van de bloeiende savanne, sloeg de raaf een paar sabeltandtijgers gade dat gezamen-

lijk hun prooi besloop. De kleine kudde gazellen, beigebruin gekleurd en met liervormige geweien, graasde onbewust van het gevaar verder totdat het mannetje hen deed opschrikken door uit een bosje hoog gras te voorschijn te komen. De kudde nam benedenwinds de vlucht en de vrouwtjeskat, die daar in hinderlaag lag, nam de sprong. Bijna nonchalant sloeg ze een van de gazellen neer en reet de hals open met één houw van haar tien centimeter lange slagtanden. Haar makker kwam aangerend, begerig naar zijn deel.
Terwijl de gazelle nog in doodsstrijd was, vloog de raaf omlaag, bezeten door een oude lust. Na een stoot psycho-energie trokken de katten zich blazend en sissend terug, gehurkt achterwaarts kruipend terwijl de roofvogel een aanval deed op een van de grote zwarte ogen van de gazelle. De bek stak toe als een gitzwarte dolk. De rug van het dier kromde zich en verstijfde en ontspande daarna in de dood. De raaf dronk van het waterachtige oogvocht en voedde zich met bloed.
Maar er kwam geen elektriserende ontspanning. Niet zoals ze dat vroeger in het gezelschap van de dood gewoon was.
Ze vloog terug naar haar hoge zitplaats in de boom en zat daar, heen en weer wiegend, sloom en miserabel en keek toe hoe de verontwaardigde katten terugslopen naar hun maal. Geen genot meer! Nooit meer. Nooit meer. Nooit meer die oude zwellende golf van hete energie wanneer het slachtoffer viel en haar macht bevestigde. Er waren nog kleine vreugden in het vinden van het glinsterende goud en iets van geruststelling te midden van haar trouwe vrienden op de berg Mulhacén. Maar nooit meer die glorierijke vervulling. Zelfs niet toen ze de wereld had doorstoken.
Het was zijn schuld.
De zon boven haar vergrootte zich tot een bloederig wentelend ding. Ze zette haar klauwen steviger in de tak en voelde hoe haar geest voorovertuimelde, hoe haar darmen zich krampten en klonterige, duistere vloeistof loslieten. Plotseling zenuwachtig verloren haar klauwen hun houvast. Ze viel zwaar en in een wirwar van verwarde veren op de grond, midden in een plas stinkend braaksel.
Daarna werd ze, zoals eerder en altijd, vastgebonden op een wielvormig apparaat, voorover gestrekt, handen en voeten stevig in bedwang gehouden door de boeien van haar folteraar, terwijl hij de pijn steeds gerichter dirigeerde tot deze door elke opening van haar lichaam leek te vloeien. Het wiel draaide en daardoor kwam haar hoofd het eerst in het vat met vuiligheid en drek. Ook al was haar mond opengewrongen en gesperd, ze dichtte haar strot af met haar tong, verhinderde op die manier dat ze verdronk, terwijl een nieuwe pijn aangroeide in haar op barsten staande longen. En net wanneer die symfonie van pijn een crescendo had bereikt, werd ze

naar afschuwelijker uitersten gevoerd door de stoot van zijn spies. Het barsten van de zon. De ontlading. Het draaien van het wiel door de lucht. De vernederende ontering wanneer de gedeelde extase en woede afnam.
Stop, pleitte haar bewustzijn. Doe het niet . . .
Niet stoppen?
Hij maakte haar met tedere gebaren schoon, lachte terwijl zijn mooie gezicht boven haar hing in een rode gerafelde mist. Soms kuste hij haar ongebroken lichaam (en dat was het ergste van alles en bracht haar het dichtst bij het punt waarop ze haatliefdewoede wilde uitspugen en de grens naderde van de waanzin).
Schreeuw, vertelde hij haar vriendelijk. Vervloek me en dan is het vervuld. Maar ze uitte nooit een geluid, ze sloot haar ogen en haar geest om hem niet te zien, wilde niet weten van wat nu onvermijdelijk weer kwam, de warme stroom, de zachte afdrukken op haar gezicht en oogleden.
Je houdt ervan. Dit is wat je bent, waar je vandaan komt, waar je van gemaakt bent . . .
Stop. Stop niet. Laat me sterven. Ik wil het niet weten. De scheurende pijn van de kennis. De razende verfijnde pijn die door het bewustzijn brandt, stormt door de kanalen en paden die de woede heeft opengelegd. Stop. Ga door . . .
Schreeuw, nodigde hij uit. Schreeuw, dan is het over.
Maar ze weigerde en dan voltooide het wiel een volledige cirkel en droeg haar weer naar beneden door de stinkende trog. Haar ziel kromp ineen, haar identiteit school weg in die kleine mentale schuilplaats die zich niet wilde openbaren te midden van alle pijn en genot, vernedering en verkrachting, liefde en haat. Hij verwoestte en herschiep haar. Hij brak haar af en herbouwde. Maakte haar krankzinnig terwijl hij onwetend haar supermenselijke psychische potentieel bevrijdde. Hij doodde haar in de liefdesdaad.
Stop. Ga door. Folteraar Geliefde.
De raaf sloeg zwakjes met de vleugels in die grote bloedzon. De schijf draaide rond en liet stinkende druppels vallen die in haar brandden en waardoor een straal ontstond, een werveling van hitte die haar zocht en opnieuw wilde penetreren.
Het zal niet weer gebeuren, vertelde ze de zon. Er is geen genot meer in pijn. Nooit meer, tot ik bij jou binnendring en je openbreek, O Geliefde. De passieve aarde was niet genoeg.
Na een tijdje hadden de grote katten hun maaltijd beëindigd en gingen zitten in de zon, hun klauwen likkend en hun bekken wassend. Het waren prachtige dieren, getekend met witte vierkanten en zwarte strepen en vlekken die in elkaar overgingen bij de kop en de poten. Het mannetje slenterde naar de boom om te snuffelen aan de zieltogende raaf daaronder. Maar de vogel wekte zijn afkeer op, stonk naar lijden. De kat deed weinig meer dan minachtend

snauwen en draaide zich daarna om ten einde met zijn wijfje op weg te gaan naar een goede plek voor een middagdutje.
De vogel ontwaakte uit haar verlamming en riep: *Culluket.*
Felice.
Ben jij dat Geliefde?
Nee ik ben het. Elizabeth. Arme Felice. Laat mij je helpen.
Helpen? Stoppen?
Ik kan je helpen. Ik kan de nachtmerries en de ellende doen voorbijgaan.
Stoppen? De genotspijn stoppen?
Het is niet echt genot. Dat deel is voorbij. Er is enkel nog pijn over. Een bewustzijn vol pijn en schuld. Een ziek bewustzijn. Laat me helpen.
Helpen? Alleen Hij kan helpen. Door te sterven.
Niet waar. Ik kan helpen. Het vuil voor altijd wegwassen. Je helder en schoon en nieuw maken.
Kan ik nooit zijn ik ben alleen goed om veracht te worden geschuwd verlaten bescheten.
Niet waar. Je kunt genezen. Kom naar mij.
Komen? Maar *zij* komen! Ze komen naar mij! Om te buigen en eerbied te betonen en te volgen. Te geven wat mijn hartsverlangen is. Naar JOU komen? Stomstomstomstom . . .
Het zijn leugenaars Felice. Ze zullen je niet geven wat je nodig hebt. Ze willen je alleen gebruiken om te krijgen wat *zij* hebben willen.
Ze zoeken mijn Geliefde. Om mij te plezieren. Mijn vreugde te hernieuwen!
Nee. Ze liegen tegen je.
Datdoenzenietkunnenzenietzijzijnduistereengelen.
Zij zijn menselijke wezens. Werkzame menselijke meta's.
Geen duivels?
Mensen. Ze hebben gelogen. Luister naar me Felice. Je weet dat ik een krachtig genezeres was van menselijke geesten in het Bestel. Ik zal je genezen als je uit vrije wil naar mij toekomt. Ik vraag er niets voor terug. Ik zal niet proberen je aan mij te binden. Dat wordt verhinderd door een superego-blokkade in mijn bewustzijn die me niet toestaat andere denkende wezens schade te berokkenen. Ik wil je alleen weer gelukkig zien, vrij en met een gezonde geest. De anderen kunnen dat niet voor je doen.
Misschien kunnen ze het toch!
Vraag het hun.
Dat zal ik! Ik zal het gauw genoeg merken als ze liegen over dat ze me Cull zullen brengen.
Test hen.
Ja. Ja. Elizabeth? . . . Kun je de nachtmerries echt uitwissen? Het is de verkeerde soort pijn weet je.
Ik weet het. Het is deel van je ziekzijn. Om pijn soms als genot te

ervaren. Je mentale circuits liggen overhoop. Dat is gebeurd toen je nog heel jong was. Maar het kan worden genezen als je je voor me opent en mij vrijwillig toegang verleent. Wil je komen?
Komen? De pijn stoppen? Niet stoppen! Ja? Nee! CULLUKET! CULLUKET! CULLUKET!
De raaf vloog op, rauw krijsend. Beneden op de Spaanse steppe dommelden de grote katten en de kudde gazellen graasde zonder gestoord te worden.

3

Hoog op het zuidelijke bolwerk van Afaliah maakten de twee oude Eerstkomers ruzie terwijl ze neerkeken op de herrie van de vechtoefeningen in de namiddag.
'Principes! Principes!' raasde Aluteyn. 'Hongerige mensen zullen je vertellen wat je met je principes moet doen. In je reet steken! Celo, de Vloed heeft je gezonde verstand aangetast!'
'Had ik dan een gijzelaar moeten blijven van al de kunstjes die die Minderen uithalen?' vroeg Celadeyr retorisch. 'Het was iets waar Nodonn ons al die tijd voor heeft gewaarschuwd. Alleen mensen wisten hoe ze ermee om moesten gaan! Het was een werktuig van die zielloze technocratie uit het Bestel!'
'En nu is het niemands werktuig, stomme prutser! Waarom heb je je fraaie idealen niet botgevierd op iets dat van wat minder vitaal belang was voor de lokale economie? Er ligt nog niet voor twee weken graan in de zuidelijke pakhuizen! Lieve huppelende Tana . . . elke stad tussen hier en Amalizan is afhankelijk van jouw molen! Moeten we soms allemaal weer grutten en pap gaan vreten?'
'Waarom niet?' schreeuwde de Heer van Afaliah. 'Dat zou een verdomd stuk gezonder voor jou zijn dan die zoetige pasteitjes en cake en pannekoeken waarmee jij je meestal volstopt! Kijk es naar jezelf, Al. Je zit meer spek te fokken dan ooit. Is me dat een mooi gezicht voor de heer van een stad? Als de vijand Calamosk aanvalt, zul je eruitzien als een nijlpaard in je wapenrusting. Een dieet van ouderwets, eerlijk voedsel zou je goed doen!'
'Dank je wel voor je raad.' De stem van de Meester der Vaardigheden klonk liefjes. Hij bracht zijn gezicht met de zilveren snor en de borstelige wenkbrauwen dicht bij het gezicht van zijn oude vriend.
'Gek hè, maar laat ik nou gedacht hebben dat je me hierheen hebt geroepen om mijn hulp te vragen, niet om een lezing te geven over gezondheidsvoedsel en ondertussen mijn uiterlijk te beschimpen!

Weet je wat, leef jij maar verder en zoek het zelf uit. Maak die verdomde korenmolen zelf maar in orde!'
Hij draaide zich abrupt om en liep naar de trap.
'Al, kom terug.'
De woorden kwamen er geforceerd uit, maar de klank van zijn geeststem was wanhopig.
'Ik ben een prutser. Ik wilde alleen maar de robotonderdelen van de molen uitschakelen zodat wijzelf de directe controle weer konden overnemen. De zaak zo veranderen dat we minder van mensen afhankelijk waren.'
Aluteyn pauzeerde boven aan de trap en wachtte tot Celadeyr naar hem toekwam.
'Had je gedacht dat je een beetje zat te spelen met een of andere door waterkracht aangedreven molen op Duat? Dat was thuis jouw vooruitgang, Celo! Primitieve machines voor primitieve geesten.'
'Deze machine . . . wist je dat die drieënveertig verschillende produkten voortbrengt? Alles vanaf zijdezacht meel voor cake tot en met het rauw gemalen kaf dat we de beesten voeren. De circuits nalopen die de toevoer van graan en de verwerking daarvan geschikt moesten maken voor bediening met de hand, leek simpel genoeg. Maar ik vergat helemaal het analyse-onderdeel dat monsters trekt en het injectiegedeelte voor de kwaliteitscontrole. Als je dat overslaat, houd je alleen rauw meel over met een rare kleur en in onvoorspelbare hoeveelheden en mengingen waar de bakkers van gaan gillen. Probeer je de toevoegingen met de hand in te brengen, dan krijg je een halfverziekte rommel met peroxide en potasbromide erin en Tana mag weten wat nog meer.'
'Dit kon wel es lastig worden, Celo, zelfs voor mij. Waar is de technicus die het gerobotiseerde gedeelte vroeger verzorgde?'
'Jorgensen is verdronken. De meesten van zijn staf ook. Dat waren echte sportfanaten. De kerel die het overnam was een onbeschofte bastaard. Zonder halsring en er niet tegen bestand, volgens de herstellers. Die probeerde druk op me uit te oefenen. *Op mij!* Ik heb hem tot vettige poeier gemalen.'
'En dat hielp.'
'Had ik dan mijn autoriteit in gevaar moeten laten brengen?' bulderde Celadeyr. Zijn gezicht gloeide lichtend op en zijn haren kraakten van de statische elektriciteit.
'Die verdomde Mukherji dacht dat ie mij te grazen kon nemen. Wou zijn werk alleen maar doen als ik hem de privileges gaf van iemand met een gouden halsring. En dat soort aanstekelijke oplichterij begon zich ook onder andere menselijke technici te verspreiden. Allicht . . . ze weten maar al te goed dat Aiken Drum gouden halsringen heeft beloofd aan ieder mens die er eentje dragen kan en dan nog es volledige burgerrechten voor iedereen die daar niet tegen kan. Ik heb ervoor gezorgd dat Boduragol en zijn herstellers

alle blootnekken en alle dragers van goud grondig onderzocht hebben om zo de verraders eruit te halen.'
'Maar ik ben ook een verrader, Celo.' De glimlach van Aluteyn was sardonisch. 'Ik ben besmet! Een verrader! Een lid van de Hoge Tafel die aan zijn doodsoffer ontkwam.'
'Stel je niet aan, Al. Je koos vrijwillig de dood boven ballingschap en dat werd ongedaan gemaakt door de omstandigheden. Wat mij betreft ben jij nog altijd Heer der Scheppers. En laat Aiken Drum en diens roodharige troel naar de bliksem lopen!'
Aluteyn moest lachen.
'Dat zal je niet lukken, Celo. Je maakt mij geen lid van jouw zelfmoordcommando vol orthodoxe conservatieven. Ik heb in de afgelopen maanden te veel over Aiken Drum geleerd om hem de voet dwars te zetten. Ik zal dansen op de trouwpartij van die deugniet en "Slonshal" roepen en drinken op hem en Mercy-Rosmar.'
'Je zou hem als *koning* accepteren?' schreeuwde Celadeyr.
'Waarom niet? Minanonn is de enig andere mogelijkheid en die zal niet willen. En ik verkies dat jong te allen tijde ver boven Sharn-Mes en Ayfa.'
Celadeyr greep de ander bij beide bovenarmen. Overborrelende psycho-energie omhulde hen beiden in een verblindende aura van woede.
'Het is de oorlog der Schemering die eraan komt, Al! Voel je dat niet, Scheppende Broeder? Dit wordt het laatste conflict tussen ons en de Aartsvijand, de laatste slag die we op het punt stonden te beginnen toen de Galaktische Federatie ons dat erfrecht verbood en ons verdreef naar Leegtes Rand. Breede stelde die slag uit door ons allemaal mee te nemen in haar Schip. Maar Breede is heengegaan en die zottin van een Elizabeth kan nooit haar plaats innemen. Je hoort bij mij, Al! We zijn van dezelfde jaren, drieduizend zonsopgangen verwijderd van onze geboorte op dat arme verloren Duat. Kijk die laatste slag samen met mij in de ogen.'
'Celo . . .'
De Heer van Afaliah wees naar het plein beneden waar nu een gevecht van man tegen man aan de gang was.
'Wij maken ons er klaar voor. Al de Tanu die trouw zijn aan de oude tradities. De getrouwe leden van de Clan van Nontusvel zijn hier. Zestien van hen, onder wie Kuhal Aardschudder.'
Aluteyn schonk zijn oude kameraad een medelijdende blik.
'Heethoofden met weinig talenten. En over Kuhal weet ik alles.'
'Er komen er elke dag meer bij,' hield Celadeyr dapper vol. Maar zijn handen lieten Aluteyn los en de gloed van zijn aura verbleekte.
'En de wilde Firvulag in de bossen scherpen hun messen en stelen jou chaliko's en wachten tot de versterkingen van Sharn komen voor ze echt toeslaan. . . . Wie beheert jouw plantages nu je de

menselijke opzichters hebt ontslagen? Een flinke handvol van hen zijn in Calamosk gebleven en hebben zich bij Aiken Drum gevoegd.'

Celadeyr keek een andere kant op. 'Mijn zoon Uriet en mijn dochter Fethneya zijn bezig Tanu-opzichters aan te stellen. Precies zoals we dat in het begin hadden.'

Aluteyn snauwde: 'Ik weet niet hoeveel die jongere generatie waard is als het op hard werken aankomt. Toen ik het Huis van de Scheppers runde, hadden we de grootste moeite om kandidaten te vinden voor al het praktische werk. De landbouw, huishoudelijk werk, jacht, voorraadvoorziening. Je zult er wel achter komen dat je kinderen uitblinken in het geven van feesten, het componeren van een ballade en uitrijden op de Jacht om een paar door vlooien en honger opgevreten vluchtelingen te achterhalen. Maar als je van hen afhankelijk bent voor je dagelijkse behoeften, godinnogantoe! Heeft de Godin je dan de hersens van een uilskuiken gegeven? Die verdomde vastgelopen molen van je is nog de minste van je zorgen als de plantages falen.'

Het gezicht van Celadeyr was nu even bleek als de stenen van het bolwerk en zijn geest had zich volledig afgesloten. Op uiterst formele toon gaf hij antwoord.

'Aluteyn, Meester der Vaardigheden, ik bezweer u bij de heilige verwantschap en bij ons Gilde om mij te hulp te komen. De oorlog der Schemering is komende en de Tegenstander is nabij.'

Beide Eerstkomers keken elkaar strak aan. Tot Aluteyns ijsblauwe ogen mistig werden en de gedachten uit zijn geest tuimelden:

Celo, Celo, knapen zijn we samen geweest broeders in de inwijding onder de oude Amergan (de Godin schenke hem rust in het licht) scheppers makers doeners werkers! Nooit gefaald zelfs niet in pijn zorgend voor welvaart ons volk bouwend beschermend levenbevestigend. Ik koos de Retort toen dood gepast was maar nu is het goed dat ik leef en terzijdewerp alle vermoeidheid plicht weer omhelzend. En zo dien jij te handelen!

'Mijn visioen is dat van de Oorlog der Schemering!' zei Celadeyr. 'Of denk je soms dat ik gek ben geworden?'

Ik denk de Vloed verlies verdriet opkomst van Aartsvijand woede om ravendaad heeft jou gebracht naar eigen LeegtesRand. We hoeven dit niet als ondergang te accepteren! Als we onze trots inslikken verenigen met mensen kunnen we Aartsvijand tegenhouden VeelkleurigLand herbouwen.

Zoveel kleuren. Alles nu duister geworden.

Celo onze oudere generatie mag geen einde forceren zolang jongeren leven zouden kiezen.

De Tegenstander nadert! Mensheid! Aiken Drum!

Nee Celo nee. Kan hij niet zijn. Niet de gekozene van de Koningmaakster.

Dat . . . was ik vergeten.
'Dan werd het tijd dat je je dat herinnerde,' zei een luide stem uit het niets.
Een verblindende lichtbron zweefde een paar meter boven en buiten de zuidelijke rand van de borstwering waar de muren van Afaliah steil afdaalden tot in de diepe kloof van de Proto-Jucar. Het lichtpuntje vergrootte zich tot een stralende, kristallen aura en daar binnenin, gezeten op niets, zat met gekruiste benen een kleine mens in een gouden kostuum, overal met zakken bezet.
'Jij,' zei Celadeyr van Afaliah.
De bolvorm dreef in hun richting, daalde en spatte in atomen uiteen toen hij de grond raakte. Aiken nam zijn gepluimde hoed af.
'Heil, Scheppende Broeder van Afaliah. Ik heb jullie gesprek de laatste tien minuten afgeluisterd. Je zou werkelijk naar het advies van Aluteyn moeten luisteren. Hij is een prikkelbare ouwe kraai, maar aan gezond verstand ontbreekt het hem niet.'
De oude kampioen veranderde ineens in een goden gelijkende verschijning die groot tegen de hemel afstak, één hand dreigend geheven.
'Sterf, parvenu!' riep hij met donderende stem, terwijl hij tegelijk de krachtigste energiestoot afvuurde die hij op kon brengen. De daaruit voortkomende ontploffing en het groene licht deed alle ridders beneden op het plein in hun houding bevriezen.
'Strijdcompagnieën! Hierheen!' riep Celadeyr . . . maar de stem van de held was nu zo zwak als het fluisteren van de bladeren en de om wraak roepende schreeuw van zijn geest leek enkel zinloos te echoën binnen het gewelf van zijn eigen schedel. Celadeyr liet zijn vormillusie vallen en worstelde om de overweldiger binnen zijn fysieke macht te krijgen. Maar geen spier wilde reageren. Hij was onbeweeglijk, hulpeloos. En hetzelfde gold voor de geschrokken ridders beneden.
'En we waren nog wel zulke goede vrienden op onze expeditie tegen Delbaeth,' zei Aiken mismoedig. 'Herinner je je dat nog, Scheppende Broeder? Hoe we achter die oude Vorm van Vuur aanzaten, berg op, berg af en allemaal te bang om te vliegen uit angst dat hij ons als garnalen zou koken binnen onze pantsers?'
De Glanzende grinnikte. 'Als we nu achter Delbaeth aanzaten, zouden we dat soort problemen niet hebben. Mijn vermogens zijn aardig uitgedijd, zoals je merkt. Een dezer dagen hoop ik Heer Dionket bereid te vinden mijn geest te peilen waar jullie allemaal bij zijn, zodat jullie kunnen zien wat voor soort knaap naar het koningschap dingt.'
Celadeyr gloeiende gezicht had de bleke kleur van chloor gekregen. Schor fluisterend zei hij, 'Laat me los. Vecht als een echte krijger.'
'Met jou?' vroeg Aiken luchtig. 'Ik denk van niet. Ik heb het niet op

lafaards.'
'Lafaard . . .?'
Aiken stapte dichter naar de reusachtige Tanu toe en zweefde omhoog tot hun gezichten op gelijke hoogte waren.
'Jij bent een uitgeputte, afgepeigerde zieke ouwe naar de dood verlangende lafaard. *Ik* ben bereid om het tegen de Firvulag op te nemen. Wat kan het schelen dat ze tien keer zo sterk zijn als wij? Maar de grote Heer van Afaliah en lid van de Hoge Tafel gaat er maar liever bij liggen om te kreperen. Of beter, die wil zo tussen de tanden van een bataljon vijandige reuzen stormen met een streepje over zijn strot met een etiketje eraan: HIER SNIJDEN!'
Somber zei Aluteyn: 'Hij is er niet zo ver naast wat je diepere motivaties betreft, Celo.'
'Tegenstander! Vecht eerlijk met me!' smeekte Celadeyr. Zijn gezicht vertrok in de kwelling die hem werd aangedaan.
Aiken liet zichzelf naar de grond zakken. 'Ik vecht met de wapens waarover ik beschik. Dat is het enige zinnige standpunt.' Hij wuifde met een hand.
In de lucht boven de kloof hing ineens een gewapende en bereden menigte van zo'n vierhonderd ridders, met de schitterend gloeiende vormen van Culluket, Bleyn en Alberonn in de voorhoede. Achter hen bevonden zich zowel Tanu als mensen, die de vijf mentale Gilden vertegenwoordigden. De kracht van hun gezamenlijke aura's bevestigde de kracht van hun geesten.
Vol respect hief dit leger van de regenboog zijn wapens en een donderend saluut rolde over de kantelen. 'Slonshal, Celadeyr! Slonshal, Heer van Afaliah!'
'We zijn hier niet om te vechten,' zei Aiken bezwerend en de warme vleierij van zijn stem sijpelde Celadeyrs brein binnen zonder dat hij het kon verhinderen. 'We zijn hier om te laten zien dat er hoop is voor ons allemaal als we ons verenigen tegen de Aartsvijand. De meesten van mijn strijders zijn thuisgebleven in Goriah, maar ik heb deze meegebracht opdat jullie hen zouden zien. Beneden op de grond, net even buiten de Noordpoort van de stad, zullen jullie mijn nieuwe elitekorps aantreffen van mensen met gouden halsringen.
Celadeyr vergrootte zijn mentale blik. Er leken daarbuiten tenminste duizend man te zijn! *En de poort van Afaliah ging voor hen open.* De rijen bereden mannen en vrouwen werden aangevoerd door officieren met duidelijke metapsychische aura's. In de rijen zelf was dat minder duidelijk aanwezig, maar allen droegen gouden halsringen en ze droegen de meest merkwaardige wapens bij zich.
'Ga gerust verder,' drong Aiken aan. 'Kijk es van dichtbij naar hun wapens. Onze laatste Strijdmeester mag dan mooie verhalen hebben verteld over het vernietigen van de menselijke technologie, maar hij was blijkbaar niet stom genoeg om zich in de praktijk door

zijn eigen principes te laten leiden. De kelders van zijn Glazen Kasteel in Goriah waren letterlijk volgestouwd met de contrabande van zeventig jaren, waaronder de wapens die je hier ziet. Verdovingsgeweren, laserwapens, op zonne-energie werkende pistolen, dubbelloops Rigby .470-olifantsgeweren, buksen met stalen kogeltjes, sonische onderbrekers. Ongeveer ieder draagbaar en verboden wapen dat je maar kunt bedenken en dat blijkbaar voorbij de niets vermoedende instanties van Madame Guderian is gesmokkeld door slimme tijdreizigers die een beetje in het voordeel wilden zijn boven hun medebannelingen . . . En misschien zijn er wel meer bergplaatsen behalve die ene die ik vond. Heb *jij* er één, Celo? Nee? Dan moeten we die vraag misschien nog eens stellen aan je zoon Uriet en je dochter Fethncya.'
Celadeyrs ogen keerden naar zijn directe omgeving terug. Een verdrietige glimlach speelde rond zijn lippen.
'Nee, ik wist niets over die bergplaatsen vol smokkelwaar. Maar het helpt me wel iets te begrijpen wat me al een tijd dwars zat. Geruchten dat de Aartsvijand nieuwe en verschrikkelijke wapens had ontwikkeld nadat ze Burask hadden vernietigd. De overleden Heer Osgeyr was berucht hebzuchtig en het zou net iets voor hem zijn geweest om verboden wapens niet te vernietigen maar ze te bewaren.'
Aiken zei: 'Bedankt voor de tip. Ik zal dat nagaan.'
Het leger luchtruiters zette zich in beweging, hun chaliko's trappelden fier in de lucht boven de stadswallen terwijl ze aan hun afdaling naar het plein begonnen.
De ridders van Afaliah vormden daardoor een ongewilde erewacht.
'Ik heb nog een andere reden om hier te komen,' zei Aiken.
Celadeyr bemerkte dat hij ten slotte los werd gelaten. Hij deed geen poging meer om de in goud geklede jongeling te bedreigen. 'Ik denk dat ik dat wel weet.'
Aiken schudde vermanend een vinger.
'Trek geen overhaaste conclusies! We zitten in hetzelfde schuitje, dat heb ik al gezegd. Verenigd tegen de Aartsvijand! Nee, ik ben gekomen omdat de uitnodiging voor mijn huwelijk blijkbaar is zoekgeraakt.'
Celadeyr kon een schunnige uiting van ongeloof niet onderdrukken. Maar de kwajongen bleef ernstig.
'We hebben nooit antwoord gekregen. Mercy was heel teleurgesteld. En ik ook. Hoe zou ik mijn bruiloft kunnen vieren zonder mijn oude vrienden uit Afaliah? Mijn kameraden tijdens de Delbaeth-tocht? Dus ben ik hier gekomen om je persoonlijk uit te nodigen.'
'Kom op, Celo,' zei Aluteyn vriendelijk. 'Ik moest voor het leven kiezen. Nu is het jouw beurt.'

Celadeyr stond met de handen langs zijn lichaam, de voeten wijd uiteen. Zijn vingers verkrampten en ontspanden zich weer. Hij sloot zijn ogen en probeerde elk beeld buiten te sluiten. Toen kwam de onwillige bevestiging.
Aiken gloeide bijna van plezier.
'Te gek! Je zult het niet betreuren, Scheppende Broeder. Er zijn heel wat manieren waarop we elkaar in deze moeilijke tijden kunnen helpen. Om maar es te noemen . . .' Hij knipte met zijn vingers.
Nog een astrale bol materialiseerde in de lucht en zweefde over de borstwering. Binnenin bevond zich een samurai-krijger in volledig Muromachi-vechttenue. Hij droeg een gouden halsring. De bolvorm loste op en de samurai boog.
'Heer Celadeyr, Heer Aluteyn, ik wil jullie graag laten kennis maken met een nieuwe vriend van me, Yosh Watanabe. Een bijzonder vindingrijk technicus! Die wapenrusting van hem was aanvankelijk gemaakt uit honderden kleine ijzeren plaatjes. Hij verving die door mastodonteleer, smolt het ijzer en smeedde zichzelf een zwaard van bloedmetaal. Hij heeft in vrijheid geleefd vrijwel vanaf de eerste dag na zijn aankomst. En toch wilde hij niets liever dan zich bij mij aansluiten. Celo, jij en Yosh zullen vast met elkaar serieus willen praten. In het Bestel was hij heel wat meer dan zomaar een robot-technicus.'
Yosh knipoogde naar de Heer van Afaliah die de samurai met verbijstering bekeek.
'Nou, ik en de anderen moeten eigenlijk verder. We kunnen hier de nacht doorbrengen, maar dan moeten we door naar Tarasiah en nog een paar andere plaatsen. Inspectie natuurlijk en nog een paar zoekgeraakte uitnodigingen overhandigen. Maar Yosh zal met plezier een paar weken hier blijven om je uit de problemen te helpen. Hij kan met jou mee terugreizen naar Goriah voor het huwelijk. En de spelen en al het andere vermaak.'
'Ik zie het,' zei Celadeyr zwakjes.
'Is dat goed wat jou betreft, Yosh?' vroeg Aiken.
'Wat je maar wilt, chef,' zei de samurai goedmoedig. Hij wendde zich tot de Heer van Afaliah. 'Als we meteen es gingen kijken waar de trammelant is?'
Celadeyr bewoog zich niet. Maar Aluteyn sloeg een arm om de schouders van zijn oude vriend en begon hem in de richting van de trappen te dwingen.
'Een goed idee,' zei hij ondertussen. 'En ik denk dat ik wel weet waar we speciaal gereedschap en materiaal kunnen vinden voor het karwei. Celo, is dat laboratorium van Trenet nog steeds in orde?'
De Heer van Afaliah knikte.
Aluteyn legde het Yosh uit. 'Een van mijn vroegere gildebroeders die alles aan de weet probeerde te komen over de aardse technolo-

gie op het gebied van microprocessors en meer van dat soort elektronische grapjes. Hij heeft aan zijn landhuis een laboratorium verbonden en bezat een van de grootste technische bibliotheken in heel het Veelkleurig Land. Daar gaan we heen, zodat je je stijlvol kunt installeren. Daar kun je die prachtige uitmonstering afdoen en wat praktisch aantrekken . . . Je hebt er geen bezwaar tegen als ik je op de vingers kijk terwijl je werkt?'
'Ga je gang,' zei Yosh.
'Dan zie ik jullie bij het avondeten,' zei Aiken en hij verdween als een dovende vlam.
Celadeyr schudde zijn hoofd. 'En *dat* wil onze koning worden!'
'Misschien ga je aan het idee wennen,' zei Aluteyn.

4

Ze kwam naar buiten om een luchtje te scheppen in de vredige avondstilte voordat ze de vrouwen opriep. De maan, zwanger als zijzelf, hing als een sikkel boven de Straat van Redon. Maar die zou pas haar volle wasdom bereiken in mei en dat was een goed voorteken voor het komende Liefdesfeest. Maar Mercy's tijd was nu al gekomen.
Het balkon van haar torensuite was breed en groot, vol struiken en bloemen in gouden bakken. Ze ging de laatste tijd nog maar zelden naar buiten, want de violetkleurige verlichting die Aiken had geïnstalleerd maakte haar kil en melancholiek. Hoe anders was dat geweest in de dagen van Nodonn! Toen hadden de juwelen lampen in slingers langs heel de kristallen balustrade gehangen en al de hoeken van de doorzichtige glazen wanden hadden warm roze gestraald en ze hoefde het maar te willen en dan kwam haar demon-minnaar naar haar toe om samen met haar de zon te zien ondergaan achter het Bretonse eiland. En op een nacht als deze zouden ze een gezamenlijke wens hebben uitgesproken, gericht tot de schuwe wassende maan.
Nu lagen de beenderen van haar glorieuze Apollo in de modder van de Nieuwe Zee.
'Maar de mijne zullen hier liggen,' zei ze tegen het kind in haar buik.
'In dit Bretonse land waar ik zes miljoen jaar later ben geboren. Op een dag zullen Georges Lamballe en Siobhan O'Connell langs het strand van La Belle Île lopen en een steen vinden met een paar spoortjes fosfor en koolstof. En dat zal *ik* zijn.'
De foetus bewoog, schokte van de gedeelde pijn. Ze werd overspoeld door spijt.

Vrede lieve Agraynel vrede Grania hartvanmijnhart. Vanavond zul je vrij zijn.
De ongeborene ontspande. Mercy probeerde andermaal die diepten van de geest van haar kind te peilen, maar onder de makkelijk waarneembare oppervlakkige emoties was de persoonlijkheid ongrijpbaar, werd door haar ervaren als een angstaanjagend anderszijn, hongerend. De dochter van haar en Thagdal was een zoemende werveling die ongeduldig wachtte om een nieuwe wereld van fysieke sensaties binnen te treden en ze was niet langer tevreden met de beperkte stimulansen die binnen de baarmoeder aanwezig waren. Het kind verlangde onbewust naar een rijker scala dan de geluiden van water, het kloppen van het moederhart en het bewegen van longen en spijsverteringskanalen. Het wilde meer zien dan de schemerige roodheid die door nog gesloten ogen filterde, meer voelen dat nu werd verhinderd door de foetale bedding van baarmoedervocht. Meer! De nog slecht gearticuleerde telepathische stem leek te schreeuwen. En de moeder antwoordde: heel gauw.
Agraynels metavermogens (zoals van alle baby's die op het punt stonden geboren te worden, onverschillig of hun vermogens latent waren of niet) waren volledig gericht op haar behoefte aan liefde. Met haar zwakke psychokinetische vermogen bonsde ze tegen haar baarmoederlijke gevangenis, plukte aan Mercy's bewustzijn in een poging een onbreekbare band tussen hen tweeën te scheppen, ook al was haar behoefte aan vrijheid nu het grootst. Op die manier werd het alledaagse wonder gesmeed van de bovenzintuiglijke band tussen moeder en kind.
Liefde! riep de niet te bevredigen geest. Meer liefde!
Moeder houdt van je. Jij houdt van moeder. Slaap nu.
De kindergeest zweefde weg, tevreden.
Arme Aiken, dacht Mercy vergelijkend.
En toen: *Nodonn. Mijn Nodonn.*

'Maar dat is niet onze manier,' protesteerde Vrouwe Morna-Ia. 'Een moeder van onze strijdcompagnieën zwoegt dapper tot de overwinning is behaald! En zeker in uw geval! U zou heel goed de grondveststер kunnen zijn van een nieuwe Clan!'
'We zullen de geboorte laten verlopen zoals ik heb gepland,' zei Mercy. 'De Heer Genezer is al gekomen om mij met Huid bij te staan en al de edele vrouwen wachten op ons in de ontvangstkamer.'
'Allemaal?' Morna was in gelijke mate verontwaardigd en verbaasd. 'Voor zulk een intiem en heilig ogenblik?'
'De vrouwelijke ridders die Heer Aiken-Lugonn vergezellen zullen later hun instructies krijgen. Maar de overigen zijn gereed. Ik geef mijn privacy er makkelijk voor op. Ik ben Vrouwe van de Schep-

pers en het is mijn plicht om iedereen dit te leren omwille van de toekomst.'
Morna moest haar wel goed begrijpen.
'U bedoelt toch zeker niet . . .'
'Wanneer de anderen dit zien en waarnemen wat voor invloed dit heeft op het kind, zullen ze het zelf nooit meer anders willen.'
Morna boog haar hoofd. 'Zoals u zegt, u bent de Vrouwe der Scheppers. Maar er zijn zoveel dingen veranderd.'
Mercy glimlachte bemoedigend naar de hoog boven haar uit torenende vrouw in de lavendelkleurige gewaden. Haar ogen waren glanzend blauw vanavond en haar kastanjebruine haar hing los. Ze droeg een lang, doorzichtig gewaad, wit en met een gouden rand afgezet. Haar armen waren onbedekt en haar huid uiterst blank en bepoederd met kleine sproeten. De sluiting van haar jurk, daar waar de gouden halsring glansde, was opengesneden tussen de volle borsten door tot vlak boven de zwelling van de buik.
'Lieve vérziende Zuster Morna, u bent nu aspirant-Koningmaakster en tweede in rang onder de Zeer Verheven Vrouwen. Maar u hebt vriendelijkheid betoond tegenover een menselijke vrouw en eens, achthonderd lange jaren geleden, bent u vroedvrouw geweest toen koningin Nontusvel haar eerste kind baarde. Er zal ditmaal slechts weinig verschil zijn. En natuurlijk is Agraynel een meisje. Maar zodra haar aura zich van de mijne heeft losgemaakt, zult u zien dat ze een buitengewone persoonlijkheid zal worden, uw peetmoederschap waardig.'
Mercy nam een van Morna's koele droge handen en drukte die tegen haar buik. 'Voel haar! Ontmoet haar! Ze is gereed.'
De baby maakte een ferme beweging en Mercy lachte. De geesten van beide vrouwen omhelsden elkaar.
'Kom dan, neem me mee naar het podium in de ontvangsthal waar allen al wachten.'
De grote ruimte was zwak verlicht en de grote glas-in-loodramen die bij daglicht zo mooi waren, had men nu verduisterd. Geen sprookjeslichten, enkel blakers met kaarsen die een onzekere oranje gloed over de verhoging verspreidden. Geen rustbank, geen stoel, geen geboortekruk. Er stond slechts een gouden tafel met twee grote bekkens, de een van geslagen goud, de ander van transparant kristal, beide half gevuld met warm water. Naast de tafel wachtte Heer Dionket, de genezer, opgeroepen uit zijn vrijwillige eenzaamheid in de Pyreneeën. In de ene hand droeg hij een gouden buidel, in de ander een glinsterend mes. Achter hem, met gezichten die lieten zien hoe belangrijk zij zich voelden, stonden drie Tanumeisjes: een herstelster in rood en wit, een psychokinetica in roze en goud en een bedwingster in blauw. De laatste was niemand minder dan Olone, de verloofde van Sullivan-Tonn.
Heel langzaam stapte Mercy op de verhoging. Enige honderden

toeschouwsters in witte mantels en hoofdkappen stonden bewegingloos te wachten, hun geesten even zorgvuldig verhuld als hun lichamen.
Ik groet jullie, Zusters, sprak Mercy.
Wij reageren op uw oproep, fluisterden hun geesten in antwoord, Vrouwe van Goriah.
Ik ben hier om jullie allen een nieuwe manier van bevallen te laten zien. Jullie weten dat mijn krachten groot zijn en dat die zich onderscheiden van de scheppende vermogens van de Tanu. Mijn krachten zijn zachtaardig, niet agressief. Ze dienen niet de strijd, maar de verzorging. Ik zal ze jullie leren. Want jullie mogen allen wanneer je dit wilt, deze manier volgen die ik nu zal laten zien.
Ze liep naar de tafel en naar Dionket. Morna en de drie meisjes bleven op de achtergrond. Mercy stond met haar gezicht naar het ademloze gezelschap gewend en sloot haar ogen. De grote Heer Genezer maakte een gebaar. Uit de gouden buidel vloeide een materiaal dat dunner was dan het fijnste glas. Het wikkelde zich rondom Mercy en bleef volstrekt doorzichtig terwijl het zich als een sluier rond haar lichaam plooide dat nu licht begon uit te stralen, het sterkst zichtbaar rondom de gezwollen buik. Haar witte overkleed werd even helder als Huid zelf en in het midden van het licht werd een kleine gestalte zichtbaar.
Iets dat bijna ectoplasma leek trad uit Mercy's lichaam naar buiten door de buikwand en zweefde naar haar uitgestrekte open handen. Een mentale zucht, direct onderdrukt, ontsnapte de menigte. Dionkets ernstige gezicht werd verzacht door een glimlach. De dichtstbijstaande toeschouwsters waren zich bewust van een web van genezende en psychokinetische kracht dat zich uit zijn geest vermengde met de scheppende krachten van de moeder ten dienste van haar vrijwel ogenblikkelijke genezing.
Dionket gebaarde en de hoeveelheid Huid verdween in het niets. Al de vrouwen zagen Mercy neerzien op haar nieuwgeborene. De baby werd nog omhuld door glanzend vet en water. Een webachtige bolvorm gevuld met vloeistof, het vruchtvlies, zweefde net even boven haar uitgestrekte handen. De navelstreng, nog gehecht aan de placenta, was duidelijk zichtbaar.
Nu hief Morna het gouden bekken met behulp van een der vroedvrouwen en bracht dat onder de baby. Dionkets robijnkleurige mes flitste en de vloeistoffen stroomden weg. Opnieuw raakte de Genezer de baby aan en verwijderde de navelstreng.
Agraynel opende haar ogen. Ze ademde gemakkelijk na de moederkus die haar longen voor de eerste maal had gevuld. De herstelster stond klaar met het kristallen bekken, een spons van zijde en doeken. De pasgeborene bleef zweven, zich zachtjes wringend terwijl Mercy en Morna haar huid wasten tot die roze en fris was. Mercy kuste haar kind nog eens en toen was ze droog. De jonge Olone

stapte naar voren met kleertjes en een deken waar het kleine figuurtje zorgvuldig in werd gewikkeld.
Mercy wiegde haar dochter en bood haar de borst. De baby was nog te nieuw om aan melk toe te zijn, maar haar geest was open en die dronk en dronk. De menigte met verbazing geslagen vrouwen durfde eerst nauwelijks dichterbij te komen, maar toen Mercy hen aanmoedigde, kwamen ze behoedzaam en lieten hun mentale liefdesblijken als veertjes zo zacht neerkomen.
'Stilte nu voor de naamgeving.'
Morna's stem klonk zacht. Desondanks werd zij overal in de hal gehoord. De oude vrouw hield een zeer kleine gouden halsring omhoog en er weerklonk een collectieve zucht. De drie vrouwen wachtten af. Wie zou het worden?
'Olone,' zei Mercy, haar met haar geest wenkend.
Het jonge meisje in de gewaden van het Gilde der Bedwingers nam het kind verrukt in haar armen. Je zou van mij moeten zijn! Wat ben je lief en mooi!
'Ik noem je Agraynel ul-Mercy-Rosmar vur-Thagdal.' Morna liet de kleine gouden ring rondom de hals van de baby glijden en klikte de sluiting dicht. 'De goede Godin schenke je een lang leven, waardigheid en geluk in haar dienst.'
Slonshal, fluisterden de honderden vrouwelijke geesten.
Slonshal, zuchtte Dionket, Heer Genezer.
Slonshal, vertelde Mercy haar dochter, terwijl ze die weer overnam van Olone die het kind maar ongaarne uit handen gaf. Voor de eerste maal sinds de Vloed en haar verlies, vloeide haar hart over van vreugde en speels reikte haar geest naar die van Morna die naar voren was getreden om haar weg te brengen.
Bent u een echte aspirant Koningmaakster, Vrouwe Morna-Ia? Bezit u het Gezicht? En toont dat Gezicht u dat deze lieve kleine eens koningin zal zijn?
In de hal zongen de stemmen van de verzamelde vrouwen zachtjes het Lied, even fijn van toon als eolische harpen.
'Ik zie Agraynel koningin worden van ons Veelkleurig Land. Ja.'
Mercy slaakte een verrukte kreet. 'Echt waar? O, plaag me niet!'
Druppeltjes transpiratie werden zichtbaar op het gladde voorhoofd van de oude vrouw. Haar lippen beefden. 'Ik spreek de waarheid. Ik wist het na haar eerste ademhaling.'
Mercy bleef doodstil staan voor de gordijnen die de achterkant van het podium scheidden van de wand. Ze had een geëxalteerde blik in haar ogen gekregen. De baby hield ze stevig tegen een rood overtogen wang. De ogen van de kleine leken enorm groot in het kleine gezicht.
'En haar koning!' riep Mercy uit. 'Wie zal hij zijn.'
'Hij . . . is nu nog niet geboren.'
'Maar je weet wie hij is? Wiens kind zal hij zijn?' hield Mercy aan.

'Vertel het me, Morna! Je *moet* het me vertellen.
Morna week achteruit. haar gezicht bleek weggetrokken, haar geest gesloten.
'Ik kan het niet!' zei ze moeizaam. 'Ik kan het niet.'
Ze draaide zich om en vluchtte achter de zware gordijnen weg, Mercy verwonderd starend achterlatend. Dionket kwam dichterbij en sloeg een beschermende arm om de moeder heen, terwijl hij tegelijkertijd zijn genezende vermogen bij haar vermoeide geest liet binnenslippen om de onvermijdelijke vraag, de onrust en de angst af te weren.
Mercy vergat daardoor.
De baby snuffelde onder haar openhangende overkleed en begon te drinken. Op dat moment was er voor Mercy niets anders meer om zich mee bezig te houden.

5

Hij werd wakker bij die afschuwelijke maar voedende kus.
Zijn voedsel, voorgekauwd en warm maar zonder smaak, werd van haar mond in de zijne overgedragen. Hij voelde de bemoedigende duw van haar tong. Vochtige vrouwenvingers masseerden zijn keel tot hij gedwongen werd te slikken. Ze neuriede een eindeloze ritmische melodie van maar twee noten die gelijk opging met zijn eigen hartslag.
Hij rook de geur van vlees in het voedsel en hij rook haar ongewassen lichaam en haar kleding van maar deels gelooid leer. Hij rook een houtvuur en de geur van rotsen. Behalve haar stem, hoorde hij in de verte het tinkelen van water en iemand die verder weg hoestte en spoog. Ergens zong een vogel. Wind die ruw in de pijnbomen ademde.
Zijn vérziende vermogen werkte niet en zijn lichaam leek verlamd, maar hij kon tenminste zijn ogen open doen. Dat deed pijn, hoewel het licht maar schemerig was. Een laag gekreun ontsnapte aan zijn lippen. Het neuriën hield plotseling op.
'Oh God, jij bent het?'
Bungelende lokken zeer lang en zeer smerig blond haar. Een gezicht, bleek als deeg onder het aangekoekte vuil, een korte, platte neus. Kleine, ver uiteenstaande ogen, te grijzig om blauw te zijn. Die werden nu groot van verrukte verbazing. De mond wijd open, de lippen besmeurd met restanten van het net gedeelde voedsel. Tanden met gaatjes.
'Mijn God van de Zee. Je bent ontwaakt!'
Het gezicht kwam dichterbij, vervaagde juist daardoor en opnieuw

was daar die kus, ditmaal niet beladen met voedsel maar tintelend van vrolijke opwinding. Toen ze zijn mond losliet, gingen haar lippen strelend langs zijn neus, zijn wangen, zijn ogen en voorhoofd, de lelletjes en de binnenzijden van zijn oren, zijn baardloze kaken en kin.
'Je bent wakker! Wakker en je leeft! Mijn mooie God!'
Hij was tot geen enkele beweging in staat behalve met zijn ogen: zijn geest was ingemetseld, elk mentale vermogen verdwenen. Terwijl de vrouw opsprong en wegrende, zag hij muren van steen, blijkbaar een soort grot die bovenin duister was. Maar ergens bij zijn voeten (als die bestonden) was licht.
Een twistzieke, zure oudemannenstem, door gehoest onderbroken.
'Is hij dat, werkelijk? Nou, laat me dat wonder dan maar es zien.'
Schuifelende voetstappen, hijgende ademhaling, gorgelend vanuit zieke bronchiën. Haar opgewonden gefluister. 'Rustig, grootvader. Wees voorzichtig. Raak hem niet aan.'
'Kop dicht, domme koe. Laat me kijken.
Samen bogen ze zich over hem heen. Een grote, potige vrouw in een gevlekt soort jurk van herteleer. Een oudere man, een Mindere, kaalhoofdig en gebaard, met rooddoorlopen ogen en een wrede haakneus in een gescheurde stoffen broek en een zwart vest van minkbont, glanzend en prachtig.
De oude man hurkte neer. Snel als een spin schoot een van zijn handen naar voren en greep.
'Grootvader, nee!' riep de vrouw weeklagend.
De net geopende ogen vulden zich met tranen van pijn. De oude man had hem bij zijn haar gegrepen en zijn hoofd omhooggetrokken. Terwijl de tranen over zijn wangen liepen, kreeg hij uitzicht op een lichaam dat tot de borst toe onder bontvellen was bedekt. De bejaarde kwelgeest liet zijn haar los en zijn hoofd viel weer achterover, inert. Kakelend trok de oude man aan zijn neus, kneep in een wang met scherpe vingernagels en rolde zijn hoofd ruw van de ene kant naar de andere.
'Ja! Ja! Hij is wakker. Wakker, maar hulpeloos. Jij groot en machtig brok Tanu-stront! Jij hoop dood vlees!'
De vrouw sjorde de oude man woedend overeind. 'Je mag de God geen kwaad doen, grootvader,' zei ze met een verschrikkelijke stem. Hij hoorde een doffe slag, een gesmoorde kreet van pijn, zacht gehuil. Toen weer de stem van de vrouw. 'Hij is van mij! Ik heb hem gered van de zee en de dood. Ik zal niet toelaten dat je hem pijn doet.'
Opnieuw het slaan en de zwakke kreten van pijn.
'Godverdomme, meid, ik was toch niet van plan hem echt iets te doen . . . Au . . . je hebt mijn rug verrekt, kreng van een hoer. Help me overeind.'
'Eerst beloven, grootvader.'

'Ik beloof. Ik beloof het.' Kwaadaardig, half verstaanbaar gemompel.
'Ga zijn hand halen. En de warme olie van het vuur.'
Mompelend en snuivend ging de oude weg. Zij knielde eerbiedig en opnieuw was daar de kus van haar licht geopende lippen. Hij klemde zijn tanden opeen om haar tastende tong tegen te houden.
'Nee, nee,' keef ze zachtzinnig. Een hand streek zijn haren glad. 'Ik houd van je. Je hoeft niet bang te zijn. Ik zal je gauw heel gelukkig maken. Maar eerst een verrassing.'
De grootvader stond er met een leren zak en een of andere open doos.
'Kan . . . kan ik erbij zijn?' vroeg de oude bruut. Zijn ogen waren vreemd helder en hij likte langs zijn ruwe lippen. 'Alsjeblieft, Huldah. Laat me erbij zijn.'
Haar gegiechel klonk verbazend ironisch. 'Je wilt je herinneren hoe het vroeger met jou was?'
'Heb ik soms die hand niet voor je gemaakt?' jammerde de oude. 'Ik zal geen geluid maken. Je zult er niets van merken.'
'Ik weet dat je ons vannacht gaat beloeren. Stomme ouwe grootvader. Vooruit maar. Maar eerst die hand.'
De warmte verdween. Ze sloeg de overtrek van bontvellen terug. Vaag vertelden zijn zintuigen iets over beweging bij zijn rechterzij. Toen zag hij het.
Ze had zijn rechterarm omhooggehaald, maar halverwege beneden de elleboog eindigde die in een stomp.
Diep uit zijn strot kwam een geluid.
De arm zakte. Ze schreeuwde vol medelijden. 'Oh, arme God! Ik vergat dat je het nog niet wist.'
Weer kussen, verschrikkelijke kussen. 'Toen ik je vond aan de rand van de lagune, was je gewond. Een van je glazen handschoenen was verdwenen. Je hand was aan alle kanten gescheurd door de scherpe zoutkorsten die zich op de rotsen afzetten. En er was een hyena. Ik joeg het beest weg, maar er zat vergif in zijn beet en je wonden stonken en wilden niet genezen. Grootvader vertelde me wat ik doen moest. Hij dacht dat ik dat niet zou durven.
Het ruwe gezicht, overstroomd door devotie, kwam dichterbij. Haar stinkende adem omhulde hem. Ze glimlachte en trok zich toen even terug. Toen hield ze iets omhoog.
Een houten hand.
'Ik heb grootvader dit voor jou laten maken.'
Ergens stond de oude verschrikkelijke man te giechelen.
'Ik zal het je nu aandoen zodat je weer heel bent.'
Gelukkig hield ze het ding omhoog zodat hij het zien kon. De stomp paste in een soort leren huls, hij zag riempjes. De vingers waren allemaal scharnierend.
'Wanneer je weer helemaal beter bent, zul je leren ze te bewegen.

Dat zegt grootvader.' Ze hield haar hoofd even onrustig schuin en wierp een snelle blik op de oude man. 'Ik hoop dat hij de waarheid heeft verteld. Dat doet ie niet altijd. Maar daar moet je nu niet aan denken. Eerst zorgen dat je helemaal beter wordt.'
Bij dat vooruitzicht sloot hij zijn ogen. Het lachen van de oude man stierf weg in een explosief gerochel.
De geur van warme olie.
'Wees maar niet bang. Maak je geen zorgen. Ik weet wat ik doen moet. Ik weet hoe ik de levensenergie terug moet roepen.'
Volhardend begon het primaire tweetonige geneurie opnieuw, viel samen met zijn hartslag en begon die te versnellen.
De deken van bont werd helemaal verwijderd. De olie verzachtte zijn huid en werd in het verlamde vlees gekneed. Ze rolde hem om. Masseerde en bemoedigde de willoos geworden spieren. Weer terug op zijn rug. Nu knielde ze naast zijn heupen.
'Kom weer tot leven, mijn God van vreugde. Kom weer tot leven voor me.'
Nee, zei hij tegen de energieën die hem verraadden. Nee . . . niet met haar. Maar een straling als van zonlicht reageerde op haar overreding, de grot werd er roze-goud door verlicht. De urgentie daarachter kon niet worden verborgen. Ze ademde. 'Oh ja, Oh ja.'
Ze nam de lichtheid in zich op. Ze neuriede nu in een steeds sneller tempo en schommelend werd hij meegevoerd op de stroom van het leven.

6

Peopeo Moxmox Burke.
Ik hoor Elizabeth.
Ik heb je probleem gezien Peo.
Waanzin! Vond er bijna 1000 in kamp (plaatsduiding) westoever Lac-Bresse. Ziekstervendgewond. Vechten onder elkaar. Opgejaagd naar deze plek door Huilers(?) Firvulag (?).
Beide denk ik. De afgelopen maanden zijn er vreemde migraties van Huilers geweest. En de Firvulag hebben Burask verwoest en de bevolking van blootnekken de Hercyniaanse Wouden ingejaagd. Een deel van de groep die jij vond bestaat uit vluchtelingen uit Burask. De anderen zijn Minderen afkomstig uit kleine nederzettingen die door de verhuizende Huilers werden overvallen.
Kijk toch es die arme sjlemielen! Dezeplek stronthoop tot onzegroep kwam orde afdwingen gekken doodmaken. Wat VERDOMME doen? VerborgenBron of IJzerenDorpen kunnen dezetroep

niet verwerken. Wij weggaan zij verloren. Trouwens Amerie wil niet weg.
Zij ruikt een missie!
Nou? Advies! Het *zijn* mensen.
Stel terugkeer naar Verborgen Bron uit. Jouw opdracht daar kan wachten. Basils delegatie naar Sugoll en Katlinel moet opnieuw georganiseerd. De Huilers hebben de Feldberg verlaten.
Wereld ondersteboven.
Peo jouw bereden en bewapende groep van dertig kan deze groep wrakken makkelijk onder controle houden en tegelijk een deel van ons plan uitvoeren. Neem ze mee naar het noorden. Aan de kop van het Lac de Bresse zul je een kleine rivier vinden met een spoor dat je naar een lagere aftakking voert. Steek die over. Zestien kilometer naar het westen vind je de hoofdstroom van een andere rivier. De Firvulag noemen die de Pliktol. Volg die. Het water is vrijwel direct bevaarbaar. Ongeveer honderdzestig kilometer stroomafwaarts vloeit ze samen met een andere rivier, de Nonol. Dat is de rivier die voorbij Burask stroomt. Volg die Nonol nog eens vijftig kilometer totdat je een buitengewoon groot weidegebied bereikt dat door het Kleine Volk het Veld van Goud wordt genoemd. In deze tijd staat het boordevol boterbloemen en sintjanskruid. Later komen de grote gele madeliefjes. Op de rechteroever van de rivier, met de overkant verbonden door een hangbrug, ligt een stad van de Firvulag, Nionel.
Ik dacht dat was een legende!
Nee. Werkelijkheid. Sugoll en Katlinel en hun volk hebben dat gebied en de stad gekregen op voorwaarde dat ze het restaureren.
!!
Neem je armzalige troep daar naar toe Peo. Sugoll zal hen welkom heten.
Je maakt grapjes.
Echt waar. Vertel hen niet dat ze op weg zijn naar een stad van de Huilers. Zeg alleen dat het een plek is waar ze veilig en gelukkig zullen zijn. Zijn er dragers van halsringen bij?
Nee. Ik vermoed alle ringdragers door Huilers gedood of door Tanu gered.
Voldoende. Terwijl je in Nionel bent kun je met Sugoll overleggen voor een nieuwe expeditie naar het Scheepsgraf. Hij zal je gidsen meegeven. Je kunt Nionel met de gidsen en je eigen helden direct na de meifeesten verlaten. Zet Amerie af in Verborgen Bron. Misschien moet je daar zelf ook blijven en Basil de leiding geven over de expeditie. Dat laat ik aan jouw eigen inzicht over. Waarschijnlijk zullen de vijandelijkheden van de Firvulag in de zomer gaan toenemen. En vroeg of laat zal Aiken Drum in jouw richting iets proberen om zijn hand op jullie ijzer te leggen.
Geweldig.

Voor het ogenblik zullen de zaken rustig verlopen Peo. Het Grote Liefdesfeest wordt voorafgegaan en gevolgd door een veertiendaagse wapenstilstand.
Hoop maar datjegelijk hebt over Nionel Elizapoppetje. Ikbedoel waarom zal Sugoll ons verwelkomen met ditzootjetroep? Lijktermeerop Huilers snijden ons inmootjes als we in Nionel komen.
Vertrouw me. Hij zal vluchtelingen verwelkomen omdat de meesten van hen mannen zijn.
?
Vertrouw me. Wees gezegend Peo.
Oy.

7

Het vissen kwam dat seizoen vroeg tot een eind, niet omdat de tarpoen niet meer kwam, maar doordat Marc zichzelf depressief en ellendig voelde door het idiote Europese avontuur. Toen de kaag onder zeil was gegaan, had hij geprobeerd alle gedachten aan die jonge mensen uit zijn geest te bannen, maar dat was hem niet gelukt. De verleiding om hen met het rekbare oog van zijn geest te volgen was onweerstaanbaar, vooral in de avonden wanneer hij niet langer werd afgeleid door de lessen die hij Hagen gaf.
Hij zat dan onder de afgeschermde veranda die over het Serene Meer uitkeek, drinkend van zijn ene gekoelde whisky met citroen terwijl de oerwoudgeluiden van het Pliocene Florida zijn zintuigen bezighielden. Aan de andere kant van de tuin schenen de lampen zacht uit de ramen van Patricia Castellane. De laatste zoektocht tussen de sterren had zijn libido meer uitgeput dat hij zichzelf wilde toegeven en dit keer verliep zijn herstel traag.
Terwijl hij in onbestemd gepeins verzonken zat, merkte hij dat zijn omgeving verdween en ineens was daar dan de dertien meter lange kaag die met klapperende zeilen over de kalme Sargasso voer, meer voortgedreven door de PK van de bemanning dan door natuurlijke winden.
De hondewacht werd altijd door Jillian en Cloud gelopen, terwijl de mannen sliepen. Zijn dochter nestelde zich dan als een bleke zeenimf op de voorplecht en riep de winden op. In de kajuit hield de donkerharige botenbouwer aan het roer het schip op een gestage oostnoordoostelijke koers waardoor een kaarsrecht kielzog ontstond waarin de sterren bevend werden weerspiegeld. Soms sprong een vliegende vis omhoog, glinsterend als de geestverschijning van een verdronken zeevogel en plonsde dan terug in de vloeibare duisternis. Soms waren er scholen lichtende inktvisjes of grote scholen

glasaal die als wriemelend zilver in het maanlicht verder gleden.
Ze waren zo jong. Zo vol vertrouwen in hun succes. Maar er was geen enkele manier om vooraf te voorspellen hoe de waanzinnige Felice zou reageren op hun toenaderingen. Cloud en Elaby waren krachtige bedwingers en ook hun andere vermogens waren goed ontwikkeld. Jillian bezat een sterk PK-vermogen en Vaugh paarde, ondanks zijn beperkte intelligentie, een behoorlijke stoot psychocreativiteit aan zijn bruikbaarheid als vérvoeler. De kasten van het schip waren volgestouwd met een uitgebreid assortiment wapens, variërend van een complete verdovingsuitrusting (die misschien zou werken) tot en met een hypnotische projector van 60 000 Watt (die misschien niets zou uithalen). In een directe mentale confrontatie met Felice zouden de kinderen tegen haar geen schijn van kans hebben. Hun enige hoop haar te overwinnen lag in listigheid.
De listigheid van Owen Blanchard.
Marcs vérziendheid drong door tot het vooronder dat de eerwaarde rebellenstrateeg als privé-domein voor zichzelf had opgeëist. Daar draaide Blanchard zich onrustig om en om in zijn nauwe kooi en deze nacht zweette hij overvloedig ondanks het gematigde weer. Van tijd tot tijd waren er momenten waarop zijn ademhaling overging op het Cheyne-Stokes-ritme waarbij de ademhaling zelf door steeds grotere stiltes werd gescheiden om ten slotte voor bijna een minuut volledig op te houden. Daarna kwam de adem met een snurkend geluid weer op gang. Steinbrenner had verondersteld dat dat gunstig was. Aan de andere kant, Blanchard was 128 en had maar één keer een verjonging ondergaan. Hij had zich heftig verzet om zich nog eens te onderwerpen aan de nogal bouwvallige regeneratietank die Ocala rijk was.
Wat was die ouwe knaap tekeergegaan tegen de opdracht op deze reis mee te gaan! Marc had werkelijk ieder gram van zijn overredingskracht en charisma moeten gebruiken om Owen los te weken uit zijn geliefde nest op Long Beach, een van palmbladeren gemaakte hut waar hij eenzaam leefde in het gezelschap van een paar indolente katten, ontelbare rondscharrelende landkrabben en een plaag van kakkerlakken die stuk voor stuk het formaat hadden van speelkaarten.
Wanneer Blanchard niet mijmerde over zijn vergane glorie, zocht hij naar zeeschelpen op het strand of luisterde eindeloos naar zijn omvangrijke collectie klassieke muziek. De katten deden af en toe onbeduidende pogingen om de krabben en de kakkerlakken te verwijderen, maar Owen zelf kon het weinig schelen om zijn hut met hen te delen. Ze aten minder dan de katten en zijn onverwoestbare opnamen liepen toch geen gevaar.
Aan het begin van de reis, toen de kaag schommelend door een deel van de Golfstroom kwam, was Owen goed zeeziek geweest. Maar

hij paste zich langzaam aan toen ze kalmer water hadden bereikt, al gaf hij er nog steeds de voorkeur aan benedendeks te blijven en naar bulderende selecties te luisteren van Mahler en Strawinsky. Tegenover de vier jongeren gedroeg hij zich koeltjes en zij legden op hun beurt een diplomatieke gereserveerdheid aan de dag. Ze konden zich met geen mogelijkheid voorstellen dat deze tengere estheet eens een opstandige armada had aangevoerd die een bijna-succesrijke aanval op het Galaktisch Bestel had gedaan. Marc was er zich maar al te goed van bewust wat voor emotionele onderstromen onder de jonge mensen circuleerden. Ondanks hun belofte van trouw aan het leiderschap van Owen, zouden ze erop staan dat deze afgevaardigde van Marc zijn staat van dienst bewees zodra ze Spanje hadden bereikt. En wanneer Owen al te behoedzaam handelde, dan zouden ze zich zeker van hem ontdoen, tenminste van zijn leiderschap, nu ze wisten dat ze tijdelijk ruim buiten het wrekende bereik van Marc waren. Ongetwijfeld zouden ze dan vroeg of laat een onherstelbare vergissing maken en Felice zou het hele koppige gezelschap tot ionen uiteenblazen . . .
Marc sloot zijn vérziende vermogen af en keerde terug naar de directe werkelijkheid. Met de wenkbrauwen woedend boven zijn ogen samengeknepen, werkte hij het restant van zijn drankje naar binnen en wierp het glas in de tuin. Bij Patricia waren de lichten uitgegaan.
Vervloekt dat hele stel! Vervloekt die Blanchard, die zich overgaf aan de ouderdom. Vervloekt die jongere generatie met haar stomme ongeduld. Vervloekt Cloud die weigerde hem te vertrouwen. Vervloekt Hagen om zijn zwakte.
Vervloekt het universum en al zijn lege sterren.
'Hagen!' bulderde hij. *Hagen!*
Ik ben binnen. Met Diane.
Zorg dat ze weggaat! We gaan naar het observatorium!

Ten tijde van het Galaktisch Bestel hadden slechts vijf zonnestelsels (dat van de Aarde niet meegerekend) kans gezien om intelligente wezens voort te brengen die de gevaren van een ver ontwikkelde technologie hadden overleefd en waren overgegaan naar het stadium van bewuste psychische eenwording waardoor een vreedzame, niet-concurrerende kolonisatie van andere planeten mogelijk werd.
Marc Remillard bezat een computer die hem al lang had verteld dat de kans op één enkele wereld die dat stadium had bereikt in de Melkweg ten tijde van het Aardse Plioceen onmeetbaar klein was. De machine had 634 468 321 sterren geclassificeerd van de spectrale types F2 tot K1, die het meest in aanmerking kwamen om intelligent leven te hebben ontwikkeld.
In de achter hem liggende vijfentwintig jaren van ballingschap had

hij er daarvan mentaal 36 443 onderzocht in de hoop een ras te vinden dat de mentale Eenheid kende om zo een nieuwe basis te leggen voor de droom die had gefaald.
In dat zoeken en in die droom had hij leven gevonden en een nieuw doel.
Hij had eigenlijk een paar weken moeten rusten voor hij andermaal begon, maar dat had hij niet gewild. Geen enkele handeling of advies zijnerzijds zouden de gebeurtenissen in Spanje kunnen beïnvloeden. Wat voor uitkomst hijzelf onbewust wenste, zo diep durfde hij zichzelf niet te onderzoeken. Nee, het zoeken tussen de sterren was zijn werk en hij zou niet toestaan dat de jongeren hem daar nog langer vanaf hielden.
Samen hadden hij en Hagen de honderd stellaire kandidaten uitgezocht die zijn aandacht de komende twintig dagen zouden bezighouden. Hun afstanden tot de Aarde varieerden van 4000 tot 12 000 lichtjaren, maar voor een meta van Marcs kaliber was die afstand een te verwaarlozen factor, op voorwaarde dat de geest op het ver verwijderde object kon worden gericht met een zo groot mogelijke precisie die gedurende een kritische tijdsduur kon worden volgehouden. Omdat er geen waakzame 'ontvanger' aan het andere eind openstond, werd het richting zoeken en bepalen gedaan met verfijnde apparatuur die verbonden werd met het brein van Marc. Andere technische uitrusting stelde de zoeker in staat de ervaring te overleven.
Hagen hielp Marc in de van metaal en keramiek vervaardigde machine, programmeerde de vitale onderdelen, verbond het onderdeel door dat de bloedcirculatie aftakte en overnam en zette de klok op een periode van twintig dagen. Het zoeken zou enkel tijdens de nacht plaatsvinden. Gedurende de rest van de tijd zou de zoeker slapen in een toestand van vergetelheid.
'Klaar?'
De jonge man had de omvangrijke, geheel ondoorzichtige helm van zijn standplaats gehaald. Zijn gezicht was bleek en zijn geest toonde begrip. maar niet voor zijn vaders zaak. Vroeger had Marc zich telkens alleen op het nachtelijke zoeken voorbereid; Hagens hulp was in feite overbodig, behalve als oefening.
'Waar wacht je op?' Marcs stem klonk nu al vermoeid. 'Laat die helm zakken.'
Het apparaat kwam naar beneden. Veertien minuscule fotonenstralen doorboorden Marcs schedel en veertien elektroden slipten op hun plaats in de hersenschors met hun supergeleidende vezels. Twee naalden, die zorgden voor de druk en de zuurstofverversing drongen zich in de kleine hersenen en de hersenstam. De pijn was verblindend maar kort.
AANVANG METABOLISCHE HERPROGRAMMERING.
Vloeistof vulde de machine. Marc stopte met ademhalen. De circu-

lerende vochten in zijn lichaam bestonden nu niet meer uit bloed. Strikt gesproken was hij eigenlijk ook geen mens meer, maar eerder een levende machine die zowel intern als extern werd beschermd tegen de gevaarlijke hyperactiviteit van zijn eigen hersenen.
AANKOPPELEN CEREBRO-ENERGETISCHE HULPMIDDELEN.
Elke telepathische opdracht kon nu via de computer door Hagen worden beluisterd en werd tegelijkertijd op het scherm zichtbaar. Zijn vader was verdwenen. De onmenselijke machine was nu volledig in werking gesteld, met koel geduld wachtend tot Hagen ieder noodzakelijk onderdeel had gecontroleerd en op de checklijst afgestreept.
ACTIVEER VERVOER.
Hagens hand op de commando-microfoon was zweterig. 'Activeer vervoer,' zei hij en de aan de buitenzijde zwaar beschermde machine rolde naar een klein platform dat de bovenzijde vormde van een hydraulische lift.
ACTIVEER LIFT.
'Neem hem naar boven.' Het in de machine ingekapselde lichaam steeg omhoog naar de observatoriumkoepel. Zonder één geluid rolde een segment van het dak opzij. De lift minderde snelheid en kwam tot stilstand. De sterren van deze Pliocene april wachtten op Marc Remillard precies zoals ze dat zouden doen wanneer Hagen zelf een van de komende maanden aan de beurt zou zijn.
ACTIVEER AANDRIJVING.
'Laatste verbindingen aansluiten en in werking stellen,' commandeerde Hagen. De coördinaten voor het eerste onderzoek werden ingevoerd. De monitor werd neutraal, slechts een klein vierkantje lichtte op. De zoeker was aan zijn werk begonnen en verdere communicatie zou ontbreken tot hij 'terugkeerde'. De binnenverlichting van het observatorium werd afgesloten. Al de systemen werden vergrendeld en ondoordringbaar, volledig afgeschermd en verdedigd door een verborgen rij X-lasers (zoals Hagen en iedere andere bewoner van Ocala maar al te goed wist). Niemand en niets kon het werk nu onderbreken.
Hagen zette de microfoon weg op de standaard. Hij bleef een moment staan en keek omhoog naar de langzaam draaiende cilinder die afstak tegen de met sterren bespikkelde hemel.
'Ik niet!' schreeuwde hij met een van haat dikke stem. 'Ik niet!'
Hij vluchtte en de deuren sloten zich automatisch achter hem.

8

'We zijn de weg kwijt!' besloot Tony Wayland. 'Deze rotrivier kan nooit de Laar zijn. Deze stroomt naar het noorden, niet naar het noordwesten.'
'Ik vrees dat u gelijk hebt, mijn Heer.'
Dougal kneep zijn ogen dicht tegen de purperen gloed boven het landschap. Het was ruim na zonsondergang.
'We kunnen maar beter de oever opzoeken en na een goede nacht slaap het avontuur morgen voortzetten. Wellicht komt de machtige Aslan tot ons in dromen en weten morgen onze voeten hoe we Cair Paravel moeten bereiken.'
Hij wierp zich tegen de helmstok en stuurde het vlot naar de rechteroever. Ze liepen vast in de modder rondom een groep grote liriodendronbomen waarvan de knoestige takken behangen waren met zwaaiende slierten mos.
'Pas op voor krokodillen,' zei Dougal op conversatietoon, terwijl hij hun voorraden op zijn schouders laadde. 'We moeten hogere grond opzoeken.'
Ze lieten het vlot achter en trokken moeizaam een paar honderd meter stroomafwaarts tot ze een aan de zijkanten steil aflopende hoogte hadden gevonden die in het afgelopen regenseizoen waarschijnlijk een eilandje in de stroom was geweest. Het bood plaats aan een paar kaneelbomen en wat krentestruiken op een terreintje dat verder met gras was begroeid.
'Dit lijkt wel een goede plek,' zei Tony. 'Die krengen zullen moeite moeten doen om naar boven te klimmen en er ligt genoeg drijfhout voor een vuur.'
Voor één keer verliep het opzetten van het kamp eens zonder al te veel narigheid. Na een sober maal van stengels van lisdodden en gegrild bevervlees, zegen ze tevreden rond het vuur neer.
'Ons vluchtpad is tot nu toe ruw geweest, mijn Heer,' zei Dougal. Hij kamde onderwijl zijn rosse baard waaruit restjes bevervlees vielen die op het gouden blazoen van zijn mantel terechtkwamen. Het stof en vuil werende materiaal deed de brokjes direct op de grond glijden. 'Hebt u er spijt van dat we zonder verlof uit Vulcanus' smidse zijn vertrokken?'
'Stel je niet aan, Dougie. We zullen de weg naar Goriah heus wel vinden. We proberen deze rivier nog één dag. Als die dan niet naar het westen afbuigt, gaan we over land verder. Verdomme, ik wou dat ik me wat beter wist te oriënteren. Ik heb me op een nogal onbeschofte manier gedrukt toen we dat soort lessen in de herberg te verduren kregen.'
'Dat waren vervelende lessen, herinner ik me. Hoe dan ook, onze achtervolgers hebben het blijkbaar opgegeven.'

'Laten we dat hopen. Die grote zwarte lummel van een Denny Johnson is in staat ons als verraders te laten ophangen wanneer hij ons te pakken krijgt.'
Tony begon met hun kompas te knoeien, een gemagnetiseerde naald die op wat kaf moest drijven in een beker water. 'Dat kan niet kloppen,' mompelde hij in zichzelf. 'Dougal, leg dat gevaarlijke snijmes van je uit de buurt, wil je?'
Gemoedelijk legde Dougal zijn stalen Bowiemes verder weg.
'Dat is beter. Weet je, ik dacht dat we de vrijheid al hadden gehaald toen we deze rivier hadden bereikt. Het ging precies zoals die kerel in Fort Roest ons had verteld, de tweede belangrijke aftakking aan de westkant van de Moezel. Maar was de eerste aftakking die we oversloegen werkelijk een *belangrijke?* En tegen deze zijn we eigenlijk eerder aangelopen dan ik had verwacht.' Hij legde het primitieve kompas weg en keek ontmoedigd in het vuur. 'Ik had kunnen weten dat de zaken al te gemakkelijk gingen.'
'Het gemakkelijke pad voert naar gevaar,' merkte Dougal op. Hij maakte zijn nagels schoon met het mes. 'Ik volg u en gehoorzaam, mijn Heer . . . maar wat zal er van ons terechtkomen wanneer deze Aiken Drum ons geen wijkplaats wenst te bieden?'
'Dat zal ie wel. Hij zal een metallurgisch ingenieur nog meer in de watten leggen dan die Minderen in Verborgen Bron al deden. Ik ben kostbaar, Dougie! Er gaat een oorlog komen tussen Drum en de Firvulag, weet je. En ijzeren wapens kunnen heel veel gewicht in de schaal leggen.'
Uit de jungle kwam een onaards getrompetter, het klonk als het versterkte en danig valse geluid van koperen muziekinstrumenten.
'Reuzenolifanten?' vroeg Tony, terwijl hij dichter naar het vuur kroop.
Dougals ogen glinsterden onder zijn rossige wenkbrauwen. 'Of de duivels uit dit betoverde woud! Ik kan ze aan alle kanten voelen . . . de wreedaards en de heksen, de nachtmerries, de wraakgodinnen, de verschrikkingen, de feeën, de kabouters, de kwelgeesten en de helhonden.'
Tony brak het zweet uit.
'Verdomme, Dougie, schei uit. Gewoon een of ander beest, dat verzeker ik je.'
Het trompetgeluid werd nu aangevuld door een ensemble van gebulder en gehuil en een duister, boosaardig gepiep.
'Geestverschijningen en trollen,' riep de ridder. 'Menseneters en minotaurussen. Addergebroed en het volkje van de zwammen!'
Met een gerinkel van titaniummaliën kwam hij overeind, trok zijn kolossale tweehandige zwaard en nam een edele houding in voor het stervende vuur.
'Span de spieren! Verhit het bloed! Wees moedig en dan zullen we

niet falen.'
'In godsnaam, houd je gedeisd!' riep Tony wanhopig uit.
Maar Dougal begon, zijn wazige blik op zijn zwaard gericht, te declameren:

Het kwade keert ten goed, als Aslan ons ontmoet.
Op zijn bulderend geluid, trekt verdriet de wereld uit.
Als hij ons toont zijn tanden, is 's winters dood op handen,
Schudt hij zijn warrig haar, dan is het voorjaar daar.

Hij grijnsde, stak zijn zwaard weer in de schede, gaapte uitgebreid en zei toen: 'Dat moet genoeg zijn. Slaap in vrede, goede zoon.'
Hij rolde zich ineen en sliep binnen twee minuten.
Vloekend gooide Tony meer hout op het vuur. De junglegeluiden werden sterker.

In de ochtend was het kleine eilandje overdekt met dauwdruppels en het angstwekkende nachtelijke kabaal had plaats gemaakt voor het melodieuze zingen van vogels. Tony werd stijf en met een opgeblazen gezicht wakker. Dougal was, zoals altijd, smetteloos.
'Het ziet eruit als een prachtige dag, mijn Heer! Het trotskoppige april in al zijn feesttooi, verschaft het elan van de jeugd aan alles waar het oog op valt.'
Tony gromde. Hij ging weg om tussen de struiken te pissen. Terwijl hij bezig was sloeg een handgrote spin in zijn kristallen web hem gade. Ergens in de nevelige bossen vol wilde tulpebomen hinnikten wilde chaliko's. Tenminste, Tony hoopte dat ze wild waren.
Ze stootten het vlot weer van de oever en zeilden verder. Hun rivier stroomde na verloop van tijd samen met een andere die uit het oosten kwam en het omringende landschap werd wijder en opener.
'Dit kan de Laar niet zijn,' zei Tony. 'Die wordt verondersteld honderden kilometers dwars door het oerwoud te lopen tot ze in het Gevlekte Moeras uitkomt.'
'Er beweegt iets op de linkeroever,' merkte Dougal op.
'Godverdomme!' Tony gebruikte zijn kijker. 'Bereden kerels! Of... nee, Jezusnogantoe, een of ander soort buitenaardsen! Houd rechts aan, Dougie, voor ze ons in de gaten krijgen.'
De ruiters, ongeveer een dozijn, bevonden zich op enige afstand midden in een bloeiende steppe. Ze waren blijkbaar van plan boven de wind op een grote kudde hipparions af te gaan.
De rechteroever van de rivier was zwaar bebost. Het vlot raakte verscholen achter overhangende wilgen en de beide inzittenden krabbelden op de oever. Tony gebruikte zijn kijker nogmaals en vloekte obsceen.
'Nou is het gebeurd. Eentje van die jachtpartij is afgeweken naar de

rivier. Hij moet ons hebben gezien.'
'Wat voor één is het . . . Tanu of Firvulag?'
Tony wist het niet. 'Tenzij ze een illusoir lichaam dragen . . .'
'Laat mij es kijken,' beval Dougal en nam de kleine telescoop over. Hij floot zacht.
'Hoerenzonen. Ik ben bang dat het dit keer echt Huilers zijn, geen gewone Firvulag die maar wat aanrommelen.'
De ruiter op de tegenoverliggende oever leek dwars door de takken heen rechtstreeks naar hen te kijken.
'Kunnen Huilers vérzien net als de anderen van het Kleine Volk?' vroeg Tony.
'Reken daar maar op,' antwoordde Dougal. 'Die weet verdomd goed dat we hier zitten. Gelukkig is de rivier behoorlijk diep op dit punt. Een chaliko zwemt er niet zo makkelijk over.'
De vreemdeling die hen gadesloeg, wendde ten slotte zijn rijdier en draafde langzaam terug naar zijn metgezellen.
'Bij de manen van Aslan, dat scheelde maar een haar,' vloekte Dougal.
Tony was bijna in paniek.
'We zijn verkeerd gegaan. Dat wist ik. We zijn de verkeerde rivier afgezakt en God mag weten welke. Een of andere zijrivier van de Nonol misschien.' Zijn ogen gleden van de ene kant naar de andere. 'We zullen terug moeten. Lopend. Dat zal verdomd zwaar zijn door de jungle, tenzij we een pad vinden.'
Dougal keek weer door de kijker.
'In het noorden is iets te zien. Op dat plateau voorbij de bocht. Een behoorlijke stad, dunkt me. Fraai! Maar het is niet Cair Paravel.' Zijn stem zakte tot een bewonderend gefluister. 'El Dorado!'
'Oh, in godsnaam!' riep Tony uit. 'Geef mij dat verdomde kijkglas.'
Terwijl hij de kijker een wijde boog liet maken, voelde hij zijn hart wegzakken. Het was inderdaad een of andere buitenaardse stad. Maar welke? Burask kon het niet zijn, dat behoorde op de andere rivieroever te liggen. En dit zag er ook niet verwoest uit. Maar andere steden van de Tanu waren hier helemaal niet, zo ver naar het noorden!
'Wat het ook is, voor ons is het slecht nieuws. We kunnen maar beter op weg gaan.'
Ze laadden hun voorraden op hun ruggen en begonnen zich door de dichte begroeiïng een weg te hakken naar hogere grond. Na ongeveer vijftien minuten zich in het zweet te hebben gewerkt, kwamen ze op een wildspoor dat ongeveer parallel liep met de rivier.
'Houd je ogen goed open voor beesten,' waarschuwde Tony. Ze begonnen in stevige pas zuidwaarts te lopen. Dougal droeg zijn ontblote zwaard en Tony zijn machete. De zon steeg hoger. De

insekten kwamen te voorschijn. Bloedzuigers lieten zich uit de breedgebladerde struiken vallen en beten zich vast in Tony's vlees. (Hij droeg een hemd met korte mouwen, pech gehad. Hij voelde zich jaloers op de maliënkolder van Dougal.) Bij een kreek pauzeerden ze om iets te eten en toen ze hun spullen weer oppakten om verder te gaan, kwam daaronder vandaan een kleine slang te voorschijn. Hier dier viel uit naar Tony en miste diens arm maar net. Dougal sneed het beest met zijn zwaard in tweeën.
In de namiddag, toen ze volgens Tony's schatting ongeveer acht of negen kilometer hadden afgelegd, veranderde het smalle wildspoor abrupt in een overmatig brede junglebaan. Pal in het midden daarvan lag een hoop keutels zo groot als voetballen.
De twee mannen hielden eensklaps stil. Van achteren woei een lichte bries. Er weerklonk iets dat op een verre donder leek en de grond onder hun voeten scheen licht te trillen.
Tony beschermde zijn ogen en tuurde omhoog.
'Ik zie nergens wolken. Aan de andere kant . . .'
'Recht voor je uit,' zei Dougal heel zachtjes.
Het ding was, verbazend genoeg, bijna onzichtbaar tegen het schelle patroon van licht en schaduw en het stond volkomen onbeweeglijk een eindje verder op het pad. Ze zagen een grote, driehoekige kop met wijdgespreide flaporen zo groot als waaiers die zich bijna vijf meter boven de grond bevond. De slurf was omhooggeheven, de opengesperde neusgaten probeerden hun geur op te vangen. Uit de onderkaak kwamen twee benedenwaarts gebogen slagtanden die over hun halve lengte van twee meter met huid waren bedekt. Het dier had lange poten, was grijsbruin van kleur en had een air over zich van beledigde majesteit. Het moest om en nabij de twaalf ton wegen.
De deinotheriumolifant bestudeerde de twee mensen, kwam tot de conclusie dat het hier om ongedierte op verboden terrein ging, trompette een uitdaging als een bazuinstoot bij het laatste oordeel en viel aan.
Tony vloog links van het pad af en Dougal naar rechts. Omdat Tony schreeuwde ging de olifant hem achterna. Kleine boompjes versplinterden en braken af. De olifant schudde zijn reusachtige kop en de slagtanden van ivoor trokken grotere bomen met wortel en tak uit de grond die met groot gemak door de lucht ter zijde werden geworpen. Tony maakte ontwijkende bewegingen en gleed uit, nog altijd schreeuwend zo hard hij kon terwijl het ondier achter hem aandonderde als een bewegende berg, al die tijd trompettend van woede.
Tony kwam weer op het pad terecht en begon nu te rennen zo hard hij kon, ditmaal zijn adem sparend. De olifant barstte uit het bos en kwam hem donderend achterna. De aarde beefde. Tony rende nog harder, maar de olifant haalde hem in, al die tijd een hels

kabaal makend.
Een steek in zijn zij. Ineens zag hij alles door een rood waas en zijn hart leek te barsten. Hij struikelde over een hoop gedroogde keutels en viel, bereid om zich dan maar dood te laten trappen.
Van ergens voor hem uit kwam een suizend geluid. Tony hoorde en voelde een donderende inslag, toen waaierden wolken stof over hem heen en bedekten hem volledig. Het bulderen van de olifant was opgehouden en de jungle leek haar adem in te houden.
'Vond je dat niet *geweldig?'* zong een blijde, krassende stem. 'Is dit niet het absolute einde?'
Het stof woei weg. Tony sloeg zijn ogen op. Wijdbeens over hem heen stond een rijk uitgedoste chaliko. Op diens rug zat een kleine oude man die eruitzag als een gepokte marmot. Hij droeg de klassieke rijkleding van een Engelse jager met als enig opvallend verschil dat de lange pandjesjas turquoise was in plaats van rozerood. Onder één arm hield hij een zwaar kaliber verdovingsgeweer uit de 22e eeuw.
Tony staarde. Er waren nog meer chaliko's en goedgeklede ruiters, blijkbaar Firvulag. Een fraai gebouwde man en vrouw, zo te zien behorend tot de hogere adel onder de Tanu, droegen eveneens moderne wapens.
De marmot sprong van zijn rijdier, kriebelde Tony onder de kin en zei: 'Doe het maar kalm aan, jongen. Het is voor mekaar nou.'
Dougal kwam vol vertrouwen uit de jungle te voorschijn, het zwaard nog in zijn handen. Tony krabbelde overeind. De olifantejager was naar zijn gevelde jachtbuit gelopen en plaatste een voet op de slurf.
'Klaar met de camera, Katy-liefje? Cheeeese!'
De Tanu-vrouw wuifde en glimlachte.
Gekke Greggie schouderde zijn wapen en marcheerde weg. 'We kunnen nu maar beter naar huis gaan. En we nemen jullie knapen met ons mee naar Nionel. Het zou helemaal niet zo best zijn . . .' hij wierp hun een knipoog toe, 'wanneer jullie hier nog waren en je beestachtige kameraadje werd wakker.'

9

Aikens bonte reisgezelschap keerde op de 21e april naar Goriah terug. Dat gebeurde in alle rust, 's nachts en zonder te vliegen, want de deelnemers aan het Grote Liefdesfeest trokken zich al samen rondom Armorica en de koninklijke Firvulag-gasten konden elk ogenblik worden verwacht. Zoals Aiken had bevolen, stond Mercy in de voorhof van het Glazen Kasteel op hem te wachten met niet

meer dan het noodzakelijke aantal grijze halsringen dragende stalknechten in de buurt om de vermoeide chaliko's van de Verhevenen weg te voeren.
De Glanzende scheen ditmaal maar zwakjes. Het vizier van zijn met goud beslagen helm was gesloten en de versieringen en pluimen waren dof van het stof. Hij uitte hardop noch mentaal een vriendelijk woord van afscheid voor zijn edel reisgezelschap die één voor één naar hun eigen appartementen vertrokken.
Aiken stapte af via het rijblok, knikte naar Mercy en nam één van haar ellebogen in de palm van zijn gehandschoende hand.
'Mijn Heer?' vroeg ze ongerust.
Ze liepen de hal van hun eigen kasteelvleugel binnen.
'Zal ik helpen de helm af te zetten?'
De ruimte werd verlicht door blakers met brandende olijfolie. Een tochtvlaag uit een open raam deed de vlammetjes sidderen. Over de muren bewogen spookachtige schaduwen. Nadat ze de riempjes had losgemaakt, tilde Mercy de zware helm van Aikens gebogen hoofd.
Hij zag er weggetrokken en hologig uit en zijn anders krullerige rode haar hing sluik neer.
'Dank je,' zei hij, 'ik draag hem wel.'
Ze liepen samen naar de trappen.
'Was de rondreis geen succes?' vroeg ze verontrust.
Hij lachte droog en verre van vrolijk. 'Oh ja. Celadeyr leek toe te geven, die slimme oude bastaard. Maar ik moest de heethoofd die hij beschermde en die Geroniah had overgenomen, doden. En we kregen verschrikkelijke heibel in Var-Mesk met een hersteller en bedwinger die Miakonn heette, een zoon van Dionket. Volkomen het tegendeel van zijn vredelievende vader. En die werd verondersteld een van mijn bondgenoten te zijn.'
'Wat gebeurde er?'
'De verdomde stommeling nodigde ons uit voor een banket en toen we allemaal goed hadden gegeten en vooral gedronken probeerde hij m'n hersens door te branden. Het zou hem nog misschien gelukt zijn ook, als Culluket er niet was geweest. Onze Heer Ondervrager wordt gelukkig *nooit* dronken. Hij veranderde Miakonn in een zeverende idioot. Maar het was op het nippertje. Toen we uit gingen zoeken hoe het komplot in elkaar stak, kwamen we erachter dat de meeste edelen uit Var-Mesk trouw genoeg waren. We deden ten slotte weinig anders dan een nieuwe stadsheer benoemen. Iemand die eerder de leiding had over de fabricage van vitredur.'
Ze kwamen bij de wenteltrap die naar hun suites leidde. Maar Aiken schudde zijn hoofd en liep naar een weinig opvallende deur die in een hoek was verstopt. Hij gebruikte zijn PK om de deur te openen. Daarachter lagen een reeks stenen treden die naar beneden in de duisternis voerden.

'Ik moet een kleinigheidje afhandelen, liefje. Je kunt met me meegaan of op me wachten.'
'Ik ga mee.'
Hij schiep een bal lichtende energie die boven hun hoofd de trap verlichtte terwijl zij afdaalden. Achter hen vloog de deur in het slot.
'Je bent *donkerder* geworden,' merkte ze op. 'Zelfs de Vloed heeft je vitaliteit niet zo verlaagd als nu.'
Zijn stem klonk spookachtig in de stenen schacht.
'Dat komt voor een deel omdat ik doodmoe ben. Het iedere keer leviteren van zoveel mensen is eigenlijk te veel. We vlogen natuurlijk niet overal, maar als we in de buurt van een stad kwamen, lichtte ik de ridders altijd op. Zo konden we indruk maken. Maar vierhonderd ridders en hun rijdieren, dat houd ik niet langer dan een halfuur vol en de rest van de dag ben ik dan een stuk minder waard. Afgezien daarvan was er dat gelazer in Geroniah en nog wat schermutselingen met een stel Firvulag-bandieten ergens bij Bardelask . . . kortom, ik heb mijn portie wel gehad, zoals je kunt zien.'
'Arme Glanzende.'
Hij keek haar met een zuur gezicht aan.
'Jijzelf ziet er goed uit. Hoe . . . gaat het met het kind?'
Hij kreeg de vraag maar moeilijk over zijn lippen. Ze wist hoe sterk zijn jaloezie was.
'Agraynel is geweldig. Lichaam en geest zijn volmaakt. En de halsring leverde geen problemen op.'
Aiken gromde.
'Vrouwe Morna-Ia zegt dat ze mooi en gelukkig zal worden.'
'En jij bent zelf weer helemaal gezond?'
'Ik ben een Scheppende Vrouwe,' antwoordde ze. 'En mijn scheppende vermogens dienen het leven, de jouwe . . .'
'Doen wat ze kunnen. Onder de omstandigheden.' Hij liet weer eens zijn spottende glimlach zien. 'Ik ben heus weer de oude tegen de tijd dat de feestelijkheden beginnen. Niemand van onze uitgelezen gasten zal ooit aan de weet komen hoe deze koninklijke rondreis me heeft uitgewrongen. Zelfs mijn eigen mensen hebben dat niet geweten. Behalve Cull natuurlijk. En hij heeft me geholpen waar hij kon om de zaak nog wat mooier te laten lijken dan hij was . . .'
'De Ondervrager is een meester in slimmigheden, onder andere.' Ze pauzeerde even en toen kreeg haar mentale aura iets beschuldigends. 'Je vriend Raimo Hakkinen is nu bijna hersteld van Cullukets diepte-onderzoek. Maar je zult merken dat die arme donder verbitterd is geworden.'
'Daar kan ik niets aan doen,' zei Aiken kortaf. 'We moesten weten wat er met Felice en Celo aan de hand was. En we hadden een

woordelijk verslag nodig met al de nuances erbij die veelzeggend konden zijn. We moesten daarom zijn onderbewuste wel leeghalen.'
'Maar hij *is* jouw vriend. Je zou het zelf zachtmoediger hebben kunnen doen en dan had je waarschijnlijk ook gekregen wat je hebben wilde.'
'Ik had het snel nodig.' Hij bleef op een van de treden staan en draaide zich om. De gespannen lijnen rond zijn mond maakten hem lelijk. 'Felice heeft de Speer. Na het Grote Liefdesfeest zal ik moeten beslissen hoe we haar moeten aanpakken. Jezus, Mercy! Dacht je dat ik het een leuk idee heb gevonden om Raimo aan Culluket over te geven? Maar het moest gebeuren. Koningen moeten nu eenmaal heel veel dingen doen die . . . die . . .'
'Waar ze zich voor schamen?'
'Ik schaam me niet! Ik zal het goed met Ray maken. Dank zij hem wisten we van tevoren alles over Celo's kracht en zijn kwetsbare kanten. Over de oproep die Celo aan Aluteyn deed. Ray was na de Vloed een van Aluteyns beste vrienden totdat die ouwe vond dat onze houthakker een beetje te ver naast zijn schoenen ging lopen.'
'Als Raimo nou es afziet van zijn vriendschap met *jou?*'
'Dat zal hij heus niet, verdomme.' Aiken bleef de trap verder afdalen en Mercy moest moeite doen hem bij te houden.
'Wel, daar heb je denk ik gelijk in. Jouw Raimo heeft ten slotte een gouden halsring gekregen en je hebt hem al eens een keer het leven gered. Maar er zijn andere mensen hier in Goriah die niet zo vriendelijk over je denken. En hun aantal is toegenomen sinds je wegging.'
'Waar heb je het over?' Zijn vermoeidheid maakte het zelfs zwaar om boos te worden.
'Je hebt alle mensen die zich onder jouw banieren zouden verzamelen, een gouden halsring beloofd. Die hebben ze niet allemaal gekregen.'
'Natuurlijk niet! We hadden niet genoeg halsringen! Alleen de mensen die vechten of op belangrijke plaatsen komen, die krijgen goud. En zelfs dan alleen wanneer Culluket en zijn jongens hebben uitgemaakt dat ze loyaal zijn. Dat ben ik vanaf het begin zo van plan geweest.'
'De meeste mensen leggen je woorden anders uit.'
'Pech gehad voor ze,' zei Aiken grof. 'Ik probeer het beste te doen voor iedereen, maar er zijn wel grenzen.'
'Natuurlijk. Koninklijke welwillendheid heeft altijd haar grenzen.'
Ze bereikten de onderste tree en stonden nu voor een andere deur, die er nog machtiger en grimmiger uitzag dan de eerste en afgesloten was met een hele reeks gecodeerde PK-sloten. Er was boven-

dien een krachtveld omheen waar je kippevel van kreeg en waarvan Mercy wist dat het geen buitenaardse vinding kon zijn.
'Ik ben nooit van plan geweest van het Veelkleurig Land een bezopen democratie te maken,' mompelde Aiken. Ondertussen rommelde hij met de sloten tot ze klikten en verschoven. Achter de deur gleden grendels weg. Het krachtveld verdween.
'Dat heb ik ook nooit gedacht,' zei ze boos. 'Maar je moet toch maar weten dat een aantal van de nieuwkomers die zijn afgescheept met zilver of nog minder in plaats van goud, behoorlijk wraakzuchtig is. Ondanks de ingebouwde genotscircuits! En diegenen die geen halsring kunnen verdragen, voelen zich bedrogen. Er was één groep bij die door Congreve streng moest worden aangepakt toen ze van hun werk probeerden weg te lopen. Die waren bezig op de plek waar het Liefdesfeest moet worden gehouden.'
'Ik zal er morgen aandacht aan besteden. Maak je geen zorgen.'
Aiken wierp de deur open en drukte op een knopje. Lichten floepten aan.
'Ik zal die muiters paaien zoveel ik kan, liefje. Nou . . . wat vind je hiervan?'
Ze stond stokstijf. Wat blijkbaar vroeger een onderaardse gevangenis was geweest, leek nu veranderd in een opslagplaats. De stenen muren waren met een laag plastic afgeschermd en in tegenstelling tot de vochtige en schimmelige trap werd hier de temperatuur en de vochtigheid duidelijk gereguleerd. De hele ruimte was gevuld met opbergrekken. Sommige van de goederen waren verpakt in zakken of dozen die de inhoud onherkenbaar maakten, maar andere voorwerpen zaten in luchtdicht plastic verpakt dat doorzichtig was. Er lag een indrukwekkende hoeveelheid kleine 22e-eeuwse wapens van allerlei soort. Daarnaast was er een overvloed aan andere, hoogwaardige gereedschappen en uitrustingsstukken die de Tanu de tijdreizigers hadden ontnomen. Allemaal produkten waarvan de feodale Tanu moeten hebben gedacht dat ze in hun cultuur niet thuishoorden. Mercy herkende vrijwel elk soort zonnecelbatterijen, kleine kernfusie-eenheden, opblaasbare voertuigen, een onder lappen verborgen ding dat een RADIOGRAFISCHE MINI-MIJNMACHINE heette, een ander FAIRBANKS MORSE ONDERWATER IONISATOR en een derde met het opschrift HOOGWAARDIGE ATMOSFERISCHE GASONTTREKKER – MITSUBISHI LTD. Er lagen antenneschijven en stralers om schachten te boren, landbouwsets voor microculturen, voorwerpen waarvan de functie niet te raden viel naast duidelijk huishoudelijke hulpjes.
'Onze Algemene Opslagplaats,' zei Aiken. Hij ging zitten achter de console van een voorraadcomputer en zei er onhoorbaar iets tegen.
'Nodonn en Gomnol koesterden blijkbaar hetzelfde bewaarin-

stinct ten opzichte van spullen die volgens koning Thagdal moesten worden vernietigd. De overleden Heer van Burask deed hetzelfde, zij het op kleinere schaal. De schuilplaats van Gomnol werd geplunderd door Breede net voor de Vloed. Bepaalde niet-militaire uitrustingen daarvandaan werden door haar aan Elizabeth en haar clubje pacifisten gegeven. De rest is blijkbaar door de Scheepsgade verwoest. Mijn mensen hebben de ruïnes van Muriah grondig doorzocht en er geen spoor van teruggevonden. Maar de schatkamer van Burask viel in handen van de Firvulag.'
Mercy snakte naar adem. 'Sharn en Ayfa zullen niet aarzelen om er gebruik van te maken!'
Een kleine voorraadrobot kwam rollend om een van de hoeken en stopte voor Aiken.
'Het materiaal waar u om gevraagd hebt, burger,' zei de machine.
'Dankjewel.'
Hij opende het overhandigde doosje aan de bovenkant, haalde er een klein pakje uit en verborg dat onder het beschermstuk van zijn linkerschouder. Daarna sloot hij de computer af en liep terug naar de deur.
'Dat is dat, liefje. Laten we gaan. Een andere keer laat ik je hier wel eens winkelen.'
'Nog op tijd voor de oorlog?' vroeg ze bedroefd.
'Die zal ik heus niet beginnen.'
'De Firvulag zullen je misschien proberen te vermoorden tijdens het Liefdesfeest. Het was erg onbezonnen hen uit te nodigen. Hun Groten kunnen nu in de geesten van anderen grotere verwoestingen aanrichten dan de Clan van Nontusvel destijds.'
Hij kwam dichter naar haar toe, de scherpe glazen maliën van zijn pantser drukten scherp door de stof van haar dunne kleding. Hij hield de helm nog steeds onder een arm. De andere sloot zich om haar taille.
'Door het Kleine Volk hierheen uit te nodigen laten we onze kracht zien, Vrouwe Wildvuur! En dat is de tactiek die nu nodig is. De Firvulag en de Tanu hebben beide primitieve reacties. Sharn en Ayfa. De weifelende stadsheren, de louche Celo. Zelfs die gekke Felice is een primitief! Macht is de enige taal die die soort verstaat. En wat de kans op een moordpartij betreft . . . ik kan ze allemaal stuk voor stuk aan, Tanu of Firvulag, zolang ik wakker ben. En wanneer ik slaap . . . daarom ben ik hier vanavond naar beneden gekomen. Een kleine generator die m'n slapende bewustzijn beschermt en doet ontwaken. God mag weten wat voor paranoïde tijdreiziger zo'n ding in het Plioceen dacht nodig te hebben. Maar ik kan het nu goed gebruiken, te meer omdat mijn zelfherstellende vermogens niet zo sterk zijn . . .'
Haar zeekleurige ogen lieten iets van bewondering zien en ook nog iets anders.

'Ah, ze hebben je allemaal onderschat totdat het te laat werd. Allemaal. Ik denk dat je ze ten slotte met je trucs en je gladde tong allemaal zult overwinnen. Maar alles heeft zijn prijs. Ik vraag me af of jij bereid bent die te betalen. Of ik?'
Zijn juweelharde hand sloot achter haar hoofd en trok het omlaag tot hun lippen elkaar vonden, elektriserend en brandend. Hij keek in haar geest en lachte.
'Doodsangst, dat is dus jouw liefdesdrank, Vrouwe Wildvuur?'
'Net als bij jou, Amadán-na-Briona.'
'Dat is geen Tanu-naam. Wat betekent dat? Laat me zien . . .'
Maar de diepere lagen van haar geest waren afgeschermd en hun opwinding werd voelbaar en sterker.
'Amadán was een figuur uit de oude Keltische folklore. Een nar. Een Fatale Gek wiens aanraking de dood betekende.' Ze lachte uitdagend. 'Laten we naar boven gaan, mijn Amadán! Weg van hier. Ik ben van gedachten veranderd over uitstel en je zult vrede vinden in mijn welkome woning.'

De aprilhemel lichtte op toen ze die nacht voor het eerst werkelijk samen waren. En tijdens hun hoogtepunt zong het Glazen Kasteel als een reusachtige bel van glas die door onzichtbare handen werd geluid.

10

Vaughn Jarrow hing gevaarlijk over de voorplecht van de kaag en zond de verleidelijke telepathische oproep voor de zoveelste maal uit.
'Geef het maar op,' zei Elaby Gathen, die nauwelijks moeite deed om zijn afkeer te verbergen.
'Bestuur jij de boot nu maar en bemoei je met je eigen zaken.'
De betoverende triller weerklonk opnieuw over de niet-menselijke telepathische golflengte. Achter de schitterende golftopjes ergens uit de verte kwam een zwakke antwoordende kreet.
'Hatsjekidé!' joelde Vaughn. Hij hief de Matsushita RL9-karabijn.
'Je weet wat Owen ons heeft gezegd . . .' begon Elaby. Maar op dat ogenblik brak de bruinvis met een vrolijke welkomstsprong door het wateroppervlak en tegelijkertijd vuurde Vaughn. Een rode straal doorboorde het lichaam van het zeezoogdier. Een afschuwelijke telepathische schreeuw werd hoorbaar, een mengeling van pijn en zich verraden voelen. Vaughn giechelde en vuurde weer, de afstelling van zijn wapen op messcherp. De telepathische angst-

kreet stierf uit en de bruinvis zonk onder water te midden van een warreling van zich donkerbruin kleurend water.
'Jij schietgeile jonge rotzak!'
Owen Blanchard kwam woedend naar boven en stond onhandig balancerend in de stuurhut. Elaby, die op een luikhoofd had gestaan en vandaar de kaag bestuurde met een voet losjes op het wiel, kwam snel overeind. Hij zette de automatische piloot aan en sprong dichterbij om de oude man te helpen, wiens chronische zeeziekte hem nauwelijks op de been deed blijven.
'Ik heb je verteld dat je de bruinvissen met rust moest laten! Ik heb het je bevolen!'
Vaughn rekte zich uit over de reling van de voorplecht, de karabijn half over een naakte schouder. Hij droeg niets anders dan een zwemslipje en zijn te vette lichaam glom van de zonnebrandolie.
'Ik begon me te vervelen tijdens het wachtlopen. Ik moet iets meer om handen hebben dan de zeebodem af te zoeken.'
'Brand dan haaien of manta's doormidden!'
Vaughn haalde zijn schouders op. 'Die komen niet als ik roep.'
'Die bruinvissen zijn intelligente wezens, verdomme!'
Vaughn knoeide met de straalafstemming van zijn karabijn. Hij grijnsde sluw, maar keek Owen niet rechtstreeks aan. 'Dat waren die vier miljard ook die jij tijdens de Rebellie om zeep liet helpen. Je moet mij over dit soort dingen niet de les lezen, pappie.'
Elaby's bedwingende kracht kwam naar buiten en reikte naar zijn leeftijdgenoot.
'Zo is het wel genoeg, Vaughn. Probeer niet dommer te lijken dan je al bent. Owen heeft je ervoor gewaarschuwd dat de bruinvissen misschien met Felice communiceren. Ze houdt van dieren. Het zijn haar vrienden.'
'Me reet. Een bruinvis reikt telepathisch niet verder dan een kilometer of twee.'
'We kunnen het risico niet lopen,' zei Owen.
'En trouwens, Felice is hier nergens dicht in de buurt.'
'Daar zijn we niet zeker van,' snauwde Owen. 'En tot dan laat jij die bruinvissen met rust!'
Vaughns grijns werd groter. Maar zijn ogen vernauwden zich tot spleetjes.
'Oké, pappie. Ik vind wel wat anders. Ik moet zien wakker te blijven.'
Owen liet zich vallen op een van de stoelen in de stuurhut. Zijn gezicht was donkerrood gekleurd en de wallen onder zijn waterende ogen waren opvallender dan ooit.
'Het is me gelukt om die hoofdset goed af te stellen,' zei hij tegen Elaby, 'beter dan dat is die verdover niet te krijgen. Maar ze zal behoorlijk naïef moeten zijn om daar in te trappen.'
'En het geweer?'

'Zo dood als biefstuk.'
Owen haalde een zakdoek te voorschijn, legde knopen in de hoeken en vouwde het daarna over zijn taankleurige, zeer kort geknipte haar.
'Het ding heeft zevenentwintig jaar op een plank gelegen in een tropisch klimaat. Je krijgt Felice waarschijnlijk beter in slaap met een beker hete melk dan met dat ding.'
Elaby vloekte. De 60 000 Watt-hypnotische projector was theoretisch in staat een opstandige menigte op een afstand van vijfhonderd meter tot volstrekte onbeweeglijkheid te brengen. Dat wapen zou van hun overwinning op Felice bijna een peuleschil hebben gemaakt.
'Dan moeten jij en ik en Cloud het dus opknappen. We zullen het met onze blote hersentjes tegen het monster moeten opnemen. Jammer dat Cloud en ik al zoveel energie hebben verspild aan het voortstuwen van de boot . . .'
Het was 27 april. De transatlantische overtocht had bijna een week langer geduurd dan ze hadden voorzien, omdat de westelijke winden hen bij de Azoren in de steek lieten. Alleen Elaby, Cloud en de schipper van de kaag, Jillian Morgenthaler, bezaten voldoende PK-talenten om een bruikbare wind op te roepen en ze waren nog geen van allen van hun inspanningen tijdens die windstilte hersteld. Pas zo'n 900 kilometer voor Spanje stak de wind weer op, maar het overwerkte drietal was nog steeds niet hersteld en Owens zeeziekte had direct weer de kop opgestoken.
Owen en Vaughn, die het best mentaal over grote afstanden reikten, hadden geprobeerd Felice op de hoogte te stellen van hun vertraging. Maar er was geen antwoord gekomen. Terwijl de kaag de Golf van Guadalquivir binnenvoer, hadden Owen en Vaughn met nauwlettende precisie heel zuidelijk Spanje afgezocht. Ze hadden Felice nergens gevonden, hoewel haar oorspronkelijke schuilplaats makkelijk genoeg te ontdekken was geweest. Om de een of andere onbekende reden gaf die gekkin er de voorkeur aan haar geest af te schermen tegen metapsychische observatie.
'We zullen het rustig aan moeten doen en ons kalm houden tot zij besloten heeft naar ons toe te komen,' had Elaby gezegd. De anderen hadden op die behoudende opmerking geen zinnige reactie geweten.
Nu kruiste het jacht in de smaller wordende baai kalmpjes op en neer, zuidelijk aanhoudend op dit ogenblik in de richting van de Río Genil, die vanaf de Mulhacén in zee stroomde. Roze zandstranden, begroeid met vruchtdragende palmen werden onderbroken door stukken hoger liggende grond die overgingen in zwaar beboste lage heuvels, verder landinwaarts. In het zuiden, omhoogstekend tegen een nevelige achtergrond, was de Mulhacén te zien waarvan de top op 4233 meter trots met sneeuw was bekroond

ondanks het tropische klimaat.
Er kwam een telepathisch signaal van Cloud uit de kombuis. Hier de kantine. Klaar om te eten. Voor elkaar! 'Hoe ziet die inham er daar onder water uit, Vaughn. Klippen of rotsen?' Elaby verlegde hun koers iets naar stuurboord.
Vaughn rekte zich iets verder uit. 'Ziet er helder uit. Vaar maar naar binnen.'
De golfslag minderde toen ze in de beschutting van een uitstekende landtong kwamen en naar de kust gleden. Elaby gebruikte zijn PK om het grootzeil en de bezaan in te nemen. De kluiver hield hij een beetje gevuld met wind die hij zelf opriep.
'Nog vijftien meter,' waarschuwde Vaughn.
'Laat het lunch-anker maar gaan.'
De kaag dreef even met zijn lange zijde naar het land gewend en zwaaide licht heen en weer toen het kleine anker de bodem vond en zich vastbeet. Toen ze goed lag, kwamen Cloud en Jillian, die die dag keukendienst hadden, omhoog met borden gegrilde pompoen, salade van palmhart met een zoetzure saus en gebakken rijst. Er was gekoelde watermeloen om te drinken.
'Zonder rum dit keer,' Cloud keek Vaughn rechtstreeks aan. 'Iemand heeft daar ruimschoots meer dan zijn deel van gedronken. Het begint op te raken.'
'Wat had je dan verwacht zolang niemand van jullie meiden me hebben wil?' Vaughn liet zijn stem martelaarsachtig klinken. 'Drank is mijn enige vriendin. En eten. Geef m'n bord es door.'
De beschutte inham was rustig en uitnodigend, goed beschaduwd en het water was er diep. Er kwam een stroompje water naar beneden van de overhangende rotsen dat op korte afstand in het vochtige zand verdween. In het transparante water waren scholen vis te zien van redelijke afmetingen die de binnengedrongen boot kwamen bekijken.
'Ik kan me slechtere plekken indenken om aan te leggen,' merkte Elaby op.
Jillian knikte.
'Vaughn en ik zouden onderhoudswerk kunnen doen en onze voedselvoorraad aanvullen terwijl jullie drieën uitrusten om klaar te zijn voor de jacht op de haai.'
'Wat dacht je! Ik ben nu klaar voor de jacht!'
Vaughn had zijn lunch in krap drie minuten naar binnen gewerkt. Nu kwam hij de stuurhut binnengeklauterd. 'Ik moet alleen wat kleren aantrekken. Wil jij de jol vast klaarmaken, Jill?'
'Alles liever dan jou,' zei ze hem terwijl hij benedendeks verdween.
Ze ging naar de boeg en begon de opblaasbare jol klaar te maken.
'Ik heb die bruinvis gehoord,' zei Cloud zachtjes tegen Owen. 'Die schreeuw ging als een mes door mijn hersens. Denk je echt dat

Felice ons door zoiets in de gaten kan krijgen?'
'Ik weet het niet,' zei de oude rebel. 'Maar ze zijn intelligent en ze communiceren onderling. Daarom ben ik bezorgd. De doodsschreeuw van een enkel individueel wezen maakt me niet zoveel uit. Vaughn had er gisteren drie te pakken en de dag daarvoor zeven. Vandaag was het er maar één en dat was een onervaren jong dier.'
'Je denkt dat ze elkaar gewaarschuwd hebben?' vroeg Elaby.
'Wie zal het zeggen?' Owen zette zijn nauwelijks aangeraakte bord opzij. 'Waarom je die stomkop op deze expeditie hebt meegenomen, ontgaat me volkomen.'
'Hij is gewoon een van de groep die het oorspronkelijke plan beraamde,' zei Elaby, 'en hij kan het beste vérvoelen van ons allemaal. Hij mag dan een beetje een plaat voor zijn kop hebben, maar we zouden niet eens geweten hebben waar Felice zat als hij de afgelopen herfst Europa niet zo intensief had afgezocht.'
Kijken. Allemaal. Vlug.
Jillians gedachte deed hen allemaal naar de achtersteven lopen die bijgedraaid was in de richting van de kust. Aan de rand van de jungle stonden vier kleine figuurtjes, de twee grootste hadden ongeveer het formaat van zesjarige kinderen, de andere twee waren nog kleiner. Hun lichamen waren, op de gezichten na, helemaal bedekt met zacht geelbruin haar.
'Zijn ze niet aanbiddelijk?' vroeg Cloud. 'Zijn het aapjes?'
'Doctor Warshaw zei dat we die wel eens tegen zouden kunnen komen in Europa. Het kunnen dryopithecinen zijn, de voorlopers van de chimpansees uit onze tijd. Maar ze zijn zo klein en ze staan zo rechtop . . . Ik vermoed dat ze tot de ramapithecinen behoren. De voorouders van de mensheid.'
'Ik ontvang beelden van ze,' verbaasde Owen zich. 'Een grof soort zelfbewustzijn en onschuldige nieuwsgierigheid. Als van kleine kinderen van een jaar of drie. Heel anders dan het niet-menselijke bewustzijn van de schildpadden. Het doet me denken aan de inboorlingen op een planeet waar . . .'
Een rode lichtstraal barstte uit het stuurhuis van de boot achter hen. De grootste van de vier schepseltjes tuimelde voorover, het kopje afgesneden. Jillian schreeuwde. Cloud rende naar Vaughn.
'Jij verrotte *klootzak!*'
Tranen stroomden over haar wangen. Ze tilde hem op met laserkarabijn en al en wierp hem overboord. Op het strand stonden de overlevende rama's doodstil, starend van hun dode speelmakker naar de boot. Een fractie van een seconde later was alleen het vormloze hoopje op het strand nog te zien.
Vaughn kwam peddelend met zijn armen en vloekend en hoestend naar de trap. Elaby negeerde hem en kalmeerde Cloud. Jillian haalde de schutter en zijn wapen met een ruw PK-gebaar uit het

water.
'Wat heb je dat weer mooi gedaan, troefaas dat je bent.'
'Waar maak je je druk om? We hadden toch voorraden nodig, niet soms? Ga je bezwaren maken tegen apeboutjes?'
Vaughn controleerde de laser en begon te schelden. 'Verdomme. Misschien zit er kortsluiting in. Kan ik de hele middag weer bezig zijn dat ding uit elkaar te halen.'
Het schip schommelde licht en trok aan de ankerketting op de zachte wind. Vaughn bleef op de achtersteven terwijl de anderen zich in het stuurhuis terugtrokken en hem buitensloten van hun telepathische overleg. Maar ineens werd die afscherming verbroken. De vier straalden enkel nog ongelovige verbazing uit. Ze keken opnieuw in de richting van de kust. Vaughn draaide zich om om te kunnen zien wat hun aandacht had getrokken.
'Hé, zie je die stomkop!'
Een reusachtige vogel kwam met uitgespreide vleugels naar beneden gevlogen in de richting van het lijkje. Eerst dacht Vaughn dat het een condor moest zijn omdat het dier zo groot was, maar zijn vérziende vermogen identificeerde het toen als een nachtzwarte, onvoorstelbaar grote raaf. Lichtjes kwam de vogel op de grond, strekte de nek en schreeuwde uitdagend.
Vaughn hief zijn Matsu. 'Misschien is er nog wat vuurkracht over . . .' Hij viel uiteen.
De glanzende huid trok samen en barstte, bloed begon te koken, spieren werden aan rafels gescheurd. De beenderen raakten verstrooid in een rode mist en de schedel, met de kaken wijd open, verdween het laatst.
Het wapen viel kletterend op het dek. De mistige rode wolk leek rond te wervelen als een obscene waterfontein die echter langzaam van het dek verdween. Daarvoor in de plaats rees schoon water omhoog dat zich met het restant vermengde tot ook die manifestatie vervaagde. Op het dek bleven slechts een paar roze schuimige plekjes over.
De zwarte vogel verdween.
Felice stond op de achtersteven naast de opgeblazen jol die nog niet te water was gelaten. Ze leek een bleke spookverschijning, enkel de grote bruine ogen spraken dat tegen. Haar platinablonde haar zag eruit als een grote, niet uitgeblazen kaars van een paardebloem. Ze droeg een vest en een korte kilt van sneeuwwitte chamois en ze droeg witte, halfhoge laarsjes aan haar kleine voeten. Haar donkere ogen keken eerst naar het gevallen wapen en daarna naar de vier avonturiers die meenden dat hun dood aanstaande was.
'We waren niet van plan . . .' begon Jillian.
De dertien meter lange boot helde met een ongelofelijke kracht over naar stuurboord waardoor de mensen in de stuurhut veranderden in een schreeuwende kluwen. Al het water in de kleine

inham kwam omhoog. De scheepskiel smakte tegen de nu ineens blootliggende rotsbodem en de stabilisatoren versplinterden. Daarna vloeide het water weer terug en wierp het jacht weer omhoog terwijl het als een dronkeman rondtolde. Felice zelf stond onbeweeglijk aan het dek genageld. Langzaam kwam het schip weer tot rust. Het kleine anker was merkwaardig genoeg niet losgeslagen.
Cloud en Elaby bogen zich over Jillian die bewusteloos op de grond lag. Er stroomde bloed uit een wond aan haar linker slaap. Ook Owen krabbelde overeind, zich optrekkend aan het instrumentenpaneel voor hem.
'Het was slecht van jullie om mijn bruinvissen te doden,' zei Felice. 'Ze zijn veel aardiger dan mensen of buitenaardsen. Altijd vriendelijk.'
Owen Blanchard liet zijn geest langzaam opengaan: Zie, ik ben een oudere. Zie, ik wens u geen kwaad toe. Zie, ik voel spijt over het verlies van uw dierbare vrienden. Zie, ik verwerp de wreedaard en ben verheugd dat u hem hebt vernietigd. U had het recht om dat te doen. Dit is uw wereld. U regeert hier, Vrouwe van de Dieren, Godin van de Wouden, Maanmaagd, Wrekende Jageres.
'Ja,' zei Felice.
Mag ik u aanspreken, Verhevene?
'Jullie zijn allemaal duivels.'
We zijn door u uitgenodigd.
De ivoren wenkbrauwen kwamen omhoog. 'Dat herinner ik me niet.'
Uit Noord-Amerika. Wij zijn uw vrienden. De vrienden die hielpen bij Gibraltar. Nu zijn we gekomen om u te dienen.
'Maar je was jong toen ik tot je sprak en je uitnodigde. Waarom ben *jij* oud?'
Er is wijsheid nodig om u de hulp te geven die u nodig hebt. Ik ben wijs. Deze anderen – en de vrouw die u hebt neergeslagen – zijn hier om met mij samen te werken. Voor u.
Felice keek minachtend naar Jillian.
'Zij zal misschien sterven. Haar schedel is beschadigd.'
Wij zijn genezers. Wij alle drie die hier nederig voor u staan. Wij zullen onze reisgenote weer beter maken.
'Werkelijk?'
De diepere bewustzijnslagen van Felices geest openden zich een ogenblik: daar was chaos, een moeras van rauwe kleuren, onverstaanbare kreten en een hongerige, geschonden hunkering.
(Sluit je bij mij aan! zei Owen tegen Elaby en Cloud op hun persoonlijke golflengte. Wees klaar om te te volgen en te ondersteunen.)
'Er zijn tijden,' sprak Felice, 'dat ik voel zelf genezing nodig te hebben. Ik heb nachtmerries. En soms komen de boze dromen ook

wanneer ik ben ontwaakt.'
De dreigende massa's. Het vuil.
(Nu! Maar heel voorzichtig.)
Is dit de plek waar het pijn doet, Verhevene? Hier? Of daar?
'Oh ja! Hoe heb je dat gedaan? Het voelde . . . goed.'
We kunnen veel beter doen dan dit. Veel meer hulp bieden wanneer u zich opent.
NEE!
(Goeie God, Owen! Ze is er na aan toe ons allemaal om zeep te helpen.)
(Rustig, kinderen. Blijf dicht bij me.)
'Ik zal me niet voor jullie openen,' zei Felice knorrig. 'Ik laat nooit iemand aan me komen. Niet hier en vroeger ook niet, in het Bestel. Dat wilden ze maar wat graag, weet je. Ze wilden me veranderen. Maar dat zou verkeerd zijn. Als ik veranderde, zou ik mezelf niet meer zijn. Ik zou verloren raken. Dat is wat de geestbuigers met je uithalen. Ze maken stuk wat je bent en proberen je te maken zoals ze zelf zijn. Bah . . . kleine zelfgenoegzame wormen!'
Verhevene, wij zijn uiterst fijnzinnige genezers. Werkelijk vakbekwame herstellers veranderen de persoonlijkheid niet. Ze verwijderen enkel de verwondingen. En de pijn.
'Er is pijn . . . waar ik van houd.'
Dat is deel van uw ziektebeeld.
'Mijn Geliefde en ik delen dat, weet je. Hij is een zeer krachtig hersteller, voor een buitenaardse. Enkel die lafaard, Dionket, is sterker dan hij.'
Haar aandacht begon op drift te raken. Beelden ontstonden in die maalstroom. Een prachtig, mannelijk gezicht met ogen van saffier en haar als een toorts. Een niet-menselijke mentale signatuur.
Is dit uw Geliefde, Verhevene? Is dit de Culluket die wij u brengen moeten?
'Ik houd meer van hem dan van het leven of de dood. Hij kan niet dood zijn!' Een golf paniek overspoelde haar. 'Ik heb geen spoor van hem kunnen vinden sinds de Vloed. Als hij gestorven is zonder mij . . . als hij dat heeft gedurfd . . . dan is alles verloren! Maar hij kan zich ergens verborgen houden. Mijn vérziendheid is niet zo groot als mijn andere vermogens.' Volkomen onverwachts vuurde ze een andere vraag af. 'Ben jij een GrootMeestergenezer, duivel?'
(Kijk uit, Owen.)
Natuurlijk. Wilt u de bevestiging zien van het Concilie? (Mentaal beeld.) Alstublieft. Ik ben niet alleen een Grootmeester, maar ik heb deze twee jonge assistenten die ook machtige genezers zijn.
(Dat was heel slim van je, Owen. Je zou zelfs ons hebben kunnen bedriegen.)
(Felice is een kind. Wat weet zij van dat soort zaken? Trouwens de

grens tussen een bedwinger en een genezer-hersteller is vaak moeilijk te trekken.)
'Als je een Grootmeester bent,' zei Felice, 'zou je tegen me kunnen liegen zonder dat ik het merkte.'
(Oh, oh.)
'Opent jullie geesten voor mij, duivels! Laat mij *jullie* maar eens onderzoeken!'
Grote Felice, wanneer u onze geesten beschadigt, zullen we niet meer in staat zijn u op wat voor manier dan ook te helpen. En u mist de vaardigheid om zoiets behoedzaam te doen. Vergeef me dat ik het zeg, maar als wij gewond raken, zult u Culluket misschien nooit meer vinden. Laat staan koningin worden van deze wereld.
'Koningin?'
De doodsbleke verschijning achter op het schip leek zowel lichamelijk als mentaal te verhelderen. Een parelachtige stralenkrans die zelfs in de tropische zonneschijn zichtbaar was, gaf haar het uiterlijk van een godin, van Diana.
'Jullie kunnen een koningin van me maken? Niet alleen over dieren en wouden . . . maar over mensen?'
Koningin van het Veelkleurig Land! Iedereen zou u liefhebben. Mensen, Tanu en Firvulag. Wij zullen u koningin maken en u daarna voor altijd dienen. Alles wat daarvoor nodig is, is uw genezing. Wanneer de nachtmerries en de ellende zijn schoongewassen, komt de ware adel van uw geest vanzelf te voorschijn. Uw metavermogens zullen nog groter worden dan voorheen. U zult onweerstaanbaar zijn! U zult de Godin zijn!
'De buitenaardsen aanbidden de Godin. Maar ze zeggen dat Zij nooit een lichaam heeft gehad. Denken jullie dat dat toch kan? Zonder dat zij het weten? Zonder dat het *lichaam* het weet?'
De verschijning kwam dichterbij, gleed over het dek naar de kajuit midscheeps terwijl de verf op het dek kraakte en blaren trok onder haar gelaarsde voeten. Elaby trok al zijn scheppende vermogen samen tot een onzichtbaar schild en hoopte maar dat ze niet al te hard bleef uitzenden. Terwijl hij zich daarvoor een ogenblik terug moest trekken uit de verbinding met Owen en Cloud, werd hij zich bewust van de aanwezigheid van die *ander*. Die toekeek. Hij kon geen waarschuwing doorgeven, hij kon de verzekeringen die Owen doorgaf aan Felice niet onderbreken zonder de hypnotische, overredende achtergrond te doorbreken.
Een Godin, Felice. Je zult ongetwijfeld een Godin worden zodra je genezen bent.
'Wel . . . wat zouden jullie daarvoor moeten doen? Dat wil ik precies zien!'
We hebben speciale uitrusting bij ons, Felice. Totaal verschillend van wat u misschien aan instrumentarium hier of in het Bestel hebt gezien. We kunnen heel gemakkelijk een mentale verbinding tus-

sen u en ons smeden terwijl u toch volkomen de baas blijft over uw eigen vermogens. Uw genezing zou maar een moment in beslag nemen! Daarna zou al het verkeerde zijn verdwenen. Enkel de glorie zou overblijven. Zullen we u de uitrusting laten zien? De werking demonstreren op één van ons?
Het meisje fronste. 'Uitrusting? Ik dacht dat jullie me konden genezen door van geest tot geest te werken?'
Dat zou veel meer tijd in beslag nemen. En misschien niet eens zo nauwkeurig zijn. U bezit een sterke geest, Felice.
'Dat weet ik.' Haar glimlach was als ijs.
(Elaby. Cloud. Wanneer we de machine gaan gebruiken, wees er dan zeker van dat de krachttransmissie op vol vermogen staat. Kijk uit voor die gemerkte hoofdset.)
Owen Blanchard maakte Felice attent op de gevallen Jillian. Hardop zei hij: 'Deze bewusteloze vrouw is onze schipper, degene die dit schip heeft gebouwd. Mogen we haar mee naar beneden nemen en dan de uitrusting naar boven brengen om die te laten zien?'
'Ik draag jullie schipper wel,' bood Felice aan. De Godin daalde af naar de mensen. 'Ik wil de boot wel eens van binnen zien.'
'Uw aura,' waarschuwde Owen.
'Oh, dat.'
Felice scheen nu pas voor de eerste maal de schade op te merken die haar uitstraling rondom had veroorzaakt. Ze liet een ondeugend lachje horen terwijl tegelijk de gloed rondom haar sterk verminderde. Vervolgens bukte ze zich, streek met een hand licht over de beschadigde oppervlakken en herstelde die. Terwijl ze Jillian daarna met één hand optilde, volgde ze de anderen langs de kajuittrap naar beneden.
'Jill kan op het divanbed liggen,' zei Owen. Cloud en Elaby slipten naar achteren.
Felice werd zachtmoedig. Ze raakte de hoofdwond met een vinger aan.
'Het spijt me van haar. Het was een vergissing. Ik wilde jullie alleen maar bang maken.'
Ze keek de kajuit belangstellend rond.
'Dit is heel mooi. Wat een slimme manier om de lampen en de tafel en de kachel zo vast te zetten.'
'Door de beugels blijven ze altijd horizontaal,' zei Owen, 'ook als het schip overhelt.'
'En jullie zijn helemaal uit Amerika komen zeilen,' overdacht Felice hardop. 'Ik heb er vaak over gedacht daarheen te vliegen, maar ik denk dat ik niet zo lang in de lucht kan blijven zonder in slaap te vallen. Voor het vliegen is veel concentratie nodig, vooral als de wind opsteekt. Kunnen jullie duivels vliegen?'
'Niemand van ons hier. In Florida zijn er enkelen die het kunnen. Maar niet ver.'

Felice slenterde rond en stak haar hoofd in het voorste deel van de kajuit. Ze trok een hangkast open en grijnsde over haar schouder naar Owen. De bergruimte was goed gevuld met verpakte laserwapens en de systemen om de wapens te herladen.
'Dit zullen jullie niet nodig hebben als de Godin je beschermt.'
'Natuurlijk niet,' zei Owen hartelijk.
'Dan is dit dus in orde.' Ze maakte een snel nonchalant gebaar naar de verpakte wapens. Een geluidloze lichtflits en toen bevatte de kast nog slechts een gesinterde amorfe massa metaal die licht rookte. Owen slikte moeilijk.
'We hebben de machine klaar,' zei Cloud vanuit de zitkamer van de kajuit. 'Dragen we die naar boven of wilt u die hier inspecteren?'
'Ik ga liever naar boven,' zei Felice. 'Ik heb zin om weg te gaan, maar dat gesjouw door muren en dingen is zo ongemakkelijk . . .'
'Alstublieft, ga nog niet.'
Het ernstige gezicht van Elaby Gathen, een beetje jongensachtig en door de zon verbrand, liet eerbiedige toewijding zien.
'Misschien blijf ik nog wat langer,' zei Felice. Ze glimlachte tegen hem.
De uitrusting die nodig was om Felice te onderwerpen, was redelijk compact zolang de krachtbron beneden bleef. Cloud legde zorgvuldig de kabels uit terwijl ze naar boven klommen, Felice als laatste. Elaby zette het kleine regelpaneel op de bank in het stuurhuis en activeerde het. Daarna verbond hij het met één van de hoofdsets die gebruikt werden om de monitor te dirigeren. Een ander stel hoofdsets lag nu slordig op de kaartentafel, in niets van de overige twee te onderscheiden behalve door een minimaal krasje op één van de elektroden. Felice was bezig de hele uitrusting met röntgenachtige nauwkeurigheid te onderzoeken, maar de microscopisch kleine circuits waarom het ging konden enkel door een expert worden ontdekt en geanalyseerd.
'De machine is klaar voor een voorlopig eerste onderzoek,' zei Elaby. Hij liet een kap zien van fijn gaas dat goudachtig glinsterde in de zon.
'Degene die geanalyseerd wordt, draagt deze helm, zij die de machine bedienen dragen hoofdsets zoals degene die ik hier draag. Wilt u dat ik nu met u begin?'
'Laat haar het proefkonijn maar zijn,' zei Felice, wijzend naar Cloud.
De dochter van Marc Remillard trok de mazen van de kap over haar blonde haren. Daarna ging ze liggen op de stuurboordbank. Op haar verbrande benen en armen werden nu de blauwe plekken zichtbaar die de val door de stuurhut haar had opgeleverd. Ze droeg een blauw short en daarboven een mouwloos hemd in dezelfde kleur. Ze ademde regelmatig en ontspannen, oppervlakkig men-

taal volkomen in evenwicht. Ze sloot haar ogen.
Elaby drukte een knop in, terwijl hij tegelijkertijd telepathisch de doorkomende draaggolf tegenhield. Een andere mentale impuls bracht de onderwerpende energie op een zijspoor.
'Wilt u meeluisteren hoe Cloud erop reageert?' Elaby pakte de gemerkte hoofdset op waarmee geknoeid was en hield haar die voor.
Ze aarzelde, nam hem toen aan en draaide hem besluiteloos rond in haar handen. De drie anderen stonden volkomen bewegingloos, hun geesten ondoorzichtig. Felice tilde de hoofdset omhoog . . .
Zet hem niet op, Felice . . .
Verrast liet het meisje het voorwerp vallen. Elaby trok het sterkst mogelijke afweerscherm op rondom hemzelf, Cloud en Owen en maakte zich gereed voor haar aanval.
De verre stem van de ander echode in ieders bewustzijn.
Er is met die hoofdset geknoeid, Felice. Hij zal je niet genezen maar schade berokkenen.
De grote bruine ogen bekeken de terugdeinzende duivels beschuldigend.
'Hebben jullie tegen me gelogen?'
Ze logen.
'Jullie zijn niet gekomen om mij te helpen?'
Ze kwamen om je te gebruiken. Ze zijn niet in staat om jou te helpen.
'Niemand kan mij helpen.' Tranen stroomden over haar bleke wangen. 'Ik ben te zondig om ooit weer schoon te worden. Oh, jullie duivels. Natuurlijk zijn het allemaal leugens geweest. Over Culluket die hierheen zou komen en van mij een koningin maken.'
De duivels bleven stom.
'Nu zal ik moeten blijven lijden onder de nachtmerries tot ik verdrink in mijn eigen vuil. Tot de laatste schreeuw.'
Nee kind. Ik zal je helpen.
Felice staarde nietsziend naar de blauwe hemel in noordoostelijke richting. 'Ben jij dat, Elizabeth?'
Ik ben echt een Grootmeesteres en Genezeres, Felice. Je weet dat dat waar is. Die ander heeft zijn recht op Eenheid verspeeld toen hij deelnam aan de Metapsychische Rebellie en zelfs daarvoor was zijn specialisme niet herstellen maar bedwingen. Hij is nooit van plan geweest jou te helpen. Hij en die jongeren zijn hierheen gekomen om jou tot slaaf te maken zodat zij in Europa de baas konden worden.
'Ik zal hen doden! Nu!'
Stop.
'Waarom?'
Je moet niet meer doden. Het zou je genezing nog moeilijker maken doordat de last van je schuldgevoel er groter door wordt. Kom naar

mij toe, zodat ik de pijn en het kwade kan verdrijven zoals ik je beloofd heb. Dan zul je vrede vinden. Ik zal je helpen bij het ontdekken van echte liefde in plaats van de perversie die jou nu beheerst.
'Liefde? Maar zij wilde me nooit hebben,' zei het meisje volstrekt verloren. 'Ook al zei ze dat ze van me hield.'
Arme kleine van me. Ze weigerde jou seks, geen liefde. Je moet nog zoveel leren! Laat mij je onderwijzen. Je moet enkel uit vrije wil komen en vertrouwen.
Met alle kracht waarover hij beschikte, wierp Owen zijn eigen gedachte ertussen.
Ze liegt! Ze liegt! Luister niet, Felice! Wat heeft zij ooit voor jou gedaan? Heeft zij jou bij Gibraltar geholpen? Wij wel! Wij zijn je ware vrienden!
Haar verloren geest en ogen wendden zich tot hem. 'Bewijs het, duivel.'
Vraag Elizabeth of zij jou koningin zal maken! Vraag haar of zij jouw Geliefde terugbrengt!
'Elizabeth?'
Nadat je genezen bent, zul je die dingen anders zien, Felice. Je zult erachter komen wat zieke fantasie is en wat werkelijke liefde. Je zult weten waar werkelijke macht en vervulling huizen en dan zul je vrije keuzes kunnen maken. Je zult jezelf kennen, jezelf liefhebben. Geloof me. Kom.
Het kleine figuurtje schemerde ondoorzichtig. Toen was ze verdwenen. Een raaf wiekte laag over het water van de inham en steeg toen steil omhoog naar het oosten, over land.
Elaby liet zijn afweerscherm oplossen. Hij nam de hoofdset af en liet die vallen. Cloud kwam langzaam overeind en trok de gazen helm van haar hoofd. Owen zakte op de bank ineen. De achterkant van zijn nek was vuurrood en hij beefde licht.
'En nu?' Elaby's stem klonk toonloos.
'We gaan hier zo snel vandaan als we kunnen,' zei Cloud, terwijl ze kalm zijn blik ontmoette. 'We zullen voor die arme Jill doen wat we kunnen. Daarna repareren we de boot en houden ons zo goed verborgen als maar mogelijk is. En daarna, laten we hopen dat mijn vader een bruikbaar advies voor ons heeft als hij terugkeert van zijn zoektocht tussen de sterren.'

11

'Ik weet dat je van de Jacht zult gaan houden,' hield Aiken vol. 'Nooit eerder zul je iets hebben gezien dat op deze beesten lijkt. Een van die draken vrat me bijna op tijdens het geknok toen ik

door de Tanu geïnitieerd werd.'
'Wat een geluk voor het Veelkleurig Land, Strijdmeester,' zei koning Sharn, 'dat u daarvoor werd gespaard.'
Koningin Ayfa en de andere vijf Groten van de Firvulag schaterden van plezier en al de vliegende chaliko's legden hun oren naar achteren en rolden met hun ogen bij dat verwarrende geluid totdat Culluket hun onrust wegnam.
De Vliegende Jacht was het hoogtepunt in het vermaak dat Aiken en Mercy voor de Hoge Raad van de Firvulag hadden georganiseerd op een intiem feest dat aan het Liefdesfeest voorafging. Sommige gasten hadden de uitnodiging afgewezen, want ook al had Aiken de meest ruwe vormen van de achtervolging achterwege gelaten, er waren nog altijd bittere herinneringen aan de tijden toen de nagejaagde prooi op twee benen ging. Zij die geen liefhebbers waren van deze bloedige sport, waren in het kasteel achtergebleven voor een concert waarop Mercy het toezicht hield, terwijl Aiken een complete safari door de lucht aanvoerde op zoek naar de reuzenkrokodillen in de baaien rond het stroomgebied van de Laar. Tot de Tanu in zijn gezelschap behoorden Culluket, Alberonn, Bleyn, Aluteyn, Celadeyr van Afaliah en de formidabele Vrouwe Armida van Bardelask, de weduwe van Darel en nu heerseres over die belegerde stad aan de Rhône. Behalve de koning en koningin bestond het gezelschap Firvulag uitsluitend uit strijdkampioenen, Medor, een van de Eerstkomers onder de Firvulag en Sharns vertegenwoordiger, wiens illusoire aspect leek op een spinachtig zwart reuzeninsekt. Dan was er de Verschrikkelijke Skathe, een reuzin vol bloeddorstige snijtanden en druipende klauwen die altijd goede maatjes was met Ayfa; hun nieuwste held, Fafnor IJsklauw die Culluket tijdens de laatste Veldslag had afgestraft, dan Tetrol Bottenbreker, het gevederde serpent, die in diezelfde slag door Alberonn was verslagen en Betularn met de Witte Hand, een andere oude kampioen die tot de Eerstkomers behoorde en die de tegenstander was geweest van de even eerbiedwaardige Celadeyr zolang ze zich dat herinneren konden.
Niemand van de Groten onder de Firvulag was in staat tot persoonlijke levitatie, laat staan dat ze dat met hun rijdieren konden. Dus was het de taak van de Glanzende om zijn gasten in de lucht te houden. Het daarin mogelijk aanwezige gevaar voor de Firvulag werd tot een minimum teruggebracht door hun veel grotere mentale vuurkracht. Al bij het allereerste begin van hun bezoek had Sharn zich veel moeite getroost om te demonstreren hoezeer het Kleine Volk inmiddels gevorderd was in het gezamenlijk aanwenden daarvan. Vroeger had elke kampioen jaloers geweigerd zijn krachten te bundelen met die van anderen, maar onder Sharns vernieuwende regering begonnen ze snel te leren. Hun samenwerking was nog altijd wat grof en feitelijk enkel werkzaam op het schep-

pende vlak, maar Culluket had bij benadering vastgesteld dat het vermogen aan gebundelde mentale energie van de koninklijke Firvulag waarschijnlijk groter was dan dat van Aiken Drum alleen, die nog steeds deels was uitgeput door zijn koninklijke rondreis. Van Aikens eigen bondgenoten waren enkel Bleyn, Alberonn en Culluket zelf voldoende vertrouwd met Aikens persoonlijke menselijke patroon om een bewustzijnsverbinding te kunnen aangaan. Onder die omstandigheden had Aiken de hoop ter zijde geschoven dat hij nu in staat was een plezierige massamoord op de voornaamsten van de Aartsvijand uit te voeren. Sharn en Ayfa volgden ondertussen hun eigen strategie en straalden goede wil uit naar iedereen, voorgevend dat ze de Wapenstilstand nimmer hadden geschonden.

Het was volledig donker toen de Jacht bij het Gevlekte Moeras aankwam ten zuiden van Goriah. Een bijna volle maan scheen afkeurend door de opkomende mist als een wantrouwende huismeester.

'De plesiosaurussen, deze zeemonsters, moeten hun eieren in zoet water leggen,' vertelde Aiken. 'Daarom zwemmen ze tegen deze tijd de monding van de Laar binnen. In de lagunes paren ze met hun soortgenoten. Maar natuurlijk liggen de krokodillen daar in hinderlaag om de van liefde dronken monsters te slim af te zijn.'

'Passie,' zei koningin Ayfa, 'heeft wel vaker zelfs de dappersten afgeleid.'

Ze droeg een buitengewoon opvallend rijkostuum van roze, metaalachtige stof, purperen schoenen en een mantel van zwart brokaat. Haar abrikooskleurige haar, deels onder een kap verborgen, werd bekroond door een met juwelen bezet diadeem waar met kraaltjes bezette draden van afhingen. Dat eigenaardige versiersel van de Firvulag dat door mensen een gelaatsmasker werd genoemd, bedekte haar kin, gedeelten van haar wangen, de wenkbrauwen en de brug van haar neus, waardoor het een soort open masker werd dat eveneens royaal met edelstenen was bestikt. Ze zag er daardoor bijna mooi uit, wanneer je tenminste geen acht sloeg op de uitpuilende schouderspieren en de strijdlustige glans in haar ogen.

'We zouden makkelijk een plesiosaurus en een draak te pakken kunnen nemen als we toch hier zijn,' suggereerde Fafnor.

De Tanu in het gezelschap straalden ongenoegen uit. Aiken nam de moeite uit te leggen waarom.

'Wij beschouwen het als onsportief, jongen, om de zeemonsters te jagen tijdens hun hofmakerijen. Maar de draken mogen worden gejaagd. Jij krijgt het eerste schot.'

'Arme krokodillen,' zei Vrouwe Armida. 'Niemand schijnt sentimenteel te willen doen over *hen*. En toch heeft de wijze Seniet ons voorgehouden dat zij evenzeer een met uitsterven bedreigde soort zijn als de plesiosaurus.'

'Of de Tanu,' voegde de Verschrikkelijke Skathe er opgewekt aan toe.
'De Goede Godin zij gedankt dat zovelen van *ons* Volk van de Vloed zijn gered,' kraaide de oude Betularn met de Witte Hand.
'Jullie hebben het overleefd omdat we jullie verslagen hebben!' barstte Celadeyr los. 'Jullie wisten niet hoe gauw jullie je hoogmoedige reet van de Witte Zilvervlakte moesten krijgen nadat we jullie in de Ontmoetingen der Helden hadden verslagen. Doodgewoon onbeschoft, de manier waarop jullie de benen namen nog voor de prijzen waren uitgereikt. Slechte verliezers.'
'Maar wij leven.' Betularn keek zelfvoldaan. 'In de Veldslag van het komende jaar zullen jullie Tanu nog geen vier compagnieën kunnen opstellen tegen onze veertig.'
'De Veldslag van dit jaar wordt volkomen anders,' zei Aiken. 'Zullen we het maar vertellen, Sharnie?'
'Waarom niet, Strijdmeester? De officiële aankondiging daarvan tijdens het Grote Liefdesfeest is al over enkele dagen.'
De Jacht verminderde haar snelheid, vormde een kleine kring en kwam midden in de lucht tot stilstand. Zowel mentaal als hardop was de verwondering merkbaar van de vazallen van de Firvulagkoning maar ook van Celadeyr en Vrouwe Armida, die niet dicht genoeg bij Aiken stonden om vertrouwd te zijn met diens geheimste plannen.
'Het is heel simpel, mensen,' zei Aiken. 'Er zijn zoveel dingen in het Veelkleurig Land veranderd dat oude gewoonten domweg niet meer praktisch zijn. Betularn heeft gelijk dat het Kleine Volk nu tien maal sterker in aantal is dan wij. Wij zouden geen Grote Veldslag meer kunnen leveren zonder volledig verpletterd te worden. Dus heb ik twee weken geleden een volstrekt ander voorstel gedaan aan Ayfa en Sharn, een nieuwe opzet. Geen Grote Veldslag, maar een Groot Toernooi. Geen gevechten meer tot de dood, maar wedstrijden met een hele nieuwe puntentelling. Als je het goed bekijkt ging het bij de Ontmoeting der Helden ook al alleen om de punten, niet om het doden en iedereen weet dat dat het spannendste gedeelte was. We hebben een compleet nieuw programma ontworpen van ruige knokpartijen en krachtmetingen waarbij vaardigheid de grootste rol speelt. Ik zeg niet dat er helemaal geen doden meer zullen vallen. We willen ten slotte niet dat dit een feestje wordt voor slappelingen. Maar het koppensnellen wordt symbolisch, niet meer echt. De verliezers betalen de winnaars in geld en goederen en met hun strijdstandaarden.'
'En er komt een volkomen nieuwe overwinningstrofee,' besloot Sharn. 'Met de complimenten van de Firvulag. Nu zowel het Zwaard als de Speer verdwenen zijn, hebben we een nieuw symbool van onze wedijver nodig. En onze beste vaklui zijn daar in Hoog Vrazel druk mee bezig. Een Zingende Steen! Het is een reus-

achtige beril, lichtgroen, zo bewerkt dat hij reageert op psychische emanaties en gesneden in de vorm van een troonzetel. Aan het einde van elk Toernooi zal hij worden afgestemd op de aura van de winnende monarch. Een heel jaar lang zal de Steen dan antwoorden met etherische muziek zodra de *waarachtige* Hoge Koning erop gaat zitten.'
'En daarmee staat dan voorgoed iedereen die maar doet alsof voor joker,' zei Aiken met een knipoog tegen Sharn. Iedereen wist dat de heerser van de Firvulag de titel illegaal had gebruikt sinds de Vloed.
'Geen gevechten meer tot de dood?' riep de teleurgestelde Celadeyr uit.
'Geen koppen meer afslaan?' echode Betularn.
Beide veteranen waren zowat met stomheid en afschuw geslagen. Aluteyn schonk zijn tijdgenoten een zure glimlach.
'Aan alle goede dingen komt een keer een eind. Onze Ballingschap gaat een nieuw tijdperk in of we dat nu leuk vinden of niet.'
'Maar de Hoge Raad van het Kleine Volk heeft er niet eens over gestemd!' protesteerde Tetrol Bottenbreker. 'De oude koning Yeochee zou nooit van zijn leven . . .'
Ayfa sneed haar leenman het woord af.
'Onze koninklijke broeder Yeochee is niet meer. *Wij* hebben dus over deze zaak beslist. Het zal jullie trouwens interesseren te weten dat het Grote Toernooi van dit jaar zal worden gehouden op ons eigen Veld van Goud in Nionel, evenals de daarop volgende toernooien . . .'
'Als jullie blijven winnen, Koningin Vleeseetster!' onderbrak Armida.
Ayfa sprak rustig door. 'Evenals de daarop volgende toernooien totdat jullie Tanu zover zijn gevorderd dat jullie weer de beschikking hebben over een eigen strijdveld. Daarna zullen onze twee rassen om de beurt gastheer zijn, ongeacht welke partij er wint.'
'Dat klink redelijk,' zei Aluteyn.
'Het stinkt,' zei Celadeyr.
'Je hebt verdomd gelijk,' stemde Betularn in.
'Het is geregeld!' schreeuwden Aiken en Sharn tegelijk. Al de chaliko's steigerden. Uit het moeras onder hen kwam een gebrul als antwoord hierop.
'Horen jullie het?' Aiken grijnslachte breed. 'De draken weten dat hun favoriete toetje is aangekomen. Ik! Zullen we naar beneden gaan? Laten de Firvulag die trek hebben in de Jacht hun wapens gereed houden. Ik zal als aas fungeren. Als de kroko's me toch te pakken krijgen, komen alle afspraken te vervallen. Dan kunnen jullie alsnog je Oorlog der Schemering uitvechten wat mij betreft.'
Tegen de wind in koersten de chaliko's omlaag in de richting van

een lagune die omzoomd was door grote taxodiumcipressen. De lagune was van de hoofdstroom van de Laar gescheiden door een kronkelend smal watertje. Aiken draaide de mentale verlichting van zijn goudstralende aura uit en de andere ruiters volgden zijn voorbeeld. Sharn gaf zijn rijdier de sporen om te zorgen dat het de menselijke overheerser bijbleef. In tegenstelling tot de koningin droeg Sharn geen rijkostuum, maar een sierlijke wapenrusting van obsidiaan. In plaats van de zware strijdhelm droeg hij echter een lichte helm zonder vizier, bekroond met drie horens. Zijn lange, zwarte haar golfde uit de openingen op de schedel als pluimen van duistere rook. Hij droeg een zwaard met een blad van kristal dat bijna even lang was als het lichaam van Aiken.
'Je draagt zelf geen wapen, Strijdmeester,' merkte Sharn op tegen Aiken.
'Ik heb genoeg andere dingen te doen op deze Jacht,' antwoordde de kleine man. 'Jullie in de lucht houden bijvoorbeeld. In ruil daarvoor moeten jullie voorkomen dat die krengen beneden middernachtelijke gehakt van me maken.'
Nu kwam de telepathische waarschuwing van Culluket door, die van allemaal het best op afstand kon waarnemen: Stilte allemaal. Er komt iets het kanaal op. Geen draak. Plesiosaurus.
Aaahh!! riepen de Firvulag. De hele groep bevroor in de lucht, van achteren spookachtig beschenen door de maan.
Beneden in de baai kwam iets boven water en rees er gedeeltelijk bovenuit tot het duidelijk werd dat inderdaad een zeeslang bezig was in hoog tempo het water te doorkruisen op weg naar de lagune. Hij trok een V-vormig golfspoor achter zich aan en terwijl hij dichterbij kwam werd behalve de vijf meter lange nek nu ook de rug zichtbaar. Het ondier opende wijd zijn kaken naar de maan en liet een klaaglijk tweetonig getoeter horen: *Ooo-aawww.*
Verderop in de lagune brak een andere slangachtige nek uit het water, die al schuddend een mist van zilveren druppels verspreidde. Diens getoeter was hoger van toon, maar het naderende schepsel antwoordde en begon nog sneller te zwemmen. Beide monsters bleven elkaar roepen totdat ze elkaar ontmoetten. Toen verstrengelden de twee glanzende nekken zich met elkaar en het getoeter veranderde in een oorverdovend duet. Daarna verdwenen beide dieren onder water en lieten enkel olieachtige luchtbellen en verwaaiende echo's achter. Zij die vérziende waren onder de toeschouwers konden de reuzenparing diep in het inktzwarte water gadeslaan. Daarna kwam het mannetje eerst boven, drijvend aan de oppervlakte en zachtjes peddelend, terwijl het vrouwtje naar een deel van de kust zwom waar de cipressen verder uiteen stonden te midden van een half zompige massa van doordrenkte aarde en humus. Ze hees haar massieve lichaam op het land en kronkelde zich zwaarwichtig verder tot ze zwaar ademhalend ongeveer vijf of

zes lichaamslengten verder was, dat wil zeggen zo'n kleine tachtig meter. Daar leek ze in volstrekte razernij te ontsteken tot ze in de modder een holte had gemaakt door te slaan met haar vinnen en te ranselen met haar lichaam waarin het grondwater duister glom.
De eieren! De eieren!
De uitroepen van koningin Ayfa werden overgenomen door de andere Firvulag. Om de anderen met zwakkere vermogens behulpzaam te zijn, vergrootte Culluket dat van hemzelf zodat ze allemaal via hem de grote, parelachtige eivormen konden zien die elk twee keer zo groot waren als een mannenhoofd en die één voor één in de warme modder werden gedeponeerd. Het vrouwtje rustte enige tijd nadat het laatste ei was gelegd en begon toen aan een reeks langzame zwembewegingen die de bedoeling hadden de holte weer dicht te maken en het broedsel af te sluiten.
Buiten in het water zonk de mannelijke plesiosaurus langzaam uit het gezicht. Hij slaakte nog een laatste toeterende kreet en verdween toen onder water. Het vrouwtjesdier lag nu bewegingloos, haar modderige flanken echter bewogen heftig op haar hijgende ademhaling.
Kijk naar rechts, zei Culluket.
Twee reuzenrotzakken, zei Aiken.
Hij dreef zijn glazen sporen in de schouders van zijn chaliko. De gouden ridder en diens rijdier gleden door de lucht en kwamen op de grond terecht met hoorbaar zuigend geluid. De chaliko zakte tot aan zijn vetlokken in de modder, maar protesteerde niet. Aiken sprong van zijn rug en barstte uit in een halo van helder schijnsel. Het hele terrein onder de bemoste cipressen werd erdoor verlicht als op klaarlichte dag. Door de magere onderbegroeiïng kropen twee krokodillen in de richting van de uitgeputte vrouwtjesplesiosaurus. Hun ogen fonkelden rood en hun bekken stonden half open waardoor hun slagtanden zichtbaar werden, die het formaat hadden van gepelde en bijgepunte bananen. De kop van het grootste reptiel was zeker twee meter lang.
Aiken kwam huppelend over de moerasachtige ondergrond als een gek geworden dwaallicht terwijl hij de meest vulgaire geluiden uitstootte. De krokodil die vooropging, wendde zich naar Aiken terwijl de ander perplex stilhield.
'Waar wachten jullie spoken op,' daagde Aiken de Firvulag uit. 'Val aan, verdomme!'
'Mag ik, Hoge Koning?' smeekte Fafnor, terwijl hij zijn lans velde.
Sharn knikte. 'En jij, Medor. Blijf in de buurt en pas op.'
Met strijdlustige kreten brachten die twee hun chaliko's in de richting van het lichtgevende, dansende manneke. Het leek even alsof ze hem ondersteboven zouden rijden, maar hij sprong omhoog, warrelde als een afgevallen blad dat elke aanval makkelijk ont-

week. Fafnor spieste de dichtstbijzijnde krokodil dwars door het midden van zijn lijf. Het dier brulde luidkeels, trok zijn lichaam samen en sloeg met zijn machtige staart naar de chaliko die enkel werd gered omdat hij ineens vier meter in de lucht rees. Fafnors lans bleef in het waanzinnig kronkelende lichaam achter. Daarop trok de jonge held zijn lange zwaard en ging opnieuw achter zijn prooi aan. Ditmaal moest hij niet alleen de klauwen en de bek ontwijken, maar ook zijn eigen lans die plotseling een eigen leven leek te leiden. Verschillende keren scheelde het maar gevaarlijk weinig of hij werd door zijn eigen wapen uit het zadel geworpen. Medor kon weinig anders doen dan er hulpeloos bijstaan. Ingrijpen met zijn metavermogens zou het gevecht een onsportieve wending geven en de regels van de Jacht stonden een tweede man alleen maar toe aan de strijd deel te nemen wanneer de eerste uit het zadel was geworpen of ontwapend.
'Niet zijn staart aanvallen, rund!' schreeuwde Aiken. 'Je zit niet aan tafel een biefstuk te snijden! Doorsteek zijn hersens! Achter het oog!'
Fafnor herstelde zich en wist ten slotte de kritieke plaats te lokaliseren. Met een machtige tweehandige stoot kwam het zwaard naar beneden. Hij trok zich schielijk in veiligheid terug terwijl het reptiel in doodsnood om zich heen ranselde. Ten slotte stroomde er donker bloed uit de bek en daarna lag het stil.
Het hele Jachtgezelschap kwam fonkelend tot leven. Regenboogkleurige straling verlichtte de hele lagune en zowel de Tanu als de Firvulag juichten. Aiken liep naar het dode monster, sneed met behulp van zijn psycho-energie één van de slagtanden af en overhandigde die trofee aan Fafnor.
'Goed gedaan, jongen.'
Inmiddels was de tweede krokodil verdwenen. Maar het sportieve bloed van het Kleine Volk was nu toch ontwaakt en ze stonden erop dat Aiken Drum voor nieuwe prooi zorgde.
'Waarom niet? De nacht is nog jong.'
Een bestudeerd nonchalante glimlach gleed rond de mond van de grappenmaker.
'Iedereen kan een beest op het land bevechten. Maar de echte opwinding komt pas wanneer het je lukt om er eentje vanuit de lucht en boven zee te grazen te nemen. Wanneer jullie Firvulag trek hebben in echt iets spannends, dan zouden we naar de Straat van Redon kunnen vliegen om een plesiosaurusstier op te zoeken. Mannetjes die niet aan paren toe zijn, zijn daar altijd te vinden. Allicht geldt ook daar de gebruikelijke beperking: geen metavermogens gebruiken, enkel je gewone wapens. En nog een afspraak! Geen slordigheden, geen beesten zo verwonden dat ze weg kunnen zwemmen om ergens anders dood te gaan. Als het niet bij de eerste keer vanuit de lucht goed lukt, dan zul je het water in moeten om de

zaak af te maken.'
Er viel een abrupte stilte. Aiken liet een sarcastische blik over de gezichten van zijn woeste gasten glijden.
'Wat nou? Geen vrijwilligers? Ze zeggen van de Firvulag dat jullie in het water een stuk dapperder zijn dan de Tanu. Het kan voor jullie toch niet moeilijk zijn om zo'n beest in zijn eigen element af te maken? Zo moeilijk zijn ze niet te pakken te krijgen. Alles wat er voor nodig is, is een scherp oog . . . en lef.'
'Ik wil het best proberen als geen man van onze Aartsvijand het aandurft.'
De stem van de oude Celadeyr van Afaliah klonk ongewoon vrolijk.
'Laat mij het mogen doen, Hoge Koning,' smeekte Betularn zijn soeverein. De andere Firvulag stemden daar haastig in koor mee in.
'Nee,' zei Sharn. 'Die eer komt enkel mij toe, anders zou onze hooghartige gastheer wel eens kunnen denken dat wij te kort schieten in die eigenschap die door Minderen zo op prijs wordt gesteld: lef.'
'Ik moet nodig eens een goed lesje hebben,' zei Aiken, 'dat is waar. Laten we gaan.'
De Vliegende Jacht scheerde omhoog en westwaarts in de richting van de Straat. De maan stond halverwege. Aiken bracht de ruiters op een aanzienlijke hoogte zodat ze in staat waren de zwarte strook van de kust te zien, het glinsterende water, de verre lichten van Goriah aan de horizon en zelfs de twinkelende vuren van het Firvulag-kamp veel verderop aan de kronkelende Laar, vlak bij het Meiwoud.
'Een plesiosaurus die 's nachts in open water blijft, is meestal een heel jonge of een heel oude,' legde de glanzende jongeling uit. 'Nou, die grote oude stieren mogen dan geen zin meer hebben in een nummertje, maar ze weten nog heel goed hoe ze vechten moeten, neem dat van mij aan! We zullen boven zee blijven kruisen totdat Cull er eentje gevonden heeft die echt de moeite waard is, Sharnie, en dan kun je ons laten zien hoe een echte Firvulag zoiets aanpakt.'
Idioot, zei Ayfa tegen haar echtgenoot over hun persoonlijke golflengte.
Hij heeft me erin laten lopen.
Natuurlijk.
Moet ik mezelf soms een beetje belachelijk laten maken door een stelletje kakelende grijsaards? Ik ben koning en Strijdmeester!
En een prachtig voorbeeld van lef en stommiteit.
Plesiosaurussen zien er niet zo gevaarlijk uit als krokodillen. Die ene in dat moeras had ik met een stomp tafelmes nog kunnen afmaken.

Je zit er nu aan vast. En ik heb het onbehaaglijke gevoel dat Aiken dit allemaal vooruit heeft bedacht!
Als hij mij wil verraden, moet dat gebeuren terwijl ik met dat ondier bezig ben. Jij en Medor moeten die kleine gouden bastaard voortdurend in de gaten houden. Als er iets aan zijn PK verandert, ook maar de geringste aanwijzing dat hij mij in het water wil laten vallen, dan moeten jullie je allemaal verenigen om hem de lucht in te blazen. Zelfs als we allemaal ons leven verliezen in het gevecht dat daarop volgt, dan is tenminste de eer van ons ras gered.
Moge Té je bewaren, lieve gek! Je *weet* hoe ik over dat soort eer denk!
Ja. En toch doe je maar wat ik je zeg. Wees nou stil.
'Ik heb een geschikt zeemonster ontdekt, Strijdmeester,' zei Cullu-ket tegen Aiken.
'Dan gaan we!' riep de Glanzende. De hele cavalcade dook als een lichtende vuurpijl in de richting van de maanverlichte zee.
'Is hij aan de oppervlakte, Cull?'
'Hij ligt lekker,' bevestigde de Ondervrager, 'maar hij is waak-zaam. We kunnen ons maar beter onzichtbaar maken. Op de koninklijke tegenstander na, natuurlijk.'
Dertien deelnemers aan de Jacht verdwenen, enkel Sharn en diens rijdier bleven over, als een duistere meteoor omlaagkomend ter-wijl de PK van Aiken Drum hen ondersteunde.
Telepathisch vloog de gedachte van Aiken naar de koning van de Firvulag:
Wij blijven boven in de buurt. Pakhem! Nekslag is je bestekans. Slonshal, GroteJongen!
Sharn trok zijn zwaard. Hij trok de teugels aan zodat hij net boven het water vrijwel tot stilstand kwam en zweefde toen in de richting van een onduidelijk glanzende massa te midden van kleine golven die met schuim waren bedekt. De nek van de plesiosaurus lag in sierlijke bochten over het water gestrekt, de slanke staart golfde heen en weer. Het was een reusachtig beest, bijna zo groot als de walvissen van de Zee van Antwerpen en zeker nog de helft groter dan het parende stel in het moeras.
Sharn naderde het schepsel bijna op golfhoogte, achter de kop. Hij bad dat diens gezichtsvermogen opzij en achteruit beperkt was, dat de rubberachtige huid niet gevoelig was voor luchtverplaatsing en dat de wind niet zou draaien om zijn geur te verraden.
De plesiosaurus roeide voorwaarts en maakte daarbij gebruik van zijn vinnen en zijn wrikkende staart. Sharn bleef hem volgen, een monster vol juwelen met een geheven zwaard van kristal, zijn tijd afwachtend tot het beest van richting veranderde en de nek in een gunstige positie kwam voor slag of stoot.
De wind draaide. Het monster kreeg zijn geur te pakken. Sharns hielen groeven zich in de romp van zijn chaliko en deze stormde

voorwaarts. Een ongelofelijke nek kwam omhoog, gordijnen water verspreidend. Daarna trok de hals zich achterwaarts als een zich spannende zweep terwijl de kaken zich openden. Sharn gaf zijn chaliko een woeste klap met de teugels en stoof in volle galop weg, niet meer dan een meter boven de golven terwijl de monsterlijke kop hem achtervolgde.
Plotseling in paniek voelde Sharn hoe iets zijn gepantserde linkerkuit beetgreep. De chaliko werd tot stilstand gedwongen en zowel ruiter als rijdier schreeuwden luidkeels. Maar zelfs in die doodsnood wist de koning zich gebonden door de regels van de Jacht. Hij blies het schepsel niet op, maar stak er onhandig naar met zijn zwaard. De kaken lieten los, de chaliko stootte een woedend gegrom uit toen de greep op zijn ruiter losser werd en jager en prooi uit elkaar werden gedreven. Sharn dwong de chaliko overeind en omhoog en die reageerde zoals hij getraind was, makkelijk door de lucht rennend alsof het een steppe was. Daarna keerde hij zijn rijdier en stormde weer ten aanval. De woede veroorzaakte een hoog zingend geluid in zijn hersens. Die Mindere had dit allemaal zo gewild. Hij en die Ondervrager kenden de woestheid en de sluwheid van de plesiosaurus van vroeger en hadden de Jacht met opzet in deze richting gedirigeerd. Nu keken ze toe hoe hij zou worden gedood.
Het monster kwam in bliksemsnelle uitvallen hoog uit het water, blazend en schuimend en kronkelend als een reuzepython uit een nachtmerrie. De kop was niet eens zo groot, maar de tanden waren teruggebogen en vlijmscherp. Eén ervan had blijkbaar al een deel van de beplating van zijn pantsering doorboord, want hij merkte dat er iets langs de achterkant van zijn linkerbeen druppelde hoewel hij geen pijn voelde.
Dus dat was je van plan? Of niet?
Terwijl hij naar de slang dook, schreeuwde hij luidkeels de oude strijdkreet van het Kleine Volk uit de tijden toen zijn grootvaders grootvader gestreden had met de Glanzende Lugonn, ver weg bij het Scheepsgraf, het onsterfelijke Zwaard in de hand.
'Ylahayll!' bulderde koning Sharn-Mes. 'Ylahayall! Tanu! Ylahayll Aiken Drum!'
De kronkelende nek schoot op hem toe, de kaken wijd open, in een baan die Sharn rampzalig zou worden wanneer hij ditmaal miste. Hij schreeuwde weer: 'Ylahayll!' en stak toe.
De kop van het monster tuimelde in zee.
Ver boven hem ontstak de Jacht in een flonkerend, veelkleurig licht terwijl de Jachtgenoten als engelen in kringen ronddraaiden. Sharn viste de drijvende kop uit zee en wierp die met al de reuzenkracht waarover hij beschikte in de richting van Aiken Drum. De kop lichtte groen op, de tanden in de opengesperde bek glinsterden vals.

'Deze trofee is dit keer voor jou,' schreeuwde Sharn tegen zijn gastheer.

12

Bij de dageraad van de laatste dag in april begon het Grote Liefdesfeest van de Firvulag met de inleidende feestelijkheden.
Uit hun kampement op het Veld van Goud stroomden duizenden en nog eens duizenden van het Kleine Volk te voorschijn, allemaal in hun mooiste kleren. De jongens en meisjes van huwbare leeftijd droegen bloemslingers van verbena met linten erin en geurend van sint-janskruid. Beide kruiden waren gekozen omdat ze het meest leken op bepaalde vruchtbaarheidskruiden die ze eens op het verloren Duat hadden gebruikt. De matrones droegen armen vol kostbare geschenken, verpakt in geborduurd linnen en het manvolk torste trompetten, schalmeien, fluiten, cymbalen, tamtams en zestien verschillende soorten trommels. Achter hen volgde een grote horde kleine kinderen die mantels en mutsen droegen van gevlochten bladeren, manden vol gekleurde eieren en die luidruchtig zwaaiden met hun ratels.
Te midden van dat muzikale lawaai trok de menigte in de richting van de oprit van de hangbrug over de Nionel waar ze werden ontvangen door een bereden delegatie uit de stad, aangevoerd door Sugoll. De Heer van de Huilers, zijn prachtige illusoire lichaam helemaal gehuld in het wit, wenste zijn verwanten een vrolijke mei en ging hen voor over de brug. De brug was behangen met banieren in alle kleuren van de regenboog en met guirlandes van bloemen.
Aan de overzijde van de rivier wachtte de herboren stad Nionel, al haar poorten open. De vernuftige en werklustige nieuwe dwergenbevolking had het vuil en afval van veertig lange jaren nauwgezet verwijderd. De zwermen paddestoelen, al het aangekoekte mos waren van koepeldaken en torens verwijderd. Alles glansde weer als goud in de zon. Uitgevoerd in goud waren ook de nieuw gepleisterde huizen, de met zand bestrooide straten en de immense ruimte van de grote plaza waar het feest zou plaatsvinden.
Al de fonteinen en lampestandaards en hekwerken van de stad waren stralend verguld. Het nieuwe Paviljoen der Groten had pilaren die met serpentines van groen en gele rozen waren omwikkeld en overal hingen markiezen van goudlaken. Rondom het plein lag een groene gordel van laantjes met bloeiende bomen. Vanaf de omringende gebouwen wapperden banieren en vlaggen en ruikers bloemen.
De Huilers van Nionel waren zo mogelijk nog overdadiger en fees-

telijker gekleed dan hun niet-gemuteerde feestgenoten. Ze bevolkten straten en balkons, verdrongen zich voor de vensters en stroomden rijen dik door de zijstraten omdat er onder de arkaden vooraan geen plaats meer voor hen was. Terwijl de invasie van verwanten zich over het plein uitstortte, zongen ze luidkeels het Grote Madrigaal van de Liefde:

Kom naar deze gele vlakten
allen die een beminde zoeken,
dans tien maal rondom de bloeiende boom,
kies je geliefde en betaal de prijs.
Maar pas op voor de dieven der liefde
en pas op voor de vermomde Vijand!
Schuw de moederskinderen en de pinnige maagden
en schoonouders met lege zakken!
O, Koning en Koningin van de Mei, regeer in mildheid,
Zoete Godin, zegen de uren van vreugde en min,
ontsteek de dubbele grote vuren om middernacht
en schenk hen die ertussendoor gaan eeuwige liefde.

Sugoll en diens gezelschap reden naar het Paviljoen der Groten waar de Heer der Huilers afsteeg en plaatsnam op zijn troon. Sugoll en Katlinel, die Meikoning en Meikoningin zouden spelen, ontvingen de menigte edelen der Firvulag die werden aangevoerd door de Grote Kapitein Galbor Roodkap en zijn vrouw Habetrot en de legendarische gezellen Finodcree en Mabino de Droomspinster. Koning Sharn en Ayfa en de meeste leden van de Firvulag-raad bevonden zich voor de festiviteiten bij de Tanu in Goriah, maar ze werden nauwelijks gemist, zo groot was de opwinding onder het Kleine Volk nu er eindelijk weer een Liefdesfeest in Nionel ging plaatsvinden.
Twee volle generaties lang had de stad geen Meifeest aanschouwd. In al die jaren van suprematie van de Tanu hadden de Firvulag uit verdriet en gekwetste trots hun Liefdesfeest laten verworden tot lokale, onbeduidende aangelegenheden. Nionel was lange tijd een plaats geweest die ze eerder schuwden dan graag bezochten, toen het ernaar uitzag dat het Veld van Goud nooit meer de plaats zou zijn waar Spelen zouden worden gehouden.
Maar nu was alles veranderd. Terwijl de nieuwkomers hun plaatsen innamen, werd er druk gefluisterd en geroepen wat voor een prachtig werk de mutanten hadden verricht bij het restaureren van de stad. (Om de waarheid te zeggen, de stad had er nooit beter uitgezien.) Er was nog altijd het probleem van de Afschuwelijke Bruiden, maar het gerucht ging dat de opvolger van Breede daar een oplossing voor had. Wel, als dat waar was, zag het ernaar uit dat dit een Meifeest kon worden dat iedereen zou heugen.

'Nu gaan ze eerst Sugoll en Katy kronen met bloemen,' zei Gekke Greggie tegen Commandant Burke. 'Dan vaardigen die hun eerste opdracht uit en dan kan het opstootje beginnen.' Hij giechelde van vrolijkheid en opwinding.
'Toch niet een echt opstootje,' zei Amerie Roccaro, terwijl ze haar kopje koffie neerzette. Ze hadden zich allemaal veilig genesteld in een zijvleugel van het Paviljoen, al de drieëndertig op een zijspoor geraakte reizigers die naar Verborgen Bron hadden gewild en die nu een soort onverwachtse ceremoniemeester hadden getroffen in Greg-Donnet, Meester der Genetica. De meute van bijna duizend blootnekvluchtelingen die ze van het Lac de Bresse naar Nionel hadden gevoerd, was onder de feestvierende menigte verspreid, en gekleed in geleende kleren van de Huilers waren ze niet van de lokale bevolking te onderscheiden voor zover die ongeveer de menselijke grootte bezat.
'Nu moet u goed opletten, Zuster,' zei Greggie. 'Sugoll heeft me verteld wat er nu gaat komen. Zie je wel? Daar komt het Kleine Groene Leger al aan!'
De stoet van in groene bladeren geklede kleintjes naderde de tronen van Sugoll en Katlinel. De Koning van de Mei hief zijn bekranste scepter hoog op.
'O dapper Groenvolk, verdedig ons heilig feest tegen de Aartsvijand! Doorzoek elke schuilplaats, elk holletje, iedere donkere hoek, opdat geen sluwe tegenstander op ons feest binnendringt om onze kostbare bruiden en bruidegommen te stelen.'
Een schril gekrijs ging op onder de fee-achtige horde. Ze verspreidden zich in het wilde weg tussen de volwassenen en begonnen aan hun zoektocht, brutaalweg rokken optillend en kleding doorzoekend. De volwassenen reageerden hierop met verschrikte kreten en gebruikten hun muziekinstrumenten om een oorverdovend lawaai ten gehore te brengen. De onderkruipertjes waren daardoor volstrekt niet ontmoedigd en trokken vrolijk zoekend verder onder de feestvierders, van wie een groot deel zich nu begon te concentreren aan de oostzijde van het plein waar de eethuizen lagen. Ze klommen over tafels, gooiden parasols omver en stalen elke lekkere brok die niet met hand en tand werd verdedigd.
'Natuurlijk zijn er nooit klandestiene Tanu onder de deelnemers geweest,' zei Greggie. 'Ik ben bang dat het Kleine Volk een nogal overdreven dunk heeft ten aanzien van zijn eigen begeerlijkheid! Maar om de pret erin te houden hebben een paar volwassenen uit Nionel zich in namaakwapenrustingen gestoken om voor boeman te spelen. Kijk, daar heb je ze al!'
Een troep pseudo-Tanu, gewapend met strijdhamers van ballonnen, stormde uit een zijstraat het plein op. Gillend rende het Kleine Groene Leger hen tegemoet met zijn eigen wapens. In een oogwenk was de lucht gevuld met vliegende gekleurde eieren. Sommi-

ge waren gevuld met confetti, andere met waterverf of met soorten mos die genies veroorzaakten. Er waren eieren gevuld met honing of met veren, en enkele waren niet leeggeblazen. De minst zachtmoedigen onder de kinderen gebruikten zelfs hardgekookte of verzwaarde eieren. Wanneer de 'Tanu' werden geraakt, sloegen ze woest terug met ferme zwaaien van hun ballonwapens terwijl ze af en toe even iets van hun griezelige fantoomaspecten lieten zien. Maar de met bladeren beklede jeugd liet zich niet uit het veld slaan. Tientallen van hen besprongen de nu volledig besmeurde tegenstanders en trokken hen op de grond. Daar stierf de vijand onder hartverscheurend gekreun, tussen uit elkaar springende ballonnen en het krakende barsten van de laatste eieren. Er werden touwen gehaald die om hun bepantserde enkels gingen en zo sleepte het triomfantelijke Groene Leger de verslagen Aartsvijand weg terwijl de overige volwassenen bulderend van het lachen toekeken en zich daarna gereed maakten om aan een vorstelijk en uitgebreid ontbijt te beginnen.
'Die kleine deugnieten hebben een feestje voor zich alleen in een ander deel van de stad,' zei Greggie, 'zodra ze zich weer een beetje toonbaar hebben gemaakt. Gedurende de rest van het feest hebben zij hun eigen, gescheiden vermaak. Poppenkasten, wedstrijden, dat soort dingen. Op die manier lopen ze de groten niet voor de voeten bij hun eigen feest.'
'Dat legertje in het groen deed me bij tijd en wijle opvallend denken aan sommige stukken uit Frazers *Golden Bough*,' merkte Basil Wimborne op. 'Het uitbannen van slechte invloeden voor het begin van de vruchtbaarheidsriten! Ik vraag me af hoe het oorspronkelijke, waarschijnlijk gewelddadiger aspect van dit ritueel er op hun thuisplaneet heeft uitgezien.'
'Alsjeblieft, collega,' protesteerde Greggie, 'ik zit te eten.'
Hij likte de aardbeienjam van zijn vingers en vertrok naar het overdadige buffet waar de uitverkoren menselijke gasten zich te midden van de buitenaardse edelen te goed konden doen aan pasteitjes, toost met tong, gebakken eieren met champignons, gegrilde antilopebiefstuk met sausjes, gebakken niertjes en frisse fruitsalades met in honing gezoete geslagen room.
'Trouwens, als je echt zin hebt in een dubbelzinnige theorie, wat dacht je dan van de ceremonie rondom onze onschuldige Meikoning en Meikoningin en de hele vertoning met de Meiboom?'
'Ben je weer bezig onze folklore van ondeugend commentaar te voorzien, Greggie?' vroeg Sugoll die ineens bij hen stond, groot en prachtig en gekroond met witte en rode lelietjes.
De Meester der Genetica was beleefd genoeg om schaapachtig te kijken. Sugoll wendde zich tot Burke en Basil.
'En jullie? Bevalt het spektakel tot zover?'
'Het is een welkome afleiding, Heer Sugoll,' zei Burke. 'We hebben

een lange en moeilijke winter achter de rug. We zijn lang opgezadeld geweest met die menigte ongelukkige stakkers terwijl we dachten rustig op weg te gaan naar Verborgen Bron . . .' Burke schudde zijn ijzergrauwe hoofd.
'Bent u er zeker van dat ze zich hier zullen aanpassen?' vroeg Amerie ongerust. 'We begrijpen nog steeds niet waarom Elizabeth ons vertelde dat we ze hierheen moesten brengen. Er zijn nogal wat rauwe knapen onder, moet u weten. De meesten behoorden tot de laagste stand van blootnekken uit en rondom Burask, anderen zijn bannelingen die door de migratie van uw eigen volk uit hun armzalige nederzettingen zijn verdreven. Eerlijk gezegd, ik heb nooit eerder zo'n woeste, onbehouwen troep mensen gezien. Niet in de tijd van de strijd rondom Finiah en zelfs niet gedurende de uittocht uit Muriah. We werden er bijna gek van om hen allemaal in de gaten te houden. Gideon kreeg een gebroken hand toen hij scheidsrechter probeerde te spelen in een vechtpartij en een paar van die onbeschofte bruten lieten Ookpik en Nazir in een hinderlaag lopen als repressaille voor een opgelegde strafmaatregel. Die twee werden lelijk in elkaar geslagen.'
Ze schonk zich nogmaals koffie in.
'En ook voor Wang en Mister Betsy en mijzelf en de Barones was het vervelend om die strooplikkende macho's op een afstand te houden.'
Sugolls glimlach was een mengeling van humor en begrip.
'Nu ben ik er des te zekerder van dat Elizabeth de juiste oplossing koos door die desperado's naar ons te sturen. Wacht maar af.' Hij liet zijn stem zakken. 'We hebben nog wat tijd over voor de wedstrijden en de andere vermakelijkheden beginnen. Als u mij wilt excuseren, Zuster, dan neem ik Basil en Burke een tijdje mee om een zaak te regelen die met de expeditie naar het Scheepsgraf te maken heeft.'
Amerie knikte en liep weg om zich bij Greggie te voegen die vaktaal stond te praten met Magnus en Thongsa, de artsen van de expeditie.
'Deze kant op,' zei de Heer der Huilers. Hij bracht Burke en Basil naar een met gordijnen afgedekte alkoof waar een goedgeklede dwerg stond te wachten.
'Dit is Kalipin. Hij heeft zich als vrijwilliger aangeboden om jullie gids te zijn in de oostelijke wildernis.'
De kleine buitenaardse schudde handen. Maar nog terwijl Burke een paar conventionele beleefdheden mompelde, onderging de dwerg een metamorfose die de grote Amerikaanse jurist de woorden in de keel deed steken.
Kalipins lichaam verschrompelde. Zijn bovenlijf werd ronder en zijn ledematen spichtiger. Het grijnzende gezicht werd samengeknepen en verscherpt tot het bijna een vogelkopje leek, op de grote

flaporen na waarvan de bovenste randen druilerig omlaaghingen. De ogen werden gitzwart en verzonken onder groteske wallen. Zijn huid werd vettig en zijn haar, dat in strengen uit een met juwelen bezette muts vandaan kwam, leek een gore zwabber.
'Wel?' De boeman liet zijn blik van de ene mens naar de andere gaan. 'Willen jullie nog steeds het risico lopen met mij naar het Scheepsgraf te moeten reizen?'
'We weten natuurlijk wat voor genetisch ongeluk jouw volk heeft getroffen, ouwe jongen,' zei Basil meelevend. 'En we kunnen niet doen alsof jouw . . . eh anders-zijn niet bestaat. Maar ik vraag me soms af of wij mensen in jullie ogen niet precies zo vreemd lijken. Misschien kunnen we met elkaar afspreken dat we elkanders eigenaardigheden maar gewoon negeren en aan de slag gaan met het karwei dat we af te maken hebben. Daar zullen we onze handen vol aan hebben.'
'We moeten meer dan zeshonderd van jullie kilometers afleggen,' zei Kalipin. 'Gedurende het eerste deel van de reis moeten we oppassen voor de Firvulag, wanneer ze een vermoeden krijgen van het doel van onze expeditie. Sharn en Ayfa zijn niet gek. We zouden er goed aan doen te zorgen dat we over de Rijn zijn voordat zij naar Hoog Vrazel terugkeren.'
'Wij hebben chaliko's,' zei Burke. 'Kun je rijden?'
De misvormde grijnsde. 'Je krijgt mij niet op die ellendig grote monsters! Maar ik kan met een hipparion omgaan als je maar bedenkt dat we aan rijdieren niet veel zullen hebben, zodra we de Rijn achter ons hebben gelaten. We zullen moeten lopen tot we de Ystroll onder de Feldberg hebben bereikt. Ik hoop dus maar dat jullie allemaal goed in vorm zijn. De trek door het Zwarte Woud is nogal ruig.'
Kalipin loerde naar de Amerikaanse indiaan.
'Ik zie dat *jij* hinkt.'
'Dat is waar,' zuchtte Burke. 'Maar het is al min of meer beslist dat ik achterblijf in Verborgen Bron terwijl Basil het commando neemt over ons troepje waaghalzen. Elizabeth verwacht narigheid rondom de ijzermijnen in de loop van de zomer.'
'Bloedmetaal!' Kalipin beefde heftig. Hij wierp een afkeurende blik op Sugoll. 'Simpele zielen als ik hebben er soms moeite mee, Meester, om te begrijpen waarom we met deze Minderen moeten samenwerken!'
'Het is onze enige hoop,' zei de Heerser van de Huilers. 'Op een dag zul je dat begrijpen. Tot zolang moet je me gehoorzamen.'
Gedurende een onderdeel van een seconde werd de mooie gestalte in het wit overschaduwd door een andere vorm van een vage, maar onvoorstelbare monsterachtigheid. Burke en Basil hielden even hun adem in.
Sugolls glimlach werd melancholiek.

'Wisten jullie dat niet? Ik ben de grootste onder mijn volk! In alle dingen. Ook en juist in mijn lichamelijke afwijkingen. Het was eenvoudig een kwestie van beleefdheid om jullie, als mijn gasten, het gezicht daarop te besparen.' Hij wendde zich tot de kleine gids. 'En jij, Kalipin. Gebruik je menselijke vorm wanneer je in het gezelschap van mensen bent. We moeten onze vrienden niet onnodig verontrusten.'
Het schepsel veranderde zichzelf gehoorzaam in een toonbare dwerg.
'Maar we krijgen allemaal onze natuurlijke vorm terug wanneer we slapen,' vertelde hij Basil en Burke met zure tevredenheid. 'Jullie moeten dus dapper zijn als het onderweg bedtijd wordt. Tenzij mijn Meester me opdraagt om in een zak te gaan slapen!'
Sugoll lachte. 'Jij onbeschaamde rekel. Vervul jij nou maar gewoon je opdracht zo goed mogelijk. En maak nu maar dat je wegkomt. Terug naar je ontbijt.'
Toen de dwerg verdwenen was, wees Sugoll op een tamelijk grote, met de hand besneden kist die in de schaduwen tegen de muur stond. 'Er is nog een manier waarop ik jullie op jullie reis kan bijstaan. Maak maar open.'
Basil knielde. Hij schreeuwde het bijna uit toen hij het deksel had opgetild.
'Goeie genade! Hoe kom je daaraan?'
'Deze verdovers kreeg ik ten geschenke van Sharn en Ayfa.'
'O, shit,' zei Commandant Burke.
'Ik moet ervan uitgaan dat het geschenk ook is bedoeld als een verfijnde waarschuwing. Sharn zou zo langzamerhand kunnen vermoeden dat mijn trouw aan de troon van de Firvulag niet helemaal van ganser harte is. En wanneer het tot een oorlog komt met Aiken Drum . . . je behoeft geen bijzondere strateeg te zijn om Nionels in het oog lopende positie tussen Goriah en Hoog Vrazel op te merken.'
'Als het ons lukt om één of meerdere vliegtuigen weer bruikbaar te maken,' zei Basil, 'dan zullen Sharn en Aiken het heus wel laten om jullie lastig te vallen.' Hij liet zijn verweerde handen over de wapens glijden en wees Burke zonder iets te zeggen op het onderdeel dat herladen mogelijk maakte. Daarna sloot hij het deksel. 'Deze wapens kunnen ons heel goed van pas komen. Wij danken je, Heer Sugoll. Zelfs met onze dertig technici en ervaren woudlopers zal het een gevaarlijke reis worden en het is nog maar de vraag hoeveel vliegtuigen we weer bruikbaar kunnen maken. De Commandant en onze mensen thuis in Verborgen Bron zullen een schuilplaats aanleggen die in elk geval groot genoeg is voor twee.'
'Maar hoe zouden die in een oorlog bruikbaar kunnen zijn?' vroeg Sugoll. 'Vergeef me mijn onwetendheid, maar vliegende machines lijken mij nogal onbruikbaar wanneer ze moeten worden ingezet

tegen grote aantallen troepen op de grond. De Speer van Lugonn bezitten jullie niet meer, dus het gebruik daarvan, zoals tegen Finiah, is uitgesloten.'
'Dat is waar,' zei Burke. 'Maar in hun haast om één enkele machine weer luchtwaardig te maken, kunnen de mensen makkelijk over iets anders heengezien hebben dat mogelijk ook tot een bruikbaar wapen om te vormen is. Daar werden we op gewezen door een van onze nieuwe metgezellen, een vroegere ontwerper van ruimtevliegtuigen, Dmitrios Anastos.'
'Het zit zo,' zei Basil. 'Die oude toestellen bij het Scheepsgraf zijn in werkelijkheid heel hoog ontwikkelde gravomagnetische machines die ook in staat zijn omwentelingen rond de planeet te maken. Daardoor lijken ze veel op het materiaal dat wij in het Bestel tot onze beschikking hadden. In onze tijd waren dat soort machines altijd tevens uitgerust met trek- en duwstralen die gebruikt werden als hulpmiddel bij het dokken en bij het overladen van vracht en passagiers in de ruimte wanneer het rho-veld was uitgeschakeld. De krachtstralen werden ook gebruikt om de richting van tegemoetkomende meteoren af te buigen. Soms hadden onze schepen zelfs kleine laserwapens aan boord om ruimteafval uit de weg te ruimen. Wanneer onze technici dergelijke systemen ook in de oude toestellen bij het Scheepsgraf vinden, dan zouden die misschien kunnen worden aangepast voor aanvallende doeleinden. Als dat niet lukt, hebben we altijd het ijzer nog. En de kans dat we Sharns schuilplaats vinden en plunderen, die vol moet zitten met wapens uit de 22e eeuw.'
De Heer van de Huilers was inmiddels steeds verbaasder en ook ongeruster gaan kijken.
Ten slotte stak hij zijn handen in een berustend gebaar omhoog.
'Moge Téah het ons toestaan dat het bezit van deze vliegende machines op zichzelf voldoende is om agressie te voorkomen.'
'Amen,' zei Basil droog. 'Maar laten we ondanks dat niet een te zware wissel trekken op de goddelijke interventie. We hebben de Firvulag aan één kant tegenover ons en Aiken Drum aan de andere.'

'Kijk nou toch es naar die kleine schoonheden! Moet je alleen maar es kijken!'
Tony Wayland greep Dougals bepantserde arm en sleepte hem door de buitenaardse menigte mee tot in de voorste rij. Het dwergenvolkje was goed gehumeurd en maakte zich over dat voordringen niet druk. Maar een van de al half dronken mensen in kleren van de Firvulag werd vechtlustig en dreigde zijn bierkan op Tony's hoofd stuk te slaan als die geen betere manieren wist.
'Jij bent niet de enige die graag wil, geilaard,' zei de dronkelap. 'Houd je gedeisd en dan krijg je meer dan je portie voor de nacht

voorbij is.'
Het was bijna middernacht. Het brassen en het dansen van de oudere getrouwden was langzamerhand tot een einde gekomen en nu werd een grote ruimte rondom de Meiboom ontruimd om plaats te maken voor de Dans van de Bruiden. Een inderhaast geformeerd orkest speelde een langzame, bijna stemmige melodie terwijl de maagden in een waardige processie het plein opkwamen. Hun kleding en hun hoofdtooien waren van een fantastische rijkdom, de meeste in combinaties van rood of groen. De meisjes in het rood vielen het meest op. Ze droegen wijde, rijkbestikte mantels, met juwelen bezette mouwtjes en rode schoenen. Daaronder sloot de kleding nauw en uitdagend strak om hun verleidelijke lichamen. Op het loshangende rode of bruine haar blonken grote, fonkelende diademen, bezet met robijnen en opalen. Onder die vaak zware en grote hoofdtooien, leken de pikante gezichtjes nog kleiner te midden van een netwerk vol juwelen.
'Miniatuur-Venussen, allemaal!' zei Tony verrukt.
Het gezicht van de ridder vertoonde geen enkele uitdrukking. 'Het zijn buitenaardsen. Familie van de Tanu die onze zielen eten.'
Tony sloeg er geen acht op. 'En heel gewillig. Tenminste voor deze nacht! Godallemachtig, Dougie, het is zo lang geleden!'
'Veel te lang voor ons allemaal,' gromde de bierdrinker. 'Jezus, kijk es naar die juwelen!'
'Juwelen, naar de bliksem ermee,' zei een ander vurig. 'Al droegen ze zakkengoed dan kon het me nog niet schelen. Eindelijk echte vrouwen!'
'Onmenselijke vrouwen! Feeën en heksen!' Dougals stem klonk nu luider.
'Wie kan dat wat schelen?' vroeg Tony. 'Op deze ene nacht van het jaar gaan ze met iedereen mee! Je hoeft alleen maar die bloemenkrans te grijpen die ze tijdens het dansen omhooghouden.'
'Ik wil een rooie,' schreeuwde iemand. 'Een lekkere meid met kleine rode schoentjes.'
'Handremmen los, amigo! We zijn bijna zover!'
De dwergmuzikanten maakten nu levendiger muziek en de maagden begonnen rondom de Meiboom te lopen. De mannen in de toekijkende Huilermenigte schreeuwden in hun eigen taal een korte zin die door de meisjes beantwoord werd.
Zo begonnen beide seksen elkaar toe te roepen, steeds plagender, steeds opgewondener terwijl de sluiers aan de hoofdtooien als verblindend wapperende stromen achter de steeds wilder dansende maagden meeslierden. Ten slotte weerklonk een gezamenlijke uitroep en nu strekten de dansende meisjes hun armen uit naar de Meiboom en renden erheen om hun gevlochten linten en bloemenkransen op een hoop aan de voet ervan te leggen.
Toen verdwenen de maagden. Waar zij hadden gestaan, versche-

nen kleine, regenboogkleurige lichtjes, dansend als tropische vuurvliegjes. Op een of andere magische manier hechtte ieder lichtje zich aan een lint en nu werd de lichtende dans hervat op een langzame, veel sensuelere wijze. De linten vervlochten zich met elkaar en maakten zich weer los, ze rezen omhoog en daalden, ze golfden en wervelden. Ondertussen klonk een uitnodigend gezang, soms niet meer dan een gefluister, laag en verleidelijk. De mannen wiegden gevangen in hun betovering hulpeloos heen en weer.
Ineens ging de muziek over in een sneller tempo. De gekostumeerde maagden keerden terug op het goudgele zand en ieder van hen droeg nu een bloemenkrans in de hand. Ze begonnen te dansen in de richting van de wachtende minnaars en terwijl er druk over en weer werd geplaagd, kwamen de keuzes snel tot stand. De ene man na de andere greep de bloemenkrans van het rode of groene liefje van zijn keuze en liet zich vervolgens door haar op de dansvloer trekken. Het was allemaal onweerstaanbaar: de wentelende kleuren, het opwindende ritme van de drums, de verwarrende geur van de bloemen.
Een van de kleine schoonheden stond nu voor Tony Wayland. Zwarte ogen glinsterden onder de met juwelen bezaaide hoofdtooi. De geurige meiwind blies de rode en gouden sluiers ter zijde en onthulde een fijngevormd lichaam, rond, verleidelijk, perfect menselijk in alle details.
'Kom, kom,' zong de nimf.
'Niet doen, mijn Heer!' riep Dougal. Hij probeerde Tony terug te trekken. De metallurg rukte zich los.
'Kom, kom.'
Tony greep de bloemenkrans en daarna trok zij hem met zich mee tussen de andere paartjes. Tony merkte dat vooral de vrouwen in het rood minnaars hadden uitgekozen onder de Minderen en hij bedacht vaag hoe eigenaardig die voorkeur was, want de meisjes in het rood waren ongetwijfeld ook de meest aantrekkelijke.
'Ga niet mee!' pleitte Dougal wanhopig. 'Je bent behekst!'
Dat was hij inderdaad en maar al te graag. De charmante buitenaardse lieveling hing de bloemenkrans om zijn nek terwijl ze dansten. Ondertussen drukte ze zijn vingers tegen haar lippen en kuste die. Tony's bloed begon te zingen. De waarschuwende schreeuw van Dougal ging verloren in de aanzwellende muziek die nu het karakter kreeg van een triomfantelijk en massaal liefdeslied. Twee aan twee dansten de paren nu rondom de Meiboom.
Aan de overzijde van het plein, dicht bij de stadspoort, week de menigte toeschouwers plotseling uiteen waardoor een ruim pad ontstond. Twee grote vuren werden ontstoken, de vlammen reikten bijna even hoog als de zeven meter hoge muren. Over dat pad en tussen de tweelingvuren door liepen de paren nu veilig door de stadspoort en verdwenen in de maanverlichte weilanden rondom.

Vanuit Nionel bleef de muziek nog van verre hoorbaar.
'Ik heet Rowane,' zei de rode nimf. 'Ik houd van je.'
'Ik heet Tony. Ik houd ook van jou.'
Een beetje duizelig van de dans en de geur van de bloemen om zijn nek, liet hij zich meetrekken tot ze een plek hadden gevonden die ver genoeg van de andere paartjes verwijderd was. Ze vonden een rustiek plekje, verborgen achter en tussen struiken en daar nam hij haar hoofdtooi af en de linten rond haar gelaat en boog zich voorover om haar te kussen. Ze trokken hun kleren uit en bedreven de liefde, niet eenmaal maar vier maal. Zij kreet van extase en hij werd dronken van verrukking, zozeer dat hij huilde aan het eind en zij hem moest troosten.
'Nu zullen we slapen gaan, liefste Tonie,' zei ze.
Hij voelde hoe een doek van zijde over zijn ogen werd getrokken en achter zijn hoofd losjes vastgebonden. 'Rowane? Wat doe je?'
'Sssst. Je mag me nooit zien wanneer we slapen. Dat zou ongeluk betekenen. Beloof me dat je het nooit zult proberen.'
Haar warme lippen ontmoetten de zijne en ze kuste zijn oogleden door de zijden doek heen.
'Mijn kleine meibloem. Mijn buitenaardse geliefde. Wanneer jou dat gelukkig maakt . . .'
Hij begon weg te zakken in zoete onbewustheid. Haar stem stierf weg en daarmee de herinnering aan haar geëxalteerde kreten. Maar de trots over zijn eigen mannelijkheid die zij zo wonderbaarlijk had bevestigd, bleef.
'Om jou . . . zal ik niet kijken. Kleine vreemdeling . . .'
'Het is niet om mij, Tonie. Het is om jou.'
Ze lachte innig. Toen viel hij in slaap en werd geplaagd door een uiterst eigenaardige droom.
Toen hij wakker werd en zonder erbij na te denken de blinddoek van zijn ogen trok, ontdekte hij dat de droom waarheid was geworden.
'Oh, mijn *God*,' kreunde hij.
Zij opende haar ogen en veranderde onmiddellijk in haar oude zelf, klein, begeerlijk. Ze trok haar kleren aan en verwijderde de slap geworden bloemen die nog om zijn hals hingen.
'Rowane!' Zijn stem klonk ongerust. 'Wat hebben ze met je gedaan? En met *mij*?'
Ze glimlachte parmantig en wijs.
'De gewone Firvulag hebben onze vermommingen snel door. Zij zouden nooit de rode bruiden hebben gekozen, begrijp je. Maar jullie arme, menselijke mannen . . . we weten hoe weinig van jullie eigen vrouwen door de tijdpoort zijn gekomen en de meesten daarvan zijn door de Tanu tot slaven gemaakt. Wat is er dan beter dan deze oplossing?'
Ze kwam overeind en kuste hem gepassioneerd. En hij merkte dat

hij reageerde ondanks het feit dat hij nu de waarheid wist.
'Die lieve Heer Greg-Donnet zegt dat uit de eerste vermenging normaal uitziende halfbloeden zullen komen. Daarna kan hij genetische technieken toepassen om de mutante genen te onderdrukken.'
'De . . . eerste . . . vermenging?'
Hij voelde de wereld onder hem kantelen. De weide was vol met gouden bloemen en kwelende leeuweriken.
'En ons kind zal niet gevoelig zijn voor het bloedmetaal, precies als jullie mensen. Is dat niet een mooi voordeel?'
'Ehh . . .' stamelde hij.
Ze trok hem overeind. 'Iedereen gaat nu naar Nionel terug voor de feestmaaltijd op de eerste meimorgen. We willen toch niet te laat komen, of wel?'
'Nee . . .'
'Je zult vader en moeder heel aardig vinden,' voegde ze daaraan toe. 'En van Nionel zul je gaan houden. Kom, laten we rennen.'
Hand in hand begonnen ze over het zachte gras te lopen. Tony dacht: wat moet ik in godsnaam tegen die arme Dougal vertellen? Maar toen zag hij de andere liefdesparen samenkomen bij de stadspoort en onder hen bevond zich een grote, rosgebaarde man in een overmantel met een gouden blazoen in de vorm van een leeuwekop. Hij werd voortgetrokken door een andere lieve kleine gestalte in het rood.
En Tony wist dat zijn vraag overbodig was geworden.

13

'We hebben nu drie nachten geprobeerd om die kleine gouden duivel op te blazen,' gromde Medor. 'Hij sliep, maar het haalde allemaal niks uit. Ik zie niet in waarom we vannacht een betere kans zouden maken. Volgens mij gebruikt hij een of andere mechanische bescherming voor zijn hersens. Geef mij de konijnesaus eens aan.'
Koning Sharn schoof een schotel naar zijn afgevaardigde die een grote hoeveelheid van de smeuiige sudderende saus op zijn bord schoof en vol smaak begon te slurpen.
'Vannacht slaapt Aiken niet in het kasteel,' legde de koning uit. 'Hij zal hier bij ons zijn in het Liefdesbos, samen met alle anderen. Zijn gevoel voor stijl zou eronder lijden als hij openlijk dat apparaat moet gebruiken.'
'Hoezo?' vroeg Mimee van Famorel, die maarschalk was over het Kleine Volk uit Helvetia.

'Onze vindingrijke gastvrouwe heeft voor morgen een andere rare nieuwigheid op haar programma. Iets dat ze de Nacht van de Geheime Liefde noemt. Na het feestmaal worden we verondersteld allemaal naar die kleedtenten te gaan aan de andere kant van het amfitheater. Daar moeten we een maskeradepak uitzoeken. Illusies zijn niet toegestaan. Om middernacht begint er dan een gemaskerd bal, gevolgd door inleidende vrijerijen op de Liefdesgronden. Een soort vrijgezellenfeestje, voorafgaand aan de huwelijken van morgen. Behalve dan dat de bruiden, omdat het van die verdomde Tanu zijn, waarschijnlijk tegen die tijd al lang met de rest van de Vijand volop ligt te geilen.'
'Decadente krengen,' grauwde Mimee. 'En dan te denken dat onze eigen mensen op dit moment al aan de heilige Dans van de Bruiden toe zijn. In Nionel.'
Hij wierp een verlangende blik op de volle maan die hoog aan de hemel stond en waarvan het licht teloorging in de gloed van de honderden bejuweelde lampen die het feestterrein verlichtten.
De Firvulag hadden erop gestaan dat er afzonderlijk zou worden gegeten. Ze hadden geen bezwaar tegen het voedsel van de Tanu waar ze grote hoeveelheden van konden verslinden, maar ze hadden een afkeer van hun wijnen en sterke likeuren. Zij gaven de voorkeur aan goed oud bier en mede.
'Je weet tenminste waar je aan toe bent als je een Firvulag-bruid trouwt.' Medor liet een hoorbaar sentimentele zucht. 'Allemaal maagden! Tot en met het laatste kruimeltje! Die zijn tenminste trouw. Voor altijd, wanneer ze eenmaal die fijngetande vagina voor je hebben opengedaan. Was mijn kleine Andamathe maar hier . . . Jij hebt *jouw* vrouw wel meegenomen, Sharn. Het is verdomd onsportief van je om de rest van ons op een houtje te laten bijten door te eisen dat we onze vrouwen achterlieten! Het hele Liefdesfeest wordt erdoor verpest! Geef die zwezerik grand duc eens door.'
'Ik ben de koningin,' zei Ayfa. 'Ik *moest* komen. En de rest van jullie wordt verondersteld je ogen goed open te houden. Dit is een missie op vijandelijk gebied, doodernstig. Je oefent je geslachtsklieren maar weer als je thuis bent.'
'Dus we moeten vanavond nog een keer proberen Aiken Drum te pakken te krijgen,' zei Fafnor IJsklauw. 'Ik neem aan dat we ons gaan kostumeren en ons dan onder de anderen mengen.'
'Niet te enthousiast,' waarschuwde de koningin, terwijl haar donkere ogen fonkelden. 'De dames van de Tanu mogen dan geen tanden hebben waar het erop aankomt, maar de geruchten willen dat als zij met een kerel klaar zijn, zijn ballen niet meer waard zijn dan een paar rammelende notedoppen. Laat je niet verleiden, m'n jongen.'
'De Godin sta ons bij,' zei het jonge gedrocht geschrokken.

'We moeten Aiken van seconde tot seconde in de gaten houden en precies op het magische ogenblik aanvallen,' zei Sharn, 'alle twaalf tegelijk.'
'Hij gaat natuurlijk achter die jonge hoer aan, die Olone,' zei Medor sluw. 'Die heeft zich zo schaamteloos voor de Meiboom aangeboden dat alle Tanu erover roddelen. Mag ik de gorsvogelsaté even?'
De koning greep de zilveren schotel en smakte die woedend buiten bereik van Medors grijpende handen.
'Verdomme, kun jij dan alleen maar aan eten denken? Geen wonder dat het ons nog steeds niet is gelukt om behoorlijk samen te werken! Het bloed is uit onze hersens naar onze darmen gelopen vanaf dat we hier voet aan de grond hebben gezet!'
'Medor heeft een beetje afleiding nodig.' De oude Betularn grijnslachte geslepen. 'En niet alleen omdat zijn vrouw in Nionel is. Wie dacht je dat we gisteravond zagen aan een speciaal tafeltje in een rustig hoekje op het feestterrein? Dinerend met een ziekenkostje samen met zijn bloedbroeder, de heer Ondervrager? Niemand anders dan Medors grote tegenstander tijdens de Grote Veldslag. Kuhal Aardschudder! Degene van wie wij dachten dat die beslist dood was!'
'Té's teennagels!' vloekte de koning. 'Dat is slecht nieuws. Kuhal gaf je er flink van langs in de Ontmoeting der Helden, Medor! En zijn PK-talenten mogen er wezen. Die zijn . . .'
'Niks waard,' ging de aartslelijke kampioen verder, grijnzend rondom een al half weggegeten zangvogeltje. 'De andere helft van de tweeling, Fian, is gestorven. Kuhal is voorlopig alleen nog goed voor het sanatorium. Hij brengt nog steeds het grootste deel van de dag in Huid door. Ik denk dat Aiken de afgevaardigden uit Afaliah min of meer heeft gedwongen hem zover mogelijk op te lappen en mee te nemen zodat hij met zijn aanwezigheid die namaakkroning op de derde dag van het feest wat echter kan doen lijken. Ten slotte *is* hij een lid van de Hoge Tafel. Maar evenmin een bedreiging voor ons als een baby in poepluiers. Geef de zalmmayonaise en de mergpijpjes even aan.'
Mimee van Famorel trok een gekke bek. 'Die lever van jou zal een maand nodig hebben om weer te herstellen.'
'Wat dan nog?' vroeg Medor onbeschaamd. 'De oorlog begint niet voor de herfst.'
'Stil!' siste Sharn woedend. Even werd het demonische aspect van zijn uiterlijk zichtbaar, de spierwitte drie meter lange schorpioen met de oplichtende interne organen. Zijn geest deelde de onvoorzichtige Medor een geweldige klap uit, die daardoor van zijn zitplaats op het gras viel, zijn gezicht pijnlijk vertrokken en helemaal overdekt met mayonaise.
Sharns lichaam werd weer gewoon. Hij keek de leden van zijn Hoge

Raad met een effen gezicht aan.
'Niemand kent de dag waarop die Oorlog der Schemering begint! Ik niet. Jullie niet. Spreek er niet over onder elkaar. *Denk* er zelfs niet aan. Begrijpen jullie dat?'
'Ja, Hoge Koning,' antwoordden de anderen.
Aan de tafel van de Meikoning en de Meikoningin werd een vuurwerk ontstoken van sproeiende Romeinse kaarsen die het einde aangaven van de maaltijd en het Feest van de Maan. De Nacht van de Geheime Liefde kon nu beginnen.
'Maak jullie klaar voor de verkleedpartij en zorg dat jullie nuchter worden,' zei Sharn. 'Ayfa en ik ontmoeten jullie over een uur aan de voet van de Meiboom.'

'Je ziet er belachelijk uit,' zei Kuhal. 'Maar het is wel jouw stijl.'
Culluket haalde zijn schouders op. 'Het leek me een gekke maar toepasselijke keuze.'
Zijn gelaatsuitdrukking achter het doodskopmasker was voor zijn broer volkomen duidelijk. Cullukets spottende grijns was in het licht van de vreemde maskerade die nu ging plaatsvinden, begrijpelijk genoeg. Maar wat betekende de *opwinding* die er ook in verborgen lag?
'Je verbaast me, Broeder Ondervrager. Ik had gedacht dat jij de eenvoudiger genoegens van de lichamelijke begeerte wel achter je had gelaten.'
'Dat is ook zo. Maar dit is een speciale gelegenheid.'
De Dood vouwde zijn zwart omhulde armen met daarop de wit getekende beenderen voor zijn borst en overzag de omgeving. De muziek werd luider en steeds erotischer terwijl de dansenden steeds verder in hun trance opgezweept raakten. De jongeren hadden trouwens maar weinig kunstmatige oppepperijen nodig en sommigen van hen slipten al twee aan twee van de dansvloer tussen de bomen door in de richting van de Liefdesgronden. Zelfs de meer orthodoxe Tanu die nogal weigerachtig aan de maskerade waren begonnen, leken zich nu over te geven aan de Dionysische atmosfeer die langzaam groeiende was. Die rondhuppelende lichtekooi die verkleed was als een vuurrode mot bleek niemand anders te zijn dan de waardige Morna-Ia. En die stevig gebouwde figuur met de mantel en de panterkop, die schaamteloos ronddanste met iets begeerlijks aan beide armen, droeg een opvallende gelijkenis met Aluteyn. Aiken Drum zelf bevond zich in het midden van de dansende menigte, onvermijdelijk in de veelkleurige uitrusting van de middeleeuwse hofnar. Hij droeg daarbij een masker met een obsceen lange neus.
'Over drie dagen maken we van hem een koning,' merkte Kuhal op. 'Moge de Godin het ons vergeven! En jij behoort tot diegenen die hem het meest steunen, mijn Waarde Broeder. Jij, een van de oud-

sten van de Clan! Ik ben nog geëxcuseerd, mijn hersens hebben zwaar geleden. Maar jij, hoe wisselvallig je temperament ook mag wezen, jij bent en blijft het voorbeeld van kille rationaliteit. En toch accepteer jij deze menselijke parvenu zonder met je ogen te knipperen, je dient hem zelfs! We wisten goed genoeg dat jij en Nodonn bepaald geen vrienden waren, maar dat jij trouw zou zweren aan een Mindere . . . het is in strijd met alles waar de Clan eens naar heeft gestreefd.'
De Dood lachte.
'Wie is er van onze roemruchte Clan overgebleven? Vijftien mager met talenten bedeelde broeders en zusters onder de bescherming van Celo. De meesten hebben de Vloed enkel overleefd omdat ze tijdens de Veldslag gewond raakten en uit de weg gesleept naar het huis der Herstellers. En dan ben ik er nog. En jijzelf.'
Kuhal draaide zich om. Zijn hoekige, holle gezicht werd nog scherper. Ongevraagd rees een beeld uit zijn herinnering omhoog dat Culluket makkelijk genoeg herkende.
'En ik. De helft van een geest. De helft van een man. Weduwnaar en kreupel. Beroofd van een liefde die niemand die zelf geen tweelingziel heeft kan begrijpen.'
De heftigheid van zijn bittere woede deed hem wankelen. Zijn gezicht trok wit weg. Culluket nam zijn broer bij een arm en bracht hem terug naar zijn met kussens opgevulde zetel achter een geknipte heg, uit het zicht van de dansers en de pretmakers.
Kuhal zonk neer. Hij accepteerde een kleine beker met een geneeskrachtige kruidendrank en dronk ervan tot de uitwerking merkbaar werd. Hij dwong zichzelf tot een flauw glimlachje.
'Ik ben bijna jaloers op de lievelingen die de Dood mogen omhelzen, Broeder. Zorg ervoor dat je de jongsten kiest als het je lukt om ze uit de omhelzingen van die opgewonden deugnieten weg te halen. De jongsten zullen zich weinig herinneren van jouw droevige verleden, de negen echtgenoten en de dertig ongelukkige maîtresses.'
'Ik heb mijn geliefde al uitgezocht,' zei Culluket, 'en ze weet het.'
'Ga dan,' zei Kuhal Aardschudder. 'Ik kan hier even goed blijven als op een andere plaats. Morgenvroeg zullen Boduragol en de andere genezer uit Afaliah me weer verzorgen. Geniet van je geheime liefdesnacht, Broeder.'
De Dood knikte, hief een skeletachtige arm en slipte weg.

Sullivan-Tonn danste met zijn verloofde, de schone, jonge bedwingster Olone en ineens wist hij met een ziekmakende zekerheid wat voor duistere impuls uit zijn eigen onbewuste hem ertoe had gebracht het antilopemasker met de hoorns te kiezen.
'Je kan niet met hem meegaan! Ik verbied het! Je vader heeft me zijn meest plechtige belofte gegeven!'

Olone was zo stralend als een visioen in de lange mantel die van fladderende witte bloemblaadjes gemaakt leek. Ze droeg een grote, met bloemen bedekte haartooi. Het kleine, halve gelaatsmasker was van goud, de bovenkant bezet met meeldraden van juweeltjes. Ze keek op haar oudere verloofde neer met een mengeling van minachting en vrolijkheid.
'Mijn vader is dood. En hoe dan ook, de wens van een koning is dwingender dan die van een stadsheer.'
'Olone, mijn liefste kindje! Mijn ongerepte bloem! Ik draag je weg van hier . . .'
Ze voelde de klemmende omhelzing van zijn krachtige psychokinetische vermogen. Maar ze hoefde enkel één machtige stoot van haar vermogen tot bedwingen te gebruiken en hij tuimelde achteruit, verslagen en huilend achter zijn antilopemasker, terwijl zij over het zachte gras wervelde en de muziek bonzend door haar aderen joeg.
'Mijn vader heeft me aan jou geschonken zonder dat ik daar iets in te zeggen had. Ik was nog een kind. Je zou dankbaar moeten zijn dat ik er nog steeds in toestem een mens te accepteren!'
'Geen enkele PK is vergelijkbaar met de mijne!' schreeuwde Sullivan-Tonn.
'Behalve die van *hem*. En zo'n uitgezochte prijs ben je niet. Je bent veel te dik en je bent afschuwelijk *oud* voor iemand die pas zesennegentig is en ik vind het heel laf van je dat je bij Finiah niet hebt willen vechten.'
'Praat niet zo! Ik houd zoveel van je!'
'Oh, schei uit.' Ze leidde hen tweeën al dansend dichter en dichter naar het centrum van de dansvloer waar de Zotskap en zijn Vrouwe rondsprongen.
'Ik weet wel waarom jij een maagd wilt. Denk je dat ik die afschuwelijke boeken niet kan lezen die je aan de Ondervrager liet zien alleen omdat ze niet in standaard-Engels zijn geschreven? Denk je dat wij Tanu niet kunnen omgaan met een Sony-vertaalmachine? *La nouvelle Justine*! Nou en of! Je moet na ons trouwen eens één van die streken van een Mindere op me uitproberen en ik maak gelei van je.'
'Liefste, ik zou nooit . . .'
'Houd je stil . . .!'
De meeste paren die zich nu nog op de dansvloer bevonden, hadden zich verzameld rondom Aiken en Mercy. De Vrouwe van Goriah was maar amper verkleed, ze droeg een eenvoudige zwartwitgeblokte broek en daarover het Keltische kostuum waarmee ze destijds door de tijdpoort was gekomen. De muziek was overgegaan op een langzame driekwartsmaat. De hofnar en de Ierse prinses hielden elkaar al dansend op armslengte afstand. Zijn gezicht ging schuil achter het langneuzige masker, maar ook achter een

mentaal afweerscherm. Rondom haar kleurloze lippen speelde een wetende glimlach.
De dans eindigde en ze bogen dankend naar elkaar. Een nieuwe melodie begon, haastig, spookachtig, onmogelijk om op te dansen. Het bal was voorbij en de paartjes haastten zich naar de schaduwen.
Olone gleed uit Sullivans armen en rende naar Aiken.
'Mijn Koning!' riep ze ademloos en wierp zich buigend op de grond. De hofnar liet de vingers van zijn beide handen knakken en sprong haar tegemoet. Smeltend in gegiechel kwam ze overeind en viel in zijn ongenaakbare omarming.
Hulpeloos keek Sullivan toe hoe ze wegrenden. Mercy was nu bijna alleen overgebleven in het midden van de grote, ronde weidevloer. De muzikanten, allemaal mensen, speelden nu de laatste opwindende slotakkoorden van 'La Valse'. Sullivan huiverde toen hij voorvoelde wat er gebeuren ging. Een spookachtige gedaante die onder de platanen had gestaan, kwam in het maanlicht naar voren en boog. Mercy liep hem langzaam tegemoet, ging op haar tenen staan en kuste de Dood op diens vleesloze mond.

'Iedereen klaar?' fluisterde Sharn.
'Allemaal klaar,' antwoordden Ayfa en de tien andere monsters.
Ze verbonden hun geesten tot één geheel en wierpen hun vuurschicht naar de Vijand.

De ogen van Olone schitterden als sterren. 'Oh, Aiken. Ik heb nooit geweten dat het zo zou zijn als *dit*!'
De grappenmaker keek een beetje verbaasd. 'Misschien heb ik mezelf overtroffen! Misschien schuilt er toch magie achter heel dit gedoe met de Meiboom!'

In tegenstelling tot de huwelijken bij de Firvulag, werden die van de Tanu op klaarlichte dag voltrokken als de zon op de eerste mei op zijn hoogst stond. De huwbare paren, aangevoerd door Aiken-Lugonn en Mercy-Rosmar, cirkelden in een statige processie zingend rondom de gouden Meiboom. De bruiden en bruidegoms droegen japonnen of mantels in hun eigen heraldieke kleuren en daar overheen witte mantels. De bruiden droegen strengen gevlochten witte lelies in hun haren en de bruidegoms kransen van mannelijke varens. Mercy had slechts één ding in de oude ceremonie veranderd: er waren twijgjes rozemarijn aan de huwelijkskransen toegevoegd.
'Dat is een plant die sinds mensenheugenis gebruikt wordt om huwelijken te zegenen op de Oude Aarde,' had ze uitgelegd. 'En het is bovendien de plant waarnaar ik vernoemd ben, Rosmar van rozemarijn. Rozemarijn, opdat wij ons herinneren.'

Ze herinnerde zich een ander huwelijk.
Dat had plaatsgevonden in het midden van juni, vorig jaar. Geen massale viering zoals vandaag, maar een intieme bijeenkomst met enkel de hovelingen en de bevolking van Goriah. Ze had toen niet het blauw en groen van het Gilde der Scheppers gedragen (ze was toen nog niet eens ingewijd) maar het roze en goud van haar demon-minnaar. Als hij nu nog had geleefd, dan zouden ze vandaag hun eed hebben hernieuwd en ze zouden niet de processie hebben geleid van de pas gehuwden, maar van hen die hun huwelijken hernieuwden.
Nodonn! riep ze uit in haar geest. Niemand hoorde haar. Niet de kleine, nu plechtige man naast haar in zijn gewaden van goud en zwart, noch Eadnar en Alberonn, die direct achter hen op de ereplaats volgden. De Tanu en de mensen dansten rond de Meiboom terwijl ze de linten vasthielden die ervan afhingen totdat al de paren in een steeds kleiner wordende kring stonden en daar de linten lieten vallen om elkaar te kussen in een laatste belofte van trouw.
Mercy-Rosmar, Vrouwe der Scheppenden, hief haar van tranen glinsterende gezicht omhoog, strekte haar beide handen uit en wendde haar mentale vermogens aan voor een zacht en zoet wonder. De lucht vulde zich met een geurende storm van kleine bloemblaadjes die zich op de paren nestelden, in hun haren en hun mantels en vandaar op de grond vielen.
'Slonshal!' riepen alle getuigen. 'Slonshal! Slonshal!'
Toen het ritueel ten slotte voorbij was, stroomde de grote ruimte over van bedienden, rama's en mensen, die allen de zwart-en-gouden livrei van Aiken droegen. De paren en de talloze overige gasten legden zich neer op het beschaduwde gras en namen deel aan een picknickfeest dat ditmaal bestond uit schotels en lekkernijen die speciaal waren uitgezocht vanwege hun erotische bijwerking. Overal vermaakten grappenmakers en jongleurs de menigte en toen de avond begon te vallen ontstond langzamerhand een atmosfeer waarin steeds meer schunnige liefdesliederen ten gehore werden gebracht. Een overdonderend en sensueel ballet vormde ten slotte de finale inleiding op het eigenlijke feest van de liefde. (Tegen die tijd hadden al de Firvulag hun eigen kampement alweer opgezocht. Sharn en Ayfa en de hele Hoge Raad van de Firvulag verzamelden zich rond het vuur, woedend en ontdaan van alle erotische opwinding en dronken zich daar een stuk in de kraag. Culluket hield hen de hele nacht met zijn vérziende vermogens in het oog, maar de fraaie, bemoste grotten die Mercy zo zorgvuldig had ontworpen, werden die nacht door niemand gebruikt.)
Toen de meimaan hoog aan de hemel stond, trokken de Tanu en de mensenparen er opnieuw op uit, maar ditmaal met wat meer decorum dan de nacht daarvoor. Elk paar zocht het plekje op dat het

zich had toegedacht, een prieeltje of een schuilplaats onder overhangende takken en struiken, en merkte tot zijn verrassing dat de bodem was bezaaid met verse bloemblaadjes. De pas getrouwden spreidden hier hun witte mantels en de al langer getrouwden hielden zich aan wat ze inmiddels gewend waren, maar zelfs de minst gevoeligen en zij die wanhopig waren vonden die nacht troost en zoete liefde in het woud waar de nachtegalen voluit zongen.

Nadat iedereen was weggegaan, liepen Aiken en Mercy naar de Meiboom. Ze gaven elkaar een hand rondom de spits toelopende gouden kolom en begonnen rond te draaien.
'Nu ben je de mijne,' vertelde hij haar.
'Maar van wie ben *jij*?' gaf ze terug. En ze brak in een wild gelach uit toen de triomfantelijke grijns van zijn gezicht verdween.
Hij antwoordde door harder in haar handen te knijpen en nog sneller te dansen. De Meiboom was nu bevrijd van al de afhangende slingers en linten en stak als een monsterachtige pyloon omhoog in de besterde hemel. De twee hadden hun bruidskronen verloren, maar hun witte mantels waaierden wijduit en leken steeds meer op te bollen en groter te worden tot ze samen een roterende vloeibare massa leken die als een wolk omhoogklom. Mercy liet haar hoofd van de ene zijde naar de andere rollen terwijl hun dans nog steeds sneller werd. De wereld werd een wervelend waas waarin zij niets anders zag dan zijn grijnzende poppegezicht en de gouden pilaar tussen hen in.
Ze stegen en draaiden door tot boven de top van de Meiboom, gehuld in de maanverlichte bol die hun mantels nu waren geworden. Ze had het gevoel dat ze sterven kon, sterven uit angst voor hem, dat tevens sterven van verlangen was. Zijn ogen waren twee zwarte holen geworden en zijn gestalte was niet langer klein maar enorm. En de Meiboom was die grote gouden pilaar die licht en warmte uitstraalde buiten alle maat, die de Zon en zelfs de Dood overtrof.
'Maar van wie ben *jij*?' hoorde ze zichzelf, lang daarna herhalen.
En toen wist ze het antwoord. Van niemand. Arme Glanzende.
Maar tegen die tijd was hij heengegaan en de ochtend was gekomen en het werd tijd voor de kroning.

Traditioneel bereikte het Grote Liefdesfeest zijn climax tijdens een vriendelijke ceremonie waarbij de Koning en de Koningin van hun kortdurende macht werden ontheven. Daarna vernieuwden al de Tanu hun eed van trouw aan hun legitieme soeverein.
Maar dit jaar zouden de zaken anders verlopen. Iedereen had erover gehoord en het Veelkleurig Land was vol geweest met de geruchten over de succesvolle uitkomst van Aikens rondreis. Er waren er die zich daarover verheugden, maar anderen waren wan-

hopig en sommigen hoopten zelfs dat de Godin zou ingrijpen op het laatste ogenblik om een probleem op te lossen dat in hun ogen een beledigende stand van zaken was geworden.
Op de ochtend van de tweede mei zond Vrouwe Morna-Ia telepathisch haar oproep uit en tegen het middaguur had heel het Conclaaf van de Tanu zich verzameld op de komvormige weide van het feestterrein. Meer dan zesduizend Tanu waren aanwezig, ongeveer twee derde van het totale aantal dat de Vloed had overleefd. De uitgenodigde Firvulag waren er ook, maar zij stonden ter zijde op een droevige hoop, allemaal gekleed in hun wapenrustingen van obsidiaan en allemaal geplaagd door een verschrikkelijke kater.
Achter al die buitenaardsen en wat verder weg van het centrum, bevond zich een overweldigende menigte mensen die een plaats vonden in het parkachtige landschap dat het amfitheater omzoomde. Het waren er zeker vijftienduizend, dragers van zilver en grijs maar ook blootnekken. Ze waren niet alleen afkomstig uit Goriah en de omringende plantages en mijndorpen, maar sommigen kwamen uit verre plaatsen als Rocilan en Sasaran, nadrukkelijk uitgenodigd door de nieuwe heerser om diens uur van glorie mee te maken.
Het grote podium was ontdaan van de meiversieringen. De met bloemen overdekte zetels waren verdwenen en in hun plaats stonden twee ongewone tronen van onbewerkt zwart marmer.
Eén enkele noot weerklonk uit een glazen trompet. Het werd stil onder de afwachtend toekijkende menigte. Ineens was Elizabeth daar. Een kreet van verbazing maakte zich los uit kelen en geesten. Elizabeth droeg de grote zwart met rode hoofdtooi die eens Breede had toebehoord en ze hield de glazen keten van stilte in haar handen. Een golf gedachten ging van haar uit, die de geesten van de Tanu kalmeerde en hen eraan herinnerde wie haar deze rol had toebedeeld.
Toen stond Aiken naast haar in zijn wapenrusting van goudluster. Hij was blootshoofds.
'Kies vrijelijk,' zei Elizabeth. 'Willen jullie hem als koning?'
Het antwoord kwam, rustig, onvermijdelijk. 'Dat willen wij.'
'De koningen der Tanu kennen geen kroningstraditie,' zei daarop de opvolgster van de Scheepsgade. 'Evenmin kennen zij zoiets als een vredelievende troonsopvolging. Onder jullie ras was de monarch altijd een strijdkampioen, zijn enige kroon was de helm van de krijger. Maar deze koning heeft om een ander symbool gevraagd en dus geef ik hem dat.'
Elizabeth overhandigde Aiken een simpele band van zwart glas. Hij knikte tegen haar en zette het op zijn krullende, donkerrode haar.
Uit de menigte weerklonk nu een ander geluid, misschien dat van een gezamenlijk ingehouden adem, misschien dat van een zucht

van opluchting, misschien het geluid van onderdrukt verdriet.
Elizabeth boog zich naar Aiken toe en sprak tot zijn geest en tot de zijne alleen. Hij knikte opnieuw en Elizabeth verdween. Waar zij had gestaan, werden nu zestien Tanu zichtbaar . . . en Mercy.
'Ik stel jullie voor aan de nieuwe leden van een nieuwe Hoge Tafel,' zei Aiken. Zijn stem was rustig en kalm maar zelfs de verst verwijderde blootnek kon hem verstaan.
'Allereerst mijn Koningin en Vrouwe der Scheppers, medeheerseres over mijn stad Goriah, Mercy-Rosmar.'
Ze knielde voor hem neer en ontving van hem een groene kroonband. Daarna nam hij haar bij de hand en voerde haar naar de twee tronen van marmer. Beiden gingen zitten. Eén voor één kwamen nu de kandidaten van de Hoge Tafel naar voren terwijl ze hun halsringen aanraakten en met hun geesten trouw zwoeren aan hun nieuwe koning.
'De president van het Gilde der Vérvoelenden, de Eerbiedwaardige Vrouwe Morna-Ia de Koningmaakster . . . de president van het Gilde der Herstellers, Culluket de Ondervrager . . . de Eerste Plaatsvervangend Heer der Psychokinetici, Bleyn de Kampioen . . . de Tweede Heer der Psychokinetici, Kuhal Aardschudder . . . de Tweede Heer der Scheppers en Heer van Calamosk, Aluteyn . . . de Tweede Vrouwe der Vérvoelenden, Sibel Langvlecht . . . de Tweede Heer Bedwinger en Heer van Amalizan, Artigonn . . . de Heer en de Vrouwe van Rocilan, Alberonn Geesteter en Eadnar . . . de Heer van Afaliah, Celadeyr . . . de Vrouwe van Bardelask, Armida de Formidabele . . . de Heer van Sasaran, Neyal de Jonge . . . de Heer van Tarasiah, Thufan Donderhoofd . . . de Heer van Geroniah, Diarmet . . . de Heer van Sayzorask, Lomnovel Hersenbrander . . . de Heer van Roniah, Condateyr de Bliksemende.'
Aiken keek de nieuw benoemde Groten één voor één aan.
'Zelf neem ik het presidentschap op mij van het Gilde der Bedwingers en het Gilde der Psychokinetici. De functie van Tweede Heer Hersteller blijft tijdelijk open. Aangezien Vrouwe Estella-Sirone van Darask noch Moreyn, Heer van Var-Mosk op dit conclaaf aanwezig zijn, zie ik van hun benoeming tot medeleden van de Hoge Tafel af totdat zij persoonlijk hun trouw hebben gezworen.'
Hij stond op van zijn troon en overzag zwijgend enkele ogenblikken de menigte buitenaardsen, mensen en halfbloeden. Zijn waardige manieren vervaagden en de oude lach van de grappenmaker kwam weer op zijn gezicht te voorschijn terwijl hij het embleem op zijn borstpantser beklopte. Het was zo gestileerd en omrankt met gele edelstenen dat de digitus impudicus nauwelijks meer herkenbaar was.
'En hoe zit het met de rest van dit gezelschap? Aanvaarden jullie mij van ganser harte als Koning van dit Veelkleurig Land?'

'Slonshal!' donderden de stemmen en geesten van zijn onderdanen. 'Slonshal Koning Aiken-Lugonn! Slonshal!'
De Firvulag zeiden niets. Tegen de tijd dat iemand eraan dacht te zien waar ze gebleven waren, waren ze al op weg naar Nionel.

III. De strijd der titanen

1

In zijn slaap riep hij om haar: Mercy! Maar steeds weer werd hij wakker in die grot van harde rots die hem aan alle kanten omringde en die geen enkel telepathisch signaal doorliet.

Mercy! schreeuwde zijn geest, maar het geluid dat over zijn lippen kwam was nauwelijks hoorbaar. Zoals steeds probeerde hij overeind te komen. Zoals steeds kon hij enkel de spieren van zijn nek en zijn gezicht bewegen. Een warme wind, beladen met de geuren van bloeiende struiken, slipte de grot binnen. Hij was zeer dorstig. Terwijl hij zijn hoofd omdraaide, concentreerde hij al zijn wilskracht op zijn goede arm en droeg die op zich te bewegen, uit te reiken naar de fles water die in zijn nabijheid stond. Maar de arm bleef onbeweeglijk. Hij was hulpeloos.

Godin, laat me sterven, smeekte hij. Laat me sterven voor Isak Henning en Huldah terugkomen.

Een vlieg ging op zijn gezicht zitten en kroop gekmakend over zijn gebarsten lippen. Tevergeefs zond zijn geest vervloekingen uit naar het kleine schepsel. De hete wind veranderde iets van richting en waaide stof op dat op hem viel. Zijn huid was nu uiterst gevoelig. Hij kon iedere onregelmatigheid in de rotsbodem onder zijn ligdek van bontvellen voelen. Toen de zon verder zakte, kwam hij een tijd rechtstreeks in de hete stralen te liggen tot het zweet hem uitbrak. De dorst werd ondraaglijk.

Eindelijk vloog de vlieg op zijn mond weg. Maar daarna kwam zijn veel gevaarlijker vijand, een grote, zwart-witte horzel die zijn huid met een naaldscherpe eileider doorstak om zijn eieren in het levende vlees te leggen. Angst en afschuw welden in hem op bij het zien ervan. Hij wierp al zijn overreding naar het vuile beest, vocht om het met zijn PK uit de weg te krijgen.

Het ging zitten op zijn buik.

Hij uitte een verstikte kreet. Een lange schaduw snelde over de hele lengte van de grot en op de wind kwam de vertrouwde geur van muskus. Hij gromde in uiterste wanhopige nood en zij kwam rennend naderbij, de horzel met haar blote hand wegslaand juist toen deze wilde gaan steken.

'Daar!' schreeuwde ze en verpletterde het beest in het stof onder haar eeltige voeten. 'Daar! Het is dood, dat duivelsbeest!'

Ze maakte de besmeurde plek op zijn huid met koel water schoon en gaf hem te drinken. Daarna nam ze zijn hoofd in haar armen, hield het tegen haar borsten geklemd en begon sussend voor hem te zingen. De grootvader kwam binnen met konijnen uit zijn valstrikken en keek hem honend aan. Huldah besteedde er geen aandacht aan.

'Voel je je nu beter?' vroeg ze.

'Ja.'
'Niet ergens anders gestoken? Geen kiezels die pijn doen?'
'Nee. Enkel water graag.'
Ze liet hem opnieuw drinken. Daarna bracht ze hem een po van steen. Terwijl zij hem schoonmaakte en verzorgde, was Isak bezig met het villen van de konijnen die daarna aan het spit werden geregen. De geur van geroosterd vlees deed hem het water in de mond lopen.
Hij was nu gemakkelijk in staat om te kauwen en te slikken. Huldah was aanvankelijk zeer gekwetst geweest toen hij haar mond-op-mondvoeding had geweigerd, maar nu hij in staat was niet-voorgekauwd voedsel met zijn kaken van haar aan te nemen, viel ze hem daarover niet langer lastig.
'Vanavond zal de maan mooi zijn,' kondigde ze aan. 'Mooi en vol. Zou je naar buiten willen? Jij en ik zouden in het gras kunnen slapen en grootvader in de grot.'
'Nee,' zei hij ronduit. 'Blijf hier.'
'In orde. Maar vanavond is een speciale avond. Dat zegt grootvader tenminste.' Haar ogen straalden en ze wierp haar blonde haarslierten naar achteren. 'Na het eten is er een verrassing!'
Zijn hart bevroor. Volle maan en voorjaarswarmte?
'Wat voor maand is het . . .?' vroeg hij.
Ze boog zich naar hem voorover om beter te luisteren. Zijn stem was nog steeds niet meer dan een gefluister. 'Wat voor maand . . . is dit?'
De kwaadaardige oude man had het toch gehoord en kwam erbij, over hem heen gebogen.
'Wij noemen het de meimaand, Heer God! Jullie noemen het de tijd van het Grote Liefdesfeest. En o, o, wat maakten jullie Tanu dan een fijn feest met al die verdomde vruchtbaarheidsriten. Maar nu niet meer! Heel je volk is verdwenen, Heer God. Allemaal weggespoeld in de wrekende Vloed. De Vliegende Jacht uit Muriah hebben we sinds het laatste najaar niet meer gezien. En die zal nooit meer naar Kersic komen.'
'Dat heb ik je verteld, grootvader,' zei Huldah rustig, 'maar je wilde me niet geloven.'
'Omdat jij niks anders bent dan een halfgare teef,' zei Isak Henning, 'daarom. Maar hierin had je gelijk.'
'En ik had gelijk toen ik zei dat mijn God wakker zou worden.'
Ze keek haar grootvader met brandende intensiteit aan. 'Op een dag, heel gauw al, zal hij weer helemaal beter zijn.'
De armoedige grijsaard schoof over naar het kookvuur.
'Als ie beter is, kan ie zijn PK gebruiken om die houten hand te bewegen!' De oude man grinnikte kwaadaardig. 'En zijn eigen luizen krabben. En zijn eigen reet afvegen. Ha, ha, ha.'
'Schei uit, grootvader!'

De oude keek haar kwaad aan, half uitdagend, half angstig. 'Gewoon een geintje, anders niks. Verdomde koe, geen gevoel voor humor.'
Ze aten. De schemering liet nog op zich wachten. Buiten begonnen de vogels te zingen en Huldah kondigde aan dat ze naar de waterval ging om zich te baden.
'En wanneer ik terugkom, wil ik jou hier niet vinden, grootvader. Neem je spullen maar mee naar dat bosje kurkeiken. Dat is een prima plekje. En probeer ons vannacht maar niet te beloeren, want daar zul je spijt van krijgen.'
Isak keek haar na en mompelde ondertussen machteloze vervloekingen. Hij zocht het hemd waarin hij altijd sliep en gooide daar zijn gereedschap in waarmee hij vuur maakte, een fles water, een afgescheurde brok van het in de hete as gebakken brood en zijn set van drie vitredur messen om hout te snijden. Daarna schuifelde hij naar het achterste deel van de grot, de bundel over zijn schouder en boog zich over de liggende invalide.
'Vanavond kom je er niet onderuit, Heer God. De voorjaarsgekte heeft onze Huldah te pakken!' Hij moest erom lachen tot een hoestbui hem onderbrak. Hij schraapte zijn strot en spoog. De gore klont kwam op een paar centimeter afstand van het hoofd van de prachtige God terecht.
Die sprak met grote moeite. 'Wie is Huldah? Wat . . . is zij?'
'Aha! Ha ha ha!' schreeuwde de oude man verlekkerd. 'Je wilt wel es weten in wat voor grond jouw buitenbeentje gezaaid is? Nou dan, Heer God, haar grootmoeder was er eentje van *jullie*! Bijna tenminste. Ik was in die tijd een net aangekomen nieuwe slaaf voor de plantages in de Drakenhoogte op Aven en ze stuurden mij erop uit om de antilopenkudden uit te dunnen. Daar in de bergen vond ik een baby die te vondeling was gelegd. Het was een wisselkind, maar dat wist ik niet. Een Firvulag-halfbloed die op de wereld was gezet door een van jullie menselijke hoertjes. Zo gaat dat soms. Later begreep ik dat in meer beschaafde delen van de wereld die Firvulag-kinderen aan het Kleine Volk worden gegeven. Maar daar op Aven, waar helemaal geen Firvulag waren . . . Nou ja, ik vond die kleine donder en ik nam haar mee naar mijn hut. Daar had ik een antilope met een jong als huisdier, melk was er dus genoeg. In het begin was het eigenlijk gewoon een experiment. Dat wisselkind kon toen, terwijl het nog zo klein was, al van vorm veranderen en het kon zelfs zo'n beetje mijn geest lezen. Het wist dat ik eenzaam was en het merkte ook dat ik het een op een mens lijkend lichaam het aardigst vond. Dus groeide het snel op, begerig om mij een plezier te doen.'
Isak hurkte nu naast de bewegingloze figuur op de grond.
'Huldah?' vroeg de God.
'Nee, nee, dat komt straks pas. Wat er dus gebeurde, dat wisselkind

was eerst een troeteldier, later een vriend en een bediende en toen . . . nou ja, jullie Tanu geven ons blootnekken nauwelijks vrouwen dus toen het wisselkind groot genoeg was om te neuken, toen neukte ik het. En het hield van me. Ik noemde het Borghild naar een meisje dat ik in het Bestel had gekend. We waren daar heel gelukkig in de bergen, ik deed dat stomme herderswerk en zij deed haar best om er zo aardig mogelijk uit te zien, net als de eerste Borghild vroeger. Maar op een dag kwam een andere kerel erachter dat ze er was en die wilde ook zijn deel. Ik sloeg hem in elkaar en hij verklikte alles aan de opzichter. Tegen de tijd dat de grijsringsoldaten kwamen, hadden Borghild en ik al de benen genomen over de Drakenhoogten heen. Daar maakten we van huiden een kleine boot met een zeil en gingen naar Kersic. Toen kreeg ze een baby en daarna ging ze zelf dood.'
'Baby Huldah?'
'Nog niet, verdomme. Ik noemde het kind Karin. Ook die groeide snel op en we leefden intussen in een nederzetting van Minderen die we daar op het eiland gevonden hadden. Karin leek nog genoeg op een Firvulag om de andere kerels in het dorp af te schrikken. Ze waren bang voor haar en ook bang voor mij. In die dagen maakten we het goed. En toen kreeg Karin ook een baby en dit keer was het Huldah. Op een nacht kwam de Vliegende Jacht uit Muriah. Ze gingen in die tijd af en toe op Kersic tekeer wanneer de menselijke bevolking van zwervers daar te groot werd naar hun zin. Iedereen in het dorp werd om zeep gebracht behalve Huldah en ik. We namen weer de benen en vonden deze plek. Het is allemaal lang geleden.'
'En toen Huldah groter werd, nam je haar ook,' zei de God met zijn trage stem.
Isak deinsde achteruit alsof hij geslagen was, hij struikelde over zijn bundel en viel op de bodem van de grot.
'Dat heb ik niet gedaan! Dat heb ik niet gedaan!'
Zwaar ademend grabbelde hij tussen zijn spullen. Een saffieren lemmet glom bleek in het povere licht van het vuur en naderde de nek van de God waar het trillend bleef hangen boven de geknobbelde bewerkte sluiting van de gouden halsring.
'Buitenaardse bastaard,' siste de oude man. 'Jaren heb ik ervan gedroomd om dit te doen.'
'Doe het dan,' zei de God.
Isak Henning greep het heft van het mes in zijn twee benige handen en bracht het omhoog. 'Haat je! Haat je! Jullie hebben het verpest! Onze kans op een betere wereld! Nou is het met jullie ook afgelopen! We zijn allemaal . . .'
Het oude lijf begon ongecontroleerd te schudden, boog voorover in een plotselinge kramp. Isak liet het glazen mes vallen, bedekte zijn gezicht met zijn handen en begon te snikken.

Huldah kwam binnen, groot, glanzend schoon, naakt en met een krans van wilde oranjebloesems.
'Domme grootvader. Ik zei toch dat je weg moest gaan.' Ze glimlachte naar haar God. 'Grootvader heeft me één keer pijn willen doen toen ik nog een klein meisje was. Dat heb ik hem afgeleerd. Laat het de God zien, grootvader.'
De oude man, nog altijd huilend, schoof zijn lendedoek opzij om te laten zien wat een onwillig kind met Firvulag-bloed een man kon aandoen die haar wilde overmeesteren.
'Ga nou weg en laat ons alleen, grootvader.'
De oude man kroop naar buiten en Huldah verdween korte tijd in het verste deel van de grot. Daarna keerde ze terug om haar God aan te kleden. Ze ging zo gemakkelijk met hem om alsof hij een pop was. Verzonken in afschuw besteedde hij er nauwelijks aandacht aan.
Firvulag! Ze behoorde tot de Firvulag. Hij, die zichzelf zulke hoge idealen had gesteld, woonde in één ruimte met haar en schond daarmee het strengste taboe dat er tussen beide rassen bestond. Firvulag! Dat verklaarde haar opvallende lengte, haar kracht, haar ruwe vitaliteit. En ooit was dat mismaakte wrak van een vadergrootvader natuurlijk een beluste jonge kerel geweest.
'Vanavond wordt de mooiste volle maan van allemaal, omdat je nu eindelijk wakker bent,' zei ze. En na een tijdje: 'Je zult hem voor me doden, ja toch? Zodra je dat kunt?'
Hij kon niet antwoorden. Hij realiseerde zich nu wat voor kleding ze hem had aangetrokken. Zijn leren kolder en de gewatteerde onderlaag voor zijn glazen wapenrusting. Nu werden ook de onderdelen daarvan aangetrokken en vastgesnoerd, de beschermers voor zijn benen en armen (op de missende rechter handschoen na), de stukken voor schouders en dijen. Ze hield de borstplaat omhoog met het embleem van het zonnegezicht ingelegd met goud en roze gekleurde stenen en trok ze hem aan. Het laatst kwam de helm met de trots fonkelende pieken, bekroond met de heraldische pluim van een in elkaar gedoken, onaardse zonnevogel. Ze liet het vizier openstaan en stopte er hier en daar plukken bont tussen op plaatsen waar het gewicht hem pijn kon gaan doen.
Ondanks die voorzorgen en ondanks de onderkleding voelde hij zich onbehaaglijk. Het harnas drukte tegen zijn overgevoelige huid als een bed van spijkers. Vernedering, schuldgevoel en haat jegens haar rezen in hem omhoog als een borrelende stroom magma.
De wapenrusting begon te gloeien.
'Oh, wat mooi!' riep ze uit. 'Mijn prachtige God! God van Licht en Schoonheid en Vreugde!'
Ze knielde naast hem neer, trok de gemaliede rok ter zijde die zijn dijen beschermde en begon aan haar eredienst. Haar lichaam was een zachte massa perzikkleurige lichtheid gemengd met gitzwarte

schaduw en ondanks zichzelf kwam hij tot leven.
'Nee!'
Voor de eerste keer hoorde hij zijn eigen stem tussen de rotswanden weerkaatsen. Hij worstelde om zijn armen omhoog te krijgen, om dat gezicht dat hem aanbad, weg te duwen. Maar zijn spieren waren van lood. De glans van zijn pantser nam toe.
'God van de Zon,' zong ze. 'Oh, mijn eigen God!'
Ze besteeg hem wijdbeens zonder last te hebben van zijn wapenrusting en ze werd een kolossale dwingende zachtheid die hem verslond. Hij raakte verloren en zij schreeuwde het uit in die zoete stortvloed van verblindend licht. Op hem rijdend, doofde ze zijn gloed als een kaars.
Daarna viel ze opzij, buiten zinnen en hij hing daar in een bloedrode leegte. Ik ben dood, dacht hij, dood en vervloekt.
Hij opende zijn ogen. De bloedkleurige glans deed hem duizelen. Het kwam van zijn eigen lichaam. De glazen wapenrusting was ervan doortrokken. Een oneindige reeks kleine pijnimpulsen deed een aanval op zijn huid en die veranderden in een tinteling die begon te pulseren op het ritme van zijn bonkende hart.
Zijn linkerhand lag op zijn borst. Hij tilde hem omhoog. Vervolgens de rechter, waarvan zelfs het houten handstuk doordrenkt was in de gloed terwijl de ruw uitgesneden vingers zich bewogen. Hij rolde weg van het lichaam van de vrouw, zette zichzelf schrap tegen de rotsmuur en begon overeind te komen. De stormvloed van licht die uit hem te voorschijn trad, verlichtte elke spleet en scheur van de grot. Hij ontdekte een lichte beweging vlak bij de duistere ingang en ging erop af.
Het was de oude man die zich verscholen hield achter een rots. Hij was dus toch teruggekomen om te spioneren.
Nodonn tilde Isak Henning bij zijn nekvel omhoog en liet hem bungelen. Het lachen van de triomfantelijke Apollo weerkaatste als het gebulder van een stormwind. Toen werd het magere lichaam achter in de grot geworpen waar het naast Huldah op de stenen vloer terechtkwam. De oude botten kraakten en er werd meelijwekkend geschreeuwd. De vrouw bewoog, tilde haar hoofd op, keek in stomme verbazing naar het gebroken hoopje en toen naar *hem*. Ze tilde een arm op om haar ogen tegen de verblinding van zijn aura te beschermen.
Nodonn stapte naar hen tweeën toe, de maliën van zijn wapenrusting tinkelden bij elke stap. Hij tilde Isak omhoog met zijn gehandschoende linkerhand en hield dreigend de houten hand als een vlammende klauw voor het vertrokken oude gezicht.
'Nu gaan jullie sterven,' zei de Strijdmeester. 'Allebei.'
De oude man begon te lachen.
De klauw zette zichzelf vast aan de achterkant van de kale schedel en begon te draaien. Het lachen veranderde in een hoog gegil.

'Maak haar dood! Maak haar dood! Maar voor je dat doet, kijk naar binnen! Kijk . . .'
Het hoge kreunen vermengde zich met andere geluiden. Nodonn wrong het hoofd van het lichaam en wierp beide opzij. Met wijd open ogen wachtte Huldah af. Ze vertoonde geen spoor van angst.
Kijk naar binnen?
Ze lag uitgestrekt in het vieze stof, een paar verpletterde oranjebloesems kleefden in haar haren. Nodonn gebruikte zijn diepreikend vermogen tot vérvoelen. Verborgen in die ruime Firvulagbuik bevond zich een twaalf weken oude foetus, half zo groot als zijn pink. Perfect en sterk. En mannelijk.
'Een zoon,' hijgde hij. 'Eindelijk.'
Maar hoe? Hoe had dit gekund onder de dodelijke straling van deze onbarmhartige zon die bijna achthonderd jaar de spot met hem had gedreven? Hij was de oppermachtige Strijdmeester en toch had hij enkel zwakkelingen ter wereld gebracht van wie slechts een paar lusteloze dochters tot dusver hadden overleefd.
Hij keek naar de rotswanden om zich heen. Hadden die bescherming geboden? En naar de kalme vrouw met de genen die voor de Tanu verboden waren. Zijn ras had deze vorm van geslachtsverkeer destijds in de ver verwijderde Duat-sterrennevel verworpen. Maar Gomnol, die zijn eigen genetische schema's propageerde, had die vermenging toegejuicht en erop aangedrongen, omdat het wellicht een kortere weg was naar volledig natuurlijke metavermogens.
Zou het waar kunnen zijn?
Met zijn herstellende vermogen reikte hij duizelig naar dat kleine brein. Maar de foetus was nog te onvolgroeid en hijzelf nog te onhandig. Hij zou moeten wachten.
'Jij blijft hier,' vertelde hij de vrouw. 'En wanneer mijn zoon ter wereld komt, verzorg hem dan zo goed je kunt tot ik hem kom halen.'
'Ga je nu weg?' Haar stem was een verschrikt gefluister.
'Ja.'
Tranen sprongen in haar ogen. Huiverend zonk ze ineen. Nodonn raapte de verfrommelde bontdeken op en legde die over haar schouders. Ze raakte het harde, gladde oppervlak van zijn glazen handschoen aan.
'Achter in de grot,' zei ze troosteloos, 'daar ligt je wapen.'
Hij liet een kreet van vreugde horen. Daar lag het Zwaard en wat erbij hoorde! Het werkte niet meer, merkte hij toen hij een knop indrukte, maar hij zou wel een manier vinden om dat te repareren. Hij maakte het vast aan zijn harnas.
'En nu, vaarwel,' zei hij tegen de vrouw. 'De naam van het kind moet Thagdal zijn, denk daaraan.'

'Dagdal,' zei ze huilend. 'Kleine Dag. O, God!'

Hij liep de grot uit en gebruikte zijn vérziendheid. Het vermogen werkte nauwelijks, maar net genoeg om een hoog, uitstekend stuk land te ontdekken aan de westelijke kust dat goed genoeg leek voor wat hij van plan was. Stevig doorlopend ging hij op weg. Maar hij had nog maar amper een kilometer of twee gelopen, toen hij zijn snelheid moest minderen en ten slotte nog maar wankelend vooruitkwam. Zijn zich herstellende geest en lichaam waren nog zwak en hadden sterk te lijden gehad van de eerdere inspanning. Dat was te verwachten. Hij zou voorzichtig moeten zijn.
Zijn scheppende vermogen, dat in vroeger dagen de bliksem naar beneden had geroepen en bergen had bewogen, was nu amper voldoende om hem een stevige houten staf te verschaffen waarop hij leunen kon. Zijn machtige levitatievermogen dat eens vijftig ridders tegelijk met hun strijdrossen omhoog had gebracht, had nu de grootste moeite om zijn weerstrevende beenspieren te ondersteunen terwijl hij de klippen beklom.
Achter hem rees de zon omhoog, de hitte smakte tussen zijn schouderbladen. Buiten adem en koortsig wrong hij de stok telkens weer in de aarde en trok zichzelf hoger en hoger. Stof van zijn schuivende voeten bleef hangen in de doodstille lucht. De struiken rondom hem roken overdadig naar bloesems. Insekten gonsden en de maliën van zijn pantser maakten vreemde geluiden onder het onhandige bewegen van de staf.
Waar ga ik naar toe?... Waarom ben ik hier?... Ja. Om te roepen. Om een telepathische boodschap te verzenden dat ik leef. Klim hoger, voorbij die in de weg staande rots die het signaal zou tegenhouden.
Ten slotte had hij de hoogte beklommen en stond stil te midden van dichte ondergroei en daarboven uitrijzende kromgegroeide jeneverbessen. Het lopen ging nu iets gemakkelijker en er stond een lichte wind. Roep hen nu... de overlevenden van de Clan, zijn bloedbroeders en zusters. Roep en wacht tot ze je komen redden.
Hij liep naar het hoogste punt van de klip tot aan een open plek waar parapludennen groeiden en waar as en houtskool in een verbrande cirkel lag rondgestrooid. (Hier had Huldahs laatste feestvuur gebrand ter gelegenheid van zijn ontwaken!) Hier kreeg hij zijn allereerste uitzicht over de Nieuwe Zee die zijn wereld had verdronken. Uitgestrekt en blauw, niet melkwit zoals eerder de lagunes waren geweest. In de verte werd de zee een mistige streep tegen een verre horizon die zich naar het noorden en het zuiden uitstrekte zo ver als zijn nog zwakke ogen konden zien.
Nodonn omklemde de staf met zijn gehandschoende hand en met de houten terwijl hij begon te vallen. Op zijn knieën, niet in staat zijn blik af te wenden van wat hij nu voor het eerst zag, begon hij te

kreunen. Al de herinneringen kwamen nu terug. De reusachtige golf die hen overweldigde, het schreeuwen van hen die verdronken. En boven die chaos uit, dat rauwe lachen als het krijsen van een roofvogel.
Hij liet zich verder zakken onder een van de spichtige dennebomen en slaagde erin zijn wapenrusting uit te trekken. Het was bijna een wonder, maar hij vond kleine aardbeien aan de planten die op de rotsen groeiden en daar leste hij zijn eerste honger en dorst mee. Daarna kroop hij opnieuw naar de rand van de vooruitstekende landmassa en probeerde zijn vérziendheid andermaal.
Het noorden: vroeger had Kersic zoutvlakten bezeten die zich van de meest noordelijk gelegen rotsen uitstrekten tot aan oostelijk van Var-Mesk, een kleine stad in de nabijheid van sodahoudende beddingen, dat daardoor een centrum van de glasproduktie was geworden. Nu waren die vlakten allemaal overstroomd en Kersic was daardoor een echt eiland geworden.
Het zuiden: nog meer zout water, helemaal tot aan Afrika. In die richting had het diepste gedeelte van de oude lagune gelegen.
Het oosten: het binnenland van Kersic, heuvelachtig en bebost.
Het westen: Aven . . .
Oh, Godin, ja. Daar lag het, nauwelijks waarneembaar. Het schiereiland was geslonken, zout water was diep in de valleien doorgedrongen en Muriah zelf lag gebroken en stil, overgroeid door het oerwoud, terwijl de golven tegen de kapotgebeukte treden van Thagdals paleis sloegen. De plantages waren verlaten, niemand hoedde meer de kudden antilopen. De chaliko's en paardachtigen waren tot hun wilde staat teruggekeerd en het timide restant van de gedomesticeerde rama's kroop scharrelend tussen de ruïnes, vergeefs wachtend op de terugkeer van hun vroegere meesters om de koud geworden kleine halsringen met hun bevelen weer in werking te stellen.
Wat was er overgebleven? *Wie* was er overgebleven? En wat moest hijzelf doen?
De vragen raasden gekmakend door zijn brein als kleine goudblaadjes in een beker sterrelikeur waarin werd geroerd. Oproer in zijn bloed vulde zijn oren met een dreunend gegons. Wervelende rode massa's zwommen voor zijn ogen.
Om hulp roepen.
Nee!
Waarom was er die waarschuwende flits van voorkennis die hem weerhield? Waarom schreeuwde iedere vezel van zijn instinct dat hij voorzichtig moest zijn, dat hij zich op geen enkele manier verder bloot moest geven voor hij was hersteld, totdat hij had uitgevonden wat er was gebeurd in die verloren zes maanden van bewusteloosheid in een grot op Kersic?
Waarom moest hij zich verbergen? Voor wie?

Hij zakte weg in een nieuwe bewusteloosheid. Toen hij zijn ogen weer opende, wist hij zeker dat hij zijn broeders en zusters niet moest roepen en dat hij zich evenmin moest richten op die zwakke telepathische signalen die vanaf de steden op het vasteland kwamen. Er was maar één persoon aan wie hij zichzelf durfde te openbaren, één die hij vertrouwen kon en die hem de waarheid zou vertellen over het Veelkleurige Land na de Vloed. Zo zwak als hij was, kon hij nog steeds zijn gedachten over de persoonlijke golflengte uitzenden en haar zo ten slotte bereiken. Zij zou vermoeden dat hij nog leefde. Zij zou op zijn roep blijven wachten, ook al vertelde alle logica haar dat hij gestorven moest zijn.
En als iemand naar hem toe kon komen, dan was zij het.
Hij raapte al zijn resterende krachten bij elkaar en slaagde erin een kleine maar naaldscherpe gedachte te bundelen, een roep die heel de Nieuwe Zee en Europa overstak om slechts door één geest te kunnen worden gehoord:
Mercy!

2

In zijn catalogus heette de ster Kl-226, maar zodra hij zich had geconcentreerd op dat uit maar drie planeten bestaande systeem, wist hij dat dit Elirion moest zijn. De tweede planeet vanaf de zon, zes miljoen jaar jonger dan hij haar had gekend en nu in het midden van een miniatuur-IJstijd, was Poltroy. De bewoners daarvan, de toekomstige, waren in het Bestel bemind om hun diplomatieke wellevendheid en grootsteedse manieren, maar ze bevonden zich nu nog slechts ruwweg op het mensapeniveau van hun mentale ontwikkeling. Opgeblazen kleine kannibalen, tot aan hun rode ogen verpakt in vishuiden, kropen rond over de gletsjers met geen andere dringende bezigheden in hun geesten dan het overvallen van hun buren en het daarop volgende kraken van hun schedels ten behoeve van een eucharistische vreetpartij.
Elirion was de laatste ster in de reeks die Marc Remillard ditmaal te onderzoeken had en ze was duidelijk onbruikbaar voor zijn doel. Ondanks dat keek hij twee uur langer dan de daarvoor uitgetrokken tijd gefascineerd naar de primitieve Poltroyanen. Hij hield zichzelf voor daarmee een intellectuele nieuwsgierigheid te bevredigen ten opzichte van een ras en een wereld die te zijner tijd beroemd en vertrouwd zou worden. Maar zijn superego protesteerde en suggereerde dat hij nu elk excuus om langer weg te blijven gretig aanpakte om nog niet het ellendige nieuws te hoeven horen dat daar waarschijnlijk op hem wachtte.

De paleolithische Poltroyanen hopten en sprongen en dansten en zwierden en maakten beleefde kniebuigingen voor hun dode slachtoffers voor ze aan de rituele trepanaties begonnen. Hun bloeddorstige aanvoerder van een kleine clan leek wel een dubbelganger van Ominen-Limpirotin, ooit Vierde Gesprekspartner van het Concilie . . .
Marc trok ten slotte zijn vérziende vermogens terug. Hij vertelde de richtingzoeker dat dit voor nu het einde was. Direct daarop was hij terug in zijn eigen lichaam, omsloten door de ondoorzichtige bewapening die zijn leven had bewaakt gedurende een periode waarin zijn hersenschors honderdvoudig overbelast was geweest. Hij kon zien dat er iemand in het aan het observatorium grenzende vertrek stond te wachten en een hoopvolle seconde lang was er de gedachte dat zijn boze voorgevoelens onjuist waren geweest. Maar het was Hagen niet die daar stond. Patricia Castellane was gekomen, haar geest volledig afgeschermd. Toen wist hij dat de ramp gekomen was.
ONTKOPPEL DE CEREBRO-ENERGIESYSTEMEN.
Zijn brein begon af te koelen. Ergens achter zijn oogballen leek een misselijk makende implosie van pseudosensatie plaats te vinden.
HERSTEL DE NORMALE METABOLISCHE FUNCTIES.
Tijdelijk was er een interval van koelte, de rustige betrouwbaarheid van marmer na een vlucht tussen de sterren.
SLUIT MOTOREN AF. ACTIVEER LIFT. SLUIT HET SIGMAVELD KORT. SLUIT DE KOEPEL. ONTKOPPEL EXTERNE EN INTERNE VERDEDIGINGSSYSTEMEN. GEEF VERSLAG OVER LICHAAMSFUNCTIES.
'Alle lichaamsfuncties werken normaal,' verzekerde het scherm hem. Op dit punt had Hagen het werk moeten overnemen om toezicht te houden op het verwijderen van de elektroden ten einde daarna zijn vader los te maken uit de hem omhullende machine terwijl hij tegelijk de vitale levensfuncties nog een keer persoonlijk controleerde.
Maar er kwam geen hulp. Er zou nooit meer hulp komen.
Luid en telepathisch gaf hij zelf de bevelen die hem moesten bevrijden.
TREK HERSENELEKTRODEN TERUG. VERWIJDER CONTACTEN MET CEREBRUM EN HERSENSTAM. VERWIJDER DIE VERDOMDE ROTHELM.
Onverstoorbaar voerde de computer zijn orders uit. De sluitingen van de helm klikten open, zwenkarmen bewogen, het zware, keramische omhulsel waarin hij half lag draaide een kwartslag en hij voelde het optillende vermogen via de kabels waarmee hij verbonden was. Warme, vochtige lucht, indirect licht en daarna de gebruikelijke en vertrouwde digitale aflezer die hem vertelde dat dit de Pliocene Aarde was:
23:07:33 .... 16,5 + 27

De beschermende machine die zijn lichaam had omhuld, viel in twee delen uiteen en kantelde zo dat hij eruit kon. Hij deed snel een paar isometrische spieroefeningen en raakte afwezig een van de kleine wondjes op zijn voorhoofd aan veroorzaakt door de psycho-elektronische doornenkrans. Hij merkte dat het beetje bloed al gestold was. Hij droeg vanaf de hals een zwarte, nauwsluitende overal volgestouwd met receptoren die voor de afvoer van afvalstoffen zorgden en die de circulatie op gang hadden gehouden. De overal was drijfnat en stonk naar de antiseptische vloeistof waarin hij de laatste twintig dagen had rondgedreven. Hij vertelde zichzelf dat hij nu echt eens die oplossing moest aanvullen met een geur die iets aangenamer was.
Marc. Kan ik binnenkomen?
De darmkramp die tijdelijk op een zijspoor was gerangeerd door de ontkapselroutine, kreeg nu de volle laag. Het werd tijd voor het echt slechte nieuws.
Hij klom uit de capsule en stuurde die terug naar de uitrustingskamer. De deur van het observatorium ging open en daar stond Patricia met twee grote ijsgekoelde glazen vruchtesap. Ze droeg een rugloze avondjapon van bleekblauw waarin gouden draadjes waren verwerkt. Ze leek veel jonger dan ze was en haar haren, die nu los vielen, hadden de kleur gekregen van bruine ahornsuiker die Marc zich herinnerde uit zijn jeugd in New Hampshire.
Hij accepteerde haar kus die even snel wegsmolt als de aanraking van een sneeuwvlok, nam het drankje aan en liet het koele vocht zijn pijnlijke keel masseren.
Daarna vroeg hij: 'Hoeveel anderen zijn met Hagen meegegaan?'
'Achtentwintig. Al de kinderen en vijf kleinkinderen. Ze hebben alle terreinwagens meegenomen en elke boot op het eiland die groter was dan zes meter hebben ze in elkaar geslagen.'
'Uitrusting?'
'Vijf ton aan allerlei wapens, de draagbare sigmagenerator, al de mechanische afweerschermen, een eigenaardige selectie aan machines en natuurlijk allerlei voorraden. Vier dagen geleden zijn ze vertrokken. We zijn ze in kleine boten achternagegaan, maar Hagen en Phil Overton en de jonge Keogh riepen een stormwind op waardoor we bijna verzopen. En zonder jou lukte het niet om ze met een gezamenlijke mentale aanval tot de orde te roepen.'
'Vier dagen.' De donker omrande ogen zagen er gekwelder uit dan ooit. 'Ze hebben het moment goed gepland. Op dit ogenblik zijn ze ook buiten *mijn* mentale bereik.'
'Niet als we het nogmaals met ons allen proberen, als jij voor de eerste massieve aanzet zorgt. Dan is er geen plek op Aarde waar ze kunnen ontkomen . . . als jij dat wilt, tenminste. Maar ze gokken er natuurlijk op dat je dat niet zult doen.'
Patricia's mentale aspect bleef neutraal, maar zij had dan ook geen

eigen kinderen onder de voortvluchtigen.
'Ik moet nadenken.' Marc streek met een hand door zijn vochtige krullen. Het chemische luchtje van de overal prikkelde hem buitensporig en zoals altijd na een zoektocht tussen de sterren verging hij van de honger. 'Ik neem een bad en trek wat anders aan. Heb jij al gegeten?'
'Ik heb op je gewacht. Je was laat.'
De karakteristieke scheve glimlach flitste over zijn gezicht terwijl hij naar de kleedkamer liep. 'Ik treuzelde een beetje bij de laatste planeet die ik onderzocht. Op die manier kon ik het onvermijdelijke even uitstellen.'
'Je verwachtte dit?' Haar gezichtsuitdrukking liet nu iets van de wanhoop zien die ze in haar geest zo goed voor hem verborgen hield.
'Ik begin langzamerhand te denken dat ik ze zelf tot deze handeling heb geprovoceerd.'
Hij stroopte de overal van zijn lichaam en stapte het ouderwets vierkante douchehokje binnen waar hij genoot van de kleine, voorgeprogrammeerde genoegens: pulserende en masserende stoten warm water, vloeibare Canoe-zeep, een sproeibad met kruiden en een ijskoude stortvloed toe. Terwijl ze hem de grote handdoek aanreikte, liet Patricia haar ogen over zijn lichaam gaan in een duidelijke waardering die maar half gespeeld was.
'Wat zonde dat je door dat gezoek tussen de sterren je bruine kleur verliest . . . Anders . . . ben je nog dezelfde oude berijpte Adonis met de Mefistowenkbrauwen. God, wat heb ik de pest aan een zichzelf verjongende kerel. En bedek alsjeblieft je viriele onderdelen!'
'Sorry, lief. Die zijn ook slachtoffer van dat zoeken. Voor het moment, tenminste. Tot ik kwaad genoeg word en de levenssappen weer gaan stromen.'
Ze zuchtte.
'Weer twee weken verspild in de regeneratietank om mijn verblekende allure bij te werken. Waar doe ik het eigenlijk voor?'
'Je ziet er geweldig uit. Ik houd van je nieuwe haar. Heb een beetje geduld met me.'
En dat zou ze zeker doen, even getrouw en zorgzaam als altijd, zonder het spel ooit te bederven door hem lief te hebben. Patricia Castellane, die de vernietiging van haar eigen thuisplaneet had geleid ter ondersteuning van zijn Rebellie. Zij was ook de enige die zijn bed had gedeeld sinds de dood van Cyndia, destijds in die apocalypse op de Oude Aarde.
'Zal ik de anderen roepen?' vroeg ze.
Hij trok een gekreukeld hemd aan.
'We kunnen maar beter aan de slag gaan. Roep Steinbrenner, Kramer, Dalembert, Ragnar Gathen, Warshaw en Van Wijk, als die nuchter is tenminste. Strangford ook, zelfs als ze dronken is. En de

Keoghs natuurlijk.'
Hij deed een rode ceintuur om zijn middel.
'En Alexis Manion?'
'Die kan naar de hel lopen. Het verbaast me nog dat hij er niet met die snotapen vandoor is. Hij heeft dat hele idee rondom Felice aangemoedigd.'
Hij zweeg ineens. Zijn ondervragende gedachte flitste op.
Een deel van Patricia's geest gaf antwoord terwijl een ander deel de telepathische oproepen verzond.
'Felice heeft Vaughn Jarrow gedood in hun allereerste ontmoeting met haar. Cloud, Elaby en Owen zijn nog in orde, maar hun missie maakt geen enkele kans meer.'
Vanuit Patricia's herinnering vloeide een herhaling van Owens rapporten over de gebeurtenissen in Spanje in Marcs geest. Hij wist over Felice en Elizabeth en over de kroning en het huwelijk van Aiken Drum.
'Nu Felice tijdelijk uit het zicht is,' vatte Patricia haar oordeel samen, 'kunnen Elaby en Cloud zich concentreren op hun hulp aan Jill. Ze beweren dat ze jou nog steeds trouw zijn ondanks het verraad van de andere kinderen en dat ze bereid zijn volgens jouw aanwijzingen te handelen.'
Marc gunde zichzelf een bulderend cynisch gelach. Daarna haalde hij een kam door zijn haar en bood Patricia zijn arm aan. Ze verlieten het observatorium en wandelden langs de kust van het meer in de richting van zijn huis. De maan was onder en de subtropische hemel schitterde met het diamant van de sterren. Geen van de constellaties leek ook maar enigszins op de figuren die ze uit de 22e eeuw kenden, maar de rebellen hadden nieuwe namen verzonnen. De planeet Mars hing laag in het westen en vormde een dreigende kokarde op Napoleons Hoed.
'Elaby en Cloud zullen met Felice niets meer willen proberen nu die naar Elizabeth is gegaan,' overdacht Marc hardop. 'Ik denk dat we veilig mogen aannemen dat Aiken Drum nu hun nieuwe doelwit gaat worden.'
'Een directe aanval op hem zodra de andere kinderen Europa ook hebben bereikt?'
'Zo gek zullen Cloud en Elaby niet zijn.'
'Een voorstel dus om hun krachten met de zijne te verenigen.'
Marc pauzeerde even en keek uit over het meer. Op het glinsterende water waren de omtrekken van boten verschenen die zijn oude medesamenzweerders naar zijn aanlegsteiger brachten. Dit waren de mannen en vrouwen die belangrijke leden van het Concilie waren geweest tot het moment waarop ze besloten hun lot te verbinden met zijn droom over de menselijke suprematie van het Galaktisch Bestel. Manion buiten beschouwing gelaten, waren er elf van de voornaamsten over, Patricia en Owen meegeteld, en

daarnaast nog eens eenendertig minder belangrijke deelnemers.
'Het ligt het meest voor de hand dat de kinderen Aiken Drum bij wijze van inleiding een of ander vreedzaam voorstel zullen doen,' zei hij. 'We weten nog steeds niet precies wat zijn zwakke kanten zijn en hoe groot zijn mentale vermogen is. Wanneer we de onervarenheid van de kinderen in aanmerking nemen, kunnen we er rustig vanuit gaan dat hun oordeel over koning Aiken-Lugonn nog minder nauwkeurig zal zijn dan het onze.'
'De edelen van de Firvulag hebben geprobeerd hem in een grof gecoördineerde aanval ten val te brengen tijdens het Grote Liefdesfeest. Maar zij hebben gefaald. We zijn niet in staat geweest de reden van dat mislukken afdoende te analyseren. Daarvoor was de afstand te groot, maar Jeff Steinbrenner denkt dat Aiken een mechanisch afweerscherm kan hebben gedragen.'
'Misschien. Aan de andere kant is het heel goed mogelijk dat dit parvenu-koninkje domweg in kracht is gegroeid. Zijn metapsychische vermogens zijn maar een onderdeel van zijn arsenaal. Hij lijkt tevens een politiek instinct te bezitten.'
Onder de oppervlakte van Patricia's geest lag angst.
'Wanneer Aiken Drum positief zou reageren op het plan de tijdpoort weer te openen . . .'
De rest bleef ongezegd. Verkeer in twee richtingen tussen het Bestel en het Plioceen hield in dat agenten van de Magistratuur erop zouden toezien dat de overlevende rebellen alsnog werden bestraft, ook al waren er dan inmiddels zevenentwintig jaren verlopen
Marc keek omhoog naar de talloze sterren en was verscheidene minuten doodstil. Toen zei hij: 'Eén enkele wereld waar het ras zich mentaal verenigd heeft. Meer hoef ik niet te vinden, Pat. De liefde die bij die Eenheid hoort, zou hen dwingen ons te komen halen als we een toevlucht bij hen zochten en vroegen. Zij zouden de waarheid over de schoonheidsfoutjes in ons menselijk ras pas door hebben als het al te laat was. We zouden helemaal van voren af aan kunnen beginnen, maar dit keer zouden we geen vergissingen maken. We zouden onze machtsovername over tientallen jaren moeten uitspinnen. Overal infiltreren terwijl we tegelijkertijd een grote nieuwe generatie kunstmatig ter wereld brachten. We zouden het kunnen klaarspelen, zelfs met het handjevol dat nu nog is overgebleven. Als ik alleen maar die ene ster kon vinden . . .'
'Marc, wat moeten we *nu* doen?' riep ze.
Hij nam haar hand en legde die weer op zijn arm. Ze vervolgden hun wandeling in de richting van het huis. De lampen bij de aanlegsteiger brandden en er waren inmiddels minstens zes boten aangekomen.
'Ga met me mee en laten we eten,' stelde hij voor. 'Daarna zullen we er met de anderen over praten.'
Zachtjes duwde zijn geest tegen haar mentale afweerscherm dat

nog steeds volledig intact was.
'Wees niet te bang om je voor me open te stellen, Pat. Ik weet al een hele tijd dat jij en de anderen de overtuiging hebben dat mijn zoektocht nergens toe dient. Misschien is mijn eigen onbewuste het daarmee wel eens. Als dat waar is – en voor de avond om is zullen we de waarheid weten – besluit ik wellicht dat het tijd wordt voor volledig nieuwe plannen.'

'Ik ben niet te bang om het te zeggen, al is de rest van jullie dat misschien wel!'
De ogen van Gerrit van Wijk puilden glinsterend uit. Met zijn mond half open en zijn kale schedel glimmend in het licht van de veranda, terwijl zijn kleine bevende handen een leeg glas vasthielden waar de ijsblokjes in rinkelden, leek hij meer dan ooit op een kwade kikker. Hij haalde diep adem.
'Er zijn aanwijzingen genoeg geweest dat zoiets als dit kon gaan gebeuren. De hele zaak rondom Felice liet duidelijk zien hoe de kinderen erover dachten, in welke richting hun gedachten gingen. En we kunnen hun dat moeilijk kwalijk nemen. Probeer het in te zien, Marc! Jouw idee om een wereld te vinden waar een ras inmiddels de mentale Eenheid heeft ontwikkeld, is op zijn best een plan voor de lange termijn en je hebt vijfentwintig jaar de tijd gehad om het waar te maken. Meer dan zesendertigduizend sterrenstelsels zijn onderzocht en op maar twaalf daarvan bevonden zich intelligente wezens, maar niet één daarvan was zelfs maar in de buurt van de ontwikkeling die nodig was.'
Marc zat rustig naast Patricia aan de eettafel terwijl de anderen er onhandig omheen stonden of een plaatsje hadden gezocht in de her en der verspreid staande rieten stoelen.
Patricia deed het serveermechanisme open en haalde er twee borden uit met mango's die als dessert waren bedoeld. Marc prikte de zijne aan een vork en begon hem te schillen.
'Terwijl ik dit keer daarginds aan het zoeken was,' zei hij, 'heb ik Poltroy gevonden.'
Acht van de negen aanwezigen gaven mentaal of hardop lucht aan hun opwinding. Maar Cordelia Warshaw, een cultureel antropologe en psychostrategiste wist wel beter.
'Hoe ver waren die op de ladder gevorderd?'
'Ongeveer rechtopgaand.'
Ze knikte bevestigend. 'Dat kan wel kloppen als je rekening houdt met hun langzamere evolutionaire ontwikkeling. In plaats van hen had je beter de Lylmik tegen het lijf kunnen lopen.'
Marc at keurige partjes van de sappige vrucht die hem steeds weer dreigde te ontglippen, terwijl hij hun mentaal een beeld liet zien hoe zijn net voltooide zoektocht was verlopen. Hij herinnerde hen eraan dat hij de jacht was begonnen door het onderzoeken van dat

merkwaardige sterrenstelsel waarin zich de zon van de thuisplaneet der Lylmik moest bevinden. Maar hij had er nergens een spoor gevonden van het oudste intelligente ras uit het hun bekende universum.
'Toch zijn ze daar ergens,' hield hij vol, zijn lippen met een servet afvegend, 'maar God mag weten waar.'
'Die onduidelijke kleine meesterbreintjes hebben iets met hun zon gedaan,' zei Kramer bitter. 'Marc en ik hebben dat jaren geleden al onderzocht. En daardoor hebben we er geen flauw idee van hoe hun zon er nu spectraal uit zou zien. Sommige astrofysici onder de Krondaku speculeerden erop dat ze hun stervende zon naar een miljoen jaar oudere trillingsfrequentie hebben teruggefloten. Als dat waar is . . .'
Hij haalde de schouders op.
'Ik kan geen tijd extra verknoeien door ook nog eens rode reuzen in hun aanvangsstadium te gaan onderzoeken,' zei Marc. 'Onze kansen zijn al klein genoeg wanneer we ons bepalen tot de meer waarschijnlijker objecten.'
'En nu zijn onze kansen ongeveer nul,' zei Van Wijk, 'nu de kinderen zijn vertrokken.'
Hij worstelde zich overeind uit zijn stoel en reikte toen naar de houder waarin de wodkafles zat. Hij begon fanatiek aan de fles te trekken die in de houder vast scheen te zitten.
De lach van Helayne Strangford klonk schel.
'Als ik de mijne niet kan krijgen, dan jij ook niet, Gerrie! Wacht maar broodnuchter op het einde! Of stellen we dat nog even uit, Marc? Doen we dat? Ga je ons vragen jou te helpen hen te doden? Onze eigen kinderen! Zodat wij tenminste veilig zijn.'
Ze was naar de tafel gekomen en stond met een vertrokken gezicht en gebalde vuisten half over Marc heen gebogen. Ze was zo gespannen als een te strak gespannen snaar ondanks de heldhaftige pogingen die Steinbrenner een uur eerder had gedaan om haar met zijn herstellende vermogens tot kalmte te brengen. Vanuit zijn eigen diepten observeerde de Engel van de Afgrond haar bedreiging en reageerde zachtmoedig. Helayne viel in Steinbrenners armen, ineens overvallen door een spierverlamming die ook het gebruik van haar spraakorgaan onmogelijk maakte. Maar ze kon uitstekend volgen wat er verder gebeurde. De arts liet haar op een rustbank zakken. Dalembert en Warshaw propten kussens in haar rug.
'Het zal een harde beslissing voor ons allemaal worden, Helayne,' zei Marc. 'Jij houdt van Leila en Chris en de kleine Joel en Ragnar houdt van Elaby en de Keoghs houden van Nial en Peter en Jordy en Cordelia houden van hun kinderen en kleinkinderen.'
En jij? liet de stilgelegde geest zich beschuldigend horen.
'En ik,' bevestigde Marc. Hij duwde zijn stoel achteruit en stond

op. Eén van de naar beneden gelaten jaloeziestrippen hing een beetje scheef en daardoor kwamen motten naar binnen die om de lampen begonnen te cirkelen. Hij trok de jaloezieën recht en vernietigde achteloos de binnengekomen insekten terwijl hij tegen een van de pilaren leunde, de handen in zijn zakken.
'Cloud en Hagen zijn samen alles wat me van Cyndia is overgebleven. Het was noodzakelijk dat ik hen hierheen bracht om mijn ballingschap te delen. Verkeerd, maar noodzakelijk.'
Zijn blik zwierf over de anderen.
'Precies zo was het ook verkeerd maar menselijk en te begrijpen dat jullie je hier in het Plioceen hebben voortgeplant. We hoopten dat we hierdoor onze droom konden revitaliseren, overdragen aan de jongere generatie. Daarin hebben we allemaal gefaald en ik heb dubbel gefaald doordat ik niet de wereld heb kunnen vinden die ons te hulp zou kunnen komen.'
'We *hebben* nog steeds tijd,' zei Patricia. 'Eeuwen zelfs, als we daarvoor kozen! En als we er de moed voor hebben.'
'Wij hebben in de Rebellie genoeg risico genomen,' snauwde Jordan Kramer. 'Mijn eerste gezin stierf op Okanagon, voor het geval jullie dat vergeten waren. Dalemberts zoon deed dienst bij de Twaalfde Vloot. Houd voor ons dus geen mooie verhalen over moed, Castellane. En wat liefde betreft, we weten allemaal dat jij niet in staat . . .'
'Jordy,' zei Marc. Eén gevleugelde wenkbrauw kwam omhoog. Er was niet eens een mentale stoot nodig om de arts tot zwijgen te brengen. Bleek draaide Kramer de anderen de rug toe en staarde in de nacht.
Toen kwam de langzame stem van Ragnar Gathen uit een hoek.
'Dat zoeken tussen de sterren was een prachtig idee. Het heeft ons allemaal hoop gegeven en deze ballingschap draaglijk gemaakt. Maar de kinderen . . . zij hebben je nooit zo gekend als wij, Marc. Nu ze dus de gelegenheid zien om aan de gevangenis te ontsnappen waarmee wij hen hebben opgescheept, is het vanzelfsprekend dat ze die kans grijpen.'
'Wanneer de tijdpoort weer opengaat,' zei Van Wijk, 'dan zullen we sterven. Of onze persoonlijkheden worden gewijzigd of uitgewist na de schande van een openbare veroordeling.'
Gathen zei: 'Elaby heeft beloofd dat de kinderen de tijdpoort zouden vernietigen nadat ze er zelf doorheen waren gegaan.'
'Hagen zou dat anders aanpakken,' zei Marc. 'Niet bewust misschien, maar de poort zou op de een of andere manier openblijven en de agenten zullen dan toch komen.'
Het vriendelijke gezicht van dokter Warshaw knikte. 'Marc heeft gelijk. En zijn zoon is niet de enige die het gevoel heeft dat hij wraak wil nemen. De enige veilige weg voor ons is, wanneer we hen allemaal doden.'

Ze streelde een van Helaynes handen. De ogen van de verlamde vrouw waren gesloten, maar tussen de oogleden door drupten tranen.
'Het lijkt de enig logische oplossing,' zei Patricia. 'Wanneer er maar een paar van de kinderen overleven om Aiken Drum de technische gegevens van Guderian te laten zien, dan zal hij vroeg of laat zelf aan dat karwei beginnen, met of zonder de hulp van de uitrusting die de kinderen hebben gestolen. Ik heb de waarschijnlijkheid daarvan grondig onderzocht.'
'Wij zijn het met het oordeel van Castellane eens,' zei Diarmid Keogh. Het bewustzijn van zijn zuster Deirdre projecteerde het kille beeld van een samengevoegde en scherp gerichte mentale vuurstoot waaraan ze allemaal zouden moeten deelnemen om die oplossing te forceren.
De leider van de Metapsychische Rebellie staarde nietsziend naar de muur. Hij keek naar het oosten. 'Er is nog een andere oplossing. Een gevaarlijke.'
Pijnlijke stilte.
'Ik kan ze nu zien,' zei Marc. 'Hun samengevoegde voertuig beweegt zich uiterst langzaam door een gebied van windstilte en heel lichte winden, dat de paardebreedten wordt genoemd. Hun zeilen zijn onbruikbaar, want ze hebben al hun PK geconcentreerd op de centrale aandrijving. Het zou tamelijk eenvoudig zijn om ze uit het water te blazen. Het zou een stuk moeilijker worden om een grote luchtmassa ergens zuidoostelijk van hen zover op te warmen dat deze ze terug naar huis zou blazen.'
'Is dat mogelijk?' riep Peter Dalembert uit. Zijn geest was een kookketel van conflicten.
'Wat denk jij ervan, Jordy?' vroeg Marc.
'Ze zijn een heel eind uit de buurt.' Kramer trok een weifelend gezicht terwijl hij snel berekeningen maakte. 'Bijna tweeduizend verdomde kilometer! Dat hebben ze te danken aan die vier dagen voorsprong. En we kunnen niet zomaar elke hoeveelheid lucht opwarmen, weet je. We moeten ergens een bruikbaar tropisch lagedrukgebied vinden dat goed op onze intensivering zal reageren. Zoiets als *dit*.'
Hij liet Marc een mentaal beeld zien.
'Ergens iets als dit te vinden ten noorden van de evenaar?'
'Nee,' zei Marc.
Kramer haalde de schouders op.
'Daar heb je het al. We moeten misschien wel een week of zelfs twee wachten voor er zoiets als dit in de buurt komt. Tegen die tijd zijn zij al bijna aan de overkant of tenminste zover dat ze onder de invloed van westelijke winden komen en dan zouden we geen grein van kans meer hebben om ze terug te blazen.'
'Dit is er wel,' zei Marc die nu een ander meteorologisch beeld aan

de fysicus liet zien. 'Bij de Afrikaanse kust.'
'Hmm. Ziet er niet te beroerd uit. Als we dat meer westelijk konden krijgen. Daar zit genoeg potentieel in om ze op de Afrikaanse kust klem te zetten voor het geval we niet genoeg wind kunnen oproepen om ze naar huis te blazen.'
'Verdomme, Jordy,' gromde Steinbrenner, 'we hebben genoeg vermogen om orkanen uit onze buurt te houden. Wat is er dan zo verdomd ingewikkeld aan het oproepen van een bruikbare wind?'
'Een luchtmassa in een andere richting leiden is volstrekt wat anders dan er eentje intensiveren, Jeff. En het is nog ingewikkelder om zoiets te laten bewegen in de tegengestelde richting waarin in deze tijd van het jaar de grote planetaire winden waaien. We hebben tweeënveertig geesten over om mee te werken, maar zes of zeven daarvan zijn in feite waardeloos omdat ze nauwelijks enige PK bezitten. Hoe we het ook proberen, het zal een rottig en een zwaar karwei worden voor diegenen die het leiden.'
'En reken maar dat de kinderen terug zullen vechten,' zei Diarmid Keogh. Deirdre projecteerde de herinnering aan de boosaardige stormwind die de vluchtelingen op de eerste dag van hun vertrek hadden opgeroepen en Diarmid voegde daaraan toe: 'Jullie zullen zien dat het onze eigen lieve Nial was die de wind coördineerde waarin zijn pappie en mammie moesten verdrinken. En hij werkte verrassend handig samen met Phil Overton en jouw eigen Hagen, Marc, vooral als je bedenkt dat zij niet weten wat Eenheid is. Ik denk dat we er inderdaad vanuit moeten gaan dat elk van de kinderen zal pogen ons te weerstaan.'
'En ze hebben fotonenwapens ook,' zei Van Wijk met bevende stem.
'Klets niet uit je nek, Gerrie,' zei Patricia. 'Marc is er nu. Geen enkele van die draagbare stralers kan ons nu kwaad doen. Ze zouden binnen Marcs bedwingende bereik komen voor ze die dingen goed en wel hadden gericht.'
'Maar ze zullen alles gebruiken wat ze hebben,' hield Van Wijk vol.
'Misschien vechten ze zich wel dood,' voegde Warshaw daar zachtjes aan toe.
Marc was teruggekeerd naar zijn eerdere visie. 'We kunnen proberen de kinderen te redden. Maar het gaat er allereerst om tijd te winnen, zodat de bruikbare mogelijkheden toenemen. Laten we Cloud en Elaby en Owen niet vergeten, die nu in Europa zitten terwijl Felice tijdelijk niet op haar roofnest aanwezig is en Aiken Drum zich in een situatie bevindt waarin hij gevoelig moet zijn voor manipulatie. Ik moet tijd hebben om na te denken en deze situatie grondiger te bestuderen.'
'Je hebt zevenentwintig jaar de tijd gehad,' zei Van Wijk meedogenloos.

Maar Marc was in z'n eigen gedachten verdiept. 'Als het ons niet lukt om de kinderen hierheen terug te brengen, dan kunnen we ze in elk geval bij Europa uit de buurt houden. Wanneer we ze kunnen vastzetten op de Afrikaanse kust, is er de mogelijkheid om op afstand hun uitrusting te vernietigen maar hun levens te sparen. Op die manier schakelen we die bedreiging uit totdat we in staat zijn zelf actie te ondernemen. Ja . . .'
Hij keerde naar de werkelijkheid terug, raakte ieders bewustzijn een ogenblik vol overtuiging aan en liet dat volgen door een vleugje meer hypnotische overreding.
'De zoektocht! Als die was gelukt, dan was dat onze redding geweest en een aanvaardbare vervanging voor de oude droom die faalde. Mijn droom, mijn mislukking waar jullie allemaal in meegesleurd zijn. Jullie en de andere getrouwen die besloten mij hierheen naar het Plioceen te volgen om een nieuwe poging te wagen. Maar opnieuw heb ik gefaald. Onze kinderen klampen zich vast aan hun eigen dromen en nu zal ik gedwongen worden de consequenties van hun keuze in aanmerking te nemen. Ik heb dat al de afgelopen twintig dagen gedaan terwijl ik tegelijkertijd tussen de sterren zocht en vanavond weer. Ik moet de uiteindelijke beslissing nemen. Maar ik wil weten hoe jullie zouden stemmen. Nu.'
'Maak ze dood,' zei Cordelia Warshaw.
Patricia was het daarmee eens. 'Het is de enige veilige koers.'
Er werd een moment geaarzeld, maar alleen Gerrit van Wijk sloot zich bij het doodvonnis van beide vrouwen aan. De anderen kozen voor de gevaarlijker oplossing.
Marc liet hen de nieuwe constructie zien, een plan dat misschien hun eigen veiligheid zou vergroten en dat tegelijkertijd hun kinderen in staat stelde naar het Bestel terug te keren. Er was een even gelijkwaardige kans dat het plan hun eigen ondergang zou betekenen en dat gold ook voor de niets vermoedende overige inwoners van het Veelkleurig Land.
'Dat is wat ik van plan ben,' zei Marc. 'Willen jullie daarin meegaan?'
In één enkele telepathische bevestiging legden de vroegere leden van het Galaktisch Concilie zijn leiderschap andermaal vast.
'Goed dan. Ik zal vanavond nog contact met Owen leggen. Morgen beginnen we met de aanpassingen van mijn observatorium en met de constructie van een nieuw voertuig. We zullen die verraderlijke kinderen in Afrika laten stranden en zorgen dat ze daar blijven tot wij klaar voor ze zijn. Als er geen onverwachtse dingen tussenkomen, moeten wij tegen het einde van augustus ongeveer klaar zijn om naar Europa te vertrekken.'

3

Felice bewoog onrustig heen en weer over het balkon van het jachthuis, een schuwe geest uit de wouden in een kilt van wit leer, herteogen die schichtig flikkerden terwijl ze nerveus haar vérvoelende vermogens als zoeklichten over het omringende bergbos liet gaan.
'Je bent hier veilig,' hield Elizabeth aan. Ze stond zelf in de deuropening en droeg de oude rode overal van denim, die het meisje zich uit de herberg zou herinneren: een vriend, een anker, een band met het verleden.
Al meer dan twee weken was de raaf nu elke dag naar het balkon gevlogen en daar neergestreken om te veranderen in een angstig jong meisje. En elke dag opnieuw had de raaf geweigerd te blijven, ondanks de vakkundige overreding van Elizabeth. Elke dag opnieuw was de vogel weggevlogen na een steeds langer wordende maar toch steeds weer afgebroken conversatie.
Vandaag had Felice het aangedurfd langer dan twee uur te blijven.
'Er waren afschuwelijke nachtmerries de afgelopen nacht, Elizabeth.'
'Dat spijt me.'
'Vandaag of morgen moet ik hardop schreeuwen. Als ik dat doe, zal ik sterven. Ik zal verdrinken in goud en vuil.'
'Tenzij je mij laat helpen,' stemde Elizabeth in.
De waanzinnige ogen leken reusachtig groot te worden. Klauwen verzonken in Elizabeths brein, maar voordat die kwaad konden doen, richtte de Grootmeesteres een diamanthard afweerscherm op. De greep op haar geest gleed uit, probeerde zich onmachtig vast te klampen aan een gladheid die nergens houvast bood. Toen trok hij zich terug.
'Ik . . . dat was ik niet van plan,' zei Felice.
'Dat was je wel.' De stem van de genezeres klonk bedroefd. 'Je zou alles vermoorden wat dreigde jou lief te hebben.'
'Nee.'
'Jawel. Je hersens zijn kortgesloten. De paden van gewaarwording voor pijn en genot zijn hopeloos met elkaar vervlochten. Moet ik jou het verschil laten zien tussen je eigen mentale structuur en die van iemand die ik normaal zou noemen?'
'Goed.'
De beelden op zichzelf waren bijzonder ingewikkeld, maar voorzien van talrijke aanduidingen, die zelfs dit slecht opgeleide kind zou moeten kunnen begrijpen. Bijna vijftien minuten bestudeerde Felice beide breinen terwijl ze zich achter een afweerscherm verborgen hield. Ten slotte opende het scherm op een kier. Een verlegen ding kwam naar buiten.

'Elizabeth? Dit brein, is dat van mij?'
'Het is een zo nauwkeurig mogelijke benadering. Beter kan niet zonder dat je me werkelijk tot je bewustzijn hebt toegelaten.'
'Van wie is dat andere?'
'Van zuster Amerie.'
Het meisje huiverde. Ze verliet haar plek bij de balustrade van het balkon en kwam dichter naar Elizabeth toe. Een bleek en nietig figuurtje dat er uiterst verloren uitzag.
'Ik ben een monster. Ik ben helemaal niet menselijk, of wel?'
'Je kunt het weer worden. De grootste problemen liggen in je onderbewuste, maar sinds je de Straat van Gibraltar hebt opgeblazen, hebben die onderbewuste lagen een diepe invloed gehad op je bewuste geest. Maar je kunt genezen worden. Er is nog tijd.'
'Maar niet . . . veel tijd?'
'Nee, mijn kind. Het zal niet zo lang meer duren en dan beschik je niet meer over de wilskracht om in herstel toe te stemmen. Je moet me vrijelijk toelaten, dat weet je. Je bent zo sterk, ik zou je met geen mogelijkheid kunnen overmeesteren. En zelfs wanneer je je vrijelijk onderwerpt, zal je genezing voor mij een riskante onderneming worden. Dat heb ik me nu pas gerealiseerd, nu ik je van nabij kan aftasten.'
'Ik zou je kunnen doden?'
'Makkelijk.'
'Maar je zou toch proberen mij te helpen?'
'Ja.'
Het elfengezichtje met het puntkinnetje kwam omhoog. De donkere ogen zwommen in ongestorte tranen. 'Waarom? Om de wereld van iemand als ik te redden?'
'Gedeeltelijk,' gaf Elizabeth toe. 'Maar ook om je van jezelf te redden.'
De ogen van Felice veranderden. Er kwam een vreemde, kleine glimlach te voorschijn.
'Je bent al net zo erg als Amerie. Die wilde mijn ziel redden. Ben jij soms ook katholiek?'
'Ja.'
'Wat heb je daaraan . . . hier in het Plioceen?'
'Niet veel, soms. Maar het blijft een basis voor je levensstijl en ik probeer die te blijven volgen.'
Het meisje lachte.
'Ook als je twijfelt?'
'Juist dan,' zei Elizabeth. 'Je bent heel slim, Felice.'
Ze trok zich uit de deuropening terug en liep door de kamer naar een plek bij het raam waar twee stoelen stonden. 'Kom binnen en ga zitten.'
Felice aarzelde. Elizabeth voelde de werveling van elkaar tegensprekende emoties en de opwinding die daar het gevolg van was.

Naakte angst vocht tegen een waarachtige behoefte aan liefde die nog steeds aanwezig was, maar bijna verpletterd werd onder de last van schuld en perversie.
Terwijl ze haar eigen ogen gericht hield op het landschap dat door het grote raam zichtbaar was, de heuvelrijen van de Zwarte Bergen, de verre glinstering van het Lac Provençal, liet Elizabeth zich in een van de stoelen zakken. De raaf was nog steeds niet opgevlogen.
Felice keek toe, een kronkelend kleine metalen vinger probeerde voorbij het afweerscherm van de genezeres te komen: nieuwsgierig, wanhopig hopend.
Elizabeth bedekte haar gezicht met haar handen en bad. Ze bracht haar afweerscherm volledig omlaag en zei: 'Kijk in mijn geest als je dat wilt, Felice. Maar wees voorzichtig, kind. Je zult zien dat ik je de waarheid heb verteld, dat ik je enkel wil helpen.'
Het ding kwam dichterbij . . . verleid . . . kwam nog dichterbij . . . liet ongewild iets van zichzelf zien. O God zie het pathetische verraad van dit arme wicht door een rampzalig ouderpaar. Had dat het voor haar onmogelijk gemaakt om op een ouderfiguur te reageren?
'Jij *houdt* van me?' Ongeloof . . . tijdelijk opgeschorte woede.
'Ik had zelf geen kinderen, maar ik heb veel van kinderen gehouden. Ik heb ze genezen en onderwezen. Dat was mijn leven in het Bestel.'
'Maar niet één van hen was zo slecht als ik.'
'Niemand van hen had me nodig in de mate waarin jij me nodig hebt, Felice.'
Het meisje zat nu in de andere stoel en leunde voorover naar de figuur in de rode overal die haar gezicht nog steeds verborgen hield. Dit was Elizabeth maar! Die was aardig geweest tijdens hun verblijf in de herberg. Zij had de autoriteiten ervan overtuigd rustig aan te doen met haar en de kettingen los te maken waarmee ze aan haar stoel was geketend na haar aanval op raadsman Shonkwiler. Elizabeth die de elandenjacht had verpest en toen zo dankbaar was geweest toen Felice de taak van het villen had overgenomen. Elizabeth die zo verdrietig was geweest over het verlies van haar echtgenoot. Die geleerd had met een luchtballon te vliegen zodat ze vrij en in vrede door en over het Plioceen kon vliegen. Die ten slotte die vrijheid en vrede had opgegeven opdat Felice aan Culluket kon ontsnappen.
'Ik geloof je,' zei een klein stemmetje. Het monster trok zich in de verten terug.
Elizabeth liet haar handen zakken, rechtte haar rug en glimlachte. 'Zal ik je vertellen hoe het gedaan moet worden?'
Felice knikte. Haar wolk platinablond haar werd elektrisch geladen van opwinding.
'Eerst moeten we een plek vinden waar we veilig kunnen werken en

waar de ontladingen van jouw geest anderen geen kwaad kunnen doen. Heb je wel eens gehoord van Breedes kamer zonder deuren?'
Felice schudde haar hoofd.
'Dat is een machine met een zeer groot vermogen dat de geest volledig afschermt. Breede gebruikte dat voor zichzelf als een toevluchtsoord wanneer de druk van andere, agressief gerichte geesten haar te groot werd. Wanneer ze zich in die kamer bevond, kon ze wel door middel van haar vérziende vermogens waarnemen wat daarbuiten gebeurde, maar anderen konden *haar* niet bereiken. Breede liet mij dat toevluchtsoord een tijdlang met haar delen. Voor ze stierf in de Vloed gaf ze de machine aan vrienden van mij zodat ik er gebruik van zou kunnen maken. De kamer zonder deuren is geen gevangenis. Zij die erbinnen zijn, kunnen elk moment uit vrije wil naar buiten. Maar wanneer ik jouw genezing op mij neem, moet je beloven in die kamer te blijven zolang de behandeling duurt. Dat kan verscheidene weken in beslag nemen.'
'Daar stem ik in toe.'
'Er is nog een andere voorwaarde. Nu ik weet hoe sterk je echt bent, zou ik een paar helpers willen gebruiken tijdens sommige fasen van je genezing. Ik ben niet zo sterk meer als ik was tijdens mijn leven in het Bestel. Je zult je herinneren dat ik daar mijn metavermogens verloren heb en dat ik die enkel terug heb gekregen door de schok die het passeren van de tijdpoort bij mij teweegbracht.'
'Dat herinner ik me. Wie zouden je helpers zijn?'
'Creyn en Dionket.'
Het meisje fronste.
'Creyn, dat is in orde. Voor hem ben ik niet bang. Maar de Heer Genezer . . . Hij is sterker dan mijn Culluket en toch heeft hij niets gedaan om het martelen te stoppen. Hij was te bang. En nu houdt hij zich in de Pyreneeën verborgen, samen met Minanonn en die idioten van de vredesfactie in plaats van zijn mensen te helpen in de strijd tegen de Firvulag. Ik vind dat verachtelijk!'
'Jij begrijpt Dionket niet. Maar hoe dan ook, je zult moeten aanvaarden dat ik hem bij mijn werk nodig heb.'
'Hoe zou je die twee buitenaardsen willen gebruiken? Ze zouden me er nooit onder kunnen houden, weet je?'
'Ik zou ook niet zozeer hun eigen krachten gebruiken. Maar ik zou een paar speciale mentale zekeringen construeren die zij in stand moeten houden terwijl ik met de meer ingewikkelde onderdelen van de genezing bezig ben. Vergelijk het maar met een chirurg die diep in het lichaam bezig is en die klemmen en scharen en weet ik veel gebruikt om zelf een schoon en overzichtelijk arbeidsterrein te hebben. Dionket en Creyn kunnen de taak overnemen van het controleren en in bedwang houden van jouw verdedigingsmechanismen, terwijl ik aan de katharsis werk.'

Felice zweeg. De grote bruine ogen stonden afwezig en leken de vlucht van een adelaar te volgen die geluidloos en langzaam cirkels trok onder de wolkeloze meihemel.
'En wanneer het allemaal voorbij is, zal ik dan *goed* zijn?' vroeg ze ten slotte.
'Je zou gezond zijn, kind. Alleen God weet de rest.'
Het monster kwam weer naar buiten, loerend naar Elizabeth. 'Amerie kon me niet bewijzen dat er zoiets als een God bestond. Of, als die al bestond, dat die iets om ons gaf. Kun jij dat bewijzen?'
'Er zijn rationele bewijzen voor het bestaan van een Eerste Oorzaak en een Omega, de Vader en de Zoon. Er zijn proefondervindelijke bewijzen voor een Liefde die wij de Heilige Geest noemen. Maar ik heb nooit ook maar één schepsel gekend die geloof verwierf door dat soort bewijzen. Ze worden meestal pas naderhand gebruikt, als de bekering al heeft plaatsgevonden. Als geruststellingen.'
'Om de twijfel te verbergen, zul je bedoelen.'
'Om onze zwakheden te overkomen. Maar eerst moet de behoefte er zijn, denk ik. Dat lijkt het enige echte bewijs te zijn. De behoefte aan liefde.'
'Amerie heeft zoiets eens een keer tegen me gezegd. Toen wilde ik in een God geloven. Ik had zijn hulp nodig. Misschien dat hij toen voor mij bestond. Nu is dat niet meer zo. Er is geen God en er zijn geen duivels en jullie zijn allemaal niks anders dan beelden uit een droom van mij! Daar! Nou weet je hoe ik erover denk.'
'Felice . . .'
'Wat maakt het voor verschil? Maakt het wat uit dat ik niet geloof dat jullie bestaan? Kun je me dan toch nog genezen?'
'Ik vertrouw erop dat ik dat kan.'
De grijns van het monster veranderde in een giftige bloesem. 'Ik vraag me af of God het wel eens is met jouw grote zelfvertrouwen! Als je er een groter stuk afbijt dan je kunt kauwen, betaal jij de prijs. En heel wat andere mensen misschien ook.'
Elizabeth kwam overeind, haar geest nog steeds geopend. 'Maak nu je keus, Felice. Stem toe in de genezing . . . of ga weg en kom nooit meer terug.'
De duivelse glimlach smolt weg. De oude angst werd zichtbaar en die nog veel oudere behoefte die nooit bevredigd was.
Arm, gekweld kind dat verwondingen had geaccepteerd in plaats van liefde, vuil als een substituut voor schoonheid, de leegte van de dood verkozen boven het verkrampte leven.
'Wel?' vroeg Elizabeth.
'Ik blijf bij je,' fluisterde het meisje.
Haar muren kwamen naar beneden. Daarachter kwam een naakt wezen te voorschijn dat naar Elizabeth keek en afwachtte.

4

Af en toe, dacht Aiken, was koning zijn maar een strontbaantje. Hij was klaarwakker om drie uur in de ochtend en keek ontevreden toe hoe taankleurige uilen achter de muizen aanjoegen op de kantelen en balkons van het Glazen Kasteel. De lichten in het kasteel waren gedoofd. Hij was gedwongen geweest eens per week tot die maatregel te besluiten om die gevederde jagers een goed uitzicht te bieden in hun strijd tegen de knaagdieren, die zich als waanzinnigen voortplantten dank zij de hang van zijn hovelingen naar schranspartijen in de openlucht.

Het was een frustrerende dag geweest. Celadeyr van Afaliah had grote bezwaren gemaakt tegen Aikens voornaamste plan om een overval te plegen op het roofnest van Felice. Hij had er geen zin in al de chaliko's te moeten leveren die voor zo'n campagne nodig waren en hij wilde dat zijn eigen stad het rendez-vous-punt werd, niet de Golf van Guadalquivir. En hij had zijn ideeën pas met veel moeite laten varen nadat Aiken zijn koninklijke autoriteit had laten gelden.

Daarna had Yosh Watanabe hem verteld dat de pas aangekomen scheepslading bamboe onbruikbaar was als basismateriaal voor de vechtvliegers. Het spul was te zwak om te worden gebruikt voor de o-dako die een grote man kon meevoeren en te bros voor de kleinere rokkaku. Ze moesten dus terug naar het tekenbord (en het moeras) als er tijdens het Grote Toernooi in dit najaar nog iets terecht wilde komen van een wedstrijd tussen vechtvliegers.

Daarna kwam het nieuws dat die verdomde blootnekken in opstand waren gekomen in een van de grootste suikerfabrieken in Rocilan. Aiken had Albcronn erheen gestuurd om poolshoogte te nemen en die kwam erachter dat een stelletje van Aikens eigen gouden-ringdragers (kerels die eigenlijk nauwelijks metavermogens bezaten) zelf voor de opstand hadden gezorgd door de produktie belachelijk hoog op te drijven. De blootnekken en de rama's werden gedwongen tot eindeloos overwerk en de overproduktie aan suiker werd voor eigen rekening verkocht op de zwarte markten. De goudringen werden prompt een kopje kleiner gemaakt en de afgejakkerde arbeiders kregen andere tarieven. Maar Aiken vroeg zich af of er nog meer van zijn twijfelachtige rekruten ergens de boel aan het oplichten waren en daarom besloot hij ten slotte om zijn hele elitegarde naar Goriah terug te roepen waar hij hen zelf onder de duim kon houden, hoewel dat op een aantal plekken betekende dat de garnizoenen gevaarlijk onderbemand raakten. Maar dat zou trouwens toch gebeuren, zodra zijn Spaanse campagne van de grond kwam.

En dan was er Bardelask nog. Het Kleine Volk van Famorel maakte

de omsingeling steeds nauwer en veroverde één voor één de omringende plantages. Vrouw Armida begon benauwd te worden (en terecht) en eiste dat de soeverein een ontzettingsmacht aanvoerde om de oude Mimee en zijn bende weer eens even duchtig de hand van Tana te laten voelen.
Aiken kon daar niet aan beginnen. Niet nu hij al zijn grote kanonnen op ging stellen in de richting van Koneyn. Het arme Bardelask kon gemist worden, al had hij het lef niet om dat aan Armida te bekennen. Zijn eerste strategische doel was de Speer en de schatkamer van Felice die zo langzamerhand vol moest zijn met gouden halsringen. Elke dag kon Elizabeth klaar zijn met haar herstelproces en het monster weer los laten. (Aikens spion in de omgeving schatte dat het ombouwen van Felices brein nog wel eens twee weken in beslag kon nemen, maar wie kon zich permitteren dat risico te lopen?) Hij moest die schatkamer overvallen voor Felice uit de kamer zonder deuren te voorschijn kwam en daarna zou hij haar, volgens het plan van Culluket, in een hinderlaag moeten laten lopen voor ze weer helemaal bij haar positieven was.
Toen kwam er een Mindere uit het gebied van de Vogezen en die wist te vertellen dat er een of andere expeditie ginds in de maak was. En de geruchten wilden dat de bannelingen daar spoedig andere wapens zouden hebben dan alleen maar ijzer.
En Sullivan-Tonn 'vroeg met alle respect verlof' voor hem en Olone om naar Afaliah terug te mogen keren, en Olone zette haar echtgenoot in het openbaar voor schut door hem een jaloerse kippeneuker te noemen, terwijl ze ondertussen Aiken met haar ogen zat op te vrijen. (Het verzoekschrift moest nog beoordeeld worden.)
Als gevolg van al die op hem afkomende kwesties was Aiken te laat geweest voor het diner. De geroosterde zwaan was uitgedroogd en de soufflé ingezakt.
En voor de vijfde nacht achter elkaar had Mercy zich lusteloos aan hem onderworpen, zelf volstrekt niet opgewonden. Ze had 'elfachtige invloeden' de schuld gegeven die in de meimaand werkzaam waren.
Dat laatste had Aiken op de een of andere onverklaarbare manier nog het meest dwarsgezeten. Zelf had hij de tegenwoordigheid aangevoeld van een of andere griezelige mentale aanwezigheid, maar hij had te weinig ervaring met het voelen op afstand en was daardoor niet eens in staat geweest het bestaan ervan definitief vast te stellen, laat staan het spoor te volgen naar een bron van oorsprong. Hij had Culluket laten zoeken, maar die had niets gevonden. Wat voor emanatie het ook was, het leek dicht in de buurt te liggen van de gewone menselijke golflengte.
Nadat Mercy in slaap viel, terwijl hij zich ijskoud en waakzaam en onbevredigd voelde, grabbelde hij al zijn moed bij elkaar om een van zijn ellendigste verdenkingen te controleren: namelijk dat zij-

zelf de bron zou kunnen zijn van deze metapsychische verstoring. Terwijl zij lag te slapen onder de lakens van satijn, zette hij een mentale sonde in elkaar waarvan hij aannam dat die niet kon worden ontdekt en die verbonden kon worden met zijn eigen subtiele overredingskracht. Dat moest goed genoeg zijn om de aanwezige geheimen naar boven te halen. De Ondervrager had hem in dit soort technieken de afgelopen maanden goed getraind en hij had het met succes op andere mensen gebruikt, onder andere bij die in principe verraderlijke Sullivan. Maar Aiken had het nooit bij zijn vrouw durven proberen. Dit was zijn zwakste metafunctie en wanneer ze hem betrapte . . .
Mercy glimlachte in haar slaap. Een uitbarsting van woede ging door hem heen. Het moest wel zo zijn! Er was geen andere verklaring. Geen andere manier om te verklaren waarom ze niet langer bang voor hem was en dus ook niet langer bereid tot toegevendheid.
De sonde was gemakkelijk bij haar naar binnen geslipt, zijdelings en zoetgevooisd:
Ben je gelukkig, Mercy mijn lief?
Zo gelukkig.
En waarom ben je gelukkig?
Ik heb mijn kind en ik heb mijn lieve acushla.
En wie is dat?
Wie anders dan mijn eigen waarachtige geliefde?
(Maar geen beeld erbij, verdomme!) *Kijk naar je geliefde, Mercy, en vertel me wat je ziet.*
Ik zie een nieuwe zon rijzend boven de besloten zee.
(Zon!) *Hoor je zijn stem?*
Die hoor ik nu.
(Ze zou het over mij kunnen hebben!) *Hoe heet hij, Mercy, mijn lief?*
Zijn naam is Vreugde. Glans. Hoogtepunt.
Waar is hij, vrouw, waar is hij, WIE is hij?
Oh . . . oh . . . halverwege tussen Var-Mesk en hel helaas ga niet mijn Liefde riskeer het Monster niet wacht op mij om te helpen wacht . . .
Jezus!
Hij trok de mentale sonde terug en streelde haar cortex en hersenstam totdat haar opgewonden bewegingen afnamen en haar ademhaling weer rustiger werd en regelmatig. Er leek geen kans meer dat ze zou ontwaken. Maar iets op haar diepste mentale niveau was nu *waakzaam* geworden. Het had hem niet herkend als de indringer, maar het wist dat er gevaar dreigde.
Aiken wachtte, maar trok zich tenslotte helemaal terug. Hij klauterde uit het bed, sloeg een ochtendjas om en trok zich op het balkon terug om na te denken.

Ieder van de antwoorden die Mercy had gegeven, kon betrekking hebben op hem zelf, maar ook op die ander. Alleen die vluchtige verwijzing naar Var-Mesk was intrigerend. Bewustzijnssondes! Wat een ellendig laffe manier om mensen te doorzoeken, rondgraaien in het brein van de vrouw die hij liefhad, loerend naar een excuus om haar later klem te kunnen zetten.
Jawel, klem te zetten.
Jawel, bij de vrouw die hij liefhad.
'Nooit meer,' zwoer hij. 'Wat voor verdenking ik ook tegenover haar koester. Als het waar blijkt te zijn en als hij echt terug is, dan kom ik dat snel genoeg aan de weet. Maar niet door Mercy op die manier te onderzoeken.'
Hij stond bij een van de kantelen en keek naar de uilen en luisterde naar de branding in de Straat van Redon die op de kust sloeg. Hoe waar was het allemaal: koning zijn was soms het verschrikkelijkste dat er bestond.
Hij draaide de knop van zijn gedachtenpatroon om, liet zijn jakkerende geest langzaam tot bedaren komen binnen de knusse schermen die hijzelf had geweven en achter het kunstmatige mentale schild dat afkomstig was van het psycho-elektronische apparaatje dat hij nu constant bij zich droeg. Nogal mismoedig, aangeraakt door een vaag gevoel van onheil, liet hij zich achter die dubbele bescherming drijven . . .
En hoorde.
Een stem die van ver en telepathisch tot hem sprak, heel zwak maar duidelijk via zijn eigen golflengte, ondanks de opgeworpen barricades:
Aiken Drum. Wees dan eindelijk toch gegroet. Wat ben jij een harde noot om te kraken. Wees niet bang. We zijn nu al een week bezig om langs deze weg met jou in contact te komen. Er zat nogal wat hinderlijke ruis aan jouw Europese kant van de lijn, jammer genoeg. Het moet voor de mensen in jouw directe omgeving nogal onaangenaam zijn geweest.
'Wie is dat, verdomme,' fluisterde Aiken.
Gelach. Rustig, mijn jongen, rustig. Volg de input terug. Kun je dat? Precies. Een heel eind weg en dan dwars over de Atlantische Oceaan. Nergens in de buurt bij jou of je Veelkleurig Koninkrijk. Ik ben de enige die nu met je praat, niet de anderen. En voor jou is het geen bedreiging. Het tegendeel, in feite.
'Maak jezelf bekend,' antwoordde hij tussen opeengeklemde tanden, vechtend om iets meer zicht te krijgen in de duisternis die zich voor hem uitstrekte. 'Maak je bekend of ik schakel het sigmaveld in!'
Heb je er daar eentje van? Interessant. Maar ik zou toch nog door kunnen komen. Je eigen metapsychische afweerscherm is heel wat krachtiger dan welk technisch foefje ook, wist je dat? Verdomd

effectief voor een amateur zonder besef van Eenheid. Daarom was het ook zo moeilijk om jou te bereiken. En het had natuurlijk geen enkele zin om je naam over de algemeen openstaande kanalen af te roepen. Wat wij te bespreken hebben is alleen voor jou oren bestemd.
'Laat jezelf zien, verdomme!'
Goed dan.
Een beeld: massief, glanzend en metalig, ruwweg menselijk van vorm, een produkt van een superieure technologie. Ruimtepantser? Schild tegen straling? Uitrusting die de levensfuncties waarnam? Over dat beeld heen het gezicht van de man, op een ruwe manier aantrekkelijk, een kin met een spleetje en een grote mond, diepliggende ogen met zware wenkbrauwen, een fraaie arendsneus, krullend haar dat grijs begon te worden. Hij zei:
We zullen je helpen de Speer te pakken te krijgen en de voorraad gouden halsringen.
'Dat zal wel!'
Aikens hart bonsde van opwinding terwijl hij tegelijkertijd gealarmeerd leek te bevriezen. Wie was dit? 'Je bedoelt dat je precies weet waar de bergplaats van Felice is?'
Ja. We kunnen een deal maken.
De natuurlijke vaardigheden van de oplichter kwamen weer naar boven. 'Oh ja?'
Drie van mijn mensen zijn al in Europa. Je hebt van hen niks te vrezen. Mentaal zijn ze veel zwakker dan jij. (Beelden.) We weten dat je voorbereidingen treft om Spanje binnen te trekken voor Felice uit die kamer zonder deuren komt. Je hoopt de fotonen-Speer te vinden en die te repareren om hem tegen haar te gebruiken voor ze iets terug kan doen.
'Het is mijn Speer, verdomme en die halsringen zijn ook mijn eigendom! En ik zal Felice heus niet opblazen als ze bereid is redelijk te zijn nadat Elizabeth met haar klaar is.'
Je gaat er dus vanuit dat een normale Felice ongeveer overeenkomt met een redelijke. Klopt dat?
'Goeie kans,' gaf hij toe. 'Ga maar door.'
Jouw verkenners hebben de exacte lokatie van Felices schuilplaats nog niet kunnen ontdekken. Om je van mijn goede wil te overtuigen, zeg ik je nu dat haar nest zich op de noordelijke flank van de berg Mulhacén bevindt, ongeveer vierhonderddertig kilometer zuidwestelijk van Afaliah.
'Geen kaart?' vroeg Aiken sluw. 'Dat is een grote berg!'
Mijn mensen zullen jouw strijdkrachten op dit punt (beeld) ontmoeten. Dat zijn de eerste hellingen in de buurt van de Río Genil. Zij brengen je direct naar de grot. Zorg dat je daar bent over precies een week.
Aiken grinnikte honend. 'Ik weet nog wat beters. Laat jouw jongens

de Speer en de halsringen maar oppikken en regelrecht naar mij in Goriah brengen.'
Ze zijn niet in staat tot levitatie en ze hebben geen terreinwagens. En dan is er natuurlijk nog de dodelijke bedreiging van een Felice die onverwachts terugkomt. Daar ben je je zonder twijfel van bewust.
'Probeer niet te slijmen,' zei Aiken rustig. 'Als jij me nou eens vertelde hoe jij hier beter van wordt, meneer IJzerenreet. Wie ben je eigenlijk? Die schelp waar je inzit, ik weet niet eens of je wel menselijk bent.'
Net zo menselijk als jijzelf. Deze uitrusting . . . stelt me in staat mijn metavermogens uit te breiden buiten wat normaal gesproken mogelijk is. Daardoor kon ik jouw barrière doorbreken, om maar een voorbeeld te noemen.
Aikens mentale oog bestudeerde het nu gezichtsloze mechanisme.
'Het komt me voor dat ik plaatjes van zo'n kostuum als het jouwe al eens onder ogen heb gehad. Dat is lang geleden. In een stelletje schoolboeken waar ik misschien wat meer aandacht aan had moeten besteden. De Grootmeesters gebruikten dergelijke uitrusting in het Bestel wanneer ze een echt zwaar karwei voor de boeg hadden . . . En ik bedoel niet alleen vérvoelen.'
Abrupt veranderde hij van onderwerp.
'Dat handeltje waar je het over hebt. Ik neem aan dat het daarna in Europa eerlijk delen zou moeten worden tussen jou en mij.'
Volstrekt niet. Als ik het Veelkleurig Land had willen hebben, had ik dat lang geleden al kunnen doen. Je hoeft niet bang te zijn dat ik zit te azen op jouw koninkrijkje, Aiken Drum. Als een soort van middeleeuwse kasteelheer over een paar duizend barbaren regeren is bepaald niet mijn stijl.
'En diplomatie blijkbaar ook niet, schat.'
Touché, Uwe Majesteit . . . Ik houd het er maar op dat deze planeet groot genoeg is voor ons tweeën. Mijn behoeften zijn bescheiden en het ligt niet erg voor de hand dat die in conflict zullen komen met jouw ambities. Tenzij je van plan bent verder te reiken dan het Pliocene Europa.
'Laat me de kleine lettertjes maar es lezen.'
Daar is nogal wat uitleg voor nodig, inclusief een stukje oude geschiedenis. En een paar beslissende factoren zijn nog niet tot volle rijpheid gekomen. Ik zou er de voorkeur aan geven om mijn deel in dit verbond nog niet te bespreken totdat jij met Felice hebt afgerekend. Voor het ogenblik bied ik je de kennis aan die mijn drie bondgenoten bezitten, plus hun medewerking in jouw overval. Hun geesten zijn sterker dan die van jouw Tanu-bondgenoten, maar niet sterk genoeg om bestand te zijn tegen de gezamenlijke mentale controle die jij en Culluket hebben uitgeprobeerd.

'Dus daar weet je ook al alles van! Hoe kan ik er zeker van zijn dat jij er niet op rekent dat Felice mij de lucht inblaast waardoor ik uit het beeld verdwijn? Een lastpak minder die eventueel later jouw plannen in de war kan gooien?'
Felice is voor mijn plannen een heel wat groter gevaar dan jij!
'Ha! Je hebt dus blijkbaar niet genoeg vermogens om haar er zelf onder te krijgen! Zelfs niet met dat tovenaarsding van je!'
Dat is het niet. Felice is één van die niet-uitgekristalliseerde factoren die ik al noemde. En zij is een bedreiging voor ons allebei.
Aiken aarzelde. Die onbekende in Noord-Amerika had het op een vervelende manier bij het juiste eind, maar het wantrouwen bleef, samen met Aikens eigen, veel diepere twijfels over de kans dat zijn mentale driemansnetwerk in staat zou zijn Felice bij een directe confrontatie tegen te houden.
'Ik ga je wat laten zien,' besloot Aiken. Hij liet een diagram vorm aannemen.
'Dit zijn de geesten waarmee ik moet werken. En dit is de mentale samenwerking die Culluket en ik hebben uitgedacht. Een soort aanval over drie fronten met behulp van Bedwinging, Scheppingskracht en PK. Ik zorg voor het richting geven en hij voor de penetratie. Het ziet er naar uit dat jij Felice heel wat beter kent dan ik. Mijn vraag . . . hoe denk je hierover? Uitgaande van de veronderstelling dat zij een stuk gezonder naar buiten komt dan ze was en dus waarschijnlijk haar vermogens veel beter onder controle heeft. Hebben we een kans om haar tegen te houden?'
Het was even stil. Het geblindeerde beeld van de machineman verdween. Aiken bleef alleen achter op het balkon, de kille wind blies onder zijn ochtendjas. Zijn gouden ballen leken onheilspellend samen te trekken.
En toen het antwoord:
Jouw oorspronkelijke plan was een ontmoeting met Felice ten koste van alles te vermijden. Je hoopte de Speer in je bezit te krijgen, die te repareren en vervolgens wilde je hoog boven de Zwarte Piek gaan hangen zodat je haar verbranden kon zodra ze de kamer zonder deuren in het jachthuis verliet.
'Precies. Maar die opzet was alleen mogelijk als we haar schuilplaats hadden gevonden voor Elizabeth met de genezing klaar was. Misschien kan dat allemaal nog steeds. Maar wat voor kansen hebben we als Felice ons tegen het lijf loopt terwijl we bezig zijn?'
Ik heb niet alle gegevens. Maar het lijkt waarschijnlijk dat zelfs met de hulp van mijn drie mensen Felice in staat moet worden geacht jullie te vernietigen als ze op minder dan twee kilometer afstand kan komen. De manier om mentale vermogens als het ware 'in samenspel' samen te binden, die jouw vriend de Ondervrager je heeft geleerd, is hoogst inefficiënt. In een werkelijk synergetische bundeling is het geheel groter dan de som van de delen.

'Wat is onze coëfficiënt,' vroeg Aiken grimmig.
Niet minder dan nul punt zesenveertig.
'Kun *jij* me leren hoe ik die uitkomst omhoog krijg? In een week?'
Geschater daverde door Aikens hersenen. Hij zag nu weer het gezicht van die onbekende en via zijn neuronen werd hij zich bewust van een zekere appreciatie door de ander die datzelfde gevoel van bravoure niet vreemd was.
'Nou, kun je dat?' schreeuwde de huiverende kleine man. (En is het mogelijk dat jij bent wie ik denk dat je bent?)
Ik zou een dergelijk programma voor je kunnen ontwerpen en doorgeven. Maar het gebruik daarvan gaat gepaard met onvermijdelijke risico's, zelfs voor een ruw natuurtalent als jij. In de ideale situatie zouden bij een dergelijke bundeling van metavermogens niet alleen mijn meta's betrokken moeten zijn, maar ook jouw onderdanen met halsringen. Beide zouden ze bijdragen aan de input, één van ons zou die filteren en voor de versnelling zorgen, de ander zou moeten richten.
'Dat doe ik. Ik controleer de actie.'
Het kanaliseren van zo'n grote hoeveelheid psycho-energie met je blote hersens zou fataal kunnen zijn. Ik ken jouw capaciteiten niet.
'Culluket wel. Hij kan de overdracht leiden. En mij afsluiten als jij zou proberen de zaak over te nemen om *mij* op te blazen in plaats van Felice!'
Gelach. Nuchterheid.
De uitrusting die ik gebruik beschermt me tegen de kans vernietigd te worden door mijn eigen metavermogens. Jij zou mijn volledig potentieel nooit kunnen hanteren . . . maar minder zou voor Felice wel eens niet genoeg kunnen zijn.
'Aan de andere kant, misschien wel? Waar of niet?'
Stilte.
'Waar of niet?' vroeg de troonveroveraar.
Weet jij wat psychocreatieve feedback is? (Beeld.) In een meer ingewikkelde vorm van samenwerking lopen alle deelnemers het gevaar dat degene die focust een ogenblik wordt overweldigd. Dat zou kunnen gebeuren wanneer je concentratie het op een cruciaal moment even liet afweten.
Aiken grinnikte. Ik begrijp wat je bedoelt. De dirigent sukkelt even in slaap en de rest van het orkest volgt. Maar als degene die richting geeft en samenbundelt zijn werk blijft doen, is het gevaar voor jou minimaal, waar of niet? Als Felice de energiestoot omkeert naar mij, dan ben ik er geweest, maar Cull onderbreekt dan de verbinding uit veiligheidsoverwegingen en al de anderen kunnen dan onder een synergetische paraplu de benen nemen. Is dat niet de manier waarop het zou werken, mijnheer de Oppergrootmeester?

Is dat niet de manier waarop het werkte toen jouw broer en zijn vrouw een einde maakten aan jouw Rebellie?
Stilte.
'Nou? Wil je een klapper maken of niet? Je hebt niet veel te verliezen . . . behalve dan dat je mij een cadeautje geeft in de vorm van een verdomd bruikbaar metapsychisch programma.'
Het zou veiliger zijn als ik het richten voor mijn rekening nam. Dan zouden we zeker zijn dat Felice eraan ging.
'Geen kans. Ik ben de koning hier, IJzerenreet en niet een van jouw overgebleven rebellen. Als je het zo niet wilt spelen, dat houd ik het op mijn eigen, riskante plannetje. Het moet me nu lukken om dat schuilhol van Felice te vinden, ook zonder de hulp van jouw trio in Spanje.'
Goed dan. Ik zal met jou en die Culluket samenwerken, Aiken Drum.
De grijns van de bedrieger snelde over de oceaan.
'Ik dacht wel dat je mijn gelijk zou inzien. De meesten doen dat wel! Hoe wil je door mij genoemd worden? Sommigen van de mensen in mijn omgeving zouden nerveus kunnen worden als ze je echte naam horen.'
Ik werd vroeger wel eens Abaddon genoemd. (Een ironisch beeld.)
'Heel toepasselijk. Over één week dan, bij de Río Genil, Abaddon.'
Verzamel je krachtigste bondgenoten. Je zult ze nodig hebben . . . Koning Aiken-Lugonn.
Ineens was de ether vrij, de vreemde emanatie verdween alsof ze er nooit was geweest. Hij hoorde de nachtvogels, de branding en een zacht kreunen van de slapende Mercy in hun slaapkamer.
Op zijn tenen liep hij naar binnen en deed zijn ochtendjas uit. Ze lag maar half onder de lakens, één arm omhoog in een houding van zoete overgave, dromend.
Door de opwinding en de triomf van het ogenblik kon hij de verleiding om haar te ondervragen niet weerstaan. Hij aanschouwde haar droom en kwam tot de ontdekking dat ze droomde over wie hij had verwacht. Nodonn de Strijdmeester leefde dus, verborgen en wel, geen bedreiging voor dit ogenblik. Hij zou zich verborgen houden.
Mercy glimlachte in haar slaap. Aiken trok zijn mentale sonde behoedzaam terug, boog zich voorover om haar te kussen en trok toen de lakens beter rond haar schouders.
'Waarom moest ik van jou gaan houden?' vroeg hij zachtjes, voor hij de kamer verliet om ergens anders alleen te gaan slapen.

5

De drie jonge mensen zaten samen op het commandodek van het schip, Hagen aan het roer. De hemel had een schitterende kobaltkleur, nergens een wolkje te zien. De lucht was vrijwel roerloos, maar toch maakte het uit terreinwagens samengestelde voertuig een regelmatige snelheid van zo'n zes knopen per uur omdat de door zonne-energie aangedreven propeller versterkt werd door de PK-vermogens van hen die wacht liepen.
'Ik heb niets tegen de anderen gezegd,' zei Phil Overton. 'Ze hebben al genoeg om zich druk over te maken met al die kleine kinderen en de zeeziekte en het oproepen van genoeg PK. Maar er zit iets in de atmosfeer te broeien een paar duizend kilometer ten zuidoosten van hier en daar maak ik me zorgen over.'
Ze kregen het beeld te zien van een verdachte weersconstellatie, scherp en helder als een driedimensionaal beeld.
'Zien jullie hoe scherp die wolkeranden zijn? Hoe precies omlijnd? Kijk nu eens naar die andere depressie ten zuiden van de Bocht van Benin. Zo horen ze eruit te zien in deze tijd van het jaar. Ik heb die kleine rotzak in het midden van de oceaan nu drie dagen in de gaten gehouden en hij wordt sterker en verdiept zich op een onnatuurlijke manier.'
De knokkels van Hagens handen werden wit toen hij het stuurwiel steviger beetgreep.
'Denk je dat mijn vader en de rest bezig zijn dat op te roepen?'
'God, nee toch!' riep Nial Keogh uit. 'Niet nu we zo dicht binnen het bereik van westelijke winden zijn.'
'Het is de verkeerde tijd van het jaar voor orkanen. En het traject van deze storm is beslist afwijkend. Maar de meteorologische condities zijn gunstig voor verdere groei, of mensen er nu aan meehelpen of niet.'
'Kunnen we hem ontlopen?' vroeg Hagen grimmig.
Phil maakt een projectie.
'Dit is onze koers en dat is die van de storm. Hij sluipt van achteren naar ons toe. Wij zullen elkaar over drie dagen ontmoeten op 36° 45′ NB en 16° 20′ WL. Als we langzamer gaan varen, krijgen de winden in het noordwestkwadrant ons te pakken en dan worden we naar het zuiden afgebogen. Als we sneller proberen te gaan, is er een kleine kans dat ie net achter ons langs trekt of ons zelfs een goede duw in noordelijke richting geeft zodat we in het gebied komen waar westenwind heerst.'
'En daarbij moeten we er vanuit gaan dat het traject van de storm zo blijft,' voegde Nial eraan toe. 'Maar wanneer Marc achter de besturing zit, hoeven we daar niet op te rekenen.'
'Wat kunnen we doen?'

Hagens gezicht was een masker van zieke wanhoop geworden. 'Is er een kans dat we hieraan kunnen ontkomen, afgezien van het verhogen van onze snelheid? Lieve Christus, Phil! We doen nu al alles wat we kunnen! Je hebt gezien wat er met die arme Barry is gebeurd. En Diane begint ook al zwakker te worden!'
Phil dacht erover na.
'Dat hangt er vanaf wat Marc van plan is.'
'Hij is er niet op uit om ons te laten verdrinken,' zei Nial vast overtuigd. 'Als hij ons dood wilde, had hij dat tien dagen geleden al kunnen doen. Die gok hebben we in elk geval gewonnen.'
'Kan hij ons terugblazen naar Florida?' vroeg Hagen.
'Hemel nee,' antwoordde Phil. 'De depressie zou lang daarvoor al geen depressie meer zijn en alle kracht verloren hebben. Om zoiets te doen zou hij een hele reeks stormen nodig hebben. Als hij zo'n stunt eerder had geprobeerd, was er misschien een kans geweest.'
Zijn geest overzag het weerspatroon van de afgelopen week.
'Zien jullie het? Er was gewoon niet genoeg potentieel aanwezig om het te proberen! Deze depressie is de eerste die bruikbaar was voor zijn doel. Laat me eens nadenken.'
Hagen zei: 'Hij kan ons niet naar huis terugkrijgen en hij is ook niet van plan om ons te verzuipen. Dan is afleiding het enige dat overblijft. Als hij kans ziet ons naar het zuidoosten te blazen, komen we in Afrika terecht in plaats van in Europa.'
Phil knikte instemmend. Er vormde zich nog een meteorologisch diagram in zijn geest.
'De stormwinden roteren tegen de klok in. Binnen het weerssysteem hier moet hij ons zien klem te zetten of ruwweg vast te houden in het kwadrant tussen zes en negen uur. Dan kunnen we alleen nog maar naar Marokko. En zelfs de rottige stromingen zijn in zijn voordeel. De enige kaart die ons dan nog kan redden is gebrek aan energie van zijn kant om de storm op voldoende peil te houden. Als hem dat niet lukt, breken we vrij voor hij ons ergens aan land heeft geworpen.'
'We zouden het grote sigmaveld kunnen gebruiken,' stelde Hagen voor. 'De frictie zo verlagen dat de winden erlangs stromen.'
'Geen kans,' zei Nial. 'Je zou het ding volkomen leegmelken als je de generator op zout water gaat gebruiken in plaats van op droog land. Langer dan vier, vijf uur werkt het dan niet.'
'Gatver! Hij heeft ons mooi klem!'
De mond van Hagen krulde op in een meedogenloze scheve glimlach waardoor hij even op een griezelige manier op zijn vader ging lijken. 'Dan kunnen we net zo goed onze koers nu naar Afrika verleggen! Dan zullen de kleine kinderen in elk geval geen storm hoeven te doorstaan.'
'Jij bent de kapitein,' zei Phil. 'Maar natuurlijk veronderstellen we nu alleen nog maar dat Marc hier achter zit. We hebben nog geen

bewijs . . .'
'Over drie dagen wel,' zei Hagen. 'En reken maar dat hij het is. Daar kun je alles onder verwedden wat je wilt!'
Hij schakelde de automatische piloot in, zette de computer aan en voerde een nieuwe koers in. Langzaam draaide de boeg van het vaartuig naar stuurboord.
'Koerscorrectie uitgevoerd,' zei de autopiloot. 'Op koers op een-een-vijf graden.'
Hagen rukte de deur open en stommelde naar buiten.
'Is het zo goed genoeg?' schreeuwde hij tegen de hemel. 'Je wint weer! Gefeliciteerd! En loop naar de hel, vader!'
Er kwam geen antwoord. Hij had ook geen antwoord verwacht. Met een leeg hoofd zocht hij zijn weg naar de trap die benedendeks voerde en verdween.
Phil en Nial overwogen het onvermijdelijke. De jonge Keogh zuchtte ten slotte.
'Ik neem het wel over voor de rest van de wacht, kerel. Ga jij maar naar onderen en vertel de rest dat ze hun PK wel kunnen thuishouden. We hebben nu geen haast meer.'

Moreyn de Glasmeester, stadsheer van Var-Mesk, dwong zijn chaliko en het tweede onbereden dier met geïrriteerde telepathische prikkels voort over het strand. Wat haatte hij het om op dit soort beesten te rijden! Chaliko's leken een ingekankerde antipathie tegen hem te hebben en hadden allemaal de neiging om zijn bevelen eerder niet dan wel op te volgen. Het probleem was allemaal niet zo belangrijk zolang er andere ruiters in de buurt waren die zijn zwakke overredende vermogens een beetje konden versterken. Maar de mysterieuze boodschap over grote afstand had erop aangedrongen dat hij alleen ging en hem door middel van de gevaarlijkste eden van zijn Gilde tot geheimhouding gedwongen.
Dus sjokte hij nu op zijn chaliko over het spookachtige, met gips vermengde zandstrand en keek scherp uit voor drijfzand telkens wanneer hij een van de zoetwaterstroompjes passeerde die hier vanaf het hoogland naar beneden kwamen. Zwak verlichte golfjes sloegen tegen de kust en overal lag een smalle rij aangespoeld wrakhout en andere rommel die de vroeger zo onberispelijk heldere kustlijn verontreinigde. Het afnemende zoutgehalte maakte van de vroegere Lege Zee nu een Zee van Leven . . .
Hij was meer dan veertig kilometer van de stad verwijderd en trok door een verlaten gebied dat over zes miljoen jaren net even naast de Côte d'Azur zou liggen. Zou hij het durven wagen om telepathisch op te roepen? Hij verkende de kust voor zich uit, maar vond niets anders dan duinen en geïsoleerde hopen zeeschuim. Deze geheimzinnige Psychokinetische Broeder hield zich goed verborgen.

Moreyn hier!

Aha! Aan de andere kant van die piramidevormige zoutmassa ontwaarde hij de zwakst mogelijke weerglans van een roze-gouden aura. Nog zo'n arme duivel die hier al de maanden op een door Tana vervloekte kust was aangespoeld en die ten slotte toch kans gezien had zijn weg naar het Veelkleurig Land terug te vinden.

Zijn geest glimlachend, een hand ten groet geheven, reed Moreyn langs de landkant om de zoutpilaar heen, zag het vlot en herkende tenslotte de gildebroeder met de afgeschermde geest die hem hierheen had doen roepen.

'Heer Strijdmeester!' riep hij uit. Hij was stomverbaasd, de chaliko's ontsnapten aan zijn zwakke controle en begonnen terug te deinzen van het zwak gloeiende lichaam op het strand.

'Rustig jullie, verdomme,' krijste Moreyn.

Nodonn opende zijn ogen. De twee dieren leken in steen te veranderen. Moreyn worstelde zich uit het grote zadel en knielde naast de liggende figuur.

'Laat ik je toedekken met mijn mantel! Heb je dorst? Hier . . . mijn fles. Godin . . . wat is er met je hand gebeurd?'

'Dat is een lang verhaal, Psychokinetische Broeder. Dank je voor je komst. Ik ben bijna volstrekt uitgeput.'

Hij nam een grote teug uit de waterfles en zonk terug in het zand. Moreyn scharrelde rond en probeerde de benen en de romp van de Strijdmeester met zijn mantel toe te dekken.

Nodonn droeg de gewatteerde onderlaag die bij zijn wapenrusting hoorde, het zachte materiaal was nu overal gescheurd en met zoutkorsten bevlekt. De blootliggende huid was lelijk door de zon verbrand.

'We dachten dat je dood was! Dit is geweldig!' Moreyns gezicht betrok. 'Ik bedoel . . . dit is verschrikkelijk! Die menselijke overweldiger, Aiken Drum, heeft ons gedwongen hem als koning te accepteren. Hij trok met zijn leger van de ene stad naar de andere en bedreigde ons. Niemand kon hem weerstaan. In Var-Mesk, ik geef het met schaamte toe, waren we allemaal bang voor de Glanzende, behalve Miakonn de Genezerszoon. Oh, wat zou je trots zijn geweest als je zijn moed had gezien, Strijdmeester! Het was natuurlijk tevergeefs, maar het was een waardige daad in het licht van onze oude strijdtradities. Miakonn wachtte tot de overheerser onmatig veel had gedronken en riep hem toen ter verantwoording! Het was gewaagd en het had misschien nog kunnen slagen wanneer de verradelijke Ondervrager . . .'

De Glasmeester onderbrak zichzelf ineens.

'Vrede, Broeder,' stelde Nodonn hem gerust. 'Ik ben me er goed van bewust dat Culluket de Clan heeft verraden. Ik weet wat hij met Miakonn heeft gedaan en waarom jij nu Heer van de stad bent geworden.'

Moreyn beet op zijn onderlip en trok zijn bewustzijn terug achter een sluier van schaamte.
Nodonn reikte naar hem met zijn geest. 'Het is gebeurd, Broeder. Maar je bent altijd een uitstekend glastechnicus geweest.'
Hij knikte in de richting van zijn vlot met het grove zeil van aan elkaar gestikte huiden. Er zat een bundel vastgebonden aan een van de dwarsklampen.
'Zie je dat? Het is de wapenrusting die jij driehonderd jaar geleden voor me hebt gemaakt. Ik heb kans gezien één handschoen kwijt te raken. Je zult me een andere moeten maken voor ik weer ten strijde trek.'
'Je bent van plan de overheerser tegemoet te treden?' Moreyn leek ineens te veranderen.
'Op dit moment ben ik een slecht surrogaat voor een Strijdmeester. Maar ik zal genezen. Meer dan zes maanden heb ik op Kersic gelegen, volledig beroofd van mijn zintuigen en buiten bereik van ieders vérziende vermogens. Nu weten alleen twee Tanu dat ik nog leef: Vrouwe Mercy-Rosmar en jij.'
'Ze is getrouwd met de mensenkoning,' klaagde Moreyn, 'gekroond als zijn koningin.'
'Vrede,' zei Nodonn andermaal, terwijl hij de mentale opwinding van de stadsheer kalmeerde. 'Mercy blijft nog bij de overheersers omdat ik haar geïnstrueerd heb niets te ondernemen voor de tijd rijp is. Diep in haar hart is ze mij altijd trouw gebleven en te zijner tijd zullen we herenigd worden. Ik ben van plan *alles* terug te winnen wat het mijne is. Wil je mij met dat doel voor ogen bijstaan, Moreyn?'
'Ik zou mijn leven voor je geven, Strijdmeester, hoe weinig dat ook waard is. Je weet hoe armzalig mijn agressieve vermogens zijn. Aiken Drum wilde zelfs niet dat ik meeging op zijn expeditie naar Koneyn . . .'
'Ik weet dat hij achter de Speer aan zit. En nieuwe gouden halsringen natuurlijk om er zijn bende kleingeestige krijgertjes mee uit te rusten. Mogen zij hem veel heil brengen!'
Moreyns blik dwaalde opnieuw naar de houten hand die hij opvallend lang bekeek.
'We hebben in Var-Mesk geen genezer die zulk een wond kan genezen, Strijdmeester. Zoveel herstellers zijn in de Vloed omgekomen. De dichtstbijzijnde met voldoende ervaring – de dichtstbijzijnde Huidspecialist – is Boduragol in Afaliah.'
'De man die nu voor mijn Clanbroeder Kuhal zorgt. Ja, ik ken hem.'
Nodonn strekte de vingers van de prothese en lachte zachtjes.
'Maak je geen zorgen, Moreyn. Dit probeersel is voorlopig genoeg. Wanneer ik in Huid ga, zou ik negen maanden nodig hebben om een andere hand te laten groeien. Dat is te lang om niets te doen

terwijl mijn metavermogens weer groeien en het Lot mij roept. Ik denk dat de volledige genezing van mijn hand rustig kan wachten tot ik puree heb gemaakt van die Heer van de Wanorde.'
Moreyns mond viel open. Hij straalde pure rampzaligheid uit.
'Oh, nee, Strijdmeester! De genezing mag niet worden uitgesteld! Ik bedoel, niemand zou zich achter je scharen!'
'Je denkt van niet?' De Strijdmeester was verrast.
'Mijn Heer, het is misschien vergeten . . .'
'Doe even flink, man,' snauwde Nodonn. 'Leg het uit of doe tenminste die verdomde geest van je open, zodat ik zelf kan zien waar je je zo druk om maakt.'
Het bescheiden afweerscherm ging omhoog en daar las Nodonn overduidelijk de grondregel van de strijdcompagnieën die duizenden jaren op het verloren Duat nooit behoefde te worden toegepast en ook sinds de komst van de Tanu in het Veelkleurig Land nooit nodig was geweest: iemand die niet volmaakt was in fysieke vorm kon niet dingen naar het koningschap.
Nodonn lachte.
'En *dat* is jouw bezwaar? Zo'n stuk antieke onzin? Terwijl onze troon intussen wel geschandvlekt wordt door die parvenu?'
'Het is de wet,' fluisterde Moreyn met de koppigheid van de zachtmoedigen. 'Aiken-Lugonn is wettig gekozen in een plenaire bijeenkomst van alle vazallen en hij was de gekozene van Mayvar de Koningmaakster, hoe vreemd zijn bloed voor ons ook moge zijn. Wat dat betreft, er gaan trouwens verhalen dat hij niet uit een menselijke vrouw geboren is, maar door een of ander wonder op de Oude Aarde ter wereld kwam.
'Een reageerbuisbaby, opgekweekt in een kunstmatige baarmoeder,' schamperde de Strijdmeester. 'Dat is geen wonder. Onder de mensen wemelt het van dat soort.'
Maar Moreyn ging verder.
'Mijn Vrouwe Glanluil, die in mijn plaats naar het Grote Liefdesfeest is gegaan omdat ik ziek was, vertelde dat de Heer Ondervrager tijdens het huwelijksfeest nog merkwaardiger zaken aanroerde. Hij zei dat zowel de koning – ik bedoel Aiken-Lugonn – als koningin Mercy-Rosmar echt genetisch materiaal van de Tanu bezit.'
'Aiken Drum een verwant van ons? Onzin!'
Maar de Strijdmeester voelde hoe zijn ruggegraat bevroor. Hij wist met zekerheid dat Mercy's erfelijke materiaal eerder aan de Tanu verwant was dan aan de mensen. Dat was destijd door Greg-Donnet afdoende genoeg vastgesteld.
'De Heer Ondervrager is een levensgeleerde,' zei Moreyn, 'en hij heeft grote kennis over dit soort geheime zaken verkregen door gesprekken met menselijke specialisten. Hij zei dat recente genetische onderzoekingen hadden aangetoond dat vrijwel al de mensen hier in het Veelkleurig Land met metavermogens in aanleg een

overmaat aan genetisch kernmateriaal bezitten dat overeenkomt met dat van de Tanu of de Firvulag. Er is een of andere mysterieuze kracht aan het werk die ons ras met dat van de Minderen verbindt.'
'Onmogelijk! De directe voorouder van de mens in zijn evolutie is de kleine aap die wij rama noemen en als slaaf gebruiken. Zouden wij ons bloed bevuilen door met apen te paren? Nimmer! En deze allerlaagste mensachtigen hebben nog vijf miljoen jaar nodig voor ze zoiets als rationeel denken ontwikkelen. En lang voor het zover is, zijn wij al van deze droevig stemmende planeet vertrokken.'
'Kunnen we daar zeker van zijn?' vroeg Moreyn.
Nodonn was met stomheid geslagen. In die ogenblikken zag hij het beeld voor zich van dat pathetische stel oudere mensen, de rebellengeneraal Angélique Guderian en haar metgezel Claude, die hij zelf een korte tijdsspanne gevangen had gehouden voor hij hen toestond door de tijdpoort te vertrekken. De oude man had de brutaliteit gehad om hem uit te dagen. Op het bevel van de Strijdmeester: 'Keer terug naar waar je vandaan gekomen bent,' had Claude een verbazingwekkend antwoord gegeven dat hem nu ineens levendig voor ogen stond en dat plotseling van haar paradox ontdaan leek: *Jij gek. Wij komen van hier.*
'Waanzin!' zei Nodonn woedend.
Maar Moreyn ging door.
'De mensen hebben hun legenden. Mythen over een ras van Ouderen die op Aarde hebben bestaan lange eeuwen voor zij ten tonele verschenen en waarvan een meelijwekkend en dikwijls verafschuwd restant was overgebleven tot kort voor de tijd van het Bestel. De mensen gaven deze Ouden allerlei namen: demonen, feeën, goden, reuzen, elfen. Maar over de hele Aarde van voor het Bestel geloofde de primitieve mens in hun bestaan. En zij paarden van tijd tot tijd met de mensen.'
'Waanzin!' herhaalde Nodonn. 'Ik verbied je om hier verder over te spreken.'
Hij kwam wankelend overeind en schopte Moreyns mantel opzij.
'Breng mijn chaliko naar die zoutklomp zodat ik die kan gebruiken om op te stijgen.'
Moreyn haastte zich om de reservechaliko naar voren te brengen, maar liet zich er niet van weerhouden zijn toespraak af te maken.
'Wat mij betreft zijn dit allemaal nogal onmogelijke verhalen, Strijdmeester. Maar sommige Tanu denken er anders over en dat geldt nog sterker voor de halfbloeden. Die legenden, het leggen van een zekere verwantschap tussen ons en de mensen, maakt de bittere pil van hun huidige overheersing wat makkelijker te slikken.'
'Ik zal ze een ander soort medicijn geven,' beloofde Nodonn. 'Pak mijn wapenrusting en bind die vast aan mijn zadel. Weet je wat er in die bundel zit? Het Heilige Zwaard! Het wapen dat ik in mijn

eerste ontmoeting tegen de overheerser heb gehanteerd en dat ik weer zal gebruiken tot onze overwinning! Dan zullen we zien wie zich nog druk durft te maken over verloren handen en troonveroveraars en bastaarden van de Tanu die in de tijd terugreizen om zich voort te planten met hun eigen voorouders!'
De ongelukkige Moreyn kromp ineen. Nodonns lichaam gloeide nu van woede, een stralende zonnegouden glans waarvan de schittering bijna pijn deed.
'Oh, wees voorzichtig, Strijdmeester! De Aartsvijand kan ons zo ontdekken! Wees voorzichtig!'
De aura doofde direct.
'Je hebt gelijk, oude vriend. Ik handel onbezonnen. Dom. Mercy waarschuwde mij dat de spionnen van de overheerser nu overal zijn. Van nu af aan zal ik goed op mijn tellen passen. Evenmin wil ik jouw leven in de waagschaal stellen.'
'Wie zal zich druk maken om mij?' kreunde de Glasmeester. 'Mijn leven betekent niets. Dat van de Strijdmeester is alles!'
Hij knoeide onhandig met de stijgbeugels van zijn chaliko en probeerde op te stijgen terwijl het beest onder hem stond te dansen. Ten slotte gaf hij het op en maakte op schandelijke wijze misbruik van zijn PK om in het zadel te zweven waarna hij haastig de riemen vastmaakte. Nodonn hield zijn lachen zo goed mogelijk in.
'U bent nu onder mijn hoede, Strijdmeester,' zei Moreyn. 'Op mij rust de heilige verplichting U te verbergen totdat Heer Celadeyr en Vrouwe Mercy-Rosmar u komen halen en u in Afaliah in veiligheid brengen.'
Hij zond een pleidooi om verdraagzaamheid in de richting van de niet meer vlekkeloze titaan wiens gezicht nu in schaduwen verborgen ging.
'Ik heb een geheime schuilplaats in gereedheid gebracht waar ik zelf in al uw behoeften kan voorzien. Ik vrees dat het geen aangename plaats is, de kamer is klein, een ruimte in de kelders van de glasfabriek. Maar wanneer u uw strijdlust nog een tijd wilt intomen, geduld oefenen . . .'
'De afgelopen tijd heb ik ruimschoots de gelegenheid gehad om geduld te oefenen.'
' . . .en dan, wanneer de Goede Godin het wil en uw lichaam en al uwvermogenszijnhersteld,datzultuuwgrootseopdrachtvervullen.'
Nodonn boog zijn hoofd. 'Ik ben in jouw handen, Moreyn. Van nu af aan, commandeer mij en ik zal gehoorzamen.'
De Glasmeester liet een diepe zucht van opluchting ontsnappen.
'Dat is goed. Dan gaan we nu rechtstreeks naar huis. Wilt u *beide* chaliko's onder controle houden als dat niet te veel moeite is?'
'Natuurlijk,' zei de Strijdmeester.
Zij aan zij, perfect met elkaar in de maat, begonnen beide dieren over het strand in de richting van Var-Mesk te draven.

6

'Ze komen eraan! Ze komen eraan!'
Calistro de geitenhoeder schreeuwde luidkeels terwijl hij over de hele lengte van Verborgen Bron heen en weer rende. Hij was zijn geiten volkomen vergeten.
'Ze komen eraan! Zuster Amerie en de Commandant en een *heleboel* anderen.'
De mensen zwermden uit hun huisjes en hutten en begonnen opgewonden naar elkaar te roepen. Een lange rij ruiters zocht zijn weg naar het centrum van het dorp.
Oude Man Kawai hoorde de opwinding en stak zijn hoofd door de deur van het met rozen overdekte huisje van Madame Guderian onder de pijnbomen. Hij zoog de lucht tussen zijn tanden door sissend naar binnen.
'Ze komt eraan!'
Een kleine kat kwam rennend uit een doos onder de tafel vandaan en vloog bijna tegen hem aan terwijl hij zich omdraaide om een snijmes te pakken.
'Ik moet bloemen snijden en opschieten als ik haar begroeten wil.' Hij wees met een dreigende vinger naar de kat. 'En jij, zorg ervoor dat je jongen zijn gewassen zodat je ons beiden niet te schande maakt.'
De deur van metaalgaas sloeg dicht. In zichzelf mompelend, begon de oude man armenvol zware junirozen af te snijden en rende daarna over het pad terwijl hij een spoor van roze en dieprode bloemblaadjes achter zich liet.

Er volgde een roerend weerzien met oude vrienden voor Peopeo Moxmox Burke, Basil Wimborne en Amerie Roccaro, die als helden en bevrijders werden binnengehaald en er was eveneens een daverend welkom voor de dertig piloten en technici en specialisten van wie iedereen zulke hoge verwachtingen had. Ze werden door Denny Johnson, de bevelhebber van de verdedigingsmacht, direct van een bijnaam voorzien: Basils Bastaards en dat maakte de voormalige alpinist en ex-leraar nogal opgewonden.
Na een verfrissende onderbreking in het dorpsbadhuis, werden de nieuwe gasten geëerd met een feestmaaltijd van gebakken vis en aardbeiencake, die haastig door Marialena Torrejon in elkaar werd geflanst. Perkin, de wijnhandelaar, haalde mandflessen Riesling en geurige viñho verde en zoete witte muskaatwijn te voorschijn om een eindeloze reeks welkomstgroeten te begeleiden. Met als gevolg dat nogal wat van de dorpelingen, maar ook Pongo Warbuton, Ookpik en Seumas Mac Suibhne van de Bastaards al snel niet meer in conditie waren om de dankmis bij te wonen die Amerie cele-

breerde om deze grote dag tot een goed einde te brengen.
Ten slotte bracht Oude Man Kawai de uitgeputte Amerie naar het huisje van Madame en trok zich niets aan van haar protesten dat het nu zijn huis was en dat dat zo moest blijven.
'Daar praten we later over,' zei de voormalige fabrikant van elektronica, 'maar voor het ogenblik neem jij de slaapkamer van Madame. Haar geest zal het precies zo willen en ik zou sterven van droefenis als me die eer werd geweigerd. Ik kan het me in de keuken op een bank heel gemakkelijk maken en de katten zullen me gezelschap houden.'
Hij opende de deur en hield die voor de non open. Ze stond ineens stil, bukte zich en riep: 'Dejah!'
Een slank klein dier met een zandkleurige vacht en een zwart staartpuntje kwam aangerend en klauterde in haar armen. Afgezien van de grote ogen en oren leek het sprekend een poema in miniatuur. Het was een vrouwtje van het soort Felis zitteli, een van de allereerste echte katten.
Amerie drukte het snorrende beest tegen zich aan, haar ogen vochtig.
'Ik had nooit gedacht dat ik haar weer zou zien, Kawai-san. Denk je dat ze me gemist heeft?'
'Ze heeft wat afleiding gehad,' zei de Japanner droog. Hij wees naar de doos onder de tafel. Drie kleine kopjes staken over de rand. 'Allemaal mannetjes. Negen weken oud. Ik heb ze nog geen namen gegeven. Ik wachtte, in de hoop dat jij . . . dat mijn eed voor de martelaren van Nagasaki . . .'
Hij liet zijn hoofd hangen. Verdachte druppels vloeistof kwamen op zijn jas terecht. Amerie zette de kat neer en omarmde hem.
'Gekke ouwe boeddhist.'
Daarna liet ze hem los en speelde een tijdje met de jongen terwijl hij een tatami-mat ontrolde en voor Amerie alles in de slaapkamer in orde maakte.
'Ze zullen Tars Tarkas, Carthoris en Edgar heten,' zei de non, terwijl ze de jongen bij hun moeder in de doos terugzette. 'Ze zullen de voorouders worden van het allereerste geslacht van huiskatten.'
Ze kwam van de vloer overeind, stijf in al haar gewrichten en een beetje duizelig van vermoeidheid en de reactie op het weerzien. Maar het viel allemaal van haar af toen ze nog eens om zich heen keek in de kleine kamer, die combinatie van keuken en zitkamer die het enige huis vormde dat ze hier in het Plioceen ooit had gekend. Ze had in dit huisje een paar weken geleefd in de tijd dat Madame Guderian en Claude, Felice en Richard en de anderen op weg waren naar het Scheepsgraf. Zo kort maar en toch leek elk hoekje haar vertrouwd en kostbaar. Daar waren de met de hand geweven gordijnen, haar geliefde kanten tafelkleed, de tapijtjes van bontvellen. Naast de stookplaats de koperen pook, de schep en de

drievoet die Khalid Khan nog had gemaakt en één van de grote manden van Cheryl-Ann vol aanmaakhoutjes. In een kast vond ze haar eigen kleine medische bibliotheek terug en haar nonnenhabijt, keurig opgevouwen, met kleine zakjes kruiden ertussen om het fris te houden. De houten rozenkrans die Claude Majewski voor haar had gesneden, lag ernaast in een doos van beukehout.
Kawai kwam uit de slaapkamer te voorschijn. 'Alles is in orde.'
'Het is zo goed om terug te zijn,' zei ze met gebroken stem.
De oude man boog eerbiedig. 'O-kaeri-nasai, Amerie-chan. Welkom thuis, liefste dochter.'

Burke en Basil waren te opgewonden om te kunnen slapen en bovendien waren er zaken die direct besproken moesten worden.
'Ga met me mee naar mijn oude wigwam,' zei de grote Indiaan tegen Denny Johnson, 'dan kun je het eenendertigste lid van Basils Bastaards ontmoeten.
'Hij voelt zich nog altijd ongemakkelijk wanneer er te veel mensen in de buurt zijn,' zei de alpinist. 'Toen hij besloot om het feest niet bij te wonen, hebben we hem weggestopt in het huisje van Peo met een overvloed aan eten en drinken. Laten we hopen dat hij niet uit zijn bol is gegaan van de aardbeiencake. Op de een of andere manier worden ze daar helemaal mesjokke van.'
Peo's hut van planken en boombast lag tegen de zuidelijke wand van de kloof, een paar meter van een beekje verwijderd dat door een hete bron werd gevormd. Een dun rookwolkje steeg uit de geïmproviseerde schoorsteen omhoog en vervaagde tussen de laagste takken van de mammoetbomen.
'Kalipin?' riep Burke zachtjes. Hij duwde de leren overhang die als deur dienst deed ter zijde en bukte zich om naar binnen te gaan, gevolgd door Basil en Denny. Het inwendige van de wigwam was aardeduister. Naast de stookplaats hurkte een duistere figuur, zwak omlijst door het rood van de vlammen.
'Je bent dus toch nog gekomen, Peopeo Moxmox.'
'Ik hoop dat je je onder het wachten niet al te zeer hebt verveeld. Zou je er bezwaar tegen hebben als ik één of twee kaarsen aanstak?'
'Dan zal ik van vorm moeten veranderen,' zei de stem ruziezoekend. 'Maar ga vooral je gang. Het is jouw huis.'
'Maak jezelf alsjeblieft niet onzichtbaar,' protesteerde Basil.
'Ik heb mijn orders, wees maar niet bang. Zo, ik ben klaar.'
Burke ontstak twee waspitten die in een lantaarn waren vastgezet die op de tafel stond. Bij dat licht zagen ze een dwerg van middelbare leeftijd, omringd door een hoop smerige borden, die bier zat te drinken uit een grote aarden kroes.
'Dit is de man die onze verdediging hier coördineert,' zei Burke. 'Denny Johnson. Denny, dit is Kalipin, door Heer Sugoll aangewe-

zen om Basils Bastaards naar het Scheepsgraf te leiden.'
Denny stak zijn hand uit. De mutant gaf blijk van enige aarzeling, maar schudde de uitgestoken hand ten slotte toch.
'Jullie mensen zijn er altijd zo belust op om elkaar aan te raken,' klaagde Kalipin. 'Ik doe mijn best om me bij jullie gewoonten aan te passen, maar het is niet makkelijk. Téah weet dat het niet gemakkelijk is.' Hij slaakte een naargeestige zucht en nam een grote slok van zijn bier.
'Hoe komt het dat niemand van ons je eerder heeft gezien, vriend Kalipin?' vroeg Denny.
'Ik had me onzichtbaar gemaakt.' De dwerg huiverde. 'Al die schreeuwende geesten van mensen! Er zijn er nogal wat van mijn volk die er geen moeite mee hebben zich bij de mensheid aan te passen. En mijn Meester is ervan overtuigd dat we met jullie moeten samenwerken als we willen overleven. Maar het is moeilijk. Heel moeilijk.'
'Er is een kleine grot in de wand, een eindje achter de wigwam,' zei Burke vriendelijk. 'Die gebruik ik als opslagplaats. Zou je het daar meer naar je zin hebben?'
De mutant verhelderde.
'Een grot! Ah, wat heb ik de veiligheid van Moeder Aardes borsten gemist sinds we de Weideberg hebben verruild voor Nionel! Oh, de stad is prachtig en alles is er beter en onze erfelijkheid loopt er geen gevaar, dat geef ik allemaal graag toe. Maar er gaat niets boven de bescherming van een huiselijke grot waar iemand zich veilig en geborgen kan voelen, klaar voor de zoete, diepe slaap.'
Burke hielp Kalipin met het verzamelen van zijn spullen en bracht de kleine Huiler naar buiten.
Basil pookte het vuur op en begon een pot koffie te zetten.
'Wil je misschien een kijkje nemen in die leren zak waar onze kleine vriend zo goed over waakte?' zei hij tegen Johnson.
De zwarte man zette de leren zak op de tafel, trok de koorden open en begon te fluiten.
'Drie verdovers! Heilige shit, man, hoe zijn die door de tijdpoort gekomen?'
'Gesmokkeld, zou ik zo zeggen. Samen met een niet onaanzienlijke hoeveelheid andere wapens, in de loop van de tijd. Wist je dat Aiken Drum zijn menselijke elitetroepen heeft uitgerust met wapens uit de tweeëntwintigste eeuw?'
'Ja.' Denny's ogen vernauwden zich. 'Heb je dit van hen gestolen?'
'Nee. Dit is een geschenk van Heer Sugoll . . . die kreeg ze op zijn beurt van Sharn.'
'Oh, mijn God.'
'Precies.'
Basil zette drie bekers, honing en uit hoorn gesneden lepeltjes

klaar.
Burke kwam weer door het gordijn. 'Kalipin ligt erin.' Zijn ogen vielen op de half geopende zak met de drie verdovingsgeweren. 'Bezig onze geschenken te inspecteren, zie ik. Basil neemt er twee mee op de expeditie naar het Scheepsgraf. Eentje blijft er hier. Het zal allicht een beetje helpen. Maar er staat ons een moeilijke zomer te wachten, Denny.'
'Vallen de Firvulag de IJzeren Dorpen nu openlijk aan?' wilde Basil weten.
Denny fronste zijn donkere voorhoofd en schudde zijn hoofd. 'Nog niet. Ze hebben ons de oorlog niet verklaard en die ambassadeur met zijn houten poot van Hoog Vrazel komt nog steeds geregeld langs met mooie praatjes en "Lang leve de Wapenstilstand." We blijven zeuren over die aanvallen, maar Sharn en Ayfa houden de boot af, ze geven de Huilers de schuld en zeggen dat we met onze klachten maar naar Nionel moeten gaan.'
'Als we kans zien een paar van die buitenaardse vliegtuigen de lucht in te krijgen, dan zullen die Firvulag wel een toontje lager gaan zingen,' zei Burke. 'En datzelfde geldt voor die kleine gouden opdonder in Goriah.'
'Toen we voor het eerst geruchten hoorden over moderne wapens,' zei Denny, 'hebben we Aiken Drum een hoeveelheid ruw ijzer aangeboden in ruil voor een paar van die dingen.'
'Wat zei hij?' vroeg Burke.
'Niks dat de moeite waard was. Hij zou al lang geprobeerd hebben onze mijnen over te nemen als die niet zo dicht bij Hoog Vrazel lagen. Zoals de zaken er nu voor staan, hoopt hij dat de Firvulag kans zien ons uit te roeien voor te veel mensen in het Plioceen door ons vrijheidsvirus worden aangestoken. Oh, hij stuurt ons afgevaardigden met mooie toespraken over vrede en samenwerking en welvaart en gerechtigheid voor allemaal. Maar het enige dat hem echt interesseert is het aftroggelen van onze technici en metallurgen. Er zijn delfplaatsen van ijzererts in Bretagne zelf en reken maar dat die kleine garnaal de vingers jeuken om die te ontginnen.'
'Hoe erg zijn de aanvallen van de Firvulag op onze mijnen precies geweest?' wilde Basil weten.
'We moeten IJzeren Maagd en Haut-Fourneauville misschien in de steek laten. Verdomd, ik zou er mijn rechteroog en rechterbal voor willen missen als we nu de beschikking hadden over een paar dozijn Matsu-laserkarabijnen met nachtvizieren.'
'Ik moet over de zaak nadenken,' zei Burke raadselachtig. 'Eerst moeten Basil en zijn Bastaards goed en wel op weg zijn, dan zal ik proberen iets uit te denken.'
'Overmorgen gaan we op pad,' zei Basil.
'Hé, jullie zijn hier net!' protesteerde Denny. 'Jullie moeten uitrus-

ten. En we hebben amper met jouw mensen kennis gemaakt. Ik bedoel . . . die dikke tante, die Sophronisba Gillis, dat is een slechte dame.'
'Als je . . . eh . . . van plan was avances te maken in haar richting,' zei Basil onbewogen, 'dan adviseer ik behoedzaamheid. Ze was derde ingenieur op een wilde vrachtvaarder in de Vierde Sector. Toen we doende waren die hele meute sekshongerige opstandelingen naar Nionel te brengen, was Phronsie de enige die zich nooit zorgen hoefde te maken over haar eigen veiligheid.'
'Ik pak haar wel aan,' zei Denny vol zelfvertrouwen. Toen begon hij te vloeken. 'Kunnen jullie echt niet langer blijven?'
Basil schudde zijn hoofd.
'Sorry als ik je plannen in de war stuur, ouwe jongen. Maar we vertrekken volgens plan, inclusief de smakelijke Sophronisba.'
'Andere lui zouden op het idee kunnen komen om een paar vliegtuigjes aan de haak te slaan,' zei Burke.
'Op het ogenblik heeft Aiken zijn handen vol aan andere zaken,' zei Basil, terwijl hij de gouden halsring met een vinger aanraakte. 'Elizabeth heeft ons verzekerd dat hij nog niet van onze expeditie op de hoogte is. Maar onze bedoeling moet nu voor iedereen duidelijk zijn, die hier vandaag op het welkomstfeest aanwezig was . . .'
Hij liet zijn stem met enige tact uitsterven zonder de zin af te maken. Denny haalde de schouders op en leek zich er toen bij neer te leggen.
'En natuurlijk lekt het uit naar de andere dorpen. We hebben maar één verraderlijke kip zonder kop nodig die met een grote mond naar Goriah gaat en iedereen weet ervan.'
'En spionnen van Hoog Vrazel houden ons allicht ook in de gaten zodra we de Rijn oversteken,' voegde Basil daaraan toe.
'Denk je dat *Sharn* zoiets aan Aiken zou vertellen?' Denny's stem klonk ongelovig.
'Dat is mogelijk,' zei Burke. 'Als hij de risico's voor zijn eigen veiligheid gaat afwegen.'
De koffiepot hield op met pruttelen en Basil schonk de koffie in. Zwijgend dronken ze hun koffie.
'Ik vraag me af,' zei Denny na een paar minuten, 'waarom het Kleine Volk niet zelf achter die vliegtuigen is aangegaan. God weet dat ze de laatste maanden als gekken in de weer zijn geweest met het uitvinden van van alles en nog wat. Sharn en Ayfa hebben de oude tradities blijkbaar volledig overboord gegooid.'
'Niet helemaal,' corrigeerde Basil. 'Het Scheepsgraf is nog altijd heilig, voor de Tanu én de Firvulag. Er rust een streng taboe op het onthullen van de laatste rustplaats van hun helden. Ze sterk dat ze eerder proberen de herinnering daaraan uit te wissen.'
'Maar wanneer de vliegtuigen naar een andere lokatie zijn overgebracht,' ging Burke verder, 'dan mogen we een heel andere houding

verwachten. Daarom is het vinden van een goede schuilplaats voor die geredde schepen van het allergrootste belang.'
'Ik heb voor twee ervan een prima plek gevonden,' zei Denny, 'precies zoals je wilde. Een plek, die de Vallei der Hyena's wordt genoemd, de Firvulag komen daar nooit. Als je een keer een paar van die bottenkrakers hebt gezien die daar rondhangen, dan begrijp je meteen waarom. Het staat er vol met reuzenbomen die een uitstekende dekking bieden tegen een Vliegende Jacht. Het dal ligt ongeveer tweehonderd kilometer naar het noordwesten, vlak bij de Proto-Seine en dicht bij Nionel.'
'Dat klinkt goed,' zei Burke.
'Maxl weet waar het is,' ging Denny verder. 'Als je vooruit gaat en hem meeneemt, vind je het moeiteloos.' Hij lachte wrang. 'Maar levend uit die vallei komen nadat je de vogels een plekje hebt gegeven, *dat* kon wel eens een beetje een probleem worden.'
Basil dronk onverstoorbaar van zijn koffie. 'We modderen er wel doorheen.'
De grote vechtjas hield vol. 'En wat ben je van plan met de rest van de vliegtuigen bij het Scheepsgraf? Je kunt ze moeilijk als presentje voor Aiken achterlaten en het zou doodzonde zijn om ze te vernietigen.'
'Dat kunnen we je nu niet vertellen, Denny. Het is niks persoonlijks. Zelfs de jongens van Basil weten niets meer dan jij totdat we het kratermeer hebben bereikt.'
'Oké, maak je niet druk. Al goed. Maar ik had gezien dat er twaalf piloten in je gezelschap waren.'
'Veertien,' corrigeerde Basil. 'Dokter Thongsa heeft een brevet en Mister Betsy heeft naast zijn technische kennis ook de nodige vliegervaring.'
'Die nagemaakte voddenkoningin?' proestte Denny terwijl hij met een handpalm op de tafel sloeg. 'Goeie God, ik vroeg me al af wat die voor kwaliteiten bezat, want die nemen jullie natuurlijk niet voor niks op sleeptouw. Ongelofelijk!'
'Hij heeft als vermomming koningin Elizabeth I gekozen,' zei Basil stijfjes. 'Vandaar de rode pruik met de parels en . . . eh . . . de rest van het kostuum. Maar in het Bestel heette hij Merton Hudspeth en hij was hoofdonderzoeker bij Boeings Ruimtemaatschappij, afdeling Rho-aangedreven Voertuigen.'
'Je meent het?' Denny zag er ineens ontnuchterd uit.
'Je moet even aan Betsy wennen,' gaf Burke toe. 'Maar dat geldt voor ons allemaal, denk ik.' Hij stond op, gaapte immens en keek de grote vechtersbaas met wrange humor aan. 'Kijk om je heen. Hier hebben we ouwe Basil die liever beroerd wordt van bergen beklimmen in plaats van keurig literatuur te geven aan een nette universiteit op Limey. En Meneer de Rechter Burke, nu met veren in zijn haar en een broek op half zeven, een soort Geronimo avant-

la-lettre. Om nog maar te zwijgen over jouzelf, mijn prachtige bariton uit Covent Garden! Vertel me eens, zwarte makker, zing je nog steeds "Toreador" uit volle borst terwijl je buitenaardse overvallers in mootjes hakt?'
'Reken maar van wel, roodhuid! Wat ik zeggen wou, help me eraan herinneren dat we morgen nieuwe verkiezingen houden nu jij weer terug bent. Ik zal je weer persoonlijk voor de hete stoel voordragen.'
'Dan word je weer mooi bedankt, geeloog.'
'Graag gedaan, kaalkop.'
Het grove gezicht van de Indiaan werd weer ernstig. 'God weet dat ik het leuk zou vinden om hier te blijven hangen om de beschaafde ouder wordende regeerder uit te hangen. Maar er is een andere mogelijkheid. Ik wil er eerst zelf een tijdje over denken. Dan zal ik het met Elizabeth bepraten om te zien hoe zij erover denkt.'
Hij zette zijn beker neer, tilde de zak met de geweren op en trok de koorden weer dicht.
'Speren en pijlen van ijzer leken een paar weken na Finiah nog het uiteindelijke onoverwinnelijke wapen. We zijn er goed mee geholpen geweest en ze zullen bruikbaar blijven tegen de buitenaardsen. Maar we zullen er nogal dwaas uitzien wanneer we ijzeren pijlen afschieten vanuit gravomagnetische vliegtuigen. En de elite van Aiken Drum is voor het bloedmetaal net zo min kwetsbaar als jij en ik.'
'Je was van plan je hand te leggen op een stel echte wapens,' constateerde Denny. 'Maar hoe? Wou je Sharns wapenkamers overvallen?'
'We zouden nooit levend binnen tien kilometer van Hoog Vrazel komen. Nee. Maar er is een andere mogelijkheid. Sharn heeft zijn rijkdom verkregen uit een geheime schatkamer nadat hij Burask had overvallen. Van Aiken Drum zeggen ze dat zijn wapens afkomstig zijn uit een magazijn in de kerkers van Goriah. Er zijn dus blijkbaar minstens twee grote Heren geweest die zich niets aantrokken van koning Thagdals bevel om alle wapens uit het Bestel te vernietigen. Misschien waren er nog meer?'
'In Finiah was niks te vinden,' herinnerde Denny hem. 'Maar wat zou je zeggen van Roniah? Vanuit die stad heb ik de benen genomen. En die ouwe Bormol die daar de baas was, leek me een typische geleerde. Een bedwinger bovendien en je weet misschien hoe paranoïde dat soort is als het erom gaat zijn spulletjes te verdedigen. Hij zou een geheim voorraadje kunnen hebben! Die stad ligt van hieruit binnen ons bereik! Allemachtig, we varen de rivier af, dringen de stad vanuit de haven binnen . . . geen muren om te beklimmen . . .'
'Misschien zijn er helemaal geen wapens,' zei Burke. 'En eigenlijk hebben we iedere man hier in de Vogezen nodig om de mijnen te

verdedigen. We zullen de voors en tegens met de grootste zorg tegen elkaar moeten afwegen. Gelukkig ligt de uiteindelijke beslissing bij Elizabeth, niet bij mij.'
Denny was verontwaardigd en vroeg ongelovig: 'Je laat die . . . die mystica beslissen over onze strategie?'
'Nou en of,' zei Basil kalm. 'Dat doet ze al een tijdje, weet je. Zij is de belangrijkste persoon in deze wereld.'
'Arm ding,' voegde Peopeo Moxmox Burke daaraan toe.

7

Nogmaals maakte Elizabeth zich gereed om af te dalen.
De toegang tot de afgrond was smal en ingesnoerd en tegelijkertijd op een perverse wijze begerig zich te ontsluiten. Er kwam een stortvloed van verwoesting uit terwijl het ego dreigde te scheuren en de daarbij behorende agressie een ontlading zocht in doodsdrift.
Dionket en Creyn, verbonden op een punt bij de sluispoort, zetten zichzelf schrap tegen die vijandelijke druk, vastbesloten en tot het uiterste gekweld. Zij droegen een deel van de schuld die dit had veroorzaakt en deelden de hoop, want zij wisten dat het erfgoed van deze levend geworden boosaardigheid die nu als een vloedgolf omhoogkwam, zijn oorsprong vond in de Geest van hun eigen ras.
Het gevaar voor de genezers was nu buitensporig groot. Felices vermogen tot overgave was vrijwel uitgeput. Hoe dichter Elizabeth de kern van de ziekte was genaderd, hoe groter de angst van Felice was geworden. Haar vermogen tot emotionele zelfbeheersing, die nooit erg sterk was geweest, slonk nu zienderogen bij het vooruitzicht van een definitieve verandering die niet omkeerbaar was. Liever dan dat onder ogen te zien, speelde ze met de gedachte er een eind aan te maken door binnen- of buitenwaarts te exploderen.
Telkens wanneer Elizabeth tussen Dionket en Creyn door in die poel van verblindende, wervelende smerigheid afdaalde, hadden ze het voor onmogelijk gehouden dat ze nog heelhuids kon terugkeren. Wanneer de oppervlakkige lagen van Felices waanzin al zulk een dodelijke spanning veroorzaakten op hun eigen versterkte geest, wat voor verschrikkingen wachtten dan de Grootmeesteres in die witgloeiende diepten, vooral nu de voltooiing in zicht kwam?
'Felice is bijna in het vijfde stadium van dysfunctie,' had Dionket gewaarschuwd. 'Ze wankelt op de grens. Als het je niet lukt een katharsis teweeg te brengen, dat kan de stoot van haar ingehouden

psycho-energie zich buitenwaarts richten en het huis en de hele berg hier doen opgaan in een kosmische vuurbal. Dat stemt overeen met haar dromen over verwoesting op planetaire schaal. Slaat ze door naar de andere kant, dan wordt alle agressie en geweld naar binnen gericht en leidt tot haar eigen vernietiging. Je zou dan in dat opzicht hebben gefaald, maar het zou toch een succes kunnen worden genoemd. Het monster zou verdwenen zijn.'
'Ik kan een denkend wezen niet met opzet schade toebrengen,' had Elizabeth hem herinnerd. Het was niet enkel dat oude mentale verbod geweest, maar ook trots die haar ingaf zo te spreken. 'Ik geloof meer dan ooit dat ik in staat ben haar te redden. Ik ben nu bijna bij de kern. En ik denk dat ik de neurale bron van dit verwoestende gedragspatroon eindelijk heb gevonden.'
Ze had hun de correlatie laten zien tussen bepaalde hersendelen waarin de emotionele beleving zetelde en een handvol afwijkingen die de secundaire niveaus van haar rhinencephalon had beïnvloed. De twee buitenaardsen hadden niet begrepen wat ze daarmee wilde aantonen, hun kennis in een wat verder ontwikkelde psychobiologie was daarvoor niet toereikend. De herstellende technieken van de Tanu waren in de loop van hun ballingschap eerder een kunst dan een wetenschap geworden.
'Laat haar sterven, Elizabeth,' had Creyn bepleit. 'Wanneer je blijft aanhouden en wanneer ze niet volledig uiteen wordt gescheurd, kan ze jou in zich opnemen. Je zou gevangen raken in een obscene psychocreatieve tweeheid, je zou voor altijd deelnemen aan haar pijnprojecties en medeschuldig aan al haar verdere daden.'
'Maar als Felice gezond zou worden . . .'
Elizabeth liet hun de mogelijke apotheose zien, de ongelofelijke dingen die de bleke, kleine godin zou kunnen bereiken met een Grootmeesteres die haar schoolde.
'De oorlogen in het Veelkleurig Land zouden tot het verleden behoren. Geen bedreigingen meer van de rebellen uit Noord-Amerika. Met Felice als katalysator en haar onweerstaanbare zielegewicht aan de goede kant van de weegschaal, zouden we zelfs een soort van Eenheid kunnen scheppen onder Tanu en Firvulag, meta's en de van halsringen voorziene mensheid!'
Dionket en Creyn hadden met afgrijzen en verdriet het visioen van Elizabeth verworpen. 'Het is inmiddels steeds duidelijker geworden terwijl jij met haar genezing bezig bent. Felice verlangt naar de dood.'
'Ze zou het leven kiezen als ze gezond was! En niet agressief.'
Dionket, Heer Genezer, glimlachte, niet eens cynisch, maar vanuit een zeer oude wijsheid.
'Hebben de meta's van het Bestel de zonde dan opgeheven?'
'Natuurlijk niet,' antwoordde de Grootmeesteres boos. Daarna werd het stil achter haar muren.

Maar die twee bleven tegenwerpingen maken. Ten slotte zei ze: 'Ik heb nooit eerder een karwei op me genomen dat zo verschrikkelijk was als dit. Het functioneel maken van de vermogens van Breede door haar tot de status van adept te verheffen, was niets hierbij vergeleken. Maar we zijn zo dicht bij succes! Ik kan Felice nu niet in de steek laten, ondanks het gevaar! Een geest als de hare is zo onvoorstelbaar waardevol! Haar bedwingende en scheppende vermogens benaderen de zeshonderdste graad van grootte en haar PK ligt daar niet ver beneden. Er was geen enkel wezen binnen het Bestel met zulk een macht.'
'Ze zal nooit in staat zijn de toestand te bereiken die jullie Eenheid noemen,' zei Dionket. 'Ze is een monster, hopeloos misvormd. Haar ouders . . .'
Hij schudde zijn hoofd. 'We hebben geen enkele ervaring met een geval als dit. Tana weet dat ons ras haar gebreken heeft, maar Tanu-ouders zouden een kind nooit hebben misbruikt zoals in haar geval is gebeurd. En domweg uit verveling, er kwam niet eens kwaadaardigheid aan te pas!'
'Felice is geen monster,' zei Elizabeth, 'niet meer. Ik heb haar menselijkheid bloot gelegd en lucht gegeven. Elke keer wanneer ik bij haar binnenga om het vuil te draineren, komt er meer ziel te voorschijn.'
'Waarom is ze dan nog steeds zo bang?' vroeg Dionket. 'Waarom neemt haar vastbeslotenheid om de laatste katharsis toe te staan, dan steeds verder af?'
'Vanwege het gevaar, waarom anders. Ze loopt langs de afgrond, precies zoals je zelf hebt gezegd en haar lijden gaat nog steeds door.'
'Je zult zien dat ze zich tegen jou gaat keren,' zei de Heer Genezer, 'en als zij met volle kracht naar je uithaalt, dan ben je verloren.'
'Ze is het risico waard, dat zeg ik je.'
'Jij bent door Breede als opvolgster aangewezen, Elizabeth,' zei Creyn somber, 'niet Felice.'
'De Scheepsgade had niet het recht voor God te spelen.'
'Jij wel?' vroeg Creyn.
'Waarom houden jullie me tegen?' riep ze uit. 'Jullie hebben beloofd te helpen. Jullie wisten hoe groot haar afwijkingen waren!'
Dionket liet haar zijn mededogen voelen. 'We wisten het. Maar misschien kenden we zekere beperkingen niet van de genezeres.'
'Ik zal haar gezond maken. Met of zonder jullie hulp.' Ze stelde zich vastbesloten tegenover beide Tanu op.
'Dan zullen we je helpen,' zei Dionket, 'al moet de dood erop volgen.'

Elizabeth daalde af in de hel en bleef daar gedurende zes uren.

De muren van de kamer losten op. De drie genezers, verzameld rondom de bank waarop het wegkwijnende meisje lag, werden gebeukt en doordrenkt in vloeibare verschrikking, duister, nooit aflatend en afschuwwekkend. Ze werden verscheurd door de flarden van Felices herinneringen, stikten met haar in haar kille woede en kinderlijke hulpeloosheid; ze deelden haar vernederingen en raakten verdoofd onder haar eindeloze kreten van pijn.
Ondanks de psycho-elektronische barrière in de kamer zonder deuren, sijpelde een deel van die waanzinnige energie niet in de rotsen van de Zwarte Piek, maar vloeide over de rand als in een te volle beker en slipte de atmosfeer binnen. Daar ontstond een stinkende, ondoordringbare wolk boven de bergen die in rood stof oplichtende bliksemflitsen rondom het jachthuis deed daveren. Hete geïoniseerde winden verschroeiden de naalden van de pijnbomen in de omgeving en deden de wilde bloemen verwelken. Kleine zangvogels vielen dood van hun takken. De mentaal zwakkere bedienden die rond het jachthuis dienst deden, renden schreeuwend het steile pad naar beneden af en zelfs de sterkeren raakten ondanks hun halsringen in de war door de onophoudelijke stroom van psychisch geladen energie en verborgen zich in de diepste kelders van het huis waar ze half bewusteloos op de gepolijste grafietvloeren rondhingen.
Elizabeth zei: 'Kom eruit, Felice.'
Het vocht, steeg omhoog, schrompelde ineen, flitste weer op. Het haalde klauwachtig uit naar de wiegende genezende vleugels. Het wilde niets liever dan ontsnappen maar werd tegelijkertijd vastgehouden door een paradoxale behoefte aan liefde. De normale genotscircuits van haar brein, die zo lang waren geatrofieerd, zongen op schrille toon van zielsangst en verrukking. De donkerder kanalen, waar het elektrisch gif niet langer in beweging was en begon te stollen, schreeuwde om nieuwe toevoer, begeerde reikhalzend de oude, zo vertrouwde gevoelens van pijn, hunkerend naar het verdiende loon van de omhelzing door de doodsvader (ben jij dat, Geliefde?), het verslonden worden door de doodsmoeder en de beloningen daarna, de stinkende kussen.
'Kom eruit, Felice.'
Kom eruit, laat het gaan, schud het van je af. Vergeet dat oude lichaam en betreed een nieuw. Vergeet de slechteriken die tussen neus en lippen door jou verwekten en speelden met hun intelligente speelgoedje en die je daarna zo wreed en onbedachtzaam wegwierpen. Wees niet-geboren. Word uit jezelf andermaal geboren! Genees jezelf. Erken dat je beminnenswaard bent. Krijg oog voor de toewijding van je trouwe vrienden onder de dieren. Zie de onbevlekte liefde van Zuster Amerie voor jou. Zie de mijne terwijl ik je levensmoeder wordt en zie de liefde van deze twee broeders die je eveneens omhelzen. (Maar Amerie weigerde . . .)

'Kom eruit, Felice.'
Kijk, bewonder dat glanzende nieuwe zelf. Je bent prachtig, kind, en je lichaam is sterk. En nu je geest . . . kind, kijk naar de glorie van je geest! Ja, hij is geboren uit ellende en vuil, net als je lichaam. Maar net als dat is hij in staat tot een grootse transfiguratie. (Hij heeft het gedaan! Mijn geliefde. Ik moet hem dankbaar zijn voor het bevrijden van mijn vermogens, voor het doorsnijden van de banden met zijn tweesnijdende, flitsende mes. Culluket!)
'Niet hij, Felice.'
Culluket!
Ga nu niet die kant op. Niet nu je er zo dichtbij bent, kleintje, zo schoon en sterk, zo bijna perfect . . .
Amerie?
Kijk de andere kant uit. Kijk naar het lucht en de werkelijkheid, naar vrede, naar het samenkomen met andere geesten die in staat zijn tot waarachtige liefde voor jou.
Culluket? Amerie?
Zie hoe de dolende energieën bedaren, hoe de woordeloze aanvalswoede kalmeert; de emoties goed beteugeld, de wil sterk en vastbesloten. Nu: kies nu voor de onzelfzuchtige liefde! Kies ervoor om goed te zijn, nobel en opofferend . . .
Ik kies . . . Ik kies . . .
'Word wakker, Felice. Kom nu terug. Open je ogen.'
De ogen waren bruin, heel groot, verrassend groot in dat bloedeloze gezicht met de bleke wenkbrauwen en het vochtige, platinakleurige haar. Ze waren groot van verwondering, sprongen van Elizabeths gezicht naar dat van Creyn en Dionket en weer terug. Ze werden heel even vochtig van tranen en daarna zo helder als sterren.
'Is dit gezondheid?' vroeg Felice. Ze kwam bevend op een elleboog overeind. Haar blik ging lager. 'Hetzelfde oude lichaam, dezelfde geest. Maar volslagen anders.' Ze lachte heel zacht. De bruine ogen flonkerden, hechtten zich aan die van Elizabeth.
'Waarom heb je me wakker gemaakt . . . me teruggebracht voor ik het kiezen kon voltooien?'
De Grootmeesteres zweeg.
'Wilde je dat ik ervoor koos zo te zijn als jij, Elizabeth?'
'Maak je eigen keuze.'
De toon van Elizabeths fysieke stem was vriendelijk, maar de stem van haar geest klonk knarsend en bevreesd.
'Zijn zoals jij.' Er kwamen twee kleurige vlekken op de wangen van het meisje. De haren kwamen elektrisch tot leven. Ze maakte een soort buiteling en stond ineens overeind op de rustbank, klein en sterk. Haar hele lichaam was gehuld in een aura van paarlemoer.
'Ik? Worden zoals jij, Elizabeth?'
Felice wierp haar stralende hoofd naar achteren en lachte, een wild

en vitaal geschal, weerkaatsend van een prikkelende vitaliteit.
'Ik heb voor mezelf gekozen. Kijk naar mij! Kijk *in* mij! Zou je niet liever mij zijn dan jezelf? Vrij om te kiezen en te doen wat ik wil zonder door anderen gebonden te worden?'
Opnieuw dat schaterlachen, zo wild, zo gezond.
'Arme Elizabeth.' De godin stak een lichtende hand uit en raakte even de schouder van de Grootmeesteres. 'Toch dank ik je.'
Ze verdween.
Elizabeth zat onbeweeglijk, haar blik nog steeds gericht op de lege rustbank, te uitgeput om te huilen, te zeer gekleineerd om zelfs maar te wanhopen. De cocon van vuur was er ook, wenkend. Ze bekeek hem, met een vreemd gevoel van onthechting, alsof de werkelijke keus al eerder was gemaakt en dit niet meer was dan een logische consequentie.
'Blijf,' drong Dionket aan.
Creyn stond over haar heen gebogen, zijn bloed was rood, het licht van zijn geest was wit, de gouden halsring hield hem gevangen binnen zijn eigen keel. Zijn hand met de lange vingers en de opvallende gewrichten, bedekt met meerdere ringen, hield haar een stenen beker voor.
'Drink, Elizabeth.'
Dat was eerder gebeurd.
Ze dronk de bittere kruidenthee en liet daarna de muren van haar geest omlaagkomen zodat hij duidelijk kon zien welke keus op haar wachtte. De vlammende lijkkist van vuur, de overweldigende verleiding daarheen te gaan.
'We hebben je nu meer dan ooit nodig,' zei Creyn.
Maar Dionket, wijzer dan de ander, was strenger en daardoor troostender. 'Je hebt nog geen recht op zo'n zuivering. Niet voordat je hebt geprobeerd de zaken bij te sturen.'
'Ja,' antwoordde ze. En ze glimlachte en huilde.

8

Cloud legde het boeket op de aarden heuvel en stond daar met droge ogen terwijl ze met een deel van haar wezen al de kleine details van de orchideeën in zich opnam en daardoor in staat was het grote beeld van het graf buiten te sluiten. Het boeket bloemen was overweldigend groot en bevatte wel vijfentwintig of dertig verschillende soorten. Ze had ze in nog geen vijf minuten bijeengeplukt en had er niet eens de directe omgeving van hun ankerplaats aan de Río Genil voor hoeven verlaten.
'De Tanu noemen Spanje "Koneyn",' zei ze inconsequent. 'Het

betekent "Bloemenland". Ik hoorde de een tegen de ander zeggen dat nergens in Europa op één plek zoveel verschillende bloemen te vinden zijn. Ik houd het meest van die hemelsblauwe orchideeën, denk ik. En die bleekgroene natuurlijk, met die fluweelzwarte randen. Orchideeën in de rouw. Arme Jill.'
'We hebben ons best gedaan. Steinbrenner heeft ons gewaarschuwd voor het gevaar van meningitis.'
Elaby concentreerde zich op de rotsplaat die hij recht overeind had gezet tegen de wortels van een grote plataan. Stukken van de plaat gloeiden bleek in de middagzon terwijl hij zijn scheppende vermogens liet werken. De doordringende stank van smeltend mineraal overheerste een tijdje de subtielere geuren van de orchideeën, daarna loste hij op in de constante bries die hem stroomafwaarts voerde.
Tevreden tilde Elaby de rotsplaat met zijn PK op en bracht hem in positie boven de wachtende heuvel aan het hoofdeinde van het graf.

JILLIAN MIRIAM MORGENTHALER
20 SEPTEMBER P3 – 2 JUNI P27
'WAAR LIGT HET LAND WAARHEEN HET SCHIP WOU VAREN?
VER, VER VOORUIT, IS ALLES WAT HAAR ZEELUI NOG ONTWAREN'

'Zal dit het zes miljoen jaar uithouden?' vroeg Cloud zich af.
'We zijn nog steeds in het Bekken van Gualdalquivir. Deze plaats zal onder het slik begraven worden. Wie zal het zeggen?'
Cloud keerde het graf haar rug toe en liep ongedurig naar het op het strand getrokken bootje.
'Afgelopen winter, toen we allemaal met deze plannen bezig waren, heb ik Alexis Manion gevraagd of er ooit enig spoor gevonden is in het Plioceen van al de mensen die hier verbannen waren. Hij zei nee. Het is moeilijk te geloven dat *helemaal niets* de tijd heeft doorstaan.'
Ze klom in het bootje. Elaby kwam bij haar en duwde de boot in het lome water dat de kleur had van sterk getrokken thee. Tot op vijftig kilometer afstand van de berg Mulhacén was de rivier bevaarbaar zodra ze de rivierboot hadden gekregen die Aiken Drum mee zou brengen.
'Als er al een paleontoloog het fossiele skelet vond van een homo sapiens in het Plioceen, dan zou hij er zijn mond over houden, tenzij hij met alle geweld uit het clubje van bottengravers gegooid wilde worden. En wat een gefossileerde kaag uit Bermuda betreft . . .'
'Dokter Manion zei dat niets wat wij hier doen de toekomst kan beïnvloeden. De toekomst . . . *is* al.'
'Een mooie geruststellende gedachte. Help me daaraan herinneren

wanneer we samen met Aiken Drum en diens kornuiten de top van de berg Mulhacén blazen.'
Het opblaasbare bootje gleed tegen de ladder. Cloud maakte de vanglijn vast en klom naar boven.
'Owen slaapt nog steeds,' zei ze, nadat ze benedendeks snel een mentaal onderzoek had ingesteld.
'Prima. Hij heeft zichzelf uitgeput al die tijd dat hij met jou aan Jill werkte. God zij gedankt dat hij er niet op stond aan wal te komen voor de begrafenis.'
Hij rommelde in de draagbare koeler en haalde een fles kokosnootlikeur te voorschijn en twee sandwiches met kip, afkomstig uit de diepgevroren voorraad van thuis.
'Alsjeblieft. Een begrafenismaaltje. Ontspan je, meid. Neem even rust voor de Elfenkoning opkomt.'
Ze zaten in een paar canvas stoelen in de stuurhut, beschermd tegen de zon door een zeil dat tussen de hoofdmast en de pardoen gespannen was. Cloud at smakelijk van de sandwich.
'Beschaafd voedsel! God, ik ben zo langzamerhand ziek van geroosterd waterwild en die flauwe palmscheuten. In Florida is het nu tijd voor het ontbijt, wist je dat? Spek en eieren. Geroosterd brood met honing. Sinaasappelsap en zoete ijsthee.'
'Je bent een ondankbaar wijf,' zei Elaby beschuldigend. Hij vulde haar beker nog een keer met de melkkleurige likeur. 'Spijt dat je meegegaan bent?'
Ze schudde haar hoofd.
'Ik moest. Dat moesten we allemaal. Zelfs degenen die vader op de Afrikaanse kust heeft klemgezet, hebben er geen spijt van dat ze hun huis hebben verlaten. Hoe dan ook, we zijn een beetje dichter bij de tijdpoort in de buurt. En we hebben vader gedwongen om onze verlangens serieus te nemen.' Ze aarzelde even. 'Hij zal naar Europa komen, weet je dat?'
'Ben je daar zeker van?'
'Ik ken hem beter dan wie ook.'
'Zal hij helpen of ons tegenwerken?'
'Dat heeft hij waarschijnlijk nog niet besloten. Ik weet het niet.'
Ze schoof de resten van hun maaltijd opzij. Een wolkje zwavelgele vlinders fladderde langs de reling in de richting van de Golf. Ze ving er eentje met haar PK en keek een paar seconden hoe het de kleine, waaierende antennes bewoog voor ze het dier weer vrijliet. Het vloog de andere achterna.
'Vader is niet van plan ons te doden. Daar had ik gelijk in. En hij zal dat ook niet doen, tenzij we hem daartoe dwingen. Tenzij we hem en zijn mensen met opzet in groot gevaar brengen door de tijdpoort opnieuw te openen of doordat *wij* proberen hem te doden.'
'Sommigen van ons zouden daar geen bezwaar tegen hebben.'

'Dat weet ik.' Haar uitdrukking was kalm. 'Hagen. En jij.'
'Jijzelf niet?'
De jonge man draaide fronsend de ijsblokjes in zijn glas rond. Toen Cloud geen antwoord gaf, stelde hij een andere vraag.
'Zou je ons proberen tegen te houden wanneer wij het gevoel hadden dat er geen andere weg meer open was?'
'Ik wil dat we allemaal vrij zijn,' antwoordde ze. 'Ik wilde dat we samen konden werken, beide generaties, zonder elkaars tegenstander te zijn. Het is zo al moeilijk genoeg om midden in dit barbaarse circus te zitten. Misschien wel onmogelijk.'
'Je moet niet te licht over ons denken, meid. We hebben een stuk winst verspeeld, maar misschien hebben we ook wat gewonnen. Het element van geheimhouding is verdwenen nu Marc onze bedoelingen heeft geraden en de bedreigingen van je heethoofdige broer hebben hem op zijn minst een ietsjepietsje doen twijfelen aan onze trouw. Maar jouw vader is niet het enige grote kanon in dit gevecht. Vergeet Aiken Drum niet. Wanneer de zaken in het Veelkleurig Land verder verslechteren, kon hij wel eens op zoek gaan naar wijdere horizonten.'
Cloud had haar twijfels.
'Hier is Aiken een grote vis in een kleine vijver. Maar wat zou hij voorstellen in het Bestel? Vergeleken bij de Geest van Eenheid? Afgezien daarvan, vader schijnt hem nogal behoorlijk onder de indruk hebben gebracht met zijn kennis over mentale samenwerking.'
Elaby liet een rustig lachje horen.
'Wees daar maar niet te zeker van. Deze knaap is nog jong. Amper tweeëntwintig of zoiets. Toch heeft hij kans gezien een regeringsvorm over te nemen die het veertig jaar lang in het Plioceen heeft uitgehouden. Alleen door zijn blote hersentjes te gebruiken.'
'Aiken heeft alleen maar de brokstukken na de ramp opgeveegd. Hij is koning over een handvol ruïnes! Een halfgod in een Götterdämmerung.'
'Misschien wel, misschien niet. Ik zie hem tot aan zijn ballen geladen met kracht en klaar om te brullen. En hij bezit eersteklas vermogens, vergeet dat niet. Jouw vader kon nu wel eens een vis aan de haak hebben die net iets te ruig voor hem is.'
Cloud beet op haar onderlip en keek naar de prachtige hoop bloemen en de overeind staande grafsteen op het strand.
Ten slotte zei ze: 'Denk je dat Aiken echt in staat zal zijn om die kolossale hoeveelheid samengebalde ergie te hanteren? Vader zou wel eens van plan kunnen zijn om het beheer daarover op het kritieke moment naar zichzelf toe te trekken.'
'Als Marc het niet doet – of niet *kan* – wellicht hebben wij dan een kans Aiken in een later stadium aan onze zijde te krijgen. Ik vind het nog steeds verbazingwekkend dat Marc erin heeft toegestemd

om Aiken die energiestoot te laten richten. Het betekent dat hij nogal wat vertrouwen heeft in onze gouden wonderjongen . . . of hij heeft een smerig stukje manipulatie in gedachten.'
'Het is moeilijk voor te stellen dat er iemand in deze wereld bestaat die vaders gelijke zou zijn.' Haar gedachte straalde verbijstering uit.
'Jouw vader heeft te lang voor God gespeeld,' zei Elaby bitter. 'We zijn bijna vergeten dat hij ook maar een mens is. Dat hij een verliezer is. Hij verloor alles in het Bestel en nu heeft hij ons verloren. En hij voelt zich duidelijk bedreigd, zowel door Felice als door Aiken.'
'Vader is nog steeds Oppergrootmeester,' zei Cloud rustig, 'en hij is hier in het Plioceen alleen maar beperkt omdat er voor hem zo weinig bruikbare geesten zijn om mee samen te werken. Vergeet nooit dat hij één van de twee grootste mentale coördinators was in het Bestel. Alleen zijn broer Jon was nog beter.'
'Help me eraan herinneren een kaars op te steken voor Sint-Jack de Lichaamsloze.'
Cloud keek naar achteren en gebruikte haar vérziende vermogens om naar de kleine eilanden in het noorden te kijken. Daar, bij de monding van de Genil, wachtten de strijdkrachten van Celadeyr en Aluteyn en de andere Spaanse Tanu al twee dagen op hun rendezvous met de vloot van Aiken Drum. Ze wendde nerveus haar blik naar het westen in de richting van de Atlantische Oceaan. 'Ik zie Aiken nog steeds niet komen. Hoe ver zijn ze nog bij ons vandaan, Elaby?'
'Vijftien uur, ongeveer. Ze hebben tot nu toe hun metafuncties gespaard en enkel de wind van Moeder Natuur gebruikt om vooruit te komen. Maar deze ochtend, toen ze Kaap St. Vincent voorbij waren, heeft Aiken zijn PK aan het werk gezet. De vloot maakt nu een snelheid van zesentwintig knopen. Morgenochtend zijn we gezamenlijk precies volgens schema op weg.'
'En misschien zullen we allemaal sterven.'
Cloud kwam naar hem toe, legde haar hoofd tegen zijn schouder en omhelsde hem zo krachtig dat haar vingers als klauwen in zijn rugspieren grepen.
'Ik weet niet waarom, liefste . . . arme Jill vanmorgen en nu dit stomme, gevaarlijke spel dat we gedwongen met Aiken Drum moeten spelen . . . waarom voel ik me nu zo . . . het is niet normaal, het is . . .'
'Het is normaal,' fluisterde hij in haar oor. 'Heel normaal om naar het leven te hunkeren nu onze wereld ten einde lijkt te lopen. Een heel gewoon psychologisch verschijnsel als je de boeken op Ocala mag geloven. Epidemieën, oorlogen, aardbevingen, alle rampen schijnen perfecte stimulansen te zijn voor erotiek.'
'Dat is belachelijk.'

Hij kuste haar. 'Dat is seks ook. Wat zou het?' Hij leidde haar naar de trap. 'Laten we plezier maken en daarna zetten we alles klaar voor de koninklijke ontvangst.'
Ze verdwenen benedendeks. De bries was afgenomen en de schepsels van de jungle hielden zich op het heetst van de dag verborgen. Twee rama's kwamen even uit het struikgewas te voorschijn en bekeken de berg bloemen en streken met hun vingers langs de vreemde insnijdingen op de rotsplaat. Toen hun nieuwsgierigheid bevredigd was, verdwenen ze weer in de groene achtergrond.

In zijn kleine hut aan boord van de grote schoener die als vlaggeschip van de Tanu dienst deed, werkte Culluket aan zijn wapenrusting. Hij zette een paar edelstenen weer vast in het blazoen, verving een oude, zwak geworden schakel door een nieuwe en poetste daarna het geheel totdat de oppervlakte van het glas rijker glom dan vers bloed.
Als je sterft, zul je er hoe dan ook geweldig uitzien, hield hij zichzelf voor. Toch op het laatst te slim geweest, Ondervrager! Als het je lukt om niet verslonden te worden door dat demonische liefje van je, dan zal je al te bedrieglijke brein ongetwijfeld tot verkoold vlees worden gereduceerd terwijl je dienst doet als een levende barrière tussen Aiken Drum en de Engel van de Afgrond. Je zult sterven voor je koning, getrouw aan de beste strijdtradities van je voorouders. Een held van de Clan van Nontusvel, wie kon een glorierijker lot wensen voor zichzelf? Wat jammer dat je diep in je hart een verrader bent, een ongelovige en zo verslaafd aan het leven dat je nu bereid zou zijn je aan elke denkbare vernedering te onderwerpen wanneer je hieraan kon ontsnappen. Je zou zelfs op *haar* een beroep doen als dat niet zo volkomen belachelijk en onmogelijk was . . .
'Culluket,' zei Mercy.
Hij keek verrast op, opgeschrikt uit zijn bittere dagdromen. Mercy's gestalte, gekleed in haar zilver met groene paradepantser, materialiseerde uit het niets. Ze was dwars door de deur van zijn hut gekomen en dat was een bijna even grove onbeleefdheid tegen de etikette der Tanu als leviteren zonder een rijdier.
'Grote Koningin, wat is er?'
Hij haastte zich om de her en der verspreide delen van zijn pantser bijeen te pakken zodat er ruimte kwam waar ze kon staan.
Haar geest straalde angstige opwinding uit, die met kracht tegen zijn eigen grondige afweerscherm terechtkwam zodat zijn gezichtsvermogen erdoor vervaagde.
'Ik heb je nodig om mij naar Heer Celadeyr te escorteren. Nu, terwijl Aiken druk bezig is zijn geest te versmelten met die van die verschrikkelijke Abaddon. Het is misschien de enige kans die ik krijg. Haast je daarom, man. Bewapen je. Dit is geen gezelligheids-

bezoek. En ik wil dat kleine sigmaveld dat Aiken je heeft gegeven als verdediging tegen Felice.'
Hij werkte zich snel in zijn pantser. Getweeën vlogen ze daarna onzichtbaar naar het oosten over de Golf van Guadalquivir in de richting van de vreemd misvormde maan die boven de jungle van Andalusië rees. Daar lag het kampement van de Heer van Afaliah en Aluteyn en de overige edelen van Spanje die daar wachtten op de aankomst van de vloot. De plek van samenkomst was zowel fysiek als mentaal uitstekend verborgen. De 3500 chaliko's die het leger nodig had, waren vastgezet in een mangrovemoeras op ongeveer vijf kilometer afstand van de gecamoufleerde paviljoens der edelen en hun gevolg.
'Spreek met je broeder Kuhal over diens persoonlijke golflengte en vertel hem dat we zijn aangekomen,' beval Mercy, terwijl ze zich nog boven zee bevonden.
'Is Kuhal hier?' Culluket was verbaasd. 'Hij kan toch niet gedwongen zijn om . . .'
'Doe wat ik je zeg,' snauwde ze. 'Ik heb ervoor gezorgd dat Celo hem meenam. Je zult spoedig genoeg begrijpen waarom. Zeg tegen Kuhal dat hij Celo en Aluteyn naar zijn tent roept.'
Culluket gehoorzaamde. Hij en Mercy zweefden het kamp binnen en werden weer zichtbaar binnen de zwak door lampen verlichte tent van de herstellende Aardschudder. Kuhal lag op een bank, kussens in zijn rug. Naast hem stonden de twee Tanu-helden, zwijgend wachtend op Mercy's verklaring. Ze deden geen pogingen hun afkeer voor de Ondervrager te verbergen.
'Nodonn is in leven,' zei ze.
'Glorierijke Godin!' riep Kuhal uit. Culluket haastte zich een ruwe demper te leggen over het bewustzijn van de invalide Kuhal.
'Stel het sigmaveld in werking,' beval Mercy. 'Het zal ons voldoende bescherming bieden zolang Aiken en de anderen geen vermoedens koesteren en met opzet proberen uit te vinden wat er achter het schild is.'
Culluket haalde het apparaat te voorschijn, zette het op Kuhals nachtkastje en activeerde het.
De geluiden van de jungle buiten werden afgesneden. De tent en alles wat zich erin bevond was nu door een dynamisch veld geïsoleerd en ondoordringbaar voor de meeste vormen van energie en materie.
'Ik wist de waarheid over Nodonn sinds begin mei,' beantwoordde Mercy de allereerste onuitgesproken vragen. 'Hij was aangespoeld op Kersic en heeft daar lange tijd in coma gelegen terwijl hij werd verzorgd door een vrouw van de Minderen die hem verpleegde in een grot. Dat is de reden waarom niemand van ons hem gevonden heeft. Zelfs ik niet.'
'Waar is hij nu?' vroeg Celadeyr ronduit. 'En hoe is zijn

conditie?'
'Hij houdt zich verborgen in Var-Mesk en wordt verzorgd door Heer Moreyn.' Ze liet een scherpe blik over de Heer van Afaliah en Aluteyn gaan. 'Moreyn was een Eerstkomer in het Veelkleurig Land, net als jullie. En trouw aan de oude tradities. Net als jullie.'
'Nou, wacht even,' protesteerde Aluteyn, 'ik heb een eed van trouw gezworen . . .'
'Aan een vuige overheerser,' onderbrak Kuhal, 'onder dwang en met het gevoel onvermijdelijk geen andere keus te hebben. Dat hebben we allemaal gedaan. Zo'n eed brengt stank in de neus van de Godin! Dat vraagt om verloochening.'
'Rustig, voor je jezelf ergens forceert,' maande Aluteyn. Hij greep een stevige kruk en liet zijn omvangrijke massa behoedzaam zakken. Ook de anderen trokken stoelen of krukken dichter naar de bank toe. Mercy en Culluket zetten hun helmen af. Aluteyn sprak zijn koningin aan.
'Vertel ons precies wat er met Nodonn is gebeurd, meisje. En laat niets achterwege.'
Ze rangschikte de gegevens in haar geest en liet die toen zonder commentaar aan de anderen zien, afgezien van de niet te verbergen gloed van haar eigen vreugde.
Toen de anderen klaar waren, wenkte Kuhal haar naar zich toe en pakte haar met een zilveren handschoen bedekte hand en kuste die. Voor het eerst sinds zijn redding stroomden de tranen uit zijn ogen.
'Je bent werkelijk een van ons, Mercy-Rosmar,' zei hij, 'en waardig om koningin te zijn.'
De reactie van de oude Celo was killer en praktischer.
'Nodonn is nog steeds zo zwak als een zuigeling. Niet zo slecht af als jij, Kuhal, maar volstrekt niet in staat het tegen Aiken op te nemen.' Hij staarde Mercy aan. 'Je hebt lang gewacht met ons dit te vertellen. Misschien is het waar dat je geen andere keus had. Maar wat verwacht je dat we doen?'
'Laat *hem* in de steek,' zei ze simpel. 'Laat hem over aan Felice. We kunnen allemaal vliegen, op Kuhal na en Celo kan hem dragen. Laten we naar Var-Mesk gaan, binnen de bescherming van het sigmaveld! We kunnen de route over Aven en Kersic nemen. Daar is wildernis genoeg om ons te verbergen als we moe worden, daar zijn diepe grotten die ons aan zijn wraakzuchtig oog onttrekken. Aikens vermogens op lange afstand zijn beperkt. En hij zal ons niet achternakomen, want dan zou hij zijn expeditie op moeten geven.'
Aluteyn gromde. 'Meisje, meisje! Je geluk over de redding van je geliefde Nodonn heeft je van je zinnen beroofd.'
'Hoe kunnen we onze kameraden en krijgers hier achterlaten, blootgesteld aan het gevaar van Felice?' vroeg Celo. 'Zou Nodonn iets dergelijks willen?'

'De vloot is bijna hier,' zei Kuhal bedroefd. 'Onze mensen hebben zich verbonden. Ah, Grote Koningin, hadden we jouw nieuws maar eerder gehoord.'
'Ik durfde telepathisch geen contact te zoeken,' riep ze uit. 'Ik ben nog steeds niet goed genoeg op grotere afstand. Nodonn heeft die dunne geeststraal tussen ons in stand gehouden en gericht. En hij heeft me gewaarschuwd . . .' Haar woede vlamde als een hete draad in de richting van Culluket. '*Jij* hebt op de loer gelegen en ons afgeluisterd! En nu heeft ook Aiken zijn vermoedens. Misschien weet hij wel zeker dat Nodonn leeft! Ik was bang dat ik Nodonn zou verraden. Of dat Culluket dat deed.'
De Ondervrager boog zijn hoofd. 'Mijn vroegere trouw aan de overheerser is ondergraven door diens verbond met Abaddon. Jullie weten welke rol deze twee mij hebben opgedrongen . . .'
Aluteyn lachte kort en bitter. 'En we weten ook wat jouw trouw waard is als die afgewogen moet worden tegen je eigen kostbare huid! Arme Cull. Je hebt jezelf dit keer mooi klem gezet.'
'Ik weet dat Culluket Nodonn haat,' Mercy's stem klonk ijzig. 'Maar ze zijn ook Clanbroeders. En Tanu. En nu is er een uitstekende reden om andermaal van loyaliteit te verwisselen, waar of niet, Herstellende Broeder?'
'De Grote Koningin spreekt wijs,' zei Culluket zonder emotie.
'Nu dan!' riep ze uit, het oude vuur weer in haar ogen. 'Als we niet nu naar Nodonn kunnen vliegen, laten we er dan over denken hoe we Felice kunnen gebruiken om Aiken te doden! Moeten we haar waarschuwen dat er een aanval op haar schatkamer op komst is?'
'Felice is bij Elizabeth in de kamer zonder deuren,' zei Aluteyn. 'Ze zal ons waarschijnlijk niet horen. En als ze dat wel doet, kunnen we er niet op rekenen dat ze *ons* zal sparen.'
Kuhals gezicht was doodsbleek geworden. 'Om Tana's liefde, denk er zelfs niet aan om die vrouw op te roepen, mijn Koningin! Cull kan vertellen waartoe die in staat is.'
'Zelfs Abaddon heeft respect voor Felice,' zei de Ondervrager. 'En terwijl wij nadenken over mogelijke actieplannen, moeten we niet vergeten dat deze Abaddon onovertroffen krachten bezit, zeker in samenwerking met anderen. Hij kan ons met een psychocreatieve vuurstoot over elke afstand opblazen, dat weet ik zeker. Vanaf de andere kant van de wereld zijn wij niet bereikbaar voor zijn bedwingende kracht, maar hij bezit een onvoorstelbaar vermogen tot vérvoelen.'
'Waarom heeft hij Aiken dan gekozen boven Nodonn?' vroeg Celo zich af.
Culluket haalde zijn schouders op.
'Mijn bemoeienissen met deze mysterieuze persoon zijn wat mij betreft afdoende geweest. Ik beteken niets voor hem. Abaddon lijkt onverschillig te staan tegenover onze politieke machtsstrijd. Hij is

een manipulator, maar enkel op grote schaal . . .'
'In tegenstelling tot jou, Broeder,' zei Kuhal.
' . . .en het is heel waarschijnlijk dat het hem niet kan schelen wie het Veelkleurig Land regeert. Hij zou Nodonn met evenveel gemak gebruiken als hij nu Aiken doet.'
'De bastaard!' siste Mercy. 'Wie kan hij zijn?'
De vier mannen keken haar verbaasd aan.
'Weet je dat dan niet?' vroeg Aluteyn. 'Geen wonder dat je zo vol waanzinnige plannen zit.'
Daarna vertelde hij haar alles vanaf het begin, zevenentwintig jaar geleden, toen hij en de oude Heer Bedwinger en Gomnol en de Heer van Roniah hun eerste ontmoeting hadden gehad met Marc Remillard en zijn bende metapsychische rebellen.
Mercy leek binnen haar pantser tot steen te volharden. 'Dan is er dus geen enkele hoop om deze expeditie tegen te houden. Geen enkele.' Ze keerde zich van hen af. 'Maar wanneer Aiken de Speer in zijn bezit krijgt, heeft Nodonn geen enkel voordeel over hem wanneer het tot een duel tussen de Strijdmeesters zou komen.'
'Nee.' Culluket glimlachte tegen haar. 'Nodonn zal Aiken op gelijke voet moeten treffen wanneer hij koning wil worden. En hij kan dan verliezen.'
'Broeder, zo is het genoeg.' Kuhal worstelde om overeind te komen. 'Er is geen eerlijke manier waarop we de huidige bedreiging kunnen ontlopen en geen manier om deze te laten mislukken. We zullen volledig met Aiken Drum moeten samenwerken en alleen de Goede Godin weet hoe deze zaak zal aflopen. Misschien gebruikt Zij Felice als middel om de verheerser te vernietigen of misschien gunt ze hem een overwinning. Maar wanneer *wij* overleven, dan is er wellicht nog steeds tijd om ons rond het banier van onze ware koning te verzamelen voor de Oorlog der Schemering.'
Kuhal viel achterover, zijn gezicht vertrokken van pijn. Culluket boog zich over hem heen en drukte zijn handpalmen tegen de slapen van zijn broeder. Kuhal ontspande en viel vrijwel direct in slaap.
Mercy zette de kleine sigmaveldgenerator uit en gaf die terug aan de Ondervrager.
'Dat is dus dat,' merkte Celadeyr op. 'Die arme Kuhal had gelijk. We zullen Aiken Drum en zijn Noordamerikaanse kwaadaardige genius onze beste krachten moeten geven bij deze expeditie. Of we dat nu leuk vinden of niet.'
Hij en Aluteyn groetten Mercy kort, daarna duwden ze de overhang van het paviljoen ter zijde en verdwenen in de luidruchtige nacht.
Zij stond zeer dicht bij de in robijnrood geklede Ondervrager, terwijl hij het apparaat weer wegborg.
'Je wist het al die tijd al over Nodonn, is het niet, Dood? Mijn

aankondiging was voor jou geen verrassing.'
'Ik ben de grootste genezer van de Clan. Ik zou het gevoeld hebben wanneer mijn oudste broeder stierf.'
'En toch heb je Aiken niet gewaarschuwd.'
'Hij wist het. Ik liet hem zien waar het bewijs lag. In jou.'
'Intrigant.'
'Net als jij, mijn Koningin. Maar ik denk dat mijn spel ten slotte zijn hoogtepunt gaat bereiken.'
Hij keek glimlachend op haar neer voor hij zijn schoonheid opnieuw onder de helm verborg. Ze liet haar gehandschoende licht rusten op zijn harnas even boven zijn hart en raakte het doodshoofd aan. Ze had nooit eerder gezien dat het doodshoofd ogen van saffier bezat, even rood als de zijne en dat eromheen een vlammende halo was in de kleur van zijn haren.
'Bedoel je dat je ten slotte toch bang bent geworden?' vroeg ze schalks.
'Ja.'
'Ah. Welaan, dat geldt ook voor mij. Andermaal. Wil je mijn hand nemen, Dood en mij troosten?'
Hij knikte, sloot zijn vizier en trok haar naar zich toe. De grote in het rood geklede figuur en de kleinere in groen en zilver smolten samen als schimmen en verdwenen terwijl Kuhal Aardschudder eenzaam in droomloze slaap achterbleef.

De ochtendmist hing nog tussen de altijd groene dennebomen van Verborgen Bron toen Amerie in haar eentje naar de kleine, van boomstammen gemaakte kapel liep. Ze droeg het brood en de wijn. De hanen hadden gekraaid en de geiten in hun hokken en de chaliko's aan hun riemen maakten zachte geluiden, maar de dorpelingen en hun gasten lagen nog in bed na de spontane feestpartij van de avond daarvoor.
Alleen U en ik deze morgen, mijn Heer, dacht Amerie. Ik ben er blij om. Ze stak de twee altaarkaarsen aan, maakte het offer klaar en trok zich daarna terug in de kleine sacristie om haar kap en sluier te vervangen door de rode kazuifel die bij de Paasviering hoorde. Zingend ging ze het heiligdom weer binnen.

Veni Creator Spiritus,
Mentes tuorum visita:
Imple superna gratia,
Quae tu creasti pectora.

Ze zegde de gebeden aan de voet van het altaar, haar hoofd gebogen en keerde zich daarna om naar het duistere interieur van de kapel om de eerste zegen te geven.
'Dominus vobiscum.'

'Et cum spiritu tuo,' zei Felice.
De priesteres stond bevroren met haar handen omhoog terwijl een meisje in een lange witte jurk door het gangpad naar voren kwam en glimlachend voor het altaar bleef staan.
'Ik ben terug,' zei Felice. 'Elizabeth heeft aan mijn geest gewerkt en zij heeft al de oude rommel weggewerkt. Ik ben nu gezond, Amerie. Is dat niet geweldig? Ik kan nu op de juiste manier liefhebben, zonder de omweg langs de pijn. Ik kan vrij kiezen wie ik wil liefhebben en hoe. Ik kan jou vreugde geven net als mijzelf. Elizabeth vertelde me dat ik kiezen moest en ik kon kiezen tussen jou en Culluket. Je herinnert je hem nog wel, of niet? Ik hield later meer van hem dan van jou, maar toen was ik waanzinnig. Nu weet ik beter. Dus ben ik gekomen om jou te halen.'
'Felice . . . denk aan mijn gelofte. *Mijn* keuze,' zei Amerie.
'Maar ik ben het,' zei het meisje op redelijke toon. 'Niet zomaar een vrouw . . . ik! Jij houdt van me en verlangt naar me zoals ik naar jou verlang. Kom dus.'
'Je begrijpt het niet. Mijn verzaking is mijn geschenk aan God. Het offer van mijn lichaam, net als het brood en de wijn in de mis. Ik heb dat lang geleden al weggegeven . . .'
'Neem het dan nu terug.'
Felice stond voor de van halve boomstammetjes gemaakte rijen zitplaatsen, bijna lichtgevend in het licht van de twee kaarsen op het altaar. Haar ogen leken diepe bronnen.
'Ga nu met me mee. We zullen samen vliegen! Ik ben nu een witte giervalk en jij zult een kardinaalsvogel zijn.'
'Nee,' fluisterde Amerie. 'Felice, dat kan ik niet. Je begrijpt het nog steeds niet. Ik hoor hier thuis om de mensen te dienen die mij nodig hebben. Ik ben hun priesteres en hun dokter. Ze zijn goed voor me en ik houd van ze . . .'
Het meisje in het wit onderbrak haar. 'Je houdt meer van mij.'
'Ja,' gaf Amerie toe. 'Dat is waar en dat zal ook altijd zo blijven. Maar dat verandert niets. Ik had geen zeggenschap over mijn liefde voor jou, maar ik kan er wel voor kiezen daar geen gebruik van te maken. En dat doe ik.'
Langzaam veranderde de uitdrukking op het gezicht van Felice. Er was verbazing, verrassing, gekwetstheid, frustratie, woede.
'Je komt niet?'
'Nee.'
'Dat doet jouw God, is het niet? Die houdt je opgesloten. Die zet je gevangen in dit stomme spinneweb van zelfontkenning!'
'Ik ontken mezelf niet. Je begrijpt het niet.'
'Houd op met dat te zeggen. Ik begrijp het wel! Je kiest voor hem, niet voor mij. Je denkt nog steeds dat mijn soort liefde smerig en zondig is!' Er kwamen tranen uit haar donkere ogen. 'Ik ben gewoon niet goed genoeg. Ik kijk in je ziel en ik zie dat je nog steeds

bang voor me bent. Je zult niet met me meegaan en je mij nooit hier bij jou laten blijven. Oh nee, ik ben niet menselijk genoeg om deel uit te maken van jouw kudde, is het niet, Goede Herderin? Ik ben een godin! Maar jij geeft de voorkeur aan je oude, boosaardige en jaloerse God.'
Amerie viel op haar knieën.
'Je *bent* menselijk. Lieve Felice, dat ben je echt. Maar zo totaal anders dan de rest van ons! Ga terug naar Elizabeth. Laat zij jou leren hoe je leven moet in die wereld van de geest. Daar hoor je thuis.'
'Nee,' huilde Felice. 'Ik hoor bij jou.'
'Ik kan nooit in jouw geestwereld wonen, Felice. Ik ben maar een doodgewone vrouw. Ik kan er niets aan doen, maar mensen als jij maken me een beetje bang . . . net zo min als ik er iets aan doen kan dat ik van je houd. Felice, laat me alleen. Ga terug naar je eigen mensen.'
'Nooit!' schreeuwde het meisje. 'Ik ga niet zonder jou! Als je niet vrijwillig meegaat, dan zal ik je dwingen!'
De twee altaarkaarsen werden plotseling gedoofd. Enkel het bleke, mistige licht van de vroege ochtend kwam nu door de twee kleine vensters naar binnen. En de robijnen lamp in het heiligste scheen.
Felices handen grepen Amerie bij de schouders. Haar energie stroomde over de non die door de schok werd overweldigd.
'Je zult doen wat ik zeg!' schreeuwde Felice, verschrikkelijk in haar dwang. 'Je zult bij me blijven zolang ik dat wil. Hoor je me?'
Verscheurd door krampen en niet meer tot spreken in staat, voelde Amerie hoe ze werd opgetild. Ze rook de geur van brandend weefsel toen haar kleren begonnen te schroeien onder Felices aanraking. Toen begon haar eigen huid te branden en haar hart stond stil.
Sursum corda.
'Kies mij, Amerie!' Degene die haar optilde, was nu witgloeiend naakt. 'Doe het en ik laat je hart weer slaan. Zeg alleen maar dat je van me houdt.'
Dignum et justum est.
Felice gooide het lichaam in de rode kleding op de vloer en hing er zelf hoog boven. Hoc est enim corpus meum. 'Kies mij, alsjeblieft, Amerie!' Per ipsum et cum ipso . . . *'Alsjeblieft!'* In saecula . . .
Ameries brekende ogen glansden. Haar geest sprak tegen die van Felice: Nee. Ik houd van je. Deze mis is voor jou.
Toen ontsnapte haar geest en liet het meisje achter in razernij en rouw tot ze ten slotte weer voor de oude vorm van de zwarte raaf koos. In die gedaante vloog Felice weg om haar andere geliefde voor *zijn* keuze te plaatsen.

9

Ze is vrij. Ze is vrij. Felice is weer buiten . . .
Dat domme refrein werd keer op keer afgespeeld in een onderbewuste laag van Aikens bewustzijn, een soort schrille fluittoon dwars door de onderdrukte trommels van zijn angst. Het slechte nieuws kwam niet eens van zijn onbekwame spion rondom het landhuis, maar van Elizabeth zelf die kort na het aanbreken van de dag telepathisch contact zocht, op een ogenblik dat zijn vloot nog maar minder dan een uur van de plek van het rendez-vous met de drie Noordamerikanen verwijderd was.
Ze is weg Aiken! Felice is weg. Ik heb haar moeten laten gaan . . . Ze heeft Amerie gedood.
Godverdomme.
Ameries dood is mijn schuld. Ik kon Felice tijdens de genezing hebben verwijderd. Ik had haar in vergetelheid kunnen laten zinken door haar ego te verwoesten. Ze zou als in een droom onbewust verder hebben geleefd. Creyn&Dionket raadden me aan dat te doen in zo'n ingewikkelde situatie zou het geen overtreding van onze ethiek zijn geweest. Maar nee. Ik was er zo zeker van dat ik haar kon redden. En ik *heb* haar weer gezond gemaakt . . .'
Gezond ≠ onbaatzuchtig? Ja?
Felice blijft volkomen zelfzuchtig. Is er enkel op gericht datgene te doen waar ze zelf zin in heeft. Ze heeft me volkomen voor gek gezet.
Elizababy, onschuldje van me.
Ik heb met kinderen in het Bestel gewerkt. En Felice *is* een kind. Ze had alleen maar hoeven blijven ik zou haar opgevoed hebben naar volwassenheid gebracht. Oh Aiken, nu wordt ze dat misschien nooit. Een kindmetonvoorstelbarekrachten en op de loop! Ze is op de loop . . .
Verdomd jij. *Verdomdjij!* (Ruggegraatsrilling ballenkrimp hartversnelling.) Gekken kunnen in hun eigen illusies worden verstrikt. Het gezondemonster ≧ Ik + EngelAfgrond!!
Ze is vrij . . . vrij. Ik weet niet waarheen, kan spoor niet volgen. Haar afweer perfect. Je moet Remillard vragen haar fysiek te volgen. Zeker: Felice zal Cull gaan zoeken. Verworpen door Amerie gaat ze naar andere liefdesobject. Hoef je niet te vertellen wat er gebeurt als ze hem vindt. Je moet Cull beschermen met alles wat je hebt.
Cull heeft voor Mij werk te doen.
Nee nee verberg hem diepegrot haal hem uit Europa helemaal zovlugjekunt! Laat idee van overval Felicesnest helemaal varen. Zelfmoord!
Moet de Speer hebben, Baby. Fotonenkanon + psychische meta-

bundeling brengt balans van macht doorslaan mijn richting. Gaat niet alleen tegen Felice . . .
Aiken je MOET EXPEDITIE NIET doorzetten nu zij vrij rondgaat . . .
Alles al afgesproken. Uitstel helpt niet meer. Misschien hebben we kans buit bijeen te grabbelen voor ze merkt wat er gebeurt. Haar vérziendheid niet best.
Doe het nietomGodswildoe het niet.
Het moet. (Vrijvrij Felice is vrij! Vrijvrij Felice is vrij!) Gadver, nou heb je mij ook aan het malen.
Felice is staat jou te vernietigen en je hele vloot.
Ik zal winnen (Paniek. Verleiding. Ermee stoppen. Weerstaan. Ram het weg!) Vrijvrij Felice is vrij! Vrijvrij . . . HOU OP MET DAT VERDOMDE REFREIN ELIZABETH!
Als je gaat zul je sterven ik krijg jullie dood op mijn geweten net als die van Amerie!
Jijjijjij! Wat doodzonde nou voor je! En voor je klotegeweten. Stop met dat GEJANK om mij! Ga het ergens goedmaken. Krijg berouw weetikveel.
Alsjeblieft . . .
DONDER OP.
. . .
Terwijl hij haar een reeks verwensingen achternazond, sloot Elizabeth de communicatie af. Ze had zich weer teruggetrokken in haar kamer zonder deuren.
'Toe maar . . . verstop je maar!' gilde hij. 'Laat mij de stront maar opruimen, jij knoeierige liefdadigheidstrut. Wel, als het moet, dan moet het.'
Hij schoot een goed gecamoufleerde oproep naar Noord-Amerika. Ook al straalde Felice via haar mentale aura niets meer uit, ze bezat ondanks dat nog altijd een fysieke massa die ze onmogelijk helemaal verborgen kon houden. De verhoogde ultragevoeligheid van Abaddon, die heel Zuid-Spanje overlapte, bood geen zekerheid om haar te vinden maar kon op die manier wel uitmaken waar ze *niet* was. Na een korte tijd van onzekerheid kreeg Aiken de verzekering dat Felice op dat ogenblik niet aanwezig was binnen een gebied van 80 000 vierkante kilometer met als middelpunt de berg Mulhacén.
Die informatie was genoeg om de overval het predikaat 'doorgaan' te verlenen.

De 75 zeilschepen van Aikens vloot die zo ongeveer ieder zeewaardig schip uit het Veelkleurig Land bevatte, ging voor anker in de monding van de Río Genil om 5.30 uur in de morgen. De tweeduizend mensen van zijn keurkorpsen die de expeditie ondersteunden, gingen snel aan land, ontlaadden wat nodig was en bliezen de opblaasbare vaartuigen op waardoor een flottilje van 180 rivierschepen ontstond dat naar het basiskamp voer waar de Spaanse strijdkrachten op hen wachtten. Elke door zonne-energie aangedreven schuit kon twintig Tanu-ridders en hun rijdieren vervoeren en dan was er nog ruimte voor rantsoenen en minimale voorraden. Twee van de schepen waren uitgerust als drijvende werkplaatsen, zodat er zo weinig mogelijk tijd verloren zou gaan met het repareren en herladen van de Speer.

Even voor acht uur, toen alles in gereedheid was, besteeg Aiken zijn eigen zwarte chaliko en hief die omhoog boven de rijen wachtende strijders. Anders dan zij, droeg Aiken geen wapenrusting, maar enkel zijn gouden pak met de vele zakken, de glinsterende cape en de hoed met de brede rand en de zwarte pluimen, nu bekroond door de koninklijke voorhoofdsband. Hij groette de ridders en edelen, de Verheven Leden van de Hoge Tafel en koningin Mercy-Rosmar.

'Strijdcompagnieën! Kameraden! We zijn klaar om het schuilhol van het monster te overvallen. Daarboven op de berg Mulhacén, verborgen in Felices grot, wacht de heilige Speer die uit mijn handen werd gerukt tijdens de Grote Vloed. De Speer is het hoogste symbool van ons erfgoed. Het is ook een wapen dat ons uiteindelijke middel ter verdediging kan zijn, niet alleen tegen Felice maar ook tegen de Firvulag of welke vijand dan ook die het waagt ons uit te dagen. Daarnaast bevat de grot een onschatbare hoeveelheid gouden halsringen. Omdat de fabriek waar die werden gemaakt, ginds in Muriah, ook is verwoest, is het van levensbelang dat wij deze voorraad veroveren zodat we in staat zullen zijn onze kinderen hun metavermogens te verschaffen tot aan het ogenblik waarop de generaties geboren worden die deze ringen niet meer nodig heben. De geheiligde Speer en de halsringen zijn niets meer en niets minder dat de overlevingsverzekering voor ons Tanu-ras. Dat is het ware doel van onze expeditie.

Ik zal de gevaren niet kleineren. We zijn allemaal in doodsgevaar. De geest van Felice is krachtiger dan van wie ook in het Veelkleurig Land, zelfs krachtiger dan welke geest ook in het Bestel. Maar we kunnen haar aan! We kunnen ons verenigen in een werkelijk samenspel van metakrachten en onder mijn leiding zullen we deze vrouwelijke demon voor eens en voor altijd vernietigen. Geloof me!

Ik zal jullie vertellen wat we gaan doen. Deze rivier de Genil is over ongeveer honderdvijfendertig kilometer stroomopwaarts bevaarbaar. Dat zijn ongeveer negentig Tanu-mijlen. We varen die op in de richting van de Mulhacén, waar de rivier haar oorsprong heeft. Er zijn stroomversnellingen, maar de beste schippers uit het Plioceen staan klaar, wees dus niet bang. Sommigen van de psychokinetici onder jullie hebben de taak gekregen om de voorwaartse

beweging te versnellen om er zeker van te zijn dat we het eind van het bevaarbare deel rond 14.00 uur hebben bereikt. Daar stijgen we op in een gebied dat afwisselend uit oerwoud en open savanne bestaat. We zullen ruim een uur als gekken moeten rijden, dan hebben we de voet van de Sierra Nevada bereikt en bevinden ons dan al in de schaduw van de Mulhacén.
Tijdens de reis over de rivier en de savanne moeten jullie geesten onderling verbonden zijn, zodat we een beschermende paraplu van energie kunnen vormen die voorkomt dat Felice ons kan ontdekken. Aan de voet van de berg kiezen jullie positie op een goed gecamoufleerde plaats met een uitstekend uitzicht op de berg zelf. Ik vlieg alleen naar de grot. Jullie moeten dan je defensieve schild vergroten om mij te verbergen terwijl ik de Speer en de halsringen bemachtig. Omdat ik in staat ben meer dan vierhonderd ton op te lichten, is het vervoer van de buit geen probleem. Toch is dat ogenblik het gevaarlijkst, want terwijl ik met de buit terugvlieg, zal ik het overgrote deel van mijn eigen kracht nodig hebben voor de levitatie. Ik blijf het samenspel van krachten dirigeren, maar mijn eigen vermogens zijn er tijdelijk voor het grootste deel aan onttrokken. Als je een moment zoekt om te bidden, doe het dan op dat ogenblik . . .
Wanneer ik veilig aan de voet van de bergen terug ben gekomen, moet de buit over ons allen worden verdeeld terwijl we als de gesmeerde bliksem naar de schepen teruggaan. De chaliko's laten we lopen. We kunnen dan sneller de rivier weer af omdat de boten lichter beladen zijn. We gaan dan bovendien met de stroom mee, niet ertegenin. Terwijl we stroomafwaarts varen, zullen onze hardwerkende technici onder leiding van Pete Carvalho en Yuggoth McGillicuddy de Speer repareren. Dat is opnieuw een ogenblik voor gebed! Zelf zal ik hun mijn koninklijke bijstand verlenen, tenzij ik daar niet toe in staat ben omdat ik voor onze levens moet vechten.
Nadat het heilige wapen is hersteld, zijn we in principe buiten schot. Abaddon heeft een studie gemaakt van wat Felice in Gibraltar heeft gedaan en hij heeft een analyse gemaakt van ons gezamelijke vermogen. Felices scheppende vermogen reikt tot een hoogte van wat hij de zeshonderdste grootte noemt. Dat is verschrikkelijk veel. Maar als wij Felice raken met ons fotonenkanon en dat schot combineren met onze gezamenlijke energievermogens, dan halen wij de grootte van zeshonderddertig. Genoeg om het monster te laten sterven als een dovende sintel.
We gaan er dus op los. En we gaan winnen! De Glanzende garandeert het.'
Ze waren er vooraf tegen gewaarschuwd om zelfs niet op de geringste wijze hun reactie te laten blijken. Desondanks leek de lucht te zinderen van triomfantelijke opwinding toen de schepen werden

afgeduwd en met een snelheid van meer dan twintig kilometer per uur de rivier opvoeren. De reis was nog maar nauwelijks begonnen of de 3550 deelnemers werden aan het werk gezet om hun geesten te verbinden tot een bundeling met drie spitsen die zowel als wapen en als bescherming voor Aiken Drum dienst moest doen.

De drie menselijke meta's uit Noord-Amerika begonnen nu de nog slordig verbonden geesten te onderzoeken en onderling beter te verweven. Owen Blanchard werkte met de bedwingers, onder wie als belangrijksten Alberonn Geesteter, Artigonn van Amalizan en Condateyr uit Roniah. Cloud Remillard coördineerde de psychokinetici met Bleyn de Kampioen, Neyal van Sasaran, Diarmet van Geroniah en Kuhal Aardschudder (de laatste nam enkel pro forma deel). De creatieve vermogens werden gebundeld door Elaby Gathen, die werkte met Mercy, Aluteyn, Celadeyr, Lomnovel Hersenbrander en Thufan Donderhoofd. De leden van de Hoge Tafel werden vertrouwd gemaakt met een verfijning van de substructuren waardoor ook minder krachtige geesten in de verbinding tot coherente eenheden werden omgevormd die samen krachtiger waren dan de som van hun afzonderlijke vermogens.
Toen deze nieuwe Tanu-metabundeling eenmaal was gestabiliseerd en voldoende dynamisch potentieel bezat, nam Marc Remillard het over. Hij maakte ruwe plekken glad waar dat nog nodig was en bracht de werkzame vermogens met elkaar in fase en onder zijn persoonlijke controle die niet aan de Tanu behoorden. Dat waren de overlevende rebellen in Ocala, hun weggelopen maar volwassen kinderen (woedend maar nu onderworpen) die zich in een bivak bevonden op de Marokkaanse kust, circa 900 kilometer zuidwestelijk van de Mulhacén. Aan die combinatie voegde Marc zijn eigen ontzagwekkende scheppende vermogen toe dat nog door kunstmatige technische middelen werd versterkt. Vervolgens werd het geheel vernuftig in aanvallende en verdedigende componenten gescheiden waarbij het aanvallende element sterk afhankelijk was van scheppende vermogens en het verdedigende van de bedwingers. Het defensieve aspect van dit nieuwe Organische Bewustzijn hield Marc onder eigen controle. Desondanks behield zijn persoonlijke vérvoelendheid het vermogen tot zelfstandig handelen en reageren. De virtuoze wijze waarop dit gebeurde ontging de Tanu volstrekt en zelfs Aiken Drum kon daar slechts naar raden. Aiken zelf werd de uitvoerende leider van dit geheel en was zelf in staat de vijand op te sporen. Maar wanneer hij werd afgeleid of wanneer Felice een of andere waanzinnig subtiele list bedacht, dan bleef ook het kille vérziende oog in Noord-Amerika toekijken, klaar om de alarmbellen te laten rinkelen.
Tussen Marc en de uitgaande leiding in, werd pas op het allerlaatst de geest van Culluket de Ondervrager toegevoegd. Zijn zielssub-

stantie werd als het ware verdund en omgevormd tot een cilinder met een enorm weerstandsvermogen. Culluket was daarbij volledig passief (maar wel bewust), een immens circuit waarlangs de energieën slechts één richting uit konden: naar buiten. Mocht Felice proberen dit Organisch Bewustzijn met haar eigen krachten te penetreren, of wanneer ze probeerde de toevoer van energie te blokkeren, dan zou deze denkende veiligheidszekering vanzelf doorslaan. Culluket zou dan sterven. (En hij dacht: dat zou nog veruit het makkelijkst zijn! Maar tegelijk kwam de knagende stem van zijn geweten en voegde daaraan toe: niet totdat je alle rekeningen volledig hebt voldaan.)
Toen het Organisch Bewustzijn eindelijk gereed was, wendde de gezichtsloze entiteit die Abadonn heette zich tot Aiken Drum.
'Alles wat je hebt te doen is je eigen geest in de voorhoede te brengen, richten en ontladen. Als je zeker weet dat je er klaar voor bent.'
De afwachtende mentale structuur schemerde voor Aikens verbijsterde geestesoog. Hoe prachtig! Wat een vermogen! Hoe omvangrijk! Oh jawel, de programmering was afkomstig van Abadonn en dat gold ook voor de vaardigheid waarmee de delen waren samengesteld. Maar nu was het Aiken Drum die dit hele organisme op zich nam, het koelbloedig torste en controleerde.
Door de defensieve barrière heen zag hij dat de hemel welhaast purper was geworden. De zonneschijf had de kleur van vermiljoen met een withete kern in het centrum. Terwijl de voorste boot waarin hij zat zich over het water voorwaarts slingerde, werden de voorbijschietende muren van het oerwoud zo diepgroen dat ze zwart leken. De Genil zelf, nog door sluiers nevel overdekt, was een kronkelend spoor van gesmolten goud dat geen eind leek te nemen.
Als je zeker weet dat je er klaar voor bent?
Was hij dat?
Hij liet zich door dat goddelijke offensieve potentieel vullen en doorstromen, genietend van die hem gehoorzamende bedreiging. Hij was Mercy, hij was Aluteyn, hij was Alberonn en Bleyn. Hij was Owen Blanchard, Grootmeester Bedwinger. Hij was Cloud en Elaby, ruig en jeugdig en werkzaam. Hij bestond uit meer dan 3000 Tanu-geesten in een nooit eerder voorgekomen synchrone bundeling samengevoogd. Hij bestond uit veertig ouder wordende rebellen en achtentwintig van hun volwassen kinderen. Hij was Marc Remillard, uitdager van een heel universum, opgesloten binnen een beschermende machine waarvan de talloze elektroden zijn gloeiende brein doorstaken.
Hij was hen allemaal! En zichzelf! Hij was Koning.

Ze was er zeker van, zo verschrikkelijk zeker dat hij ergens in Goriah moest zijn. Maar toen ze rondom het Glazen Kasteel cir-

kelde en zijn naam riep, antwoordde hij niet en hij was ook nergens te vinden in de omringende stad of de aangrenzende plantages en nederzettingen. Ze zou nu zijn aura herkennen, waar hij zich ook verborg. Maar hij was hier niet.
Verbaasd en in de war vloog de zwarte vogel naar het zuiden en volgde de kustlijn tot aan Rocilan. Maar ook in die stad was hij nergens te vinden en evenmin in Sasaran dat veel verder aan de Garonne lag, die machtige rivier die door de Tanu de Baar werd genoemd.
Ze doorzocht Amalizan, de citadel die de voornaamste goudmijnen van het Veelkleurig Land bewaakte en wiekte daarna onvermoeid door naar Sayzorask, aan de beneden-Rijn en Darask in de Provence.
Geliefde! Culluket!
Steeds opnieuw liet de raaf haar roep horen, maar het zag ernaar uit dat hij zich in geen enkele Franse stad bevond. Zijn aura, die zo ijzig en hard was, die kleur van bevroren bloed, zou ze direct moeten herkennen nu door het genezende werk van Elizabeth haar vermogens zo waren aangescherpt en verdiept. Wanneer ze binnen een twaalftal kilometers van zijn nabijheid kwam, moést ze zien.
Ze rustte een tijd en onderbrak haar langdurige vasten in een groen parklandschap waar ze een pasgeboren antilopejong onderwierp waarvan ze de tong opvrat. Verzadigd vloog ze weer op en schreeuwde plaagziek toen ze het jachthuis van Elizabeth passeerde. Ze verwachtte geen antwoord en kreeg dat ook niet.
Elizabeth zou op een goede dag nog weer nuttig kunnen zijn, dacht de raaf. Maar dit keer heb ik haar hulp niet nodig om Culluket te vinden. Het was plezieriger om zelf te zoeken!
Ze vloog als een stormwind naar het zuiden, scheerde over de bloeiende jungle van de heuvels rondom Corbière en tussen een pas in de bergen door van de oostelijke Pyreneeën. De Geliefde was niet in Geroniah, niet in Tarasiah. Dus trok ze verder het binnenland in, stak de Catalaanse Wildernis over en kwam toen in de buurt van de Iberische Grote Kloof waar de eenzame citadel van Calamosk die aan Aluteyn behoorde, zich boven de razende stroom verhief. Ook daar was Culluket niet te vinden. Vreemd genoeg leek de hele stad vrijwel verlaten.
Ze dacht erover na. Hadden ook al de andere plaatsen die ze had bezocht niet vreemd leeg aan levensaura's geleken, speciaal de aura's van Tanu? Waar waren al die buitenaardsen naar toe?
De eindeloze vlakten van het zuiden verkleurden langzaam van zachtgroen naar citroengeel. De regens lagen al twee maanden in het verleden. Enkel de drassige laagten en ondiepten bleven groen en de grotere uiterwaarden langs de rivieren zoals de Proto-Jucar die voorbij Afaliah stroomde.
Culluket! Culluket!

Maar ook hier was de Geliefde nergens te vinden, evenmin trouwens als de Heer van de stad, Celadeyr en zijn strijdmakkers. Het mysterie werd groter. Misschien was Aiken Drum bezig aan een expeditie tegen de Firvulag rovers in de westelijke Alpen. Felice had de steden langs de Rhône niet onderzocht, maar was rechtstreeks van Verborgen Bron naar Goriah gevlogen in de verwachting dat ze daar haar prooi zou vinden, wegschuilend onder de bescherming van Aiken Drum. Maar wanneer de koning met een strafexpeditie bezig was . . .

Het was vervelend om te besluiten wat ze doen moest. Wanneer ze haar zoektocht methodisch wilde vervolgen, zou ze er goed aan doen de jacht in het naargeestige Var-Mesk voort te zetten; vervolgens waren dan Bardelask en Roniah aan de beurt. Maar de middag liep al ten einde en haar voortdurende hoge snelheid begon langzamerhand haar tol te eisen.

Ik ga terug naar Mulhacén, dacht ze, en zoek morgen verder. Haar hart sprong op, samen met haar ravelijf, toen ze op een thermische wind andermaal opsteeg en zuidwaarts koerste naar de Cordillera. Naar huis, naar haar berg, haar schatten, haar geliefde dieren.

Ik zou *hem* daar vast kunnen houden, dacht ze, geketend in goud. Gekist in goud. Doordrongen van goud! Ja! Goud door al zijn spieren, een kostbaar netwerk van geleidend metaal met gouden externe terminals aan iedere hoofdzenuw! Voor het brein zelf zouden speciale aftakkingen nodig zijn en bij het maken daarvan zou hij moeten helpen. Wat een verrukkelijk vooruitzicht! Wanneer hij eenmaal zodanig was uitgerust, zou ze met hem kunnen spelen alsof hij een kunstzinnig plantaardig instrument was, eerst zijn bloed opwarmend met eenvoudige capriccio's en loopjes om door te gaan met omvangrijke harmonieën, complete dithyramben van pijn en genot.

Oh, Geliefde! Eerder was het mijn vreugde om te ontvangen, en dat was ziek en ongezond, nietwaar? Maar nu ben ik in orde en normaal, klaar voor de vreugde van het geven en de contemplatie die alle normale geesten zo waarderen, ook zij die haar zouden willen verwerpen omdat ze zich beledigd voelen en terugschrikken voor dit duistere merkteken. Maar wij weten wel beter, is het niet, mijn Geliefde? Wij weten hoe het zien van de lijdende Ander onze eigen macht en los-zijn van pijn bevestigt. Het verzegelt onze waardigheid. We triomferen terwijl we gespaard worden. We genieten van een prijs die niet door ons wordt betaald.

(Leed zij soms niet in haar sterven voor mij, Crucifixa etiam pro nobis, zoals haar Gekke God voor haar had geleden?)

Ook jij zult triomfantelijk lijden, Geliefde. Maar je zult niet sterven. Ik heb je veel te lief om je ooit te laten sterven.

Aiken kwam naar de grot van Felice, vermomd als een jonge spin die aan zijn eigen draad zweefde; een van de honderden die door de opstijgende namiddagwind tegen de noordelijke flank van de berg werden geblazen. Toen zijn glinsterende draad zich aan een boomtak haakte, kroop hij langs die tak naar beneden en rustte daar terwijl hij er zorgvuldig voor waakte slechts de gedachten van een spin te uiten voor het geval Abaddons onderzoek het monster toch had gemist. Behoedzaam onderzocht het spinnetje met een glimpje vérziend vermogen de toegang tot de grot. Felice hield zich niet verborgen achter de met groen overdekte rotsen, evenmin in de kloof of ergens tegen de hellingen waar bergbloemen groeiden met hun kleurige toefjes bloesem in roze en wit. Hij rekte zijn vermogens iets verder uit en kwam erachter dat ze zich ook niet in de grot bevond of ergens in de berg, althans niet binnen een radius van een kilometer.

De kleine spin kwam uit de boom en veranderde in een man in een gouden kostuum. Hij liet zijn metaschild zakken tot het de ingang van de grot nauw omsloot. Daarna haalde hij uit een van de grotere zakken op zijn rug een net van titiridion te voorschijn dat hij op de grond uitspreidde. Met een gezicht dat straalde ging hij de grot binnen en drong in het dieper gelegen vertrek door, de beschermende rotsmassa ter zijde werpend alsof het een papieren gordijn was.

De glans die hij afstraalde, verlichtte toen een berg van gouden halsringen die hoger kwam dan zijn eigen hoofd. Hoeveel had die waanzinnige aaseetster er wel verzameld? Het leken er duizenden te zijn, iedere halsring een holle buis, gevuld met kostbare componenten uit Gomnols verwoeste fabriek in Goriah. In iedere Tanustad waren nog kleine voorraden van deze bewustzijnsversterkers aanwezig, maar hun totaal was niets vergeleken met deze schat van Felice.

Hij stuurde grote hoeveelheden halsringen achter elkaar naar de monding van de grot, opgestapeld in het klaarliggende net en ging daar net zo lang mee door tot de Speer van Lugonn te voorschijn kwam.

'Eindelijk,' mompelde hij, terwijl hij het wapen oppakte. Dit had hij voor het laatst gedragen in zijn duel met Nodonn de Strijdmeester. Toen de halsringen allemaal achter uit de grot waren verwijderd, liep hij naar buiten, de Speer over zijn schouder en staarde naar de hoog opgetaste schatten.

Ten slotte maakte hij een gebaar en het net trok zich dicht tot een beurs. Nu hoefde hij alleen noch maar terug te vliegen, de kostbaarheden over iedereen te verdelen en dan de wijk nemen. Felice zou misschien nooit aan de weet komen wie haar had bestolen . . .

Maar daar kon hij het niet bij laten.

Hij sprong in de lucht met de enorme bundel en droeg die een paar kilometer noordwaarts naar een richel die de Mulhacén verbond

met een andere piek, die van de Alcazaba. Daar liet hij de halsringen en de Speer achter en vloog weer terug. Weer hing hij voor de ingang van de grot, verborgen achter het defensieve schild dat door Abaddon in stand werd gehouden.
'Laat het scherm zakken,' zei hij. 'Ga over op de aanvallende golflengte. Ik moet mijn koninklijke visitekaartje achterlaten.'
De zon werd weer helderder en de luchtdruk voelbaar. Zijn bewustzijn leek op te zwellen, almachtig te worden, terwijl het totaal aan offensieve vermogens in zijn reservoir vloeide en gereed werd om gericht te worden.
(Een beetje gas terug, Verheven Jochie. Het heeft geen zin de hele berg omver te halen. Dat zou haar aandacht kunnen trekken, waar ze ook is. En het energieniveau is een beetje schommelend en onzeker nu jij het totaal ervan voor de eerste keer ervaart. Een stapje achteruit dus. Geef haar de vinger, de heraldische digitus impudicus en maak dan dat je wegkomt.)
Laat gaan!
Hij lachte als een god, de psychische energiestoot lichtte op en de donder rommelde. Een grote brok van de berg spleet open, viel in stukken uiteen en stortte rommelend in de geheime verblijfplaats waar het raafmeisje had gehuisd. Het meeste geluid werd door de gesteldheid van het terrein in de richting van de hemel weerkaatst. Er was maar weinig stof, geen rook. Maar de schuilplaats van Felice was verdwenen.
De creatieve vuurstoot had hem geschroeid terwijl deze door hem passeerde en hij zwalkte midden in de lucht heen en weer, omgeven door pijn en hopend dat Abaddon snel het afweerschild herstelde terwijl hij zichzelf weer bij zinnen bracht. Maar de pijn bleef. Het leek alsof zelfs die ingehouden energie zijn hersens had verdampt.
Marc Marc wat is verkeerd God help!
Koppige amateur! Je gebruikte de verkeerde kanalen (beelden) *onschuldig bij laag vermogen levensgevaarlijk bij hoog. Zelfs Felice zou beter hebben geweten dan die golflengte te . . .*
Jajaja. Maak het nou maar in orde. Pijn.
Overbelasting kan je evengoed doden als feedback of aanval via alle systemen! Ik heb te veel bekend verondersteld.
Laat die schoolmeesterstoon maar zitten en zet je eigen rotkinderen in de hoek. Laat hen GOEDE MANIER zien hoe megastoot te richten.
Onderdrukte vloeken (Diepzinnig esoterisch beeld.) *Heb je dat, Koninklijke Hoogheid?*
Eh. Nog eens.
Koning Aiken-Lugonn neem je buit op en ga terug naar de anderen. Ik zal de les bij terugkeer afmaken. En ik hoop bij God dat je een vlugge leerling bent.

De regenboogkleurige ridders op hun rijdieren vlogen over de savanne. De grote klauwen van de chaliko's sneden door de droge bovenlaag en trokken er de boterbloemen, de ogentroost en het schurftkruid met bossen uit. Het kabaal dat het voorttrekkende leger van de Tanu veroorzaakte, joeg de kudden gazellen en paardachtigen op de vlucht. Sabeltandtijgers ontwaakten uit hun dutjes en gromden onheilspellend, de grote trapganzen klapwiekten laag over de grond weg van hun vertrapte nesten tussen de graspollen. De zon stond nu laag in het westen en het was broeiend heet. Stof trilde in wolken in het spoor van het terugtrekkende leger en waaierde uiteen tot dunne spookvormen die buiten de zwakke glans van het afweerscherm zichtbaar werden.
De ruiters deden geen moeite om hun rijdieren goed in de hand te houden. Ze hadden al hun aandacht nodig bij het in stand houden van hun deel in de gezamenlijke energiebundeling en hoewel hun ogen zagen en hun oren hoorden en ze zich bewust waren van de hitte en de smaak van het stof en de geuren van vertrapte planten, hadden ze geen eigen wil, geen gevoel een afzonderlijk wezen te zijn. Ieder bewustzijn functioneerde als een cel van het grotere Organische Bewustzijn en stond psycho-energie af dat het grote afweerschild overeind moest houden, terwijl het tegelijkertijd energie in reserve hield voor een aanvallende stoot als daarom gevraagd werd.
Koning Aiken-Lugonn galoppeerde aan het hoofd van de horde en voerde zijn mensen terug naar de Río Genil, het punt waarop de rivier weer bevaarbaar werd. Achter op zijn zadel, net als bij elke andere ruiter, hing een zak vol gouden halsringen die rinkelden bij iedere stap die zijn chaliko nam. In zijn armen hield hij de goudkleurige glazen lans met de kabel die de knoppen van het batterijgedeelte met de Speer verbond, het geheel vastgehouden in een stevig schouderharnas. De meter op de batterij stond op leeg, de vijf gekleurde knoppen waren overdekt met korsten zout en datzelfde gold voor de naalddunne vuurmond. Op dit moment was de Speer van Lugonn dood, onbruikbaar. Maar bij de rivier wachtten de technici met hun gereedschappen en die zouden het wapen weer tot leven brengen. De kleine gestalte van de koning gloeide van opwinding bij voorbaat. Dit wapen kon Felice overwinnen, daarna de Firvulag verslaan. En aan het einde zou het de taak volbrengen die door de Vloed was onderbroken: het doden van Nodonn.

Nog altijd in de vermomming van een raaf, haar geest perfect verborgen, arriveerde Felice bij haar nest op de Mulhacén. Voor de bergflank bleef ze zweven en keek vol ongeloof naar die reusachtige verschuiving, die glinsterende brokken met mica doorschoten steen, sommige groter dan huizen, die uit de bergwand waren gescheurd en broksgewijs neergedonderd in de grotten die haar

woning waren geweest. De bomen en de bloeiende struiken waren verdwenen, evenals de waterval met de door varens omringde poel die ze als bad gebruikte, de stookplaats, het moeizaam vervaardigde rustieke meubilair dat zich buiten de grot had bevonden, de bemoste rotsen waar de zanglijsters hadden gezeten om hun lied te zingen wanneer de avond viel. Alles verdwenen. De kleine aftakking van de rivier, waar altijd vette zalmen zwommen, was geblokkeerd door tonnen puin en datzelfde gold voor het wildspoor waarlangs haar vrienden haar kwamen bezoeken. Het enig levende wezen dat overgebleven was om haar te begroeten was de lynx, Pseudaelurus, die op de afgeplatte top van een rotskegel was gaan zitten en jankte in het stervende zonlicht.
Krijsend kwam de raaf in spiralen naar beneden. Eerst dacht ze nog dat het door een natuurramp was veroorzaakt, maar toen zag ze een stoffige gouden halsring, half begraven onder het puin en ze gebruikte haar vérziende vermogens om dwars door de gebarricadeerde ingang het diepere deel van de grot te onderzoeken. Toen ontdekte ze dat haar schatkamer was geleegd.
'Culluket!' schreeuwde ze luidkeels. Het geluid weergalmde duizelig makend in de kronkelende kloof die door de jonge Genil was uitgesneden in het bergmassief. De lynx dook ineen en legde haar oren plat. 'Culluket en jij, *Aiken Drum*!'
De lynx vluchtte tussen de chaos van rotsblokken en de duistervleugelige vogel daalde af naar de platte kegel en transformeerde. Toen stond daar een fantastisch wezen, gekleed in een dofglanzend zwartleren kuras, de wapenrusting uit oudgriekse tijden die ze ooit in haar beroep had gedragen, maar nu lichtelijk gewijzigd volgens de grillen van haar machtige geest. De randen van het rugschild waren scherper, de contouren wreder. De oude open kuitbeschermers en de korte handschoenen waren verlengd en omsloten nu volledig het vlees van benen en armen. Ze waren nu bovendien uitgerust met gebogen sporen en klauwachtige uitsteeksels. De helm droeg de snavel van een roofvogel, in balans gehouden door een scherpe richel die als een kam over de helm naar achteren liep. Door de T-vormige opening van het vizier schenen twee lichtstralen met de helderheid van brandend magnesium. Terwijl het wezen zijn hoofd omdraaide, begon het de steppen ten noorden van de berg te onderzoeken, de lichtstralen doorboorden hinderlijke rots en sneden erdoorheen als laserstralen door kaas. Ze doorzocht de valleien op de lagere hellingen en ten slotte had ze haar prooi ontdekt en scheerde weg als een wraakzuchtige komeet.

De schepen snelden over de rivier. Aiken, voor in het voorste reparatieschip, gebruikte zijn schouwende vermogens om de technici te helpen bij het repareren van de loop van de Speer, toen de waarschuwing van Marc abrupt doorkwam.

Felice is op weg.
'Maak die verbinding weer klaar, vlug, in godsnaam!' schreeuwde Aiken tegen de geschrokken Carvalho en McGillicuddy. Hij leviteerde te midden van een wolk tintelende ozon.
'Ik zie haar,' riep hij. Dit keer had hij al hun energie vrijwel direct gericht. Hij ademde in en werd door de energiebundel gevuld. Hij ademde uit en de verschrikkelijke gloeiende mondvol blies als een vlam van vuur naar het schaduwachtige vlekje dat de vloot achternajoeg, een zwart puntje tegen de turquoise avondhemel.
De vuurbal bloesemde en verbrandde daar beneden zo'n veertig vierkante kilometer oerwoud. De doortocht van die monsterachtige hoeveelheid energie verdoofde Aiken totaal. Ieder neuron in zijn lichaam beefde. Zijn brein pulseerde als een ster die op het punt stond uiteen te vallen. Een kermende lafaard diep binnen in zijn wezen schreeuwde het uit: Marc had gelijk! Je hebt jezelf overbelast en nu ga je sterven, stomme hond!
Maar de bijna fatale duizeling trok weg en tot zijn eigen verrassing was hij nog steeds stevig aanwezig binnen het Organisch Bewustzijn terwijl Abaddon niet beschuldigend of lasterlijk deed, maar uiting gaf aan zijn Olympische waardering:
Heel indrukwekkend voor iemand met naakte hersentjes. Ik denk dat je haar te pakken hebt.
'Echt waar?'
Ik registreer niets meer op het grondniveau en even daarboven . . .
'Jezus, ik hoop dat je gelijk hebt. Die stoot maakte me bijna . . .'
GOD NEE ZE HEEFT EEN D-SPRONG GEMAAKT (onbegrijpelijke beelden) . . .BOVEN JE AIKEN RAAK HAAR NOG EENS RAAK HAAR!!
De waarschuwing van Abaddon ramde zijn gekneusde brein. Hij zag Felice opnieuw, nu door een eigenaardig atmosferisch effect sterk vergroot opdoemend vlak boven hem. Ze zag er nu uit als een menselijke vrouw, gekleed in witte vlammen die rimpelden als zijde. Haar monsterachtig grote gezicht was doorschijnend. Haar ogen schenen zwart en woedend, net als haar geest. Aiken voelde hoe de defensieve barrière boven hem begon uiteen te vallen. Ergens ging er iets absoluut verkeerd in het segment van de bedwingers. Een vitale component had gefaald en de hele structuur stortte ineen . . .
Het schild herstelde zich weer. Marc Remillard had een kunstmatige versterking aangebracht om de man heen die gestorven was, Owen Blanchard. Aiken wist dat deze geïmproviseerde versterking maar van korte duur kon zijn, net lang genoeg om hem een nanoseconde de tijd te geven andermaal over te gaan op de offensieve golflengte. Hij zou Felice andermaal met het volle vermogen van hun samenwerkende krachten moeten treffen, zelfs als zou hem dat het leven kosten.

Er was niet eens tijd om te richten. Hij vroeg en ontving het volle volume aan energie en vuurde dat af op het monster.
Een schreeuw, niet menselijk meer, daverde door het uitspansel, gevolgd door psychische uitbarstingen die explodeerden en implodeerden. Daarna volgde een langzaam uitstervende donderslag en een felle lichtstraal die geen hitte of geluid afstond. Daar dwars doorheen en erbovenuit ontstond een psychische structuur, bezaaid met duizenden flonkeringen waarvan de eerste nu veelkleurig uitdoofden. Een ijle rollende verbindingsnaad, diep donkerrood, bedekte de hemel en strekte zich spoedig uit over de halve wereld. (Tussen mijn eigen pijn en de zijne?) Een brug van pijn, intelligent en door twee gedeeld, dreigde tot zwart te vervallen, werd hersteld, verjongd, opnieuw aangejaagd en verenigd tot een dodelijk witte vlam. Een kaars brandde in een robijnrood glas, schrompelde. Een gemurmeld lachen. Uitstervend huilen, wanhopig naar een hoogtepunt.
'Abaddon?'
Ik hoor . . . koning Aiken Lugonn.
'Heb ik haar?'
Ze is weg. Geen dreiging meer . . . voor geen van ons. Bondgenootschap afgesloten tot jouw aandeel komt in onze overeenkomst. Geen verbinding meer tot dat ogenblik. Vaarwel.
'Marc . . . overbelast. Sterven? Marc?
. . .
'Marc GEEF ANTWOORD!'
. . .

Verbazend, dacht hij. Dat was een volstrekte overbelasting en ik zou dood moeten zijn, maar het ziet er naar uit dat dat niet zo is! Aanschouw die geest van mij, een pover samenraapsel van koolstofdraadjes. Zie hoe dapper het glanst in vacuüm. Laat me niet uit deze glazen klok ontsnappen. Ik zou in de echte wereld komen en tot as uiteenvallen . . .
'Onzin, Aiken. Houd je maar aan mij vast. Ik ben bijna klaar met jou op te kalefateren. Je bent een taaie Schotse knaap en veel te slim om al zo jong te sterven.'
'Elizabeth?'
'Houd je rustig.'
'Ik dacht dat je niet op afstand genezen kon?'
'Dat kan ik ook niet. Ik ben hier. Houd op met praten, verdorie. Dit is heel moeilijk en ik ben er al bijna een week mee bezig en ik ben doodop.'
Een week . . .?
Hij zweefde weer ver. Overal om hem heen hoorde hij het gefluister van geesten. Honderden, verdomme, duizenden. Allemaal Tanu. En dragers van gouden halsringen. Zijn eigen mensen.

Elizabeth? Mijn metabundeling viel uiteen, waar of niet?
'Het duurde lang genoeg. Rustig nou. Aha. Daar en daar. En *daar*.'
Lichten. Beweging!
Hij zag weer, voelde, hoorde, rook en proefde. Hij kwam overeind van de gepolsterde tafel, het laken gleed van zijn spiernaakte lichaam. Hij was weer heel. De tafel stond in het midden van een kleine tent van decamole, de vier zijden open om frisse lucht toe te laten. Daar buiten was het typisch Spaanse oerwoud, buiten proporties groen. Hij hoorde de gebruikelijke kakafonie van zoogdieren, insekten en vogels. Binnen stonden Elizabeth en Creyn en Dionket, de laatste in zijn informele genezerskleding. Behalve die drie was er nog een Tanu met een gezicht als van leer, een korte blonde baard en het haar gesneden in de stijl van prins Valiant. Hij had de blauwe, weinig toeschietelijke ogen van een bedwinger. Dit personage hield een goudkleurige onderbroek voor zich uit.
'Sta me toe . . .'
De zwakke en nog versufte koning liet zich kleden in zijn kostuum met de vele zakken. Het zat nog niet lekker.
'Dus Felice is dood?' vroeg hij.
'Haar lichaam viel als een vlammende meteoor in de Genil,' antwoordde Dionket, terwijl zijn geest hem het beeld liet zien. 'Het werd gevolgd door een vreemde secundaire psychische schok waardoor een klip van tweehonderd meter hoogte mee naar beneden kwam en haar bedekte. Sommigen van uw mensen werden door die instorting meegesleurd.'
'Ik voelde mensen sterven.' Aiken staarde met lege ogen naar het oerwoud. 'Wie?'
Elizabeths herstellende kracht bleef bij hem. 'Zesennegentig worden er vermist. Onder hen Aluteyn. En Artigonn van Amalizan. De menselijke meta Elaby Cathen. Culluket de Ondervrager. En Mercy.'
'Mercy *dood*?' Hij keek haar recht in het gezicht. 'Dat geloof ik niet.'
'Haar lichaam is niet gevonden,' gaf Elizabeth toe. 'Maar de lawine en de stromingen in de rivier maken iets anders onwaarschijnlijk. De hele loop van de Genil is gewijzigd. Jouw mensen hebben de resten van Aluteyn gevonden en van Elaby Gathen en enkele lichamen van andere edelen. De oudere meta, Owen Blanchard, stierf aan een hersenletsel.'
'En bracht ons bijna allemaal om zeep!' riep Aiken bitter uit. 'Ik voelde hoe die bastaard ertussenuit kneep op het moment dat Felice aanviel. Als Marc er niet geweest was . . .' Hij stokte en zonk terug op de rand van het bed, zijn hoofd in beide handen. 'Die heeft wat gepresteerd. Als jullie dat eens wisten.' Toen hij opkeek, verscheen er een vreemd licht in zijn ogen. Zijn glimlach was strak.

‘Dat was een stukje opvoeding. En heel pijnlijk.’
‘Je hebt de grootste kater van heel het westelijk halfrond,’ zei Elizabeth, ‘en dat zal nog wel een maandje duren. Gun jezelf de tijd om helemaal beter te worden.’
Hij knikte ongeduldig. ‘Waar zijn we in godsnaam?’
‘In het basiskamp aan de monding van de Genil. Jouw mensen hebben gewacht tot je weer bij kennis kwam. Slechts een paar van hen waren zwaar gewond, afgezien van hen die de volle laag van de lawine over zich heen kregen. En enkelen liepen hersenverbranding op toen jullie verdediging het dreigde op te geven. De gewonden zijn allemaal in Huid, in Afaliah.’
Aiken keek schaapachtig. ‘Dank voor je komst, Elizabeth. Ik bedoel . . . ik had nogal een grote bek hè, indertijd. Sorry, baby.’
‘Wat dondert het,’ zei ze en glimlachte.
Aiken keerde zich naar de stoere, gebaarde Tanu, wiens mentale signatuur even makkelijk herkenbaar was als het drie-armige embleem op zijn hemelsblauwe tuniek.
‘Ik neem aan dat jij de medische hulp hier naar toe hebt gevlogen?’
Niet meer dan het kleinste knikje.
‘Dank je wel, Minanonn. Ik wou dat je wilde overwegen je bij ons aan te sluiten. Er waait nu een nieuwe wind in het Veelkleurig Land. Veel dingen zijn aan het veranderen. Je zou kunnen helpen.’
De ketterse ex-Strijdmeester gunde zichzelf een kil glimlachje.
‘Ik blijf wel naar je kijken vanaf de Pyreneeën. Breng me maar een bezoek. Zonder je leger.’
‘Reken daar maar op.’
Aiken dankte Creyn en Dionket, zette zijn hoed met veren heel voorzichtig op zijn bonzende hoofd en aarzelde even toen hem een laatste belangrijke vraag te binnen schoot.
‘Ik neem aan dat jullie niet weten wat er van mijn Speer terecht is gekomen?’
Elizabeth zuchtte. ‘Die ligt veilig op je vlaggeschip, dag en nacht bewaakt door Alberonn en Bleyn. En hij is gerepareerd.’
‘Helemaal te gek!’ De koning straalde aan alle kanten. ‘Op een bepaalde manier ben ik blij dat ik hem niet tegen Felice kon gebruiken. Het is een heilig wapen, veel te goed voor zo iemand als zij. En ik ben blij dat we haar alleen hebben gedood met de kracht van onze geesten. Jammer voor die oude Cull, maar ook dat is misschien maar het beste.’
Nog wat onzeker lopend, gaf hij hen allemaal een joviale wuifhand en verdween naar buiten. Daar klonk het geluid van verstrooid gejuich dat langzaam aanzwol tot de junglegeluiden erdoor werden overstemd. En toen dat lawaai eindelijk afnam, werd het vervangen door de harmonie van het Lied dat vanuit het kamp over zee

weerklonk tot het gehoord kon worden op de schepen die in de Golf voor anker lagen.

De Río Genil stroomde vanaf de Mulhacén door haar nieuwe bedding en maakte een wijde bocht rondom een stuk terrein dat zwaar met puin was bedekt. De dode lichamen die door de landverschuiving waren getroffen, lagen goed begraven, veilig voor de azende jakhalzen en andere aaseters.
Diep in die tombe van puin en zand brandde binnen een robijn een kleine witte vlam, wachtend in de duistere beschutting op nieuwe levensstromen.

IV. De Heer van de Wanorde

1

Moreyn van Var-Mesk stond diep voorovergebogen in de inktzwarte duisternis van het verlaten voorraaderf van de glasfabriek. Een fijne motregen zette zich vast op zijn pluizige haar, droop langs de kraag van zijn mantel en vandaar in zijn nek. Hij nieste. Het was ongewoon koud voor midden juni, er blies een scherpe wind over de Nieuwe Zee. Zelfs het weer, bedacht hij somber, weerspiegelde de treurige veranderingen die alles in het Veelkleurig Land leek te ondergaan.
Zich ellendig voelend keek hij de zwarte hemel af die zich over het water spande en hoopte maar dat Celadeyr en de genezer snel zouden komen. Zou hij het aandurven om een kleine psychocreatieve paraplu te maken terwijl hij wachtte? Domweg maar verduren was toch ook niet de enige deugd en voorzichtigheid was ook niet altijd een garantie.
Hij nieste opnieuw. Nu kwam de onzichtbare paraplu omhoog en om de zaak af te ronden, schiep hij ook een droge kring rondom zijn doorweekte voeten. Wat hield Celo toch zo lang op? Hij was bijna een uur te laat.
Niet dat Moreyn er erg belust op was het heilige hem toevertrouwde nu af te staan. Het was een eer geweest om de Strijdmeester te verzorgen en heel bevredigend wanneer Nodonn de slimheid prees waarmee het hem lukte de uitzonderlijke materialen te pakken te krijgen die voor het repareren van het Zwaard nodig waren, het herstel van zijn wapenrusting en het vervaardigen van een nieuwe handschoen die de houten hand moest bedekken. (Die hand!)
Maar naarmate zijn kracht terugkwam, werd Nodonn onrustiger. Hij weigerde zich nog langer verborgen te houden in zijn zilte kerker en was begonnen er een gewoonte van te maken in de lagere gangen van de mijnen rond te zwerven als de avond viel. Er waren dan alleen maar rama's aanwezig die hem konden zien en er was geen enkele kans dat zij hem zouden verraden. Maar Nodonn was vervolgens begonnen de kleine apen bij hun werk te helpen door met zijn herstellende PK hun gondola-achtige karren met overdreven hoeveelheden mineraal vol te laden en dat zou de mensen wel eens kunnen opvallen die boven toezicht hielden op de schema's.
Toen Moreyn aan dit spel een einde had gemaakt, begon de zich vervelende Strijdmeester met muizen te spelen. Hele zwermen van die knaagdieren leefden in de riolering van de stad en kwamen door een enorme afvoer ook in de glasfabriek. Wanneer Moreyn naar beneden kwam om zijn patiënt te verzorgen, was hij meer dan eens verrast geweest door aaneengesloten rijen van deze schepsels die marcheerden en rechtsomkeert maken en allerlei exercitieoefeningen uitvoerden terwijl Nodonn zijn miniatuurtroepen sar-

donisch glimlachend bekeek, een licht beschadigde Apollo op een brok glasafval.
Ja . . . het werd hoog tijd dat de zich snel herstellende Strijdmeester naar Afaliah ging. Daar kon zijn hand worden verzorgd en dat slechte voorteken verwijderd.
Ondanks zijn warmer wordende voeten voelde Moreyn een rilling van afgrijzen over zijn lichaam gaan. De Eenhandige Krijger! Volgens oude overlevering was dit een van de voortekenen die direct aan de Oorlog der Schemering voorafgingen.
Iemand riep zijn naam zachtjes over de persoonlijke golflengte. Eindelijk! Hier. Hierheen, Celo.
En daar kwamen twee nauwelijks zichtbare ruiters het in bochten afdalende pad langs. Hun leren stormpakken en de lijven van hun chaliko's reflecteerden de vreemde mistige weerschijn van de stadslichten, tot ze de donkere binnenplaats opreden.
'Heil, Scheppende Broeder,' groette Moreyn de Heer van Afaliah die meteen uit zijn zadel sprong. Maar toen hij zich tot de andere ruiter wendde, stond hij ineens doodstil. De slanke vorm was menselijk en bovendien van een vrouw en hoewel het gezicht en de mentale signatuur gemaskerd waren, wist hij dat dit geen genezeres was maar een Zeer Verheven lid van Celo's Gilde der Scheppers.
Toen ze de kap van haar mantel oplichtte, kon Moreyn zich niet inhouden. 'Grote Koningin! U leeft! Maar er werd gezegd . . . we hebben allemaal gerouwd . . . u en de andere slachtoffers van dat monster, die Felice . . .'
'Een noodzakelijke misleiding,' zei Mercy. 'Breng me naar mijn echtgenoot.'
'Aha. Ik begrijp het.' Moreyn nieste twee keer. 'Zo wordt de waakzaamheid van de overheerser ontwapend. Ik begrijp het. Hierlangs, alstublieft.'
Ze lieten de chaliko's vastgebonden achter en gingen een niet meer gebruikte opslagruimte binnen die volstond met onbruikbare en versleten machines. Moreyn opende een trapdeur en daarna daalden ze af door een van de vele tunnels die beneden de stad van de glasmakers lagen. Aanvankelijk werd hun weg enkel verlicht door een psychocreatief vlammetje dat aan een van Moreyns vingers ontsprong, want ze liepen door mijngangen die al lang niet meer werden geëxploreerd. Maar gaandeweg kwamen ze in een gebied waar de hete en zoute bronnen nog steeds borrelden en waar kristallijne massa's natriumcarbonaat werden afgezet die door zwijgende ploegen kleine rama's werden ontgonnen.
Sputterende toortsen vulden de stomende ruimten met hun oranje gloed. De witte en pastelkleurige afgezette lagen waren met strepen roet overdekt en schiepen infernale wandschilderingen die in het weifelende toortslicht welhaast tot leven leken te komen. De bronnen borrelden en scheidden een gemene stank af. De kleine apen

met hun grote glanzende ogen droegen voorschoten van leer en wanten om hen te beschermen. Ze hakten de trona-kristallen met houwelen van vitredur af, laadden het mineraal in de wachtende karren en sleepten die naar een lift.
'Wat een duivelse plaats,' zei Mercy. 'Arme kleine beesten.'
'Ze werken steeds maar zes uur aan één stuk,' zei Moreyn verdedigend. 'De stank is alleen maar zwavel en er is voldoende frisse lucht. Geliefde Vrouwe, onze mijnen zijn een paradijs vergeleken bij de goudmijnen in Amalizan . . .'
'En *hij* moest daar beneden blijven?' Mercy's stem klonk geschokt. Ze daalden nu nog verder af. Het was heet en achter de wanden van zoutkristal weerklonk gerommel alsof daar mysterieuze machines tekeergingen.
'Grote Godin,' gromde Celadeyr, terwijl hij zijn kap naar achteren gooide en zijn stormpak van voren zo ver mogelijk opentrok. 'Dit is verdomme een stoombad. Hoeveel verder moeten we nog, Mori?'
De Glasmeester bracht hen bij een gegrendelde houten deur die licht trilde door het kabaal dat erachter vandaan kwam. 'Hier doorheen.' Opnieuw ontstak hij het vlammetje aan zijn vinger, lichte de klink op met zijn PK waardoor de deur als een tweede poort van de hel opensprong.
Ze kwamen in een dieper afdalende geul waar een bulderende stroom smerig water doorheen liep. De lucht was hier zeker vijftien graden minder heet en stonk naar het riool. Mercy snakte wanhopig naar adem en Celadeyr maakte snel zijn stormpak weer dicht en trok de kap voor zijn gezicht.
'Volg me. Maar wees voorzichtig.' Moreyn ging hen voor over de loopbrug en hield zijn lichtende hand hoog. 'Dit is een ondergronds deel van de rivier. Het vervoert het grootste deel van het stadsafval en van de fabriek. Vroeger was deze tunnel mijlen lang. Maar nu de Nieuwe Zee nog steeds hoger komt, wordt hij korter en korter. Hier de hoek om.'
Ze kwamen in een zijtunnel die gelukkig droog was. Een paar dozijn muizen namen de vlucht terwijl Moreyn de laatste deur opentrok.
Mercy drong zich voorbij de Glasmeester een kleine verlichte kamer binnen, niet veel groter dan een hok, uitgehakt in het gelaagde gesteente en uitgerust met slechts een minimum aan voorraden en meubilair. Daar stond Nodonn, bleek en hologig, zijn gouden hoofd raakte de lage zoldering, zijn magere gestalte omhuld door een witte, wollen tuniek. Hij stak zijn beide handen naar Mercy uit, de een van vlees en de ander van hout.
Ze barstte in tranen uit. Hij trok haar tegen zich aan. Vuur joeg door zijn borst. Hij zei tegen Moreyn en Celadeyr: 'Laat ons alleen. Wacht boven op ons. Ik weet de weg naar buiten heel goed.'

Toen de twee mannen verdwenen waren en de deur weer gesloten was, tilde Nodonn haar op en zocht haar lippen. Hun geesten slaakten woordeloze begroetingen die geluk en verdriet te boven gingen. Ze leefden, nu waren ze weer herenigd, maar de honger van hun zielen na zoveel verschrikkelijk lege maanden kon nauwelijks in die eerste samenkomst worden gestild. De tijd was te kort en ze durfden het niet aan hun levenskracht te verspillen aan niets dan extase terwijl ze die dringend nodig zouden hebben voor de ophanden zijnde reis. Toen de demon zijn hoogtepunt bereikte, was er niet meer dan een zucht en de bevrediging van de schone dame voltrok zich zo teder als het sluiten van een ooglid voor het binnendringen van de zon. Daarna hielden ze elkander omstrengeld, hun geesten nog vol warmte met elkaar verbonden.
'Het moederschap heeft je geestelijk verdiept, Koningin,' zei hij. 'Je bent een fontein van verfrissing. Een bron van welbehagen.'
'Al mijn genegenheid is voor jou. Ik zal je nooit meer verlaten, zelfs niet om naar Agraynel terug te gaan. Ze is alleen maar van mijn vlees. Maar jij bent leven voor mijn geest. Hoe heb ik er ooit aan kunnen twijfelen of je nog leefde? Hoe heb ik hem kunnen accepteren? Kun je mijn bezoedeling vergeven?'
'Wanneer jij de mijne vergeeft.' Hij vertelde haar over Huldah. 'Het gebeurde onder dwang, maar ik weet dat ik duistere vreugde beleefde aan die schande. En nu draagt die wanstaltige halfbloed mijn zoon, de zoon die ik jou had willen geven, Rosmar, de eerste van mijn Clan.'
'Het doet er niet toe, liefste. Het zal weer in orde komen, nu wij weer bij elkaar zijn.'
Ze voelde zijn lichaam verstijven. Hij trok zich van haar terug en greep met zijn handen, de zachte en de harde, haar schouders vast. 'Wat dat betreft . . . je zult misschien toch nog naar hem terug moeten.'
Ze slaakte een rauwe kreet. 'Nee!' Haar afschuw was als een mes en daarachter school ook angst. 'Wat bedoel je?'
Hij draaide zich om en trok zijn tuniek uit. Van onder het kampeerbed haalde hij twee zakken te voorschijn, de een met zijn glazen wapenrusting, de andere bevatte de onderkleding die daarbij hoorde. 'Het zal niet makkelijk zijn hem aan de kant te zetten nu de strijdcompagnieën hem tot koning hebben uitgeroepen. Ik praat er nog maar niet over hoe ik opnieuw de steun van het volk met verwerven . . . we moeten hem nu zien als een militair doelwit. Hij is een formidabele metapsychische tegenstander. Ik kan hem vanuit de verte niet meer voelen, Mercy. Zelfs wanneer hij geen technische middelen uit het Bestel gebruikt, kan ik niet meer tot hem doordringen. Het lukt me zelfs niet zijn fysieke bewegingen te volgen, tenzij er iemand in zijn directe omgeving is die zonder het te weten bepaalde informatie uitstraalt. De enige manier waarop ik

hem kon bespioneren is via jou . . .'
Haar geest versluierde zich. De diepzee-ogen werden ondoorzichtig en vulden zich met tranen. 'Ik heb je nog maar net terug. En nu wil je dat ik weer ga?'
'Natuurlijk niet,' zei hij met een gebroken stem.
Ze liet haar lippen zijn naakte borst raken. 'Ik zal naar hem toegaan als jij me dat zegt, mijn geliefde. Maar ik heb een voorspellend visioen gezien . . .'
Zijn gezicht was volledig verborgen achter haar kastanjekleurige haar en zij huiverde in haar stormpak van donkergroen geiteleer. Hij hield haar stevig tegen zich aan.
'Wat heb je gezien?'
Het was haar geest die sprak:
Mijn dood is in hem. Hij houdt van me en hij zal me doden. Het was hetzelfde visioen dat die arme Cull over Felice had. (En zo konden twee verdoemden elkander troosten. Wat een lugubere grap was dat!)
'Laten we niet over Cull praten. Ik kan begrijpen dat Aiken van je houdt. Maar je doden? Onzin! Jij bent Vrouwe der Scheppers. Jouw energieën houden het leven in stand!'
'Voor de Tanu misschien,' fluisterde ze. 'Maar niet voor mensen. Denk aan Bryan. Die stierf door mij.'
Nodonns stem klonk cynisch. 'Onze Glanzende Overheerser beweert dat zijn eigen bloed evenveel Tanu is als het jouwe. Als hij zelf dat verhaal gelooft, kan hij jou nauwelijks doden.'
'Misschien uit afgunst dan. Mijn scheppingskracht brengt leven. Zijn energie is enkel bruikbaar voor verwoesting, het vernietigen van alle oppositie. Aiken zou altijd macht verkiezen boven de liefde. Hij kan het zichzelf niet eens vergeven dat hij mij liefheeft. Hij is alleen maar *veilig* wanneer ik dood ben.'
'Hij is geen monster, zoals Felice.'
'Nee,' gaf ze toe. 'Hij had haar Cull kunnen toewerpen om zo misschien de aanval van Felice af te wenden. Maar dat deed hij niet. Hij probeerde Cull te redden en zichzelf.' In haar geest overzag ze nog eens de reeks gebeurtenissen bij de Genil. 'Aiken werd in dat gevecht verschrikkelijk gewond, weet je. Zelfs nu zijn zijn vermogens nog maar minimaal.'
'Ik weet het.' Nodonn liet iets van zijn vreugde zien. 'Ik houd er rekening mee.'
Ze keek naar hem omhoog. 'En het zou makkelijker voor jou zijn wanneer ik in Goriah kon zijn. Oh, mijn lief. Natuurlijk ga ik terug als jij wilt dat ik dat doe.' Haar ogen straalden vol vuur. 'Ik zou met vreugde voor je sterven.'
Hij trok de gewatteerde leren kolder over zijn hoofd.
'Aiken zal je niet doden. Zelfs niet wanneer hij vermoedt dat ik nog leef. Geen enkele normale man doodt zijn geliefde.'

'Geen normale *Tanu*-man,' zei ze bedroefd. 'Mensen zijn anders, ader van mijn hart.' Maar toen weerkaatste haar opgewonden lach door de zilte ruimte. 'Ach wat, waarom zullen we ons zorgen maken over mijn rare voorgevoelens? In het Bestel werd helderziendheid als een volstrekt onbruikbaar en onregeerbaar metavermogen beschouwd, soms viel erop te vertrouwen, meestal sloeg het nergens op. Kijk maar hoe dubieus dat vermogen is ook onder jullie eigen mensen! Breede voorspelde dat Elizabeth de belangrijkste mens in deze wereld was. Denk je dat eens in. Die twijfelaarster! Ik weet wie echt de belangrijkste persoon is! Jij!'
Hij had zich snel in zijn roze-gouden wapenrusting gewerkt, zijn gezicht stond somber. 'Dan nog eerder die mysterieuze menselijke meta in Noord-Amerika. Die Abaddon. Vergeleken bij hem zijn Aiken en ik niet meer dan kinderen.'
Mercy werd onmiddellijk ook ernstig. 'Die speelt zijn eigen spel. Celo verdenkt hem ervan dat hij met opzet heeft toegelaten dat Felice Aiken zulk ernstig letsel toebracht. Er was iets uitgesprokens smerigs aan de hand tijdens het einde van het gevecht. Ik kan er zelf weinig over zeggen, ik hàd het veel te druk om onder een brok heuvel vandaan te komen die over me heen was gevallen. Maar Celo kwam me helpen en pas op dat ogenblik besloten we dat het beter zou zijn om te doen alsof ik dood was. Als bewijs nam hij die arme zielig lege helm van me mee.'
Nodonns doordringende blik vernauwde zich. 'Dus Abaddon heeft Felice misschien gebruikt tegen Aiken. Wat een wereld aan mogelijkheden! Ik vraag me af of hij openstaat voor andere aanbiedingen?'
'Daar kun je misschien achter komen,' zei Mercy. 'Zijn dochter is in Afaliah.'
'*Wat?*'
Mercy knikte. 'Cloud beschadigde haar bekken en de genezers vonden het veiliger wanneer ze bij Celo herstelde voor ze doorreisde naar Goriah.' Haar blik werd listig. 'Je zult goed moeten nadenken voor je haar opneemt in je samenzwering, denk ik. Maar Cloud Remillard zou een goede bondgenoot zijn, Strijdmeester. Ze is het equivalent van een Grootmeesteres wat haar PK betreft als ze gezond is en in conditie en ook haar herstellende vermogens mogen er zijn. Ze is bovendien blond en echt wat je noemt een stuk. Precies jouw type.'
De boven haar uit torenende Apollo gooide zijn gouden hoofd in de nek en bulderde van het lachen. Toen omsloten zijn beide handen haar gezicht. '*Jij* bent het type waarop ik achthonderd jaar heb gewacht. Jij alleen.'
Ze pakte hem bij zijn echte hand. 'Laat me bij je blijven in Afaliah. Alsjeblieft! Tenminste tot je weer genezen bent. Stuur me niet naar hem terug voor we iets hebben teruggekregen voor al die maanden

van leegte.'
'Een korte tijd,' stemde hij in. 'In elk geval een korte tijd. Ik zou negen maanden in Huid moeten doorbrengen om die hand en de onderarm weer te laten groeien en dat duurt me te lang. Ik treed Aiken tegemoet zodra ik voldoende mannen om me heen heb verzameld. Nu is zijn geest nog zwak.'
Mercy deinsde terug, haar afweer kwam omhoog. 'Zou je hem met één hand willen bevechten?'
'Die ene is voor het Zwaard meer dan afdoende. En wat de andere betreft . . .' hij boog de houten vingers bedreven, 'het ziet er misschien niet al te fraai uit, maar hij is echt bruikbaar.'
Ze hield de prothese vast en draaide hem langzaam om. 'Hout? Aha, nee. Zoiets minderwaardigs is niet goed genoeg voor mijn demon-minnaar!' Haar blik zwierf door het hok. 'Goud zou goed zijn, maar we hebben hier niets anders dan onze twee gouden halsringen, helaas.' Toen viel haar oog op het bewerkte eetgerei dat Moreyn zijn hoge gast had verschaft. 'Zilver! Zilver zal het zijn, rechtstreeks uit de geest van de Vrouwe der Scheppers! Mijn liefdesgift voor jou, Strijdmeester!'
Ze maakte een gebaar en de glinsterende beker en het bord en het dienblad en de kom leken te vervagen, smolten samen en werden vormloos en begonnen toen aan een fonkelende metalen werveling aan het uiteinde van de gestrekte arm.
'Zilver!' riep ze nogmaals. 'Nodonn met de Zilveren Hand!'
Toen was het gebeurd. Het ruwe voorwerp dat Isak Henning had uitgesneden, was verdwenen. Daarvoor in de plaats bevond zich een perfecte replica van de ontbrekende hand, glanzend als een spiegel en zo subtiel vervaardigd dat de scheiding tussen de over elkaar heen glijdende gewrichten nauwelijks zichtbaar was. Mercy boog zich over de hand, kuste elke vinger en ten slotte de handpalm.
'Ik zal hem dragen tot ik Aiken Drum heb vernietigd,' zwoer hij. 'Totdat ik Koning ben van het Veelkleurig Land en jij mijn Koningin.'
Hij trok zijn glazen handschoenen aan en opende de deur voor haar. Geen van beiden besteedden ze enige aandacht aan de vuile wateren terwijl ze naar het oppervlak terugklommen bij het licht van hun eigen glanzende gezichten.

2

'Klaar om te testen?' kwam Betsy's holklinkende stem ergens uit een netwerk van bedrading.

'Yep,' zei Ookpik, terwijl hij een handvol kabels ontwarde.
'Sluit de energie aan op de tertiaire MHD-regelaar,' zei Betsy. Alles wat er van hem zichtbaar was, was een grote vracht hoepelrokken op het kerametalen dek. Zijn bovenlijf leek volstrekt opgegaan in het buitenaardse mechanisme waarmee hij aan het werk was.
'MHD-drie ziet er verdomd goed uit,' meldde Ookpik.
Door het toegangsluik kwam een hand met vingers vol afgebroken nagellak die in de lucht grabbelde. 'Het is nou maken of breken. Laten we beginnen met thermische naald nummer tien, dat roze schijfje met die harde bedrading en die merktekens die op schoppenaas lijken.'
'Alsjeblieft.' Ookpik duwde hem het gevraagde in handen. Er weerklonk gesis. Een paar kleine rookwolkjes zweefden rondom de nauw ingesnoerde taille van de technicus. Toen weerklonk een schrille, piepende kreet terwijl Betsy wanhopig worstelde om los te raken uit de wirwar, zijn hand om zijn keel geklemd en ondertussen fraai klassiek vloekend.
'Stak zelf mijn verdomde kantkraagje met het lassen in de fik,' legde hij even later uit, nadat hij het stuk zwartgeblakerde kant had afgescheurd. Hij zette zijn met paarlen bezette pruik weer recht, trok de vergrotende beschermbril over zijn ogen en dook terug in het inwendige van de machine. Opnieuw weerklonk het gesis van de lasmachine, begeleid door een toccata van engelenklokjes.
'Ik heb het kreng te pakken!' Opnieuw kwam Betsy te voorschijn. 'Nu moet je het hele externe circuit uitproberen, inclusief de aandrijving.'
De Eskimo-technicus drukte de juiste knoppen in en begon het resultaat met toenemende opwinding af te lezen. 'Voor zijn koperen, Betsy, het loopt!'
Betsy gilde terug. 'Vliegdek, alles klaar?'
'Vliegdek klaar,' kwam het liefelijke gekweel van de Barones. 'Steek maar aan.'
Terwijl Betsy het toegangsluik dichtsloeg en vergrendelde, begon het diepe stationaire gegrom van alle zestien generatoren de buik van het buitenaardse vliegtuig te vullen. Hij en Ookpik haakten de pinken in elkaar en grijnsden. Daarna zette hij de handen aan zijn mond. 'Breng de energie naar buiten, Charlie.'
'Netwerk buiten in orde,' zei de Barones. 'Wat zijn jullie van plan? Enkel een grondtest of gaan we eindelijk es vliegen?'
Betsy klopte zichzelf af. Het abrikooskleurige brokaat van zijn indrukwekkende jurk was bevlekt en gescheurd en de meeste van de ruches langs de mouwen waren weggebrand. Maar het snoer parels schitterde nog prachtig tegen zijn borst en de rechtovereind staande kraag van goudbrokaat was nog vrijwel intact. Hij deed de vergrotende bril af en stopte die in een tasje. Daarna ging hij naar voren.

'De motorlichten zijn allemaal blauw,' zei Barones Charlotte-Amalie von Weissenberg-Rothenstein. Ze gebaarde naar de vensters aan weerskanten. 'Zoals je ziet is het veld zo goed als het maar kan. Ik ben voor een vliegtest. We hebben nog tijd voor het eten.'
Betsy gluurde naar de ver achteruit stekende vleugels van het toestel die nu overspoeld werden door het purperen vuur van het rhoveld. 'Ach, wat zou het! Ga maar omhoog.'
De handen van de Barones vlogen over de knoppen en maakten het buitenaardse toestel klaar voor het opstijgen. Betsy zonk moe en tevreden in de rechterstoel terwijl Ookpik tegen de navigatiepanelen leunde, op een puntje van zijn snor kauwde en met een scheef oog naar de instrumenten keek.
Ineens was het toestel vrij van de zwaartekracht, rees verticaal en zonder de minste trilling omhoog en vloog daarna langzaam over de kraterwand waar de andere toestellen geparkeerd stonden.
De boordradio zei: 'Oho! Welkom thuis bij de kudde, Twee-Negen. Zijn jullie helemaal klaar?'
'Houd ons op je schermpje, Pongo,' antwoordde de Barones nuchter, 'dat gaan we nu even uitvinden.'
Het landschap achter het vliegtuig verdween. Binnen twee seconden ging de hemel van blauw naar purper en zwart. De mensen in de cabine merkten niets van de versnelling. Alleen het kantelende uitzicht door de ramen en de gegevens op de instrumenten vertelden hun dat ze nu in de buitenste lagen van de atmosfeer voortraasden met een snelheid van 12 000 kilometer per uur, terwijl ze daarbij ingewikkelde zigzagpatronen beschreven die veroorzaakt werden door de verfijnde kleine bewegingen van de Barones tegen de stuurknuppel en de energichendels.
Ze dwarrelden naar beneden, dofrood gloeiend toen het vliegtuig weer de atmosfeer binnendook. Ze koersten aan op het kratermeer ten noorden van de Pliocene Donau, dat de plaats markeerde waar het Schip van Breede duizend jaar eerder te pletter was geslagen.
Nu leek de dofzwarte machine van een raket te veranderen in een vogel. De vleugels kwamen in volledige glijstand buitenwaarts terwijl ze als een zwaluw over het water scheerde. Beneden, langs de zuidelijke rand van het kratermeer stonden achtentwintig andere buitenaardse vliegtuigen op de grond, hoog op de poten, de vleugels gezakt en de neuzen als in meditatie naar beneden gebogen. Verder naar het westen en het noorden waren gebieden waar de rand van de krater deels was ingestort en geschroeid en opengereten. Daar staken fragmenten kerametaal uit de verbrande vegetatie omhoog. Sommige van de vliegtuigen waren tijdens het testen neergestort. Eén was er ontploft tijdens de eerste ontsteking. Andere bleken niet meer te repareren en waren in het meer gedumpt nadat de bruikbare delen eraf en eruit waren gesloopt. Van de tweeënveertig toestellen die Basils Bastaarden een maand geleden had-

den ontdekt, was deze negenentwintigste de laatste die gered kon worden en dat nog alleen dank zij de vasthoudendheid van Betsy en diens bemanning.
Het herstel van de overige had het leven gekost van twee vliegers en vier technici; en Seumas Mac Suibhne, een geducht drinker, was op een avond aan het einde van een lange werkdag uit een luik gevallen en had beide benen gebroken.
Alles bij elkaar was de expeditie tot dusver een verrassend succes geweest.
'Ze vliegt. We gaan landen,' zei de Barones over de radio. 'Dit is Twee-Negen, klaar om in te komen.'
'Geef 'er een poeier, Charlie. En eindelijk hoerah. We dachten dat jullie met een doodgeboren kindje zaten opgescheept.'
Betsy zuchtte diep. 'Ik dacht dat we haar echt moesten opgeven, Pongo. Als Dmitri niet had voorgesteld om die derde MHD gewoon maar om te leggen, dan stonden we nog steeds aan de grond. Het kwam me compleet de strot uit, die barbaarse krengen weer aan de praat te krijgen.'
'Als er eentje was die het doen kon, dan was jij dat, Betsy,' zei een andere stem.
'Ben jij dat Basil?' vroeg de Barones. Het vliegtuig kwam nu steil omlaag, recht op de rest van de geparkeerde kudde af.
'Ik heb jullie gevolgd op het scherm, liefjes,' zei de stem van Basil. 'Mooi werk. We zullen een feestdiner voor jullie klaarmaken. Extra woeste knoflook in een prak oud antilopevlees.'
Ookpik liet een gesmoord geluid horen.
'De laatste vogel uit het nest,' mompelde de piloot. Er volgde een kleine schok toen het in het krachtveld omhulde landingsgestel de grond raakte. Rook rees omhoog uit kleine bosjes gras die door de netwerkenergie in brand waren geraakt. De Barones sloot het krachtveld af, evenals de andere energiesystemen en keek met een lege blik en een verstrooide glimlach naar de nu levenloze panelen. 'Ik had de hele nacht kunnen dansen.'
Betsy klopte haar bemoedigend op de schouders. Ookpik maakte het luik al open. 'Kom mee, Charlie. We mogen onze nobele aanvoerder niet langer laten wachten. En ik sterf van verlangen om erachter te komen waar hij het merendeel van onze luchtvloot wil verbergen.'
'Wat was ik graag domweg maar verder gevlogen,' zei de Barones. 'Voorgoed weg van deze mesjokke plek. Naar de andere kant van de planeet. Australië, China, het geeft niet waar in het Plioceen zolang er maar geen Tanu zijn of Firvulag of gekke lilliputters die knokken om Koning van de Wereld te worden! Allemachtig, Betsy, wat zou ik het zalig vinden om dit vliegtuig te stelen!'
'De meesten van ons weten hoe je erover denkt. En Basil ook, vrees ik.'

De Barones verzamelde haar spullen. 'Die opzichtige beveiliging van de vloot tegen zogenaamde overvallen door de Firvulag leek me ook maar een mager excuus.'
'En dan was die Seumas er nog.' Betsy streek zijn sikje glad en liet één purperrood ooglid betekenisvol zakken.
'Kom nou . . . dat meen je niet!'
'Een nogal haastig jongmens, afgezien van zijn bekwaamheden. Ik ben er zeker van dat hij en Thongsa alles al mooi hadden uitgedacht. Maar het was natuurlijk een lelijke misrekening toen ze aannamen dat Sophronisba Gillis met hen in zee zou gaan. Die is volkomen trouw.'
De Barones onderdrukte een schaterlach. 'Jij denkt dat Phronsie die ouwe door het luik duwde zodra hij voorstelde om met hun drieën in een vliegtuig de benen te nemen?'
Betsy haalde de schouders op. 'Seumas kon nog altijd werken, ondanks zijn gebroken benen. En zijn beste vriend en piloot had sindsdien altijd dat luchtje van onderdrukte ellende om zich heen. Logisch trouwens, iedere ziel met een greintje verstand zou daar last van hebben met die ontembare feeks van een Gillis in de buurt die op een excuus zit te wachten om je kont door de modder te halen.'
'Phronsie, de zedenpreekster, godallemachtig!'
'Basil is een prima aanvoerder. Toegewijd als ik weet niet wat. En de lange jaren in het oerwoud hebben hem wel iets geleerd over de menselijke natuur. Basil neemt zijn verantwoordelijkheid serieus en deze vliegtuigjes *zijn* een verschrikkelijke verleiding, zelfs vóór de besten van ons.'
Ze gingen van het vluchtdek naar het laadruim. 'Een goeie kans dat Taffy Evans ook namens Basil een oogje in het zeil houdt. En Nazir! En die Scandinavische brok, Bengt Sandvik. Ja, nou je het zegt, één van die drie behoorde altijd tot de bemanning wanneer er weer een toestel operationeel was en een proefvlucht ging maken.'
Ze struikelde over een bos testkabels. De sierlijke hand van Elizabethaanse travestiet nam haar in een onwankelbare greep, ondanks het feit dat ze zeker vijftien kilo zwaarder was dan hij. Met een pijnlijke kreet van verbazing keek ze in zijn prachtige, groene ogen. 'Jij dus ook?'
'Ons diner wacht,' zei Betsy. Hij gebaarde naar de ladder. 'Na jou, mijn liefste.'

Het leidende toestel draaide af naar een hoogte van 10 000 meter en bleef in de lucht hangen boven de groep verblindende bergtoppen.
'Fantastisch,' riep Pongo Warburton uit. Hij bracht de toppen al manoeuvrerend blijvend in zicht. 'Hoe hoog zouden die zijn,

Basil?'
De buitenaardse indicator die de terreingesteldheid weergaf, was voorzien van een primitieve omzetter. Basil en Aldo Manetti werkten er een paar minuten mee, onderzochten de centrale sectie van het bergmassief terwijl de geïmproviseerde apparatuur een kaart maakte op durofilm. 'De voornaamste top, de Monte Rosa is 9082 meter hoog. De pieken eromheen zijn allemaal boven de 8000 meter.' Zijn stem trilde van opwinding.
'Hoe hoog was de Everest?' wilde Pongo weten.
'Rond de 8850,' zei Aldo. 'Dat hing er vanaf hoeveel sneeuw er lag op de top. En hoe lang geleden het was sinds de opruimingsdienst er was geweest om het afval van buitenwereldse dagjesmensen weg te halen.'
De piloot bracht het toestel nog iets dichter bij de hoogste top.
'Subliem,' fluisterde Basil.
'En maagdelijk,' voegde Aldo eraan toe. 'Ik zou kunnen janken. Ik jank.'
'En dit is de hoogste in het Plioceen?' vroeg Pongo.
'Zonder twijfel,' antwoordde Basil. 'Als de geologen tenminste gelijk hebben met hun veronderstelling dat de Alpen in deze periode de Himalaya ver overtroffen. Natuurlijk worden deze bergen later in de komende IJstijd van het Plioceen duchtig afgesleten, nog afgezien van tectonische verschuivingen die dit hele Alpengebied omhoog en omlaag in beweging brengen. De arme Monte Rosa moet te zijner tijd zelfs haar hoogste plaats afstaan aan de Mont Blanc als hoogste bergtop in Europa. In ons Bestel was ze slechts een goede tweede. En alleen de bewoners ter plaatse en een paar onverschrokken klimmers zoals Aldo en ik kennen haar naam . . .'
De radio in het vliegtuig begon te praten. 'Nummer Een, dit is Twaalf. We zijn allemaal in positie op een hoogte van twintig kilometer.'
'Hoogte vasthouden,' zei Basil. 'Geniet van het uitzicht terwijl Aldo en ik proberen uit te vinden welk deel van deze voorraadijskast we moeten gebruiken.'
'Gaan we onze vliegers *hier* verstoppen?' zei een anonieme stem met accenten van acute verontrusting. Ieder lid van de Bastaards was op deze eerste fase van hun missie meegekomen. Alleen hun gids, de Huiler Kalipin, was bij het kratermeer achtergebleven.
'Ja, dat is de bedoeling,' zei Basil.
Ze hoorden sinister vrouwelijk gegiechel. 'Als iemand van jullie klootzakjes erover dacht om later over land terug te sluipen en zo'n vogeltje achterover te drukken, vergeet dan je bontmanteltje niet. En een pikhouweel.'
'We zouden nog eerder proberen jouw hart te laten smelten, Phronsie,' zei een ontmoedigde stem.

'De onbereikbaarheid van deze plek is natuurlijk een van de grote voordelen,' zei Basil. 'Geen mens of buitenaardse op een chaliko zou er kunnen komen. Zelfs niet door te leviteren. De beesten zouden te lijden krijgen van hartbezwaren en zuurstofgebrek, net als de niet-geacclimatiseerde ruiters.'
'Sommigen van de Tanu kunnen verdomd goed vliegen,' zei de stem van Taffy Evans. 'En dat geldt ook voor die ellendige Aiken Drum.'
'Honderd procent veilig kunnen we het niet maken,' gaf Basil toe. 'Maar hierboven, wanneer we de plek met zorg uitkiezen, zullen de toestellen al snel door sneeuw worden bedekt en dat zal het nog moeilijker maken om ze te vinden, ook met behulp van metavermogens. Natuurlijk blijven wij de enigen die in het bezit zijn van een getekende parkeerkaart. Wanneer we klaar zijn om de toestellen op te halen, is een behoedzame stoot hete lucht voldoende om ze te ondooien.'
Het geklets over de radio ging door terwijl Basil en Aldo het terrein verkenden en ten slotte landden in een hoog gelegen vallei op de noordelijke flank van de Monte Rosa die vrij was van gletsjers, maar zelfs nu, in midden juli, bedekt was met verse sneeuw. Beide bergbeklimmers bezaten lichamen die tijdens hun laatste verjongingen kunstmatig waren aangepast voor het beklimmen van hoge bergen. Dus nadat ze Warburton hadden gewaarschuwd om veilig binnen te blijven, trokken ze warme kleren aan en begonnen verrukt door de sneeuw te waden. Daar deden ze een nauwkeurig grondonderzoek met sonische sondes voor ze ten slotte de andere toestellen ook lieten landen.
Manetti ging op een uitstekend stuk rots zitten en staarde naar de berg die boven hem uit torende. 'Wat een perfecte plek om de bestijging te beginnen. Wat zou je denken van de westflank om mee te beginnen?'
'Heel geschikt, zou ik zeggen. We zitten op, laat es kijken, 5924 meter, er blijft dus nog een smakelijk stuk tot aan de top over.' Zijn stem zakte. 'Dit is de reden waarom ik naar het Plioceen ben gekomen, weet je. Om dit te vinden, als het bestond, en dan te beklimmen. Nou ja, ik ben alvast tot hier gekomen.'
'Misschien wordt het een korte oorlog.'
Basil keek door een kleine kijker de vallei rond waarin ze zich bevonden. 'Een duivels lastige plek om zonder vliegtuig te komen. Je zou het vanuit het noorden moeten proberen. Maar het ziet eruit als een logistieke nachtmerrie.'
'Niks aan de hand zolang we twee toestellen veilig hebben weggestopt in de Vogezen. Later, wanneer we een soort luchtmacht hebben getraind, kan deze diepvriesvloot naar een geschiktere plek worden overgebracht. Niet dat het mijn zaken zijn natuurlijk . . . maar ben je niet een beetje al te voorzichtig met je angst voor

diefstal?'
'Orders van Commandant Burke, ouwe jongen. Net als de centurion uit de bijbel ben ik weinig meer dan een man die de autoriteiten gehoorzaamt. En blij toe dat er niet meer van me wordt gevraagd.'
Aldo kwam overeind en rekte zich uit. 'We kunnen maar beter de rest naar beneden halen en dan naar het Scheepsgraf teruggaan voor de tweede lading. Het lijkt erop dat we ze vandaag allemaal zonder problemen hierheen kunnen transporteren.'
'We zullen vannacht extra wachtposten rond het kratermeer moeten uitzetten, zei Basil. 'We hebben er dan nog maar twee over om ons naar huis te brengen. Quis custodiet ipsos custodes, zoals jouw oude landgenoot Juvenal op een goede dag zal opmerken.'
'Ik zou zelf in de verleiding kunnen komen,' lachte Aldo, 'als ik wist hoe ik met zo'n ding vliegen moest. En als ik er niet zo op gebrand was op een goeie dag met jou de Rosa te beklimmen, compare mio.'
'We zijn heel dicht bij het beëindigen van ons werk, Aldo. Als er nu iets verkeerd zou gaan . . .'
'Hoe zou dat kunnen? Morgen vliegen we naar huis!'
Basil zag er gepijnigd uit. 'Er zijn . . . eh . . . aanwijzingen geweest dat er iets kon broeden . . .'
'Toch niet weer Thongsa?' Aldo's lippen krulden zich. 'Maak je geen zorgen. Phronsie heeft die kleine pillendraaier zo bang gemaakt dat hij zelfs niet naar de plee durft zonder gezelschap.'
'Iets ergers, vrees ik. Maar ik zou er jou niet mee lastig moeten vallen, Aldo. Als leider van de expeditie zal ik zelf mijn zaakjes zo goed mogelijk moeten opknappen.'
'Het lot van de centurion was niet eenvoudig. Hij moest ook orders geven, als ik me dat goed herinner.'
Zonder iets te zeggen, knerpten ze een paar minuten door over de sneeuw. Ondanks de hoogte en de omringende sneeuw was het heet. Ze zetten hun bivakmutsen af en maakten hun jacks open. Hun geparkeerde vliegtuig stond nog vijfhonderd meter verderop.
'Als Burke hier was,' zei Basil. 'Zou hij de noodzakelijke beslissing in een ommezien nemen. Ik ben bang dat mijn bloed door eeuwen beschaving te dun is geworden voor gepaste wreedheid. Mag ik jou een abstract probleem voorleggen?'
De onverwachtse vraag bracht Aldo even in de war. 'Ga je gang.'
'Veronderstel dat afgelopen nacht een vertrouwd lid van ons gezelschap verraad in de zin had en dat voorstelde aan iemand anders. Die iemand anders was een van mijn vertrouwelingen . . . eh . . . bewakers . . . zou je kunnen zeggen. En die stelde mij van het mogelijke verraad op de hoogte terwijl hij de eerste verrader min of meer aan het lijntje hield.'

‘Heilige Jezus Christus!’
‘Veronderstel dat die potentiële verrader iemand was die zich tot nu toe met de uiterste voorbeeldigheid had gedragen. Veronderstel dat die persoon buitengewone talenten bezat waar we op hadden gerekend en die we nodig hadden zodra we deze vliegtuigen gingen klaarmaken voor luchtaanvallen. Veronderstel dat deze persoon geen piloot is en daarom hoopte iemand die dat wel was in zijn verraad mee te krijgen . . .’
‘Wat voor verraad in godsnaam?’
‘Aiken Drum een vliegtuig in handen spelen plus deze parkeerlokatie, bij benadering, in ruil voor de gebruikelijke beloning.’
‘Als we het even abstract blijven houden,’ mompelde Aldo, ‘lijkt het me dat je twee keuzemogelijkheden hebt. Numero uno. Je maakt die rottige bastaard af voor hij een andere piloot vindt die minder trouw is. Numero due, je sluit hem nog beter op dan een ondier uit Lylmik en laat hem leven zolang hij verder meewerkt.’
Basil kneep zijn lippen op elkaar en knikte. ‘En welke van die twee keuzen vertegenwoordigt volgens jou de meest voorzichtige?’
‘Wel, tot nu toe heeft de vent alleen nog maar gepraat, waar of niet?’
‘Correct. En het voorstel aan mijn informant was in de meest verhullende termen verpakt. Wat niet wegneemt dat de bedoeling duidelijk genoeg was.’
‘Oh, hemel, ik weet het niet,’ zei Aldo. ‘Je hebt enkel het woord van je informant. Misschien heeft die de ander verkeerd begrepen? Wat doe je als die ander privé iets met de eerste te verhapstukken had en zo zijn gram probeert te halen?’ Manetti veegde het zweet van zijn voorhoofd.
‘Die mogelijkheden zijn ook bij mij opgekomen.’
‘Je zou de verrader beter in het oog kunnen houden? Hem zelfs misschien laten merken dat je aan hem twijfelt? Misschien deinst hij er dan voor terug en komt tot de overtuiging dat het risico te groot is. Dan zou je hem nog steeds kunnen gebruiken. Goede technici voor rho-velden vind je in het Plioceen waarachtig niet achter ieder bosje.’
‘Dat is waar.’ Ze kwamen bij het vliegtuig. ‘Dank je wel voor je raad, Aldo. Ik denk dat je me geholpen hebt. Een minder gevoelige man zou een andere keus hebben gemaakt. Maar mensen zoals jij en ik . . .’
Aldo begon het vliegtuig in te klimmen. Basil sprak verder. ‘Bergbeklimmers zijn zulke romantici. Ik gun iedereen graag het voordeel van de twijfel.’ Aldo lachte over zijn schouder naar Basil. ‘Een beetje artistieke psychologie is net zo goed als een stevige vuist.’
‘Ik hoop dat je gelijk hebt,’ zei Basil. ‘Ik hoop *verdomd* dat je gelijk hebt.’

Basil gromde en verschoof zijn lichaam op de bank van decamole. Iemand schudde hem bij de schouder. Buiten de tent hoorde hij harde stemmen en iemand jankte keihard. Het was stikdonker.
'Basil, wakker worden.' Bengt Sandviks stem klonk dringend. 'Alarm.'
'Oh, *nee*.'
De expeditieleider werkte zichzelf overeind en duwde een duim op zijn chronometer. Bijna vier uur. Zijn hoofd tolde van de slaap en een laatste vlaag hoogteziekte en hij begreep amper waar Bent het over had. Hij grabbelde desondanks naar zijn schoenen en wurmde zijn voeten erin.
' . . .sloeg Nazir voor zijn kop en probeerde toestel Nummer Een in zijn poten te krijgen . . . als mister Betsy er niet was geweest met een verdovingsgeweer . . .'
'Wie?' vroeg Basil vermoeid. Hij wist al wie.
'Aldo Manetti. De Barones zou het vliegen voor hem doen.'
Basil trok een hemd aan en ging naar buiten. Taffy Evans had de bergbeklimmer in een houdgreep. Hij was nog altijd verdoofd door de stoot uit de verdover. De Barones Charlotte-Amalie hing gespannen in de greep van Phronsie Gillis. Betsy, heel efficiënt in een vliegpak vol ritssluitingen maar met de pruik nog op zijn hoofd, hield beide gevangenen met zijn Husqvarna onder schot.
Basil liep naar Aldo toe. 'Je was dus toch niet van plan om voor numero due te kiezen?'
Aldo's hoofd zwaaide heen en weer. Hij deed een zwakke poging om te spugen. Speeksel droop langs zijn donkere kin.
Basil draaide zich om en raadpleegde nog eens zijn horloge. 'Wel, het is bijna ochtend. Tijd om het kamp op te breken.' Hij keek naar de twee grote toestellen die afgetekend stonden tegen de grijzer wordende sterrenhemel met het kratermeer verderop. 'Jammer dat er hier geen bomen zijn. Maar een val uit het luik moet ook voldoende zijn.'
'Wat ga je doen?' gilde de Barones.
'Bind ze alle twee vast aan het landingsgestel van Nummer Een tot we klaar zijn.'
'*Wat ga je doen?*'
'Jou ophangen, liefje,' zei Basil. Daarna ging hij terug naar zijn tent om zich verder aan te kleden.

3

Boduragol, de voornaamste genezer in Afaliah, zat op zijn kruk in het midden van de baarmoederlijke duisternis van de Huid-kamer,

zijn ogen gesloten, zijn geest vrijwel volstrekt op zijn werk gericht. De nieuwe toepassing was een ongeacht succes geweest. Beide patiënten waren er aanzienlijk op vooruitgegaan sinds hij op het idee was gekomen hun in hoge mate met elkaar vergelijkbare psychokinetische functies met elkaar te verbinden onder de paraplu van zijn eigen herstellende krachten. Vooral de goeddeels geatrofieerde rechterhersenhelft van de man had een opvallende verbetering ondergaan die vooral te danken was aan de krachtige iatropische voeding van de vrouw. De gelijktijdige versnelling in haar genezing was een welkome extra verrassing. De geleerde in Boduragol was erdoor gefascineerd, de romanticus werd er diep door bevredigd.
De lichamen stonden naast elkaar, bleek als gipsen standbeelden en helemaal verpakt in het dicht op het lichaan liggende vlies van Huid. Op één mentaal niveau werkten de Tanu en de menselijke vrouw actief samen met de genezer. Op een andere, veel persoonlijker draaggolf, goed verborgen achter een stevig scherm, spraken ze gewoon met elkaar.

CLOUD: Zie je dan niet dat het voor jouw generatie bijna precies zo verliep als voor de onze? Jullie ouders hadden jullie toekomst al bij voorbaat vastgelegd. Jullie hadden er niets over te vertellen en commentaar erop was niet toegestaan. Voor ons gold hetzelfde.
KUHAL: Hoe had het anders kunnen zijn? Ons volk verliet het sterrenstelsel van Duat om vrij te kunnen zijn. Vrij om het soort leven te leiden waarin wij geloven. Was dat bij jullie soms niet zo?
CLOUD: Dat zeiden onze ouders. En we hebben ze lange jaren domweg geloofd.
KUHAL: En nu blijkbaar niet meer. Welnu . . . wij Tanu hebben ook onze ketters.
CLOUD: Analyserende kritiek is geen ketterij in een toestand van werkelijke vrijheid.
KUHAL: Wil je insinueren dat wij dat niet zijn?
CLOUD: Mijn generatie werd weerhouden door onwetendheid, inertia en zelfs angst. De analyse was pijnlijk en gevaarlijk. Maar ondanks dat volstrekt noodzakelijk.
KUHAL: Ik begrijp het niet.
CLOUD: Moet ik je iets van onze geschiedenis vertellen?
KUHAL: Ja . . . we hebben de tijd. Misschien hebben wij Tanu ook de voorkeur gegeven aan inertia en onwetendheid. Zeker in onze relatie met jullie. We kenden natuurlijk maar een klein deel van jullie ras: enkel de vrijwillige tijdreizigers. De niet-meta's onder hen leken bruikbare bedienden. De mensen met latente vermogens accepteerden we binnen onze familie van de geest. Alleen Nodonn leek enig besef te hebben van het ongelofelijke gevaar dat uit die zich ontwikkelende relatie zou kunnen voortkomen. Maar de

meesten van ons wilden zijn waarschuwingen niet horen. Blind zijn kwam ons blijkbaar beter uit.
CLOUD: Dat weet ik.
KUHAL: Maar laat ik je niet van je verhaal afhouden. Begin bij het begin. Vertel me hoe onder jullie de eerste meta's opstonden. Hoe de Rebellie wortelde.
CLOUD: Je weet misschien hoe de mensen van de Oude Aarde langzamerhand natuurlijke psychische vermogens ontwikkelden in een periode die enige duizenden jaren besloeg en die voorafging aan het moment waarop buitenaardse rassen contact met ons maakten en ons in het Bestel introduceerden.
KUHAL: Dat heeft onze menselijke Meester der Genetica ons uitgelegd.
CLOUD: Tegen het einde van de 20e eeuw waren er meta's die dicht in de buurt kwamen van de status van adept die bij de Geest van Eenheid hoort. Ze waren nogal terughoudend in het verschaffen van informatie daarover aan andere, gewone mensen. Sommigen onder hen, vooral zij die speciaal bedreven waren in bedwingen of scheppen, gebruikten hun vermogens ten eigen bate. Anderen, die altruïstischer waren ingesteld, bestudeerden die nieuwe krachten en gebruikten zichzelf en anderen als proefkonijnen. Ten slotte slaagden deze geleerden erin speciale technieken te ontwikkelen die een semi-Eenheid teweegbrachten onder grote aantallen van hun medestanders. Ze schiepen als het ware een kleine, niet volmaakte replica van de Geest van Eenheid uit het Bestel en riepen daardoor het feit van hun bestaan luidkeels om. Dat werd het 'baken' dat het Bestel ertoe bracht in 2013 over te gaan tot de Grote Interventie, ondanks het feit dat veel mensen in ethische zin nog primitieven waren, weliswaar hoger op de schaal van psychosociale volwassenheid dan jullie Tanu, maar toch nog steeds barbaren vergeleken bij de vijf andere samenwerkende rassen.
KUHAL: Dus jij en ik zijn allebei primitieven? Het mysterie van onze zo goed op elkaar aansluitende erfelijkheid wordt er iets minder ondoorzichtig door. Maar laat ik je niet afleiden.
CLOUD: Een van de belangrijkste centra voor metapsychisch onderzoek op Aarde bevond zich in het Dartmoor College, een kleine universiteit in Noord-Amerika. De twee mensen die daar aan het hoofd stonden voor de Interventie waren Denis Remillard en Lucille Cartier. Ze bezaten beiden metavermogens tot op ongeveer gelijke hoogte, ze hadden dezelfde etnische achtergrond. Kort nadat ze collega's waren geworden, trouwden ze. Zij werden mijn overgrootvader en overgrootmoeder. Denis en Lucille kregen zeven kinderen, allemaal krachtige meta's. De jongste en de meest getalenteerde was mijn grootvader, Paul, die een jaar na de Interventie werd geboren en die al in de baarmoeder werd getraind met behulp van technieken die later standaard werden. Paul werd

bekend als de Man die New Hampshire Verkocht, want door zijn inspanningen werd dit kleine gebied in Noord-Amerika het voornaamste centrum van metapsychische werkzaamheid op de planeet toen de Aarde in het Bestel werd opgenomen.
KUHAL: En jouw familie consolideerde haar positie.
CLOUD: Dat was onvermijdelijk. Paul werd de eerste mens die als lid van het Concilie werd gekozen, dat is de regerende raad van het Bestel. Dat Concilie bestaat uitsluitend uit meta's van de meesterklasse en ze beschikken allemaal over uitzonderlijke vaardigheden op het gebied van probleemoplossing en psychosociale analyse. Later gingen vier van zijn vijf kinderen ook daartoe behoren. Marc was de oudste. Hij werd Eerste Grootmeester, een van krachtigste geesten in het hele stelsel.
KUHAL: En dat is jouw vader, de man die Abaddon wordt genoemd?
CLOUD: Ja . . . Dat was een bijnaam die hij gedurende de Rebellie kreeg. In een van onze heilige boeken is een gedeelte dat verhaalt over de laatste dagen van de wereld, wanneer de machten van goed en kwaad elkaar in een laatste confrontatie ontmoeten. Abaddon is de aanvoerder van de demonische legers. Maar hij heeft ook andere namen: de Engel van de Afgrond , de Verwoester. Mijn vader . . .
KUHAL: Een oorlog aan het einde der tijden! Dat maakt ook deel uit van onze eigen religieuze mythe! Wij noemen het de Oorlog der Schemering. Toen de vervolgde Tanu en Firvulag van hun thuisplaneet werden verdreven naar de rand van de sterrenstelsel, waren ze in de veronderstelling dat zij die oorlog daar moesten uitvechten. Maar Breede greep in, en haar Schip droeg ons naar dit sterrenstelsel. Nu zijn Celadeyr en een aantal van zijn volgelingen van mening dat de Oorlog der Schemering hier moet worden uitgevochten. Maar je moet me vergeven, Cloud. Ik heb je alweer onderbroken. Ga verder over je vaders Rebellie.
CLOUD: Ik kan je niet veel vertellen. Ik was pas een jaar oud. Mijn broer Hagen was twee. Onze beide ouders waren betrokken in een of andere kolossale samenzwering die het menselijke ras tot de heersers in het Bestel moest maken. Er bestond een grandioos schema, uitgedacht door vader en doctor Steinbrenner en een paar anderen, waarbij een groep van ons kinderen getransformeerd moest worden tot superwezens, ultra-meta's. Na de machtsovername zou dat plan in werking worden gezet . . . maar dat mislukte. Vader heeft nooit met ons gepraat over de plannen die hij met ons had, al die gegevens zijn zelfs uit onze computer in Ocala gewist. Ik vermoed dat iets in dat plan nogal angstaanjagend moet zijn geweest want mijn moeder, moeder . . .
KUHAL: Spreek er maar niet over. Ik zie het. Het spijt me . . .
CLOUD: Vader houdt van ons. Ik kan me niet voorstellen dat hij ons

kwaad heeft willen doen. Niet bewust.

KUHAL: Vertel me de rest van het verhaal.

CLOUD: De Rebellie vond plaats in 2083. De openlijke fase daarvan duurde nog geen acht maanden. Er was een groot aantal menselijke meta's bij betrokken en uiteraard miljoenen gewone mensen. Het grootste deel van de rebellen aan de basis stierf en datzelfde gold voor grote aantallen onschuldige mensen die op de door de rebellen bezette planeten leefden. Uiteindelijk werd vader verslagen door zijn eigen jongste broer, Jon en diens vrouw, Illusio. Jon Remillard was een mutant. Veertien jaar jonger dan Marc. Tegen de tijd dat hij volwassen werd, bezat hij geen lichaam meer, enkel een naakt brein dat elke vorm kon aannemen die hem zinde. Ik weet dat dat nogal monsterachtig klinkt, maar het Bestel maakte een heilige van hem nadat hij de Rebellie had neergeslagen. Jon was eveneens een Oppergrootmeester, net als zijn vrouw. Zij bezat, door een of ander psychocreatief ongeluk maar een half gezicht en dat was nooit geregenereerd omdat die afwijking een symbool was geworden van haar autoriteit. Ze droeg over die gezichtshelft een masker van diamant.

KUHAL: Jack de Lichaamsloze en Diamant Masker. Gomnol heeft over hen gesproken.

CLOUD: Ze stierven beiden. Maar vader overleefde. En hij bracht Hagen en mij en een honderdtal anderen door de tijdpoort.

KUHAL: Ik herinner me die zwarte dag dat we tegen hun invasie vochten in de Grotten Wildernis. Onze strijdkrachten werden afgeslacht. Koning Thagdal gaf de opdracht dat het incident moest worden vergeten nadat de binnenvallende mensen over zee naar het westen waren vertrokken.

CLOUD: Vader nam zijn mensen mee naar Noord-Amerika. Hij wilde niet tegen jullie vechten. Velen van zijn lotgenoten waren zwaargewond en hijzelf was halfdood van verschrikkelijke hersenverbrandingen. We schiepen ons een nieuw tehuis op een eiland ten zuidoosten van Noord-Amerika. Het is heel mooi. Wij noemen het Ocala. Al de andere kinderen zijn daar geboren.

KUHAL: Maar je hebt het verlaten. Waarom?

CLOUD: We waren jong, we konden ons niets anders voorstellen dan de weg die onze ouders hadden gekozen. Vader had allerlei soorten uitrusting meegebracht naar het Plioceen. Nadat hij was hersteld, bouwde hij daarvan een observatorium en begon tussen de sterren te zoeken naar een ander ras dat de Eenheid van Geest inmiddels had bereikt. Hij wist als hij met zo'n ras contact kon leggen, dat ze hem dan te hulp zouden komen. Hij hoopte zijn grote droom van menselijke suprematie alsnog waar te maken in een wereld die zes miljoen jaar aan het Bestel voorafging. Een redelijk aantal van zijn volgelingen geloofde hem. Vader kan uitstekend mensen tot zijn gezichtspunten overhalen. Maar terwijl de jaren

voorbijgingen en duizenden en nog eens duizenden sterren werden onderzocht zonder enig resultaat, begonnen de ouderen de moed te verliezen. Er kwamen gevallen van moord en zelfmoord. Sommigen van de ouderen werden gek, anderen raakten verslaafd aan drugs en weer anderen trokken zich domweg steeds verder terug. Wij kinderen sloegen dat allemaal van nabij gade terwijl we opgroeiden. Ten slotte begonnen we zelfstandig te denken, we vonden vaders droom belachelijk. Felice werkte als een katalysator. Maar de Tanu en wat hier gebeurde hielden we al lang voor haar komst in de gaten. We bespioneerden Europa met onze gecombineerde vérziendheid bij wijze van tijdverdrijf.
KUHAL: Aha! De kinderen der verveling verdrijven de tijd door lagere levensvormen te bestuderen. We waren niet echt voor jullie, is het wel? We leken op een nest mieren dat je een tijdje gadeslaat. En op een goede dag wilden jullie wel eens weten wat er zou gebeuren als dat nest onder water liep . . .
CLOUD: Nee!
KUHAL: Waarom hielpen jullie Felice dan om ons te vernietigen?
CLOUD: We hielden jullie Veelkleurig Land in hoge ere. Niet als verschijnsel op zichzelf maar als een opstapje, terug naar het Bestel.
KUHAL: *Terug*? Terug door de tijdpoort? Maar dat is onmogelijk!
CLOUD: Nee, dat is het niet. Elaby Gathen, die stierf in Aikens gevecht tegen Felice was er zeker van dat we in staat zouden zijn een duplicaat te bouwen van het origineel op Aarde in het Bestel. We beschikken over complete computerontwerpen. En toen mijn broer en de anderen uit Ocala vluchtten, namen ze allerlei apparatuur en gereedschap mee.
KUHAL: En je vader? Hoe reageerde hij hierop?
CLOUD: Hij was er aanvankelijk volstrekt tegen. Nu . . . nu weet ik het niet meer. We hebben hem waarschijnlijk gedwongen zijn eigen doelstellingen opnieuw te bezien. Hij weet dat we nooit meer naar Ocala teruggaan. Misschien heeft hij besloten ons onze eigen toekomst te laten kiezen. En na wat er met Felice en Aiken is gebeurd, zou hij wellicht bereid zijn ons te helpen. Misschien wil hij zelfs jullie helpen.
KUHAL: *Wat vertel je nu?*
CLOUD: Hagen en de anderen die door mijn vader in Afrika zijn vastgepind, hebben wat tijd besteed aan een mentale herhaling van het gevecht met Felice. Ik heb daar met hen over geconfereerd. Omdat jullie Tanu in metapsychische zin nog zo slecht ontwikkeld zijn, is het jullie waarschijnlijk ontgaan hoeveel vraagtekens die hele gebeurtenis bij de Río Genil kan oproepen. Laten we hopen dat ook Aiken Drum daar geen idee van heeft.
KUHAL: Leg eens uit!
CLOUD: Goed dan. Kijk eens naar het samenspel van metakrachten

dat vader Aiken leerde. Wij kinderen beschikken niet half over de vaardigheid van mijn vader in dat opzicht. Maar het is overduidelijk dat vader het programma zo had samengesteld dat zowel Felice als Aiken in die confrontatie zouden sterven.
KUHAL: Grote Godin.
CLOUD: Vader wist heel goed dat hij als individu niet tegen Felice was opgewassen. Zelfs door een bundeling van de metavermogens van velen was het erop of eronder. Wanneer die fotonenspeer had gewerkt, dan pas waren ze redelijk in het voordeel geweest. Nu zijn er heel wat verschillende manieren waarop zo'n bundeling van naar buiten gerichte krachten kan worden opgezet. Sommige daarvan zijn voor diegene die de bundeling richt heel wat gevaarlijker dan andere. Vader gaf Aiken een programma dat het laatste druppeltje energie uit de bundel zou hebben geperst wanneer Aiken die op vol vermogen had gebruikt. In een panieksituatie zou hij dat instinctief waarschijnlijk ook hebben gedaan. En de volle kracht van dat potentieel zou hem dan net zo goed hebben gedood als Felice. Maar Aiken gooide die emmer niet bij de eerste klap helemaal leeg. Hij was tijdens de eerste test op de berg een beetje bang geworden en dus liet hij niet de volledige stroom energie door waardoor het voor hem net niet dodelijk was. Je zult je misschien herinneren dat vader dacht dat Felice bij de eerste aanval al gedood was.
KUHAL: Abaddon zei dat hij de massa van haar persoonlijke energie niet meer kon ontdekken. En daarna – ik geef toe dat ik dat niet begreep – zei hij dat Felice een sprong maakte.
CLOUD: Hij zei, *een d-sprong*. Dat is een afkorting van de taal die meta's onder elkaar gebruiken. Het betekent zoiets als een dimensionale sprong, een onmiddellijke verplaatsing. Een vermogen dat in het Bestel uiterst zeldzaam is. Een variatie erop wordt teleportatie genoemd.
KUHAL: Het Schip van Breede!
CLOUD: Wat?
KUHAL: Dat reusachtige organisme waarmee Breede verbonden was. De Schepen waren in staat via de hyperruimte sneller dan het licht te reizen, uitsluitend door het gebruik van geesteskracht. Wil je hiermee zeggen dat Felice . . .
CLOUD: Ze kan het onbewust hebben gedaan, bij wijze van verdedigingsmechanisme. Per ongeluk, door uit te glijden als het ware. Maar Hagen is ervan overtuigd dat ze de draaggolf van mijn vader in omgekeerde richting volgde en hem bijna wurgde.
KUHAL: Maar ze viel Aiken aan . . .
CLOUD: Het kan in een onderdeel van een seconde gebeurd zijn. Toen Felice weer opdook, ditmaal boven Aiken, was de psychocreatieve invoer van vader gewijzigd. We zijn dat opnieuw nagegaan en dat staat absoluut vast. Hij had de coördinatie over de

verdediging behalve op dat ene korte ogenblik van de eerste aanval waarbij hij noodgedwongen heel kort op de aanvallende golflengte van het totaal moest overgaan. Na de d-sprong van Felice dreigde het hele afweerschild eraan te gaan. Toen stierf Owen Blanchard ook, waarschijnlijk geraakt door wat er bij vader aan energie overvloeide. Wij denken dat vader zich net op tijd kon herstellen om het afweerschild dat desintegreerde te herstellen en daarna deel te nemen aan de laatste energiestoot.

KUHAL: Jullie geloven dat Felice je vader geen schade van belang heeft toegebracht?

CLOUD: Integendeel. En als hij inderdaad gewond werd, dan zou dat verklaren waarom hij zich na de strijd zo direct terugtrok en nu al langer dan een maand geen contact meer heeft gezocht.

KUHAL: Maar je vader functioneerde gewoon verder na de d-sprong?

CLOUD: Hij was verbonden met een machine die de energieën van de hersens versterkt en samenvoegt, een ding dat mogelijk sterk genoeg is om het potentieel van een kleine H-bom op te wekken! Hij is een Oppergrootmeester, God mag weten met hoeveel manieren van versterking hij werkte. Hagen weet meer over dat soort dingen als ik. Hij veronderstelt dat vader zich aan het ontvangende eind van een bedwingende en scheppende energiestoot bevond die zwaar genoeg was om hem naar de regeneratietanks te sturen. En *dat* zou verklaren waarom de ether tussen hier en Ocala de laatste tijd zo vreedzaam is.

KUHAL: Wat een geluk voor jou en je gelijken.

CLOUD: En misschien ook voor jou.

KUHAL: ?

CLOUD: Luister en probeer het te begrijpen. Ik denk dat jullie Tanu en mijn eigen mensen en zelfs mijn vader nu met een gezamenlijke bedreiging te maken hebben. Het kan heel goed zijn dat we allemaal moeten samenwerken als we die willen overleven.

KUHAL: Aiken Drum?

CLOUD: Aiken had moeten sterven. Dat deed hij niet. Het leek er bijna op alsof Felice de overmaat aan psycho-energie op het allerlaatste ogenblik *zelf* bij Aiken wegzoog. God mag weten hoe of waarom. Ze is dood. Maar Aiken is heel erg levend, hooguit een beetje aangeslagen en hij moet er nu wel zo ongeveer achter zijn dat vader hem een loer wilde draaien. Hij verkeert nu in de positie dat hijzelf het een en ander aan zware arbeid kan doen nu vader hem heeft laten zien hoe je hun geestesenergieën bundelt. Het zal hem niet moeilijk vallen om uit te vinden hoe dat veiliger kan gebeuren. Zodra hij heeft ontdekt waar de mentale valstrikken zitten in dat programma, neemt hij je broer Nodonn en diens volgelingen te grazen en zodra die barbecue achter de rug is, keert zijn aandacht zich naar mijn vader.

KUHAL: Of jou.
CLOUD: Mijn mensen en ik willen niets anders dan naar het Bestel terugkeren. Jullie zouden er niets bij verliezen door ons te helpen. En wij hebben veel te bieden.
KUHAL: Je hebt al het een en ander van jezelf aan mij geschonken.
CLOUD: Dat is wederzijds, als je wilt. Ik ben bijna genezen en driemaal vlugger dan een tank dat kon doen in Ocala.
KUHAL: Ik dacht aanvankelijk dat de suggestie van Boduragol nergens op sloeg. Het verlies van mijn tweelingbroer leek een onherstelbaar iets. De biotechniek van Huid biedt eigenlijk geen wezenlijke mogelijkheden voor het regenereren van een volledige hersenhelft. Maar je ziet wat er is gebeurd.
CLOUD: Het is ongetwijfeld iets geheel nieuws. In de menselijke geneeskunde is het overigens vaak gelukt om de linkerhersenhelft functies van de rechterhelft te laten overnemen en omgekeerd.
KUHAL: Misschien heb je mij geleerd enigszins menselijk te zijn.
CLOUD: Daar is meer voor nodig. Maar dat kan geregeld worden.

Bodugarol opende zijn ogen en glimlachte. Het duet van PK-vermogens en herstellende krachten, dat tussen beide patiënten heen en weer golfde, was ongewoon harmonieus. Ze hadden hem werkelijk niet langer nodig. Hij gleed van zijn kruk en liep naar die twee bewegingloze lichamen, de man met zijn gouden halsring, de vrouw gekroond met zware strengen weelderig roodgeel haar.
'Waarom laat ik jullie tweeën niet gewoon alleen om door te gaan met wat je dan ook doet samen? Nog een week en jullie zijn waarschijnlijk allebei weer beter. Dat is *heel* bevredigend.'
Hij bukte zich en veranderde een minimale kleinigheid aan Huid rondom de ivoorkleurige voet van Cloud Remillard.
'Heel bevredigend,' zei hij nog eens en verdween toen, de genezenden aan zichzelf overlatend.

4

Toen Mercy tegen het einde van juli ten slotte naar Goriah terugkeerde, was de dodelijke uitputting die Aiken had overvallen sinds zijn gevecht met Felice eindelijk verminderd en zijn gewonde brein begon zich te herstellen. Het verhaal van de koningin klonk weinig overtuigend. Ze was, heette het, getroffen door een aanval van geheugenverlies toen haar boot door de aardverschuiving was getroffen. Ze had in haar eentje rondgezworven in het oerwoud ten oosten van de Genil om ten slotte gered te worden door een groepje

blootnekken die daar op jacht waren naar zeldzame planten en die haar niet hadden herkend. Ze hadden haar pas naar Afaliah teruggebracht nadat ze voldoende zeldzame orchideeën hadden bemachtigd die bestemd waren voor de verzameling van Vrouwe Pennar-Ia, de echtgenote van Celadeyr. Hoe onwaarschijnlijk dat verhaal ook klonk, Aiken accepteerde het zonder vragen te stellen en deed zelfs geen poging in Mercy's geest de waarheid te achterhalen. Ze was terug, ze was niet gewond en haar reactie op zijn liefdesspel was andermaal heftig. Dat volstond en hij was tevreden.
Op een mooie dag in augustus trokken ze naar de duinen langs de Straat van Redon om Yosh Watanabe en zijn bemanningen bezig te zien met een demonstratie van allerlei vechtvliegers die klaargemaakt werden voor het komende Grote Toernooi. Aiken en Mercy en een groot gezelschap Verheven Personages rustten onder een schaduwrijk baldakijn, genoten van de zeebries en van het ongewone vermaak. Er was een overvloed aan picknickvoedsel en ijsgekoelde honingwijn en de gevechten tussen de vliegers waren afleidend en af en toe opwindend gevaarlijk.
De eersten die de lucht ingingen waren de snelle, ruitvormige Nagasaki hata waarvan de vliegertouwen in glas waren gedompeld en die levendig gedecoreerd waren met gestileerde ontwerpen in rood, wit en blauw. Wanneer het de ene vlieger lukte om de lijn van een rivaal door te snijden, barstten de vooraf goed geïnformeerde Tanu-edelen uit in de traditionele kreet 'Katsuro!' en betaalden hun weddenschappen terwijl Yosh straalde van opwinding en overal rondliep om te vertellen hoe het verder zou gaan.
De wind nam toe in de loop van de dag en toen gingen de grote vliegers de lucht in. Dat waren de Sanjo rokkaku, zeshoekige vliegers, half zo groot als een volwassen Tanu waarop portretten geschilderd waren van Japanse demonen en samurai; de rechthoekige Shirone o-dako, 6,7 meter hoog en 5 meter breed die versierd waren met prachtige vissen en vogels, figuren uit de folklore en abstracte motieven. De vechtvliegers waren te zwaar om in snelle manoeuvres elkaars lijnen door te snijden en werden door vijf tot tien mensen bemand. In plaats daarvan hielden deze vliegers statige luchtgevechten waarbij de één zich op de ander stortte terwijl de bemanningen hun best deden elkaars lijnen in de war te maken. Een vlieger die verloor, aarzelde meestal even, ving geen wind meer en stortte dan naar beneden en vaak werd de aanvaller gedwongen mee naar beneden te gaan omdat hun lijnen inmiddels hopeloos in elkaar waren verward. De echte winnaar bleef meestal tot het eind statig in de lucht en landde ten slotte uit vrije wil, terwijl alle vijanden het strand bezaaiden in een wir-war van gescheurd papier en vernielde bamboedragers.
Toen de wind hard en constant genoeg was, werden de echt grote vliegers naar het strand getransporteerd, vliegers die strijders

omhoog konden dragen en die een echte rol moesten gaan spelen tijdens het hoofdonderdeel van het toernooi. Twee o-dako van 14,5 bij 11 meter die elk rond de 800 kilo wogen werden op een verhoging gehesen zodat de talloze afzonderlijke stuurlijnen op de juiste manier aan de vlieglijn konden worden vastgemaakt. De vlieglijn zelf was bevestigd aan een zware lier. De strijder hing aan het onderste deel van het frame in een stoeltjesvorm van riemen. Drie korte stuurlijnen gaven hem enige zeggenschap over de bewegingen van de vlieger, maar het voornaamste stuurwerk werd gedaan door de grondbemanning die uit vijftig man bestond en die de talloze stuurlijnen bedienden die naar de vlieglijn liepen over D-vormige katrollen.

Toen de twee reusachtige o-dako gereed waren om op te stijden, kwam Yosh naar de koninklijke loge, gevolgd door zijn assistent, de altijd zuur kijkende Vilkas. Yosh droeg zijn oogverblindende samurai-wapenrusting en Vilkas was gekleed in de nauwelijks minder opzienbarende uitmonstering van een ashigaru, een strijder te voet.

Yosh boog plechtig voor Aiken en Mercy. 'Dit wordt onze eerste officiële demonstratie van de bemande vechtvliegers, Aiken-sama. De eerste keer dat we een luchtgevecht werkelijk gaan uitproberen.' Hij stak de koning een soort houten lans toe. 'Vilkas en ik zullen proberen elkaar uit de lucht te halen met deze naginata, gekromde messen die aan het uiteinde van deze speren zijn gemonteerd. We zullen elkaar natuurlijk niet van man tot man bevechten. De tegenstander en het stoeltje waarin hij zit, mag niet worden aangeraakt. Maar alle lijnen, inclusief de stuurlijnen en de grote vlieglijn, het bamboegeraamte en het papier van de vlieger zelf zijn toegestane doelwitten.'

'Het klinkt nogal gevaarlijk voor jullie,' zei Mercy warm. De jonge Olone, die de kleine Agraynel had verzorgd toen Mercy afwezig was, stond pal achter de troon en hield de kleine vast. Mercy stak haar armen naar het kind uit en koesterde het terwijl Yosh zijn uitleg vervolgde.

'Omdat we zonder vangnetten werken, zou het spel voor Vilkas en mij al snel te gevaarlijk worden. Wij brengen dat risico een eind terug door PK-adepten te gebruiken die kunnen ingrijpen.' De Japanse technicus maakte een hoffelijke buiging voor een deftig uitziend heer met een gouden halsring die naast Olone stond. 'Heer Sullivan-Tonn is zo vriendelijk geweest om ons bij de repetities te helpen. Hij gaat ermee akkoord om tijdens deze wedstrijd de coach van Vilkas te zijn.'

Aiken keek Sullivan aandachtig aan. 'Is dat lastig om te leren?'

De wat pompeuze kleine psychokineticus stak beiden handen in een verontschuldigend gebaar omhoog. 'Ik vond het in feite nogal eenvoudig.' Zijn stem klonk geaffecteerd.

'En hoe spelen jullie het?' vroeg Aiken aan Yosh.
'De coach geeft de telepathische aanwijzingen, niet alleen aan de strijder in de vlieger maar ook aan de bemanning op de grond. Hij is de tacticus. Hij mag PK-wind gebruiken, maar enkel voor zijn eigen vlieger. Gebruikt hij die ook om de tegenstander weg te blazen, dan volgt diskwalificatie. Door die maatregel wordt spelen met de wind in belangrijke mate beperkt tot die momenten in de strijd wanneer beide vliegers redelijk ver van elkaar verwijderd zijn, tenzij de PK heel subtiel wordt toegepast. In de meeste situaties is het werken met de grondbemanning waarschijnlijk effectiever. Wanneer een strijder, wiens lijnen allemaal zijn doorgesneden, naar beneden valt, is het de plicht van de coach hem te helpen voor hij de grond raakt. Dat is ook de reden waarom alleen echt goede psychokinetici aan dit spel mogen meedoen.'
Aiken knikte. Zijn glimlach zag er nog wat flets uit, de ogen stonden brandend in zijn hoofd. Hij droeg goudkleurige jeans en een zwart hemd dat bij de hals openstond. 'Dus Sullivan stuurt de vlieger van jouw ichiban vandaag? En wie doet de jouwe, Yosh?'
'Ik hoopte dat jij me die eer zou doen, Aiken-sama.'
'Oh ja, alsjeblieft,' kweelde Olone. 'Ik weet zeker dat je zou winnen.'
Het gezicht van Sullivan werd doodsbleek toen zijn jonge vrouw zich zo weinig loyaal betoonde. Toen zei hij: 'Ja, mijn Koning, bestuur de tweede vlieger.'
'Ik voel me nog steeds niet honderd procent,' waarschuwde Aiken.
Yosh zei: 'Je zou niet de hele o-dako in de lucht hoeven te houden als ik naar beneden val, Aiken-sama. Alleen mijzelf. En ik weeg maar vierenzestig kilo, met wapenrusting en al.'
Met zichtbare inspanning dwong Aiken zichzelf tot opgewektheid. 'Allemachtig, dat moet ik toch nog kunnen. Je hebt een geweldig stuk werk gedaan, Yosh. Ga maar door. O-tanoshimi nasai, kerel van me!'
Yosh grijnslachte. 'Reken maar, baas.' Hij haastte zich weg om met Vilkas de laatste voorbereidingen te treffen. Aiken zakte weer achterover in zijn ligstoel en keek naar de zich nu overal reppende bemanningen. Zijn geest was afgesloten. Het werd heter toen de zon onder de rand van het baldakijn begon door te schijnen. Sullivan en Olone praatten over niets bijzonders, de baby zeurde en wilde niets weten van Mercy's pogingen om haar te liefkozen en op te vrolijken.
'Zie je niet dat het kind honger heeft, Mercy?' zei Aiken ten slotte. 'Laat Olone haar voeden, dan komt er een eind aan dat verdomde gezeur.'
'Ach, die arme kleine,' riep Olone uit. Ze nam het kind begerig over en haalde een van haar langwerpige borsten te voorschijn uit haar

hemelsblauwe japon van chiffon. 'Heb je zo'n honger, kleintje van me? Kom maar bij me.' De baby begon verwoed te drinken. Het irritante telepathische geblaat maakte plaats voor uitstralingen van pure verrukking.
'Neem haar mee naar de andere kant van de tent waar het koeler is, kind,' zei Mercy tegen het meisje.
'Natuurlijk, mijn Koningin. Zal ik haar terugbrengen als ze klaar is?'
De uitdrukking op Mercy's gezicht was afstandelijk, bijna afwijzend. 'Ga met haar naar een rustig hoekje en zing wat voor haar, Olone. Ik ben bang dat deze drukte te veel is voor de kleine. Het was zelfzuchtig van me om haar vandaag mee naar het strand te nemen . . . maar ik wilde haar zo graag in mijn buurt hebben.'
Olone maakte een haastige buiging en snelde weg alsof ze bang was dat Mercy alsnog van gedachten zou veranderen.
'Mijn vrouw houdt van Agraynel alsof het haar eigen kind was, mijn Koningin,' merkte Sullivan op.
'Ik weet het. En ik ben dankbaarder dan ik je zeggen kan voor de manier waarop ze het kind heeft verzorgd terwijl ik . . . zoek was. Ik denk dat het mijn onbewuste zorg voor Agraynel is geweest die mijn geheugenverlies ten slotte heeft doen overgaan terwijl ik rondzwierf door de wildernis van Koneyn.'
Aiken liet een zacht gegiechel horen. 'Het was in elk geval geen onbewuste zorgzaamheid voor MIJ!' Hij wendde voor enkel aandacht te hebben voor wat er op het strand gebeurde. De verhoging was onder de twee grote vliegers vandaan gesleept, die nu overeind werden gehouden door stevige ankerlijnen waaraan zwetende mannen stonden. De vlieger van Sullivan was overwegend rood met goud en droeg de afbeelding van een Japanse krijger met een fantastische helm tegen een achtergrond van kersebloesems. De vlieger van Aiken was grimmiger, een mengeling van blauwe kleuren, een tsunami golf à la Hokusai, elegant bevroren terwijl hij brak op een rotsig eiland.
Sullivan deed een dappere poging om wellevend te blijven. 'Niemand was meer verbaasd dan ik, Grote Koningin, toen Olone zich vrijwillig aanbood om het kind te voeden nadat iedereen ervan overtuigd was dat u was verdwenen. Ik had me niet gerealiseerd dat zoiets mogelijk was voor een vrouw die zelf nog geen kinderen ter wereld had gebracht. De Tanu zijn werkelijk een merkwaardig ras. Zo menselijk en tegelijk zo volkomen verschillend! De uitzonderlijke borsten van hun vrouwen vinden merkwaardig genoeg hun weerspiegeling in een deel van de oude Europese folklore, moet u weten. Het Elfenvolk van Skorgrå in Scandinavië, de Feeën van Frankrijk, de Germaanse Nixen, de Aguane uit de Italiaanse Alpen, de Giane uit Sardinië . . .'
'Allemaal elfenvrouwen met langwerpige borsten, ik weet het,' zei

Mercy vriendelijk. 'Maar er is niets mysterieus aan de melk, mijn beste Tonn. Wanneer een vrouw dat werkelijk wil en er diep genoeg naar verlangt, dan kan op die manier het benodigde hormoon worden opgewekt en daarna vullen de borsten zich vanzelf, ook wanneer ze zelf geen kinderen heeft. In dat opzicht zijn mensenvrouwen en Tanu hetzelfde. Het tedere verlangen om te willen voeden is al wat nodig is.'
Aiken viel haar wrang in de rede. 'Vergeet niet dat het omgekeerde ook waar is. Agraynel en ik hebben geluk gehad.'
Sullivans gezicht vlamde rood op. Hij kwam overeind en deinsde achteruit, weg van de koninklijke stoelen. Zijn slecht afgeschermde geest liet allerlei gevoelens doorlekken, variërend van zinloze woede tot diepe vernedering.
Mercy's droevige ogen zagen nu alleen Aiken. 'Ja, de mijne zijn nu opgedroogd, dat is waar. Ik heb het heel moeilijk gehad en nu kan ik mijn arme dochter niet meer het leven schenken dat ze nodig heeft. Wat ik *jou* te geven heb, weten we beiden. Aanvaard dat dus.'
'Ik ga . . . ik ga naar het strand!' mompelde Sullivan. 'Ik moet de vlieger in de gaten houden. Excuseer me . . . excuseer me . . .' En hij nam de vlucht, zijn roze met gouden kaftan fladderde en bolde op in de hete wind.
'Dat was onbeschoft van je om hem zo in zijn gezicht te beledigen,' zei Mercy tegen Aiken. 'En onnodig. Hij weet best wat er aan de hand is.'
'Het is een lul. Een impotente lul.' Aiken had zijn ogen gesloten. Zweet deed zijn donkerrode haar op zijn voorhoofd plakken. 'Hij zou me binnen vijftien seconden aan een nieuwkomer verraden als hij dacht daardoor beter af te zijn. En jij was weg . . .' Zijn hologige blik richtte zich op haar. 'Ze vertelden me dat je dood was, Mercy.'
'Is het waar dat je hebt gehuild boven mijn zilveren helm?' De licht spottende toon was bedrieglijk.
De kleine man draaide zich om. 'Oh ja,' gaf hij toe. 'De hele lange weg naar Goriah terwijl ik in mijn cabine lag om mijn kapotte kop te koesteren, hield ik het ding bij me. Mijn laatste herinnering aan jou. Het rook nog naar jouw parfun hoewel het toch in de rivier kopje-onder was gegaan. Reken maar dat ik huilde! Hoewel ik natuurlijk wist dat je nog leefde.'
'Aha.'
'Ik had niet gedacht dat je hem zou verlaten. Dat was zijn idee zeker?'
Beneden op het strand klonk een kreet uit vele kelen, bevestigd door een telepathische uitroep. *Hij gaat omhoog!* De Tanu-edelen in het paviljoen haastten zich naar buiten om een beter uitzicht te krijgen terwijl de rode strijdvlieger langzaam in de van hitte flikke-

rende hemel omhoogsteeg, de menselijke lading er als een dansende staart onderaan. Een paar ogenblikken later was ook de blauwe vlieger in de lucht. De stem van Yosh bereikte telepathisch de koning.
Ga je gang wanneer je maar wilt, baas!
Het gevecht begon. De grote vliegers leken eerst naar elkaar te buigen en maakten toen een duikvlucht voor de eerste ontmoeting. De zilveren naginata flitsten in de zon. De bemanningen op de grond rukten aan de polsdikke vlieglijnen nu eens naar de ene en dan weer naar de andere kant, terwijl de mannen aan de lieren de vlieglijn innamen of juist lieten vieren.
Aiken kneep zijn ogen halfdicht om beter te kunnen zien. Tegelijk zei hij tegen Mercy: 'Je moet zeker dicht in mijn buurt blijven en hem rapport uitbrengen, neem ik aan. Hij kan op geen enkele andere manier voorbij de afweersystemen komen die ik gebruik.'
Ze leunde achterover tegen de kussens, onbereikbaar. Haar kastanjekleurige haren golfden rijkelijk over haar gebruinde schouders, een warm contrast met haar jadekleurige japon. 'Ik moet bij je blijven zolang als jij dat wilt. Wil je dat? Of wil je dat ik ga?
De blauwe vlieger, die een dozijn meter boven de rode hing, dook ineens naar beneden. Het zonlicht reflecteerde op het wapen van Yosh dat een van Vilkas' stuurlijnen doorsneed. De rode vlieger trok zich terug terwijl de vlieglijn verder werd gevierd.
'Je bent weer bang voor me,' zei Aiken. 'En dat maakt je heet! Je zult heus niet gaan. Je geilt op me zoals je dat deed na de dans rond de Meiboom. Ik geef je meer dan hij ooit zou kunnen. Ik houd meer van je dan hij. Geef dat maar toe.'
De rode vlieger danste op en neer als aan een waanzinnige slingerklok terwijl hij probeerde de snelle steken van de blauwe aanvaller te ontlopen. Vilkas slaagde erin een paar secundaire lijnen van Yosh' vlieger door te snijden, maar dat had weinig invloed. De Japanner concentreerde zich enkel op de rechterzijde van de vlieger van zijn tegenstander en gaf grote, verticale sneden in het papier dat de vlieger bedekte, tot het geschilderde gezicht van de samurai veranderd was in waaierende rafels. De rode vlieger zonk steeds lager, ondanks het feit dat beneden de vlieglijn verwoed werd ingehaald. Vilkas' bengelende voeten raakten bijna de toppen van een paar spichtige bomen die op de top van een groot duin stonden.
Aikens gezicht was bevroren in een stijve glimlach. Hij keek Mercy niet aan, maar haar gezicht stond levensgroot in zijn geest en zij wist het. Hij zei: 'Nodonn is op dit moment bezig alle medestanders te verzamelen die hij in Afaliah bijeen kan brengen. Hij roept al de reactionairen en heethoofden bij elkaar die niets van mensen moeten hebben. Rondom zijn ouwe blazoen met de zonnekop. Hoeveel ridders denk je dat hij bij elkaar kan krijgen? Een paar

honderd? En hoeveel daarvan beschikken over bruikbare vermogens? Hijzelf natuurlijk, zijn broer Kuhal, Celo en misschien die ouwe gek uit Tarasiah, Thufan Donderscheet. Denkt hij echt dat ie een kans heeft mij met dat zootje te verslaan? Of is hij van plan tijdens het Toernooi te voorschijn te komen en mij persoonlijk uit te dagen alsof het koningschap over het Veelkleurig Land zoiets was als het baantje van dorpsoudste waar tussen neus en lippen door even over beslist wordt?'
De toeschouwers juichten oorverdovend. De rode vlieger wankelde, de onderste delen werden achterwaarts en omlaaggezogen nadat Yosh een paar van de laatste belangrijke stuurlijnen had doorgesneden. Daarna begon het omlaag te tuimelen. Vilkas liet zijn naginata vallen terwijl hij zich bleef vastklemmen aan de restanten van zijn stoeltje. Ondertussen viel hij in de richting van het druk bevolkte strand terwijl de fladderende vlieger tegen hem aansloeg als een dolgeworden affiche in de greep van een orkaan. De wanhopige mentale schreeuw van Vilkas, uitgezonden via zijn grijze halsring, drong nu door tot de geesten van Aiken en Mercy. De menigte beneden vluchtte alle kanten uit, de bemanningen lieten hun lijnen in de steek.
'Die *verdomde* Sullivan!' tierde de koning. Hij greep de rotan armleuningen van zijn zetel, wrong zijn ogen dicht in een grimas en reikte naar buiten met zijn PK. Vilkas, nu helemaal verward in de resten van zijn vlieger, was op het punt tegen het harde natte zand te pletter te slaan. De vlieger van Yosh was nu niet meer onder controle en ging heen en weer zwaaiend in de richting van de zee. Aiken gromde.
Vilkas zwaaide in zijn stoeltje heen en weer, ineens buiten het bereik van de te pletter slaande rode vlieger. Seconden later kwam hijzelf zachtjes op de grond terecht. De blauwe vlieger, gehoorzamend aan een stoot onverwachtse psychische wind, herstelde zich van zijn negatieve koers en steeg hoog op tot de limiet van zijn vlieglijn bereikt was. De werkers aan de lier die hun machine hadden laten aflopen, krabbelden snel terug om het mechanisme weer te laten werken en een ordelijke landing mogelijk te maken. De mensen van de bemanningen beneden begonnen opgelucht te schreeuwen en ook de edelen die de hele gebeurtenis vanaf een gunstig plekje op een duin hadden gadegeslagen, lieten zich niet onbetuigd. Ergens vandaan kwam een nauwelijks hoorbare mentale verontschuldiging van Sullivan-Tonn naar Aiken.
Mercy moest naar Aiken toe, volkomen verrast over de inspanning die het hem blijkbaar had gekost. Ze nam een zijden zakdoekje uit haar mouw en veegde zijn kletsnatte gezicht en voorhoofd af. Toen zijn verkrampte ademhaling weer wat normaler werd en zijn hoofd achterover tegen de stoel rustte, zei ze: 'Dat wist ik niet. Heeft Felice dat gedaan?'

'Wie anders?' Hij keek haar door van pijn tot spleetjes vertrokken ogen aan. 'Wel, *nu* weet je het. Zorg maar dat je hem het goede nieuws zo snel mogelijk vertelt! Maar herinner hem eraan dat de Speer nog uitstekend werkt en dat ik nog wat lekkers in de kelders heb verstopt om hem te verwelkomen wanneer hij mocht besluiten om ons onverwachts met een bezoek te vereren.'
Ze zei niets.
'Maar zeg hem dat hij niet te lang moet wachten,' voegde Aiken eraan toe. 'ik ben een rare jongen, Vrouwe Wildvuur. Iedere keer wanneer ik jou bezit, word ik een klein beetje beter. Olone heeft ook wat geholpen, maar jij bent echt mijn koninklijke remedie. Wanneer je blijft, kon je wel eens je eigen ondergang teweeg brengen. En de zijne.'
Haar vingers raakten de huid die strak over zijn jukbeenderen gespannen lag, de lange, goedgevormde neus, de dunne, nu bloedeloze lippen. Ze knielde op de kussens die naast zijn troonzetel lagen opgestapeld, legde haar koele handen over zijn ogen en kuste hem met tedere passie. Ze liet haar mentale afweerscherm zakken en toen zag hij hoe het kruid van de vrees zich onontwarbaar had vermengd met strijdlust. 'Amadán,' fluisterde ze, 'noodlottige Amadán van mijn ziel.'
'Maar nooit van je hart. Dat nooit.'
'Het is allemaal zoals het eerder was in het Meiwoud. Neem dus wat je nodig, hebt, Troonveroveraar, neem wat je wilt. Neem het zolang je nog kunt, want als ik weg ben gegaan, zul je geen ander meer vinden.'

5

Gedurende het laatste deel van de reis, toen hij halfdood was van honger en dorst en de eindeloos bonkende pas van het pakdier en het sadistische gewroet in zijn geest door zijn buitenaardse overweldigers, begon Tony Wayland te schreeuwen:
'Ik heb tegen jullie gelogen! Er zijn helemaal geen vliegende machines! Ik heb het allemaal verzonnen zodat jullie me niet zouden afslachten net als de anderen. Maar het was niet waar. Ik loog, dat zeg ik je! Dood me. Alsjeblieft, maak me dood.'
Vuur brandde achter zijn verblinde ogen. Het monster met het smeltende gezicht loerde erdoorheen en giechelde. 'Alles op zijn tijd, Mindere. Je was heel slim, of niet? En je denkt dat je dat nog steeds bent, door te liegen wanneer je zegt dat je liegt.' Het schepsel verkocht hem een verschrikkelijke neurale dreun waardoor de illusie van de vuurdraak uiteenspatte tot een zwerm kleine oranje wer-

velingen. 'Je zult de hele waarheid heus wel vertellen wanneer ik je voor onze koning en koningin breng, zowaar mijn naam Karbree de Worm is.' Het visioen werd weer wormachtig. Vreeswekkende kronkeldingen leken Tony's schedel binnen te dringen via zijn neusgaten. Hij stikte en krijste en beloofde dat hij zich gedragen zou tot hij bewusteloos raakte en droomde . . .
Rowane, zijn Huiler-bruidje, kwam om hem te troosten.
Soms was ze mooi en soms liet ze haar ware vorm zien met het ene oog zonder ooglid in het midden van haar voorhoofd, de schubben rond ellebogen en ruggegraat, de manen en de kleine haardos in de kleur van blauw vossebont.
'Oh, mijn Tonie,' zei ze. 'Wat hebben ze met je gedaan? Laat mij je helpen. Hier is water en voedsel. Hier is de zachte vrede van mijn armen en een liefhebbend oog om op je te letten, om je te beschermen tegen nog meer ongeluk.'
Dan voelde hij haar kus, verschrikkelijk en vasthoudend, haar omhelzing en de twee rijtjes kleine tanden die als natte paarlen waren en die hem nooit bedreigden, maar altijd liefde boden . . .
'Rowana, je bent weg!'
Hij kwam weer tot bewustzijn boven op het dravende lastdier. Hij was nog steeds blind, vastgebonden als een saucijsje, nog steeds op en neer hotsend over de eindeloos kronkelende bergwegen naar Hoog Vrazel.
'Rowane, mijn kleine dwergenbloem,' klaagde hij. 'Waarom heb ik je verlaten? Waarom?'
'We hebben een redelijk idee waarom, of niet jongens?' kwam de spottende stem van Karbree. De andere Firvulag in het gezelschap proestten en joelden en gilden het uit van obsceen leedvermaak.
'Je had meer knoflook en truffels moeten eten, slappe lul!'
'Of stoofpot van egeltjes!'
'Of alruinwortel! Er is nogal wat nodig om een vrouw van de Firvulag te bevredigen, zelfs eentje van haar soort!'
'Hé, is het waar wat ze zeggen over die sufkonten van Huilers?'
De vrolijke monsters gingen door met hun vulgaire gekakel, maar Tony hoorde het amper. Brandende tranen probeerden tevergeefs voorbij de klonten kleverige was te komen waarmee zijn ogen bedekt waren. Riemen van onbewerkt leer sneden in zijn enkels en armen. De draf van zijn rijdier ranselde zijn nieren. Gewoon maar bij bewustzijn te zijn was rauw en verwondend.
Rowane, die hij in de steek had gelaten, was ver weg in Lionel en huilde zich nu misschien het hart uit haar lijf in het huisje van hun wittebroodsweken aan het begin van de Vlasleeuwebeklaan, haar trouwe hartje gebroken. De arme Dougal, die zijn meester op diens vlucht met tegenzin had vergezeld, lag waarschijnlijk dood in de struiken op de plaats van de overval. De anderen die hij had verraden waren waarschijnlijk omgebracht, Orion Blauw, Jiro, Boris en

Karolina. Allemaal zijn slachtoffers! En wanneer hij ten slotte alles eruit gooide voor de monarchen van de Firvulag, wat zeker zou gebeuren als hij de rest van de reis overleefde, dan zou hij de dood brengen over al de anderen die nu nog in de Vallei der Hyena's aan de twee vliegmachines werkten.
'Ik ben verrot!' schreeuwde Tony Wayland. 'Verrot! Ik breng ongeluk! Mijn zilveren halsring, waarom moesten ze me die afnemen!' Zijn vastgebonden lichaam trok in woedende krampen samen zodat zelfs de makke hellad begon te bokken. Ten slotte moest Karbree de Worm hem hard in zijn hersenstam beuken om hem de vergetelheid te schenken die hij zocht.

Tony viel een klein eindje en kwam terecht in iets zachts, zaagsel of afgevallen bladeren of misschien schors die nog naar hars rook.
'Maak hem los. Haal de zegels van zijn ogen,' zei een vrouwenstem, scherp als een mes van vitredur. 'Knap hem een beetje op, dan brengen we hem naar binnen.'
Nadat zijn riemen waren doorgesneden, zakte Tony half verlamd in elkaar. Hij hoorde een van de eromheen staande monsters nog zeggen: 'Ja, Verschrikkelijke Skathe. Het zal gebeuren.'
Het voelde aan alsof een infrarode lamp op zijn gezicht scheen. De kleverige proppen was die in zijn oogkassen waren gewerkt, werden zachter. Klauwen krasten kortdurend langs zijn neus, toen kwam er een verschrikkelijke ruk. In één simpele beweging raakte hij al zijn wimpers kwijt en herkreeg hij zijn gezichtsvermogen. Zijn kreet klonk zo zwak dat die nauwelijks boven het tumult van stemmen dat hem omringde hoorbaar was.
'Water,' kreunde hij, terwijl hij met de achterkant van een vuile hand over zijn ogen wreef. De zon was oogverblindend. Tegen die gloed stond een dwerg afgetekend in een stoffige wapenrusting van obsidiaan, een die deel had uitgemaakt van de oorspronkelijke patrouille die hen had overvallen met naast hem een reusachtige Firvulag met een duidelijk veel hogere rang, wiens zwartglazen uitrusting bedekt was met ornamenten van goud en ingezet met grote karbonkels. Deze bezat ogen als twee langzaam dovende kolen vuur, dat was zonder twijfel de bron van de straling die had meegeholpen om zijn blinddoek te verwijderen.
'Geef hem iets te drinken,' zei de angstaanjagende verschijning. Tony constateerde met enige verbazing dat de reus een vrouw was. Iemand bracht een hoornen beker met koele vloeistof naar zijn lippen en daar dronk hij dankbaar van. Een tweede dwerg met een wasbekken en een doek spoelde zijn gezicht en handen af en begon daarna een ruwe massage van zijn tintelende benen om de circulatie weer op gang te brengen.
Tony keek om zich heen. Ze hadden hem laten vallen in een berg afval bij de deur van een soort stal. Daaraan grenzend lag een druk

bevolkt terrein dat een combinatie leek van een marktplaats in de openlucht en een handelsplaats voor ambachtslieden. Aan de rand van die ruimte rezen klippen en steilten omhoog die Tony aanvankelijk voor natuurlijke geologische formaties hield. Maar toen zag hij de talloze kleine vensters met openslaande ramen en boven elkaar geplaatste balkons en terrassen vol struikjes en bergbloemen, van waaruit de beter gesitueerde leden van het Kleine Volk hun broeders op de overvolle marktplaats beneden konden gadeslaan.

De dwergenmarkt bestond uit honderden vrolijke kramen met luifels en banieren vol ideogrammen en totemachtige versieringen. Verkopers verkochten voedsel en kleding, huishoudelijke artikelen, juwelen, tapijten, wapens, kruiden, roesmiddelen, parfums en medicijnen. Een grote groep had zich verzameld rondom een veiling van hipparions en bekeek de halftamme, dansende en springende kleine beesten met een mengeling van wantrouwen en nieuwsgierigheid. Een andere groep had zich verzameld voor een drukversierde tent die aan de zijkanten open was en wachtte op zijn beurt om naar binnen te kunnen gaan. Rondom de tent stond een erewacht van reuzen die standaarden droegen versierd met rijen goudvergulde schedels. De lucht weergalmde van het roepen der kooplui, het gelach en geschreeuw van de kopers en kijkers en de muziek van rondzwervende kaboutermuzikanten.

'Naar voren met hem,' zei de zwart bepantserde reuzin met de rode ogen.

Tony werd overeind gezet en stond te trillen en te knipogen. De bespikkelde herteleren kleding die hij als camouflage had uitgezocht toen hij uit Nionel ontsnapte, was bevlekt met bloed en een allegaartje van andere vlekken.

'Hij ziet er te goor uit om zo aan Hunne Hoogheden voor te stellen,' merkte een reuzin op. 'In Té's naam, zoek een of andere chalikodeken of een jas zodat hij er tenminste een beetje presentabel uitziet.'

'Direct, Grote Kapitein!' Een van de dwergen scharrelde weg en keerde terug met een redelijk schone poncho van groen leer. Die werd over Tony's hoofd getrokken waarna de Verschrikkelijke Skathe knikte en haar gevangene duidelijk maakte dat hij haar moest volgen. De twee dwergen, die zaagvormige hellebaarden droegen, kwamen hen achterna. Terwijl ze zich een weg door de menigte baanden, kwam Karbree de Worm weer te voorschijn en accepteerde het saluut van zijn kleine volgelingen. Hij had zich voor de koninklijke ontvangst opgeknapt en zijn eenvoudige gevechtstenue vervangen door een paradepantser dat bijna even mooi was als dat van Skathe.

'Goeie vangst, Worm,' merkte zij bij wijze van begroeting op. 'Zijn geest lekt als een vergiet. Té mag weten wat Hunne Hoogheden met

zijn informatie moeten beginnen, maar vermakelijk als de hel is het wel.'
'Die Minderen zitten altijd vol verrassingen,' zei Karbree joviaal. 'Dom geluk dat we over hem en zijn bewakers struikelden aan de bovenloop van de Seekol. Normaal gesproken komen we daar nog op geen twintig mijl afstand in de buurt. We nemen meestal de hoofdroute langs de Pliktol. Maar iemand van onze jongens had iets gehoord over een geheime plaats waar zwammen zouden groeien als vlooien op een beerhond, zelfs in hoogzomer, dus maakten we een omweg. Natuurlijk vonden we geen paddestoelen.'
Ze kwamen bij de menigte die de koninklijke tent omringde. Een van de dwergen baande zich een weg met de stompe kant van zijn hellebaard, schreeuwend van jewelste. 'Opzij, verdomme! Maak plaats voor de Grote Kapitein en de Held Karbree de Worm!'
Het gewone volk week grijnzend en druk pratend achteruit. Enkelen trokken lelijke gezichten naar Tony of probeerden op zijn tenen te trappen terwijl hij verder schuifelde. Toen waren ze binnen het grote paviljoen dat vol was met edelen van de Firvulag, sommigen volledig bewapend, anderen losjes uitgerust. Toen het rumoer uit die menigte wat bedaarde, kon Tony een hele rij suppoosten horen die hen aankondigde. Een angstaanjagende wildeman, die door Skathe liefdevol met Medor werd aangesproken, kwam hen halen en zei: 'De ambachtslui brengen op dit moment de Zingende Steen naar binnen. Je kunt direct daarna aan de beurt zijn. Kom mee, dan zorg ik dat je vooraan komt. Zoiets heb ik nog nooit gezien.'
Een dwerg duwde Tony verder en dus volgde hij Karbree naar de rand van een ruimte die met rode en gouden koorden was afgezet. Koning Sharn en koningin Ayfa zaten op een kleine verhoging aan een kant ervan, geflankeerd door dragers van hun standaarden. Ze droegen luchtige kleren in blauw en groen, met zilveren strepen en identieke diademen van zilver. Kabouterachtige pages draafden af en aan met schalen fruit en zoetigheden, bier en schenkkannen in emmertjes sneeuw en kleine geschenken van hen die gunsten wilden. Aan de linkerkant van de monarchen zaten de koninklijke schrijvers, druk in de weer met het accepteren van verzoekschriften, klachten, voorstellen en aanklachten.
'Moge het de Hoge Koning, de Hoge Koningin en de Hoge Raad van de Firvulag genoegen doen,' kondigde de voornaamste kamerheer aan. 'Het Gilde van de Edelsteenbewerkers, met als president de Eerwaarde Yuchor Secuurklauw, brengt hier de nieuwe Grote Trofee in de hoop op instemming en acceptatie door het volk van de Firvulag.'
De menigte hield van verbazing de adem in. Tien leden van het Kleine Volk met de attributen van hun Gilde en aangevoerd door hun president, brachten met moeite een verrijdbaar onderstel naar de tronen waarop de Zingende Steen rustte. Het was een enorme

beril, doorzichtig blauwgroen met een zwakke kern van pulserend licht. Deze had de vorm gekregen van een veldstoel van het type dat door leden van de koninklijke families van Firvulag en Tanu werd gebruikt wanneer ze hun accolade schonken aan helden tijdens het heetst van de strijd gedurende de Grote Veldslag. In doorsnede had het een flauwe U-vorm, zonder rug maar met gekrulde armleuningen. De poten en de hoeken waren gesneden in de vorm van heraldische gevleugde schepsels met vaag reptielachtige vormen, de gevleugelde draken van het oude Duat. Heel het beeldhouwwerk werd geaccentueerd door en was licht ingelegd met een kostbare platina-rhodiumlegering. Een groen kussen van zijde met kwastjes en brokaat, vervaardigd van dezelfde materialen, lag op de zitting.
'Deze Grote Trofee,' ging de heraut verder, 'zal het symbool zijn van het Nieuwe Tijdperk van Antagonisme tussen het Kleine Volk van het Veelkleurig Land en hun verachtelijke Aartsvijanden tot in lengte van tijden!'
Een hevig rumoer brak los, toejuichingen en strijdkreten, hartgrondige vervloekingen en verward geschreeuw. 'Dood aan alle Tanu!' en 'Ylahayll Aiken-Lugonn!'
De koning en de koningin hieven hun armen om tot stilte te manen zodat de heraut zijn aankondiging kon voltooien.
'Deze Zingende Steen zal worden toegekend aan de strijdcompagnie die als overwinnaar te voorschijn komt in de strijd die dit jaar gehouden zal worden op het traditionele Veld van Goud der Firvulag. Hij is zo vervaardigd dat hij lieflijk zingen zal met honderden stemmen, maar enkel wanneer de werkelijke Hoge Koning van het Veelkleurig Land erop plaats neemt. Zou een parvenu of een koning van minder allooi de Steen willen bestijgen, dan zal de dood en niet lieflijke muziek zijn deel zijn!'
Nogmaals steeg er een oorverdovend rumoer op vanuit de verzamelde edelen der Firvulag. Velen van hen lieten voor een ogenblik hun illusoire lichamen zien waardoor gloeiende groteske en nachtmerrie-achtige verschijningen te voorschijn kwamen te midden van de goedgeklede, kleurige reuzen en dwergen.
De president van het Gilde der Edelsteenbewerkers kwam nu naar de verhoging terwijl zijn ondergeschikten de trofee van het wagentje tilden.
'Hoge Koning, Hoge Koningin! Verenigde Soevereinen van Hoogten en Diepten! Monarchen van de infernale Oneindigheid, Vader en Moeder van alle Firvulag, onweersproken Heersers over deze Wereld, *manifesteert* u!'
Met een zwierig gebaar stapte de dwerg ter zijde en gebaarde naar de wachtende stoel. Sharn keek er bedenkelijk naar, maar bewoog zich niet.
'Weet je *zeker* dat dit ding goed is afgesteld?' vroeg Ayfa, terwijl ze

streng met een vinger naar de Eerwaarde Yuchor Secuurklauw wees.
De man van het Gilde rukte de muts van zijn hoofd en viel op zijn knieën. 'Oh ja, Hoge Koningin!'
'Na jou, schat,' zei Ayfa tegen haar echtgenoot. Sharn schreed majesteitelijk naar de Steen, nam een waardige houding aan toen hij ervoor stond en liet toen het koninklijke achterste zakken.
Acht muzieknoten schalden. Ze klonken als klokken van grote afmetingen die op de een of andere manier de boventonen van de buitenaardse stemmen in zich hadden opgenomen. Ze zwollen aan tot fysieke aanwezigheden, ze werden niet enkel gehoord maar ook gevoeld, elkaar weerspiegelend en versterkend met bewonderenswaardige muzikale vibraties. De acht muzieknoten leken een weerklank op te roepen uit de aarde zelf, uit de omringende rotsen van de berg, uit de bloedeigen botten van de toehoorders. Iedere herhaling van de muzikale frase klonk luider dan de voorgaande, glorieuzer, pijnlijker:

Bijkomend van zijn eerste verbazing, begon Tony Wayland te lachen. Het geluid ging verloren in het zingen van de Steen, maar koning Sharn merkte het toch. Hij stond op. De muziek verstierf in een weerkaatsend diminuendo, waardoor Tony's halfgekke gegiechel een vreemd contrapunt werd, totdat hij zich realiseerde dat al die buitenaardse geesten nu vol woede op hem gericht waren.
Zich verslikkend in de resten van zijn gelach, mompelde hij: 'Wel wat zal ik zeggen . . . het is . . . ik bedoel, het is . . .' Hij begon een liedje in dezelfde toonsoort te neuriën dat zich op een griezelige manier vermengde met het nog naklinkende Lied van de Steen. 'Het moet een grapje zijn . . . door die verdomde Denny Johnson of iemand anders. Weia! Waga! Woge du Welle, walle zur Wiege, wagala weia . . .'
Een spierwitte schorpioen zo hoog als een huis met lichtgevende ingewanden torende ineens boven Tony, Karbree, Skathe en de andere dwergen uit.
'*Kop dicht*!'
De Worm haalde de schouders op. 'Hoge Koning, het is maar een kleine leip die we onderweg hebben gevonden. Wacht tot u zijn verhaal hebt gehoord.'
Sharn draaide rond en nam zijn gewone vorm weer aan. Hij hief zijn armen en de woedende uitroepen die Tony's onverwachtse optreden hadden vergezeld, namen af. De koning zei: 'We danken

de trouwe leden van het Gilde der Edelsteenbewerkers en hun president, Yuchor Secuurklauw, voor een werk dat zo goed is verricht. Laat deze Zingende Steen nu naar de Koninklijke Schatkamers worden gebracht opdat hij veilig bewaard blijft tot aan de dag van het Grote Toernooi over tien weken.'
Applaus klaterde op. Ayfa kwam naar voren en boog zich fronsend over de in elkaar gedoken metallurg die nu stevig door dwergen werd vastgehouden. Bewakers hadden hun hellebaarden onder en langs zijn keel gekruist.
'Wie is dit miserabele kreng?' vroeg de koningin kortaf.
'Dat,' zei de koning, 'moesten we nu maar eens gaan uitvinden.'

Ik had haar onvoorstelbaar lief, maar ze was volstrekt niet te bevredigen (zei Tony Wayland) en ik wist dat ik eraan onderdoor zou gaan tenzij ik een rustpauze kreeg. Ik bedoel . . . als ik mijn zilveren halsring nog had gehad, zou het geen punt zijn geweest. Maar zonder dat, met een blote nek . . .
Hoe dan ook, ik kreeg mijn vriend Dougal te pakken die ook een bruid onder de Huilers had genomen tijdens het Grote Liefdesfeest. Het was hem aan te zien dat hij net als ik aan het einde van zijn krachten was en dus namen we op een donkere nacht de benen om te proberen naar Goriah en naar Aiken Drum te gaan. Jullie weten dat hij halsringen heeft beloofd aan iedereen die zich achter hem schaart . . . Weten jullie dat? . . . Heeft ie dat niet? Christus, je kan vandaag de dag ook niemand meer vertrouwen . . .
Ja. Nou goed, Dougal en ik besloten uit de buurt van de Nonol en de Pliktol te blijven, want rond die rivieren barst het van de Huilers. In plaats daarvan volgden we de Proto-Seine, jullie noemen die de Seekol. We wisten namelijk niks over die reusachtige hyena's, weet je.
We trokken een dag of twee voort, stroomopwaarts, totdat we in een stuk oerwoud kwamen waar haast geen doorkomen aan was. Toen vonden we die doodlopende vallei laat in de namiddag. Daar zagen we die kisten, ik bedoel, die vliegtuigen, op een open stuk grond met grote bomen. Godallemachtig, dat was een schok! Daar stonden die verdomde grote vogels op stelten onder de mammoetbomen met mensen die ermee bezig waren en er God weet wat mee deden. We bleven de hele rest van de middag in de struiken en daarna waren we van plan om de benen te nemen. Maar we zagen dat ze een van de kisten klaarmaakten om de lucht in te gaan en ik bedoel maar, zouden jullie op zo'n ogenblik zijn weggegaan? We bleven daar dus tot laat in de avond hangen. En ik mag verdomd zijn als het niet waar is, maar dat schip was een rhomachine, zo'n gravomagnetische toestand die eigenlijk op precies dezelfde principes werkt als die eivormige vliegtuigen uit het Bestel. Hoe die ongeluksdingen ooit in het Plioceen terecht zijn gekomen . . .

Oh? . . . Dezelfde die ze bij Finiah gebruikten? . . . Vervloekt!
Nou, hoe dan ook, we keken toe hoe er eentje de lucht inging en weer naar beneden kwam. Tegen die tijd was het donker, dus we moesten daar ons kamp opslaan. Toen kwam die meute hyena's en als Dougal niet zo mooi met zijn zwaard om zich heen had geslagen, dan zouden die krengen ons aan stukken hebben gescheurd. We maakten zo'n kabaal toen we die beesten op een afstand probeerden te houden, dat je er de doden mee wakker had kunnen maken. Dus kwamen er lui uit dat kamp van die Minderen en die hielpen ons om de laatste hyena's weg te krijgen.
Maar een van die kerels herkende me en toen zat ik mooi in de puree. In Finiah droeg ik namelijk een zilveren halsring. Toen de Minderen die stad overmeesterden en mij gevangen namen en die halsring afhakten, kon ik kiezen. Voor hen werken of mijn darmen eruit laten halen. Dus ik werkte mee en wachtte mijn tijd af en ging er met Dougal vandoor toen zich een goede kans voordeed. Ik was van plan naar Goriah te gaan en me bij Aiken Drum te voegen, maar Dougal en ik werden door de Huilers verrast en . . . ah, shit. Dat kan jullie niks schelen. Nou goed. Toen die man, Orion Blauw, me herkende en me een verrader noemde waren er een paar Minderen die me meteen ter plekke wilden ophangen. Dougal ook natuurlijk. Maar hun leider, een vent met een gouden halsring die Basil heette, zei dat we mee moesten worden genomen naar Verborgen Bron om daar berecht te worden door Commandant Burke.
Dus gingen we op weg. En we waren op pad met Blauw en die andere bewakers toen jullie bende ons in een hinderlaag liet lopen. De rest weten jullie. Toen ik zag hoe die arme ouwe Dougal onderuit ging en de rest van de Minderen in mootjes werd gesneden, vond ik het tijd worden om voorzichtig te zijn. Dus schreeuwde ik luidkeels wat over dat vliegtuig. En die knaap van jullie, dat Wormgezicht, besloot me hierheen te brengen om jullie een bezoek te brengen. Helemaal onder de indruk, neem ik aan.
Nou, rooster nou m'n hersens maar en wees vervloekt.
Watte? . . . Ja, er waren maar twee vliegtuigen. We zagen er ééntje in werking. Maar die andere had verbrande vegetatie rondom de landingspoten, dus ik wil maar zeggen. Het zag er niet kapot uit. Mensen waren ermee bezig. Ze sleepten er uitrusting in en uit terwijl wij keken.
Hoeveel? Nou ja, we hebben ze toen natuurlijk niet precies geteld. Laat me es denken. Toch zeker wel vijfendertig man, misschien meer . . . Reken maar dat er bewakers waren! Sommigen bewapend met ijzeren speren en pijlen en een of ander groot zwart wijf met een verdover nota bene . . . natuurlijk hadden ze het niet over hun plannen met die vliegtuigen waar ik bijstond! Ik ben een smerige verrader, weet je wel? Tony de draaikont! Ik verraadde eerst de Tanu door voor het leven te kiezen terwijl ik de Minderen hun gang

liet gaan om mij die halsring af te hakken. Daarna verraadde ik de Minderen door uit de IJzeren Dorpen de benen te nemen. Daarna verraadde ik de Huilers door mijn vrouw in de steek te laten. En als jullie me hier maar lang genoeg in de buurt houden, zal ik voor *jullie* ook mijn best doen! Walala weiala weia! . . .

'Wat denk jij van zijn verhaal?' vroeg Ayfa aan Sharn nadat ze Tony hadden weggebracht.
'We weten dat er een expeditie naar het oosten is gegaan, naar het Scheepsgraf. Nu weten we ook dat die dus succes had.'
'Wat gaan we daaraan doen, Hoge Koning?' vroeg Skathe. 'Er kan nu geen sprake meer zijn van een bondgenootschap tussen Firvulag en Minderen in de Oorlog der Schemering. De mensen zullen die vliegmachines ook tegen ons gebruiken.'
De koning en de koningin zaten aan een kleine tafel met Skathe en de veteraan Medor. Ze hadden zich voor de ondervraging van Tony teruggetrokken in een met gordijnen afgesloten deel van de koninklijke tent en dronken nu gekoeld bier uit grote glazen bekers.
Sharn zei: 'Ik moet jullie aandacht vestigen op het feit dat de Vallei van de Hyena's verdraaid dicht bij Nionel in de buurt ligt.'
'Denk je dat de Huilers heimelijk bij die vliegtuigen betrokken zijn?' Medor veegde het schuim van zijn gesleten bovenlip.
'Daar kun je zeker van zijn,' zei de Firvulag-koning.
'We waren al bang voor zoiets,' zei Ayfa somber, 'na die zaak met die bruiden. Fitharn heeft dat onderzocht terwijl hij op zijn diplomatieke missie in Nionel was. Zijn volledige rapport is morgen klaar om aan de Hoge Raad van de Firvulag te worden voorgelegd. Sugoll doet nog steeds alsof hij trouw is aan Hoog Vrazel. Zijn mensen werken als bevers zo hard om het Veld van Goud tiptop in orde te krijgen voor het Grote Toernooi. Maar wat samenwerking betreft in de Oorlog der Schemering, vergeet het maar. Al de Huilers hebben hun lot verbonden aan dat van de mensen en daar zullen we het mee moeten doen.'
'Toch zullen we iets aan die vliegmachines moeten doen,' hield Skathe vol. 'Maar dat zal niet meevallen. Je hoorde wat die hufter zei . . . de Minderen bewaken die vliegtuigen met ijzer.'
'En als we er nu met een flinke macht naar toe gaan, verraden we Sugoll te vroeg wat we van plan zijn. En Aiken Drum.'
'Naai zijn oren,' gromde Skathe. 'Konden we die vliegmachines zelf maar gebruiken!'
Medor lachte treurig. 'Geen schijn van kans! We hebben nog maar een handjevol Eerstkomers over die zich de evacuatie uit Breedes Schip uit eigen ervaring herinneren. En ik denk niet dat er eentje onder hen is die een energiegeleider van een chip kan onderscheiden. Té weet dat ik het niet eens weet en van de hele Hoge Raad lijk

ik nog het meest op een technicus . . . Nee . . . die dingen zijn voor ons van geen waarde.'
'Misschien niet,' zei Sharn. Een glimlach begon zich langzaam rondom zijn brede mond te plooien. 'Maar bekijk het eens zo: Wij hebben gejammerd over het feit dat het leiderschap van de Aartsvijand in handen is gekomen van een miserabel mens. En die heeft zich daar in Goriah stevig genesteld, al zouden Celo en Nodonn daar nog zo graag verandering in brengen. Ze krijgen Aiken nooit uit dat Glazen Kasteel met een paar honderd ridders. Zelfs niet als ze het heilige Zwaard gebruiken.'
'*Ons* Zwaard!' zei Medor met verstikte stem.
'Wie weet dat beter dan ik?' schreeuwde Sharn. 'Mijn grootvaders grootvader hanteerde het in de eerste Grote Beproeving bij het Scheepsgraf! En wanneer de Oorlog der Schemering over ons komt, dan zal *ik* het voeren . . . als een bepaald idee dat net bij mij op is gekomen, tenminste vrucht draagt.'
'Ik denk dat ik het begrijp,' riep Ayfa uit. 'En Nodonn is betrouwbaar, ook al is hij dan de Prins van de Lullen. Als hij iets heeft beloofd, houdt hij zijn woord.'
'Wie?' wilde Skathe weten. 'Wat? *Hoe*?'
Sharn legde het uit. 'We vertellen Nodonn over die twee vliegtuigen. Je weet dat onze Aartsvijand nog een zekere technische kennis heeft bewaard. Celadeyr van Afaliah en Thufan Donderhoofd zijn allebei scheppers, allebei tevens Eerstkomers. Wat ligt er meer voor de hand dan dat zij tenminste enige kennis bezitten over deze vliegende machines? In de bibliotheken van hun steden desnoods.'
Medor onderbrak opgewonden: 'En als de Tanu kans zien er met die machines vandoor te gaan, dan zijn ze voor ons niet langer een bedreiging! Nodonn zou ze nooit in de Oorlog der Schemering gebruiken. Daarvoor is hij te ridderlijk.'
'Maar hij zou ze tegen Aiken Drum wel gebruiken,' zei de koningin.
Medor leunde achterover in zijn stoel en lachte zich de longen uit zijn lijf. 'Nodonn brandt Aiken tot stof vanuit de lucht met een veredelde Vliegende Jacht nog voor het Grote Toernooi zelfs maar kan beginnen! Hij neemt de macht als Koning van de Tanu over! Geweldig! En in ruil voor onze hulp . . .'
'Geeft hij mij het Zwaard,' zei Sharn. 'Zodra hij Goriah heeft veroverd. Hij zal ervoor moeten zorgen dat hij zijn eigen Speer onbeschadigd uit handen van de overheerser krijgt.'
Het gezicht van Skathe de reuzin was verwrongen van bewondering. 'Hoge Koning, jouw wijsheid gaat alle maat te boven!'
Sharn dronk een beetje bier. 'Oh, dat weet ik niet.' Hij knipoogde naar Ayfa. 'Maar misschien krijg ik zo af en toe een echt goede ingeving . . .'

'Wanneer wil je met Nodonn contact zoeken,' wilde Medor weten.
Het gezicht van de koning werd ernstig. 'Ik zal Nodonn nog vanavond zien te bereiken. Ik leg alles aan hem voor. En hij zal het accepteren, daar verwed ik mijn troon onder. Wanneer ik morgen de Hoge Raad toespreek, is de hele overeenkomst misschien al uitgewerkt.'
Medor kwam overeind om te vertrekken. 'Moet ik Karbree zeggen dat hij die kerel opruimt?'
Skathe keek nadenkend. 'Geef hem voor een tijdje aan mij.' Ze lachte bij het zien van de twijfelachtige uitdrukkingen op de gezichten van de anderen. 'Jullie kennen me, traditioneel in hart en ziel. Afgezien daarvan, het is misschien geen gek idee om de hele zaak grondiger uit te zoeken en uit te vinden of die Huilers echt wat van plan zijn.'
Sharn en Ayfa en Medor keken geshockeerd.
'Nou ja, je weet het nooit tot je het hebt geprobeerd,' zei de reuzin op redelijke toon.

6

De dageraad was bijna aangebroken in Afaliah en de eerste euforie die het gevolg was van de ontmoeting met de Firvulag-koning begon weg te ebben.
Nodonn, zijn broeder Kuhal en Celadeyr zaten in de volkomen overhoop gehaalde bibliotheek van de citadel en dronken met cognac aangelengde koffie. De vloer was bezaaid met opzij gegooide AV-opslagkristallen, het gevolg van een verwoede en bijna maniakale speurtocht naar prisma's die gegevens en vlieginstructies bevatten voor de antieke vliegende machines. Die waren ten slotte gevonden in een kast waar ze niet hoorden en nu was Celadeyr bezig de visuele weergaven ervan op de grote monitor zichtbaar te maken terwijl de beide anderen mogelijke actieplannen bespraken.
'Moet je eens zien,' zei Celo, terwijl hij een detail uit de afbeelding van een diagram vergrootte. 'Ik vergat helemaal die grote laadruimte achter in het staartstuk. Als je ze echt een beetje dicht op elkaar schuift, kunnen daar misschien wel tweehonderd ridders in. Op die manier kun je vierhonderd eersteklas vechters meenemen voor je invasie van Goriah. Dat aantal hebben we, en zelfs meer dan dat tegen de tijd dat Thufan met zijn Jacht overmorgen uit Tarasiah hier komt.'
'Het is Tana's goede geluk dat die ouwe Donderhoofd die machi-

nes vliegen kan,' zei Nodonn. 'Maar jij, Celo . . .'
'Ik heb zes uur instructie gehad op Duat!' bulderde de veteraan. 'Meer dan iemand anders.'
'Maar duizend jaar geleden,' zei Kuhal zo neutraal mogelijk.
'De vlieghandleiding is doodsimpel,' zei Celo kwaad. 'Er is geen ingewikkeld gestuur voor nodig. We hoeven het ding alleen maar in de zweefstand te zetten, goed afgeschermd en onzichtbaar, en dan nemen we die kleine gouden bastaard van dichtbij met het Zwaard onder vuur. Dat sigmaveld zal hem niet helpen als we de bodem onder zijn reet wegbranden!'
'En toch,' zei Kuhal, 'zou het misschien beter zijn als een van de jongere scheppers . . .'
'We hebben geen tijd om een ander van het begin af alles te leren,' hield Celo vol. 'Ik kan het, verdomme! Stop me vol met calciumpagamaat en laat Boduragol me kort onder handen nemen om die oude stuurreflexen weer op te poetsen en dan vlieg ik als een fruitvliegje in de paartijd! Ouwe Donderscheet kan me controleren voor we de Vallei der Hyena's uitvliegen.'
'*Als* we dat doen,' zei Nodonn, diep fronsend terwijl hij nog meer cognac in zijn beker goot. 'Ik denk dat het onderscheppen van die vliegtuigen het meest kritieke punt van de hele onderneming is. Er met die vliegmachines vandoor gaan zonder dat Aiken er de lucht van krijgt.'
'De spionnen van dat jong zijn overal,' zei Celo.
'En Sharn heeft me verteld dat de leider van de technici bij het vliegtuig een gouden halsring draagt. Het ligt nogal voor de hand dat de Minderen liever Aiken Drum over het Veelkleurig Land zien regeren dan mij, dus als we die mensen in de Vallei der Hyena's niet met de grootste omzichtigheid overvallen, dan zouden ze Aiken wel eens kunnen waarschuwen. Daardoor zou het verrassingselement van onze aanval op Goriah verloren gaan. En dat zou fataal voor ons kunnen zijn.'
'We zullen ze trakteren op een Vliegende Jacht,' zei Celo trots. 'We moorden dat hele nest uit, precies als in de goeie ouwe tijd!'
Het lachen van Apollo klonk droevig. 'Ik ben niet meer de Strijdmeester die ik in die gouden tijd was en die mensen zijn niet langer de laffe prooi van weleer. Ze zijn goed bewapend en er kunnen er wel veertig of meer zijn die de vliegtuigen bewaken. Niemand mag de kans krijgen om te ontsnappen, zelfs niet om alarm te slaan. Zelfs als ik nu nog het vermogen bezat om een compleet Jachtgezelschap helemaal van Koneyn naar de Hercyniaanse Wouden te dragen, dan nog zou ik het niet proberen. Zo'n inspanning zou me uitputten en ik zou aan de invasie van Goriah mee moeten doen terwijl ik gevaarlijk verzwakt was.'
'We zouden kunnen wachten tot je verder bent hersteld . . .' begon Celadeyr.

Nodonn stak in tegenspraak zijn hand op. 'Iedere dag dat we wachten, herstelt Aiken Drum verder van zijn eigen kwetsuren. Mercy heeft me goed op de hoogte gehouden van zijn vooruitgang. Ze neemt zelfs, zij het tegen haar wil, deel aan zijn genezing. Nee. Als we de overheerser willen vernietigen, moeten we zo snel mogelijk toeslaan.'
'Waar ben je zelf dan voor, Broeder?' vroeg Kuhal.
'Ik zou slechts een handjevol van de krachtigste en moedigste ridders meenemen. We zouden zonder chaliko's naar het noorden moeten vliegen op de vleugels van een metapsychische stormwind om vervolgens die Minderen in de Vallei der Hyena's met geestkracht te vernietigen. Geen fysiek geweld. Geen ridderlijke confrontaties. Geen Jacht.'
Nodonn glimlachte toen hij de snel onderdrukte woede opmerkte die uit het bewustzijn van de oudere kampioen sijpelde. 'Je ziet, Celo, hoe diep ik bereid ben te vallen. De Minderen vechten niet aan de hand van onze strijdcodes. Dus ben ik bereid bruikbare middelen, die wij oneervol vinden, zelf toe te passen.'
Celadeyr aarzelde even, maar zei toen: 'Als je Aiken Drum oneervol bevecht zou het volk van de Tanu je wel eens kunnen verwerpen. Hij is de gekozene van Mayvar de Koningmaakster en daarin bevestigd door het Conclaaf.'
'Ik zal de overheerser volgens onze oude rituele gebruiken tegemoet treden,' verzekerde Nodonn hem. 'Zwaard tegen Speer. We zullen de heilige strijd vervolgen die door het onderlopen van de Witte Zilvervlakte werd onderbroken.'
De opluchting van de oude schepper was duidelijk zichtbaar. 'Dat is voldoende. Wat de diefstal van de vliegtuigen betreft: je voorstel is stoutmoedig, maar er kleven gevaren aan. Die mens met de gouden halsring hoeft maar één enkele gedachte uit te zenden en ons werk is vergeefs.'
'Leefde Cull nog maar,' zei de Strijdmeester. 'Iemand met zijn agressieve penetratievermogen zou van onschatbare waarde zijn op een missie als deze. Hij zou hun afzonderlijke identiteiten kunnen vaststellen, hun vermoedens in slaap wiegen en hun mentale geschreeuw kunnen onderdrukken.'
'De echte eersteklas geestbuigers zijn overgelopen naar Aiken, of nog erger, naar Dionket en zijn pacifisten. Mijn eigen Boduragol is een prachtkerel, maar niet echt de man voor situaties onder spanning. Niemand van zijn ondergeschikten in het Huis der Genezing is geschikt om met menselijke blootnekken te werken. Het is duivels moeilijk om Minderen in hun geest aan te grijpen wanneer ze geen zilveren of grijze halsringen dragen. En die drager van goud is een echte taaie.'
'Was Mercy maar bij ons!' riep Nodonn uit. 'We hebben een mens nodig om met mensen af te rekenen.'

Kuhals koffiebeker kwam met een smak op de tafel terecht. Zijn gezicht verhelderde helemaal. 'Natuurlijk,' fluisterde hij, 'natuurlijk!'

CLOUD: Ik ga het doen.
HAGEN: Je bent gek. Of je valt voor die buitenaardse om van je gevoelens voor die arme Elaby af te komen.
CLOUD: Rotzak! (pijn.)
HAGEN: Oh, Jezus! Het spijt me . . . Maar je kunt jezelf op zo'n manier niet weggooien. We zijn er zo dichtbij. Als we die verdomde FH-4 kunnen repareren, trekken we morgen over het Rif Gebergte. Ik kan nauwelijks wachten om die watervallen te zien! En daarna, hoeveel tijd kan het dan nog kosten? We monteren al de terreinwagens aan elkaar, zeilen over de Middellandse Zee, kruipen om de Balearen heen en zitten dan al bijna boven op Afaliah. We willen dat je ons daar tegemoet komt, liefje, in plaats van ervandoor te gaan voor een bespottelijke onderneming met je buitenaardse vriendje.
CLOUD: Ik kan ervoor zorgen dat Nodonn de vliegtuigen krijgt die hij voor zijn aanval op Aiken Drum nodig heeft. Als ik de buitenaardsen help met mijn penetratievermogen, dan kan ik vrijwel garanderen dat niemand van de menselijke bewakers alarm zal slaan. Ik zal mensenlevens redden, dat is belangrijk voor mij, voor jou misschien niet. Ik kan het hele stel buiten bewustzijn houden en dan kunnen ze als gevangenen mee terug worden gevlogen, terwijl de buitenaardsen het plan hadden ze ter plekke te vermoorden! Voor mijzelf is er nauwelijks gevaar als ik vermijden kan doorzeefd te worden door een Husky.
HAGEN: *Husky?* Christus, Cloud! Hoe komen die Minderen aan echte wapens? Ik dacht dat er alleen maar pijlen en bogen waren . . .
CLOUD: Daar weet ik ook het fijne niet van. Maar het is zeker dat er moderne wapens zijn gebruikt, zowel door de Minderen als door het elitekorps van Aiken Drum.
HAGEN: Godver.
CLOUD: Het kleine scenario dat Kuhal en Nodonn hebben uitgewerkt voor de Vallei der Hyena's moet veilig genoeg voor me zijn. Ik maak me geen zorgen.
HAGEN: Wel, alle geluk, zuster. Maar luister! Onder geen enkele omstandigheid mag je meedoen aan de invasie van Aiken Drums magische kasteel.
CLOUD: Wees maar niet bang.
HAGEN: Denk aan de tijdpoort. De rest van ons rekent op jou om te bemiddelen bij vader. Die blijft niet voor altijd in de regeneratietank, áls hij daar al is. Wanneer die weer de oude is, zit hij zo weer boven op onze nek, net als in Ocala. En als er iemand is die hem kan

bepraten, dan ben jij het.
CLOUD: Ik heb het keer op keer geprobeerd hem over het i-kanaal te bereiken, maar hij geeft geen antwoord. Hij *moet* wel in de tank zijn. Tenzij . . . Hagen, je denkt toch niet dat hij . . .
HAGEN: Stel je niet aan.
CLOUD: Nou ja, Felice doodde Aiken bijna. En als ze echt een d-sprong naar Noord-Amerika heeft gemaakt, is ze misschien rechtstreeks in zijn laboratorium terechtgekomen, schermen of geen schermen. Ze reed ten slotte op zijn perifere golflengte waarmee hij over afstand waarnam.
HAGEN: Die leeft nog, de schoft.
CLOUD: Is het jou nog gelukt om telepathisch met Manion te spreken?
HAGEN: Nee. Veikko blijft het proberen, maar hij heeft over dat kanaal niet zoveel vermogen als die ouwe Vaughn en we durven het niet aan om een ongemoduleerde oproep uit te zenden. Niet dat iemand van de anderen op Ocala ons de waarheid zou durven vertellen . . .
CLOUD: Ze zijn gekomen. Het is tijd voor me om te gaan.
HAGEN: Wees voorzichtig. Wees *heel* voorzichtig.
CLOUD: Jij ook. Neem een driedimensionale opname voor me mee van die watervallen bij Gibraltar. Dat moet een geweldig gezicht zijn . . .

Een paar snippenjagers uit het kamp van de Minderen in de Vallei der Hyena's vonden Dougal. Een week na de hinderlaag van de Firvulag was hij nog steeds in leven, razend in ijlkoortsen en overdekt met geïnfecteerde wonden en insektebeten. Hij had kans gezien zijn eigen spoor over twintig kilometer in omgekeerde richting te volgen en was daar langs een moerassig pad in elkaar gezakt, even zuidelijk van de vallei waar de vliegtuigen waren verborgen.
'Zo gaarne stierf ik een droge dood,' murmelde Dougal terwijl zijn redders hem uit de modder trokken. 'Voorwaar, Morisca, mijn kleine lichaam is vermoeid van deze wereld.'
'Soms vind ik het zelf ook nogal vervelend,' zanikte Sophronisba Gillis op haar zeurtoon. 'Hoe ben je aan Orion en de anderen ontsnapt, zuigsmoel?'
Maar Dougal kon enkel onsamenhangend mompelen. Later, toen ze het kamp binnenkwamen, kwam hij kortstondig tot zijn positieven toen hij de twee geparkeerde vliegmachines zag en kreunde: 'Helaas! Arme valken, nog zo trots torenend op hun hoge plaats!'
Daarna viel hij weer in onmacht.
Phronsie en de andere jagers droegen de verslagen middeleeuwer naar de ziekenboeg. De duisternis was toegenomen en de bijna volle maan zond zoeklichtheldere stralen door de grote mammoetbomen die de zwarte toestellen zilver kleurden. Al de Bastaarden van

Basil die geen dienst hadden, dromden samen rondom de verpleegtent waar de artsen Thongsa en Magnus Bell vergeefse moeite deden om hun vroegere gevangene die weer in hun handen was gevallen, tot bewustzijn te brengen.
'Het ziet er nogal hopeloos uit, Basil,' zei Magnus. 'Hij heeft een shock. Afgezien van alle wonden aan de buitenkant kon hij ook nog wel eens zijn milt gescheurd hebben. God mag weten hoe hij is blijven leven.'
'Haal al die lui hier toch weg!' mopperde Thongsa.
Basil werkte de kleine menigte naar buiten, het maanlicht in. Hij zei tegen Phronsie: 'We moeten zien uit te vinden wat er met zijn bewakers is gebeurd. Of Dougal gewoon maar ontsnapte of dat ze werden overvallen door mensen van Aiken Drum of door Firvulag. Weet je zeker dat Dougal niets heeft gezegd waar we wat uit op kunnen maken? Geen enkele aanwijzing dat onze schuilplaats is verraden?'
De statige zwarte vrouw haalde de schouders op. 'Hij sloeg alleen maar dat Shakespeariaanse taaltje uit. Zijn gebruikelijke wartaal. Toen we hem hier binnen kregen, kletste hij iets over de vliegtuigen. Noemde ze trotse valken of zoiets.'
De ogen van de vroegere leraar uit Oxford werden wijder. 'Wat zei hij? Precies, bedoel ik?'
Een van de andere jagers kwam naar voren. 'Ik weet het weer! Het was: "Arme valken, trots torenend op hun hoge plaats." '
Basils blik gleed omhoog naar de langpotige toestellen met hun neerwaarts gevouwen vleugels en staartstukken, de cockpits iets scheef naar voren als gebogen vogelnekken. Hij citeerde:

Een valk, trots torenend op haar hoge plaats
werd door een uil op jacht gebeten en gedood.'

'Subhan 'llah!' hijgde de technicus Nazir.
'Eh . . . precies mijn gevoelens.' Basil raakte zijn gouden halsring aan. 'Hoe dubbelzinnig het ook moge lijken, ik denk dat Dougals kleine citaat maar voor één uitleg vatbaar is. En daarom . . .'
'Hé, blijf staan waar je bent!' klonk een uitroep van de andere kant van het open terrein.
Ineens waren er meer stemmen, bonkende voetstappen en elektrische zaklantaarns die aan en uit flikkerden in de schaduwen achter vliegtuig Nummer Twee.
'Sta stil, verdomme, of ik laat je ter plekke doodvallen!' schreeuwde Taffy Evans.
De zoeklichten van de naderbij komende bewakers richtten zich nu allemaal op de stam van een sequoia waar een eenzaam menselijk vrouwenfiguurtje ineendook. Ze beschermde haar ogen tegen het licht. Toen kwam een figuur in een omvangrijke hoepelrok vol

ruches en kant naar voren en gaf haar een ongenadige duw met een met ijzer beslagen speer. Ze barstte in tranen uit.
Basil en de anderen waren met stomheid geslagen.
'Doe me geen pijn!' huilde de vrouw. 'Alsjeblieft niet.'
De bewakers hadden haar nu ingesloten en brachten hun gevangene naar Basil en de anderen die hem nog steeds omringden.
'Ze is in elk geval helemaal menselijk,' riep Mister Betsy met smoezelige tevredenheid. 'Niet één van die ellendige buitenaardse vormveranderaars.'
'Natuurlijk ben ik een mens,' weeklaagde de vrouw. Ze leek te struikelen. Taffy Evans, die de verdover hanteerde, bracht het wapen snel naar zijn andere arm over en ving de gevangene op. Ze glimlachte naar hem.
'Hou die Husky op haar gericht, Taff!' De reïncarnatie van koningin Elizabeth I was onvermurwbaar in zijn strijdlust. 'Eén verkeerde beweging van haar kant en je knalt haar neer!'
'Ah, kom nou, Bets,' protesteerde de piloot.
Terwijl de gevangene in het heldere maanlicht voor de ziekenboeg naar voren stapte, leek ze voor iedereen zo overduidelijk ongevaarlijk dat zelfs de bewapende bewakers zich zichtbaar ontspanden. Ze droeg een korte witlinnen broek en een geruit katoenen hemd dat onder haar borsten was vastgeknoopt. De blonde haren, op het voorhoofd door een kleine hoofdband bijeengehouden, waren schoon en glansden. Om haar schouders droeg ze een kleine rugzak. En hoewel ze nu vrijwel in tranen was, leek ze adembenemend mooi.
Basil stapte naar voren, de gouden halsring glansde in de open hals van zijn jachthemd. Cloud Remillard ging direct naar hem toe en zei: 'U moet professor Wimborne zijn.'
'Ik ben bang dat ik nog niet de eer . . .' begon Basil instinctief en toen werd hij overstroomd door een pijnlijk verdriet terwijl hij zich erover verbaasde hoe het mogelijk was dat hij Alice nog niet had herkend. Die geweldige Alice, Alice met de lange hals, Alice met de sluwe ogen die ontsnapt was uit Wonderland en die een tot stilte manende vinger tegen zijn lippen drukte en tegelijkertijd zijn geest smoorde die anders een waarschuwing had kunnen uitzenden waardoor Commandant Burke in Verborgen Bron alert zou worden.
'Nee, dat heb je inderdaad nog niet,' zei Cloud vriendelijk. Tegelijkertijd schoot haar penetratievermogen uit als de veelvoudige tentakels van een zeester, elke geest weerstrevend. Basil en zijn Bastaards verstarden hulpeloos onder de augustusmaan. De verdover en al de ijzeren wapens kletterden tegen de grond. Tranen van onmachtige woede glinsterden in de ogen van Mister Betsy, die een aangekleed wassen beeld uit Madame Tussaud had kunnen zijn als je niet lette op die tegenstrijdige snor en de kleine geitesik.

De twee artsen, die bij hun patiënt werden weggetrokken door de onweerstaanbare kracht van de kleine bedwingster, voegden zich slaafs bij de anderen.
'Zijn er nog meer?' vroeg Cloud in het niets en de atmosfeer antwoordde ontkennend. 'Nog niet!' zei de vrouw op gezaghebbende toon. 'Niet zolang hij de halsring nog draagt en we de kans lopen dat een overvloed aan adrenaline mijn beheersing overspoelt.'
Basil keek toe hoe ze de rugzak afdeed en die openritste. Ze haalde er een draadschaar uit die aan boord van schepen werd gebruikt. Volkomen onmachtig knielde Basil gehoorzaam en boog zijn nek. Cloud knipte de halsring met één enkele beweging door en daarna viel de alpinist bewusteloos tegen de grond.
'Nu is het veilig,' zei Cloud.
De verlamde groep mensen zou het hebben uitgeschreeuwd als hun stembanden het niet eveneens hadden begeven. Vier grote fantomen materialiseerden in het maanlicht, smeulend opgloeiend in de natuurlijke straling van hun vitredur pantsers. Twee van hen straalden het kryptongroen uit van de scheppers, één blonk in de natriumglans die bij psychokinetische waaghalzen hoorde, maar de vierde, die hoog boven de anderen uitstak, straalde met de oogverblindende glans van de middagzon. De piloten, de technici, de artsen en de overige dapperen verloren hun moed toen ze hem zagen: Nodonn, die onweerstaanbare vijand van de mensheid, die gezworen had het Veelkleurig Land te zuiveren van alle tijdreizigers, onverschillig wat het kosten mocht.
'Je hebt het beloofd,' zei Cloud Remillard.
De Apollo zuchtte: 'Ja.'
Met een pijnloze stoot tot in het merg zond de vrouw al de gevangenen tuimelend in het welkome duister en niemand van hen, zelfs niet de zich herstellende Dougal, werd weer wakker tot het moment waarop ze zich al twee dagen in de kerkers van Afaliah bevonden en de strijd tussen de twee rivaliserende Strijdmeesters al lang was beslist.

7

Mercy vond Sullivan-Tonn die in een volgepropte kamer zat ergens boven in de noordwestelijke toren van het Glazen Kasteel. Hij las *Essais de sciences maudites* en dronk Strega uit een Venetiaanse beker met een werkelijk schunnige vorm.
'Grote Koningin!' riep hij uit, terwijl hij zich haastte om het boek ondersteboven te draaien. Aan de beker kon hij jammer genoeg niets meer veranderen.

Haar gezicht was bleek, maar haar geest, slechts ten dele afgeschermd, leek in vuur en vlam te staan door een heftige emotie.
'Het spijt me dat ik je moet storen. Ik zou geen inbreuk hebben gemaakt op je privacy als het niet ging om een zaak van leven en dood.'
'Als ik iets doen kan . . .' Hij aarzelde toen hij haar aankeek. 'Heeft hij je iets gedaan? Heeft hij je gewond?' De deftige psychokineticus raakte verontwaardigd ondanks zijn eigen verlegenheid. Hij haastte zich naar Mercy toe, sloeg een arm om haar heen en bracht haar naar een stoel die in de koele bries stond die over zee kwam aangewaaid.
'Hij heeft alleen maar gedaan wat hij doorgaans doet,' sprak ze duister. 'Maar voor deze nacht om is, zal ik mij wreken. Wanneer jij me helpt, Sullivan.'
'Dat zal ik,' verklaarde hij.
'Jouw psychokinese, kun je daarmee elk slot openmaken?'
'Vast en zeker.'
'Ook die speciale die hij op de voorraadkelders onder in het kasteel heeft aangebracht?'
Sullivans ogen puilden uit. 'Je bedoelt toch niet de geheime kamers waar wapens uit het Bestel en dergelijke dingen worden bewaard . . .'
'Die bedoel ik precies. *Kun* je dat?' Ze moest nu haar overredingskracht en die ontzagwekkende psychocreatieve vermogens inhouden waarmee ze materie en energie naar haar hand kon zetten, om te voorkomen dat ze hem beangstigde. Het slot was een heel subtiel mechanisme dat haar eigen kunde te boven ging en beschermd was tegen geestelijke explosieve stoten. Sullivan, met zijn groot psychokinetisch vermogen, was haar enige kans om het hoogtechnologische wapenarsenaal onschadelijk te maken op zo'n manier dat Aiken er pas achter kwam als het al te laat was.
'Ik . . . ik kan het proberen, Scheppende Vrouwe.'
Ze sprong overeind, haar groene doorzichtige japon met de zilveren randen deinde als de golfslag. 'Probeer het, wreek je, Sullivan! Ik weet dat je hem net zo haat als ik. Maar spoedig, misschien tegen de dageraad, krijgt hij al zijn streken met rente terugbetaald! Nu moeten we ons haasten, terwijl hij zijn verzadiging van mij wegslaapt.' Ze greep zijn vochtig geworden hand, en hield die een ogenblik stevig vast terwijl haar ogen vuur schoten. Toen riep ze: 'Volg me!'en rende de wenteltrappen af naar beneden.
Hij stommelde haar achterna, zijn leren slippers klepperden over het doffe glas van het plaveisel en zijn cerise kamerjas wapperde achter hem aan. Zijn zandkleurige haar stond van pure angst overeind. Het kasteel was doodstil. Ze renden over een open atrium waar klokjes tinkelen in de wind, waar een kleine fontein klaterde en waar de witte herdershond Deirdre overeind kwam om haar

meesteres te begroeten en daardoor Sullivan bijna een hartaanval bezorgde.
'Af, Deirdre! Ga liggen!' siste Mercy en het grote dier verdween weer in de schaduwen.
Ze vlogen langs echoënde wanden die enkel door de sprookjesachtige lampjes voor binnenshuis werden verlicht terwijl de volle maan hoog aan de hemel reed en een spookachtig licht wierp door de gekleurde panelen van het dak boven de gang, waardoor plassen van lavendelkleur, roze en amber voor hun voeten werden geworpen. Hier en daar waren kleine rama's met bezems of stofdoeken doende en die drukten zich snel opzij. De enige mens die ze zagen was een middelbare bewaker met een grijze halsring, die doodstil voor de grote ontvangstzaal stond met een zwaard van vitredur voor zijn gezicht en de trotse onvermoeibaarheid van de voorgeprogrammeerde halsringdrager.
Ten slotte bereikten ze de grote hal van de koninklijke vleugel met de spiralende trap en de grote blakers vol brandende olie. Mercy liet Sullivan de onopvallende bronzen deur in de binnenmuur zien.
'Maak die open zonder dat je er iets van zien kunt.'
Hij concentreerde zijn PK, perste zijn lippen opeen, zijn voorhoofd een en al frons. Er werd een onderdrukt *klunk* hoorbaar. De deur gleed open en grote stenen traptreden werden zichtbaar die naar de gapende duisternis beneden hen voerden.
'Dat was niet al te moeilijk.' Sullivan produceerde een gebarsten glimlach.
'Het *echte* slot is daar beneden! Schiet op, man! Hij kan wakker worden en merken dat ik weg ben.'
Ze schiep een toorts van vuur en ging glijdend en springend naar beneden de ruw afgewerkte schacht in. Het was er nu niet vochtig, maar de traptreden en de leuningen waren ontworpen voor veel grotere buitenaardse benen en daardoor werd hun voortgang zeer bemoeilijkt. Sullivan begon achter adem te raken en kon alleen maar voorkomen dat hij viel door handig van zijn PK gebruik te maken waardoor hij af en toe in de lucht naar beneden zweefde als een in zijde verpakt standbeeld.
Toen bereikten ze de bodem. Daar was de kluisachtige deur met een hele reeks buitenaardse gecodeerde sloten. Terwijl Sullivan dichterbij kwam om die te inspecteren, begon zijn huid te tintelen en de lucht leek een rubberen semi-hardheid aan te nemen.
'Er is hier ook een krachtveld aanwezig, mijn Koningin. Geen sigmaveld, godzijgedankt. Misschien een gravomagnetische afweer, om te voorkomen dat vochtigheid en schimmels en dat soort dingen de kamer kunnen binnendringen. En dieven natuurlijk en andere kwaadwillenden.'
Hij giechelde nerveus.

Mercy bleef kalm. 'Maak open.'
Hij boog zich over zijn taak. Zweet stroomde van zijn schedel en onder zijn oksels. In zijn hersens schoten de codes van de sloten als microscopisch kleine belletjes binnen in belletjes in en uit focus, allemaal aangegeven en geëtst met psychosensitieve chemicaliën. Hij concentreerde zich, stootte, boog en prikte. Iets begon te zoemen. 'We komen er,' mompelde hij. Hij vergrootte en hield het ding dichterbij. 'Aha, een samenhangende reeks. Heel slim. Met nullen in de substructuur . . .'
Bzzz. Klik-klik. Srromm.
Het krachtveld viel uit. 'Dat helpt!' En nu, drukken, duwen, buigen, draaien!
Er weerklonken geluiden van achter de deur, grendels gingen omhoog of verschoven. Daarna stilte en een wijde opening.
'Het is je gelukt!' Mercy drong zich voorbij hem en schakelde het licht aan. 'Nu!' riep ze uit. 'Het moet allemaal bewaard blijven voor Nodonn, maar in zo'n toestand worden gebracht dat *hij* er niets mee kan beginnen wanneer mijn demonische minnaar toeslaat.'
Ze bekeek de eindeloze rekken en voorraadplanken waar duizenden verschillende voorwerpen op rusten, vaak verpakt in durofilm. De muren van deze plaats waren van een dikke laag voorzien die alle vocht en chemicaliën weerde. Er stond een kleine opslagcomputer en een magazijnrobot.
'We zullen met jullie beginnen,' schreeuwde Mercy. Een groene straal sprong uit haar handen. De computer en de robot begonnen te roken, stroompjes stinkende vloeistof liepen eronderuit.
'Dat zal het eerstvolgende gewinkel van mijn Heer Koning aardig vertragen. En wat nu? We moeten dit allemaal vastzetten, aan elkaar kitten en het onbruikbaar maken totdat het pijnlijk nauwkeurig is gereinigd met oplosmiddelen die mijn Nodonn van een specialist uit het Bestel moet zien te bemachtigen.'
Met een gezicht vol angst trok Sullivan-Tonn zich langzaam terug naar de deur. Mercy zag het en lachte. 'Groot gelijk, mijn beste Sullivan. Maak dat je wegkomt, man! Jouw werk is gedaan. Ren de trappen op als je leven je lief is! Vlucht ··· want ik ben bezig een heksenketel vol smerig, lijmend sop te brouwen om de wapens van Aiken Drum erin te verzinken, zodat hij die nooit tegen mijn liefste kan gebruiken.'
Een verschrikkelijke explosie deed de muren schudden. Stinkend geel materiaal van de plastic beschermlaag op de wanden begon te koken tot het schuimde en eraf spoot. 'De polymeren voor de afsluitende verzegeling!' schreeuwde Mercy, zelf veilig binnen een psychocreatieve bol. 'Wie anders dan ik kan zo hun reuzenmoleculen uit elkaar laten vallen, strekken en vervormen als ik? Ik, de meesteresse der scheikunde, die voedsel en drinken kan maken dat

volmaakt en voedzaam is, uit afval van het veld. En ik ben ook in staat des duivels eigen lijm te maken, een klevend schuim dat al deze pakken en dozen aan elkaar kit, met smerige, vergiftige gassen erdoorheen om de smurrie samen te binden.'
De verschrikkelijke massa vloeide als magma en vulde elke hoek van de voorraadkamer. Mercy's levenreddende bol zweefde door de deur naar buiten die ze daverend dicht liet slaan, nog steeds wild lachend. De schacht was nu half gevuld met giftige dampen en dus schoot ze omhoog waar de open deur en Sullivan op haar wachtten. Toen ze er veilig door was en hij het zware paneel had dichtgeschoven, stonden ze getweeën naast elkaar.
Aiken Drum zat op de laagste trede van de grote wenteltrap en keek naar hen. In de lucht weerklonk nog het geluid van de dichtgeslagen deur.
'Het is gebeurd!' kreet ze uitbundig. 'En hij is onderweg! Nu zul je hem eerlijk moeten bevechten, mannetje! Want het zal je weken kosten om die wapens uit het Bestel uit die vergiftige massa te delven waarin ik ze heb laten verzinken. Pak je Speer, Koning Aiken-Lugonn. Dwing je verbrande brein weer tot werkzaamheid als je dat kunt. Want Nodonn komt eraan. En dat is het einde.'
'Ja,' stemde Aiken in. Bijna terloops zei hij tegen Sullivan-Tonn: 'Ga uit haar buurt, jij.'
De psychokineticus zweefde door de grote hal naar de doorgang die naar de buitenhof voerde. Onverwachts leek zijn lichaam op een onzichtbare muur te stuiten. Er klonk een ziekmakende bons en een verstikte kreet.
'Niet *te* ver weg,' zei Aiken.
Sullivans stevige ronde torso werd tegen de onzichtbare muur gedrukt. Zijn neus bloedde en zijn kaak hing scheef, de onderlip was doorboord door zijn eigen versplinterde tanden. Hij begon door vloeistof half verstikte kreten te slaken.
Allebei zijn voeten braken in vlammen uit.
'Nee!' schreeuwde Mercy.
'Het is jouw werk,' zei Aiken.
De rook kronkelde en werd zwarter. Sullivan wrong zich, de geluiden uit zijn strot en zijn geest werden even vormloos en monsterachtig als zijn afvallend vlees. De kleren waren in een oogwenk verdwenen geweest, nu brandde hij ongeveer vanaf zijn knieën, alles daar beneden was al tot verkoold bot vergaan.
'Oh mijn God.' Mercy huilde. Een kleine bliksemende bal schoot uit haar weg en trof de brandende man vol tegen het hoofd. Het geschreeuw uit zijn geest stopte. Er klonk nu nog alleen het tikkende en knetterende geluid van het verbranden en Mercy's zachte gesnik.
'Kom met me mee naar boven.'
Aiken stak haar een hand toe. Ze liep langzaam naar hem toe en

merkte toen pas dat hij helemaal in het zwart was gekleed; zelfs de gouden bijklank van zijn gedachten was verdoft tot een duisterder niveau dat nog angstaanjagender was, nog opwindender dan enig ander aspect dat ze tot nu toe van hem had gekend.
Ze pakte zijn hand, warme huid, heel menselijk.
'Wat zal het zijn dan?' vroeg ze met geëxalteerde vrolijkheid. 'Hoe ga je het doen, Amadán-na-Briona?'
'Kom,' zei hij, 'en zie.'

De Speer.
Goud, hoog oprijzend in het donker, vol van hete energie, hongerig. Een levende schacht, niet een van glas, zoals ze geweten had dat het zijn zou. Eerst ontladingen van licht en pijn, daarna nam het alle energie weer in zich op, ook de hare, al haar levenskracht, al de vreugde en al het verdriet, alle herinneringen, alle denken, alles dat eens geschapen was en volgroeid en voltooid. Hij nam haar en toen was ze verdwenen.
Hij leefde en glansde.
Terwijl hij keek naar de as, was hij verbaasd hoe weinig pijn het had gedaan.

8

Nodonn had de twee buitenaardse vliegtuigen Goriah vanaf de zeezijde laten naderen, te voorschijn komende uit een zakkende volle maan, ondanks het feit dat het duidelijk genoeg was dat de overheerser niet alleen op de invasie was voorbereid maar zijn aartsrivaal zelfs een pervers en overdadig welkom had toebereid.
Al de stadslichten brandden, zodat zelfs vanuit de verte de hemel een paarlmoeren achtergrond vormde voor de veelkleurig oplichtende omtrekken van de gebouwen. De grote stadsmuur werd bekroond door een oranje kralensnoer van vuren en elk bolwerk was behangen met onheilspellende purperen en blauwe sprookjeslichten. Staande op de hoogte die over zee uitkeek, leek het Glazen Kasteel een omhoogreikende pilaar van vurig amethist en topaas, gevat in fonkelende kantelen en gekroond met filigrainspitsen bezaaid met gele sterren.
Hangend boven de citadel en op de nachtwind rijdend aan draad en touw van goud en zilver, bevonden zich de vliegers.
Er waren er honderden van, variërend van reusachtige ovale wanwans die twintig meter in diameter maten tot gestapelde vierkanten, veelvormen, Rogallo-vleugels, veelzijdige vliezen, kronkelende draken en Japanse vechtvliegers in geometrische en niet-geo-

metrische vormen. Al de vliegers waren bezaaid met kleine lichtjes. De grote, mandragende vliegers, nu zonder passagiers, droegen vrolijke afbeeldingen van grimassende samurai, oosterse demonen en woeste mythische helden.
Nodonn de Strijdmeester bulderde bij het zien van die vermetele uitdaging. De twee vliegmachines zweefden, afgeschermd en onzichtbaar, een paar duizend meter boven de kasteelmuren aan zeezijde, terwijl de invallers zich herstelden van hun lachkrampen voor ze aan hun aanval begonnen.
'Hoe zullen we beginnen, Strijdmeester?' kwam de stem van Thufan Donderhoofd over de intercom. 'De lucht vlak boven het kasteel is zo dik bezaaid als een mierennest.'
Nodonn stond achter Celadeyr die machine Nummer Een bestuurde. Hij bekeek die waanzinnige barrière met zijn vérziendheid. 'Vellen papier en raamwerk van bamboe en panelen van voddige zijde!' zei hij minachtend. 'De rho-velden van onze vliegtuigen zullen ze als spaanders in brand steken. Vlieg ermiddenin en laat al de strijdcompagnieën klaar zijn om het kasteel te overvallen nadat ik de koninklijke vertrekken met de kracht van mijn Zwaard heb schoongeveegd.'
'Zoals je beveelt,' zei Thufan. Celadeyr, met een woeste grijns op zijn gezicht die door het open vizier van zijn helm te zien was, bewoog de energiehendel en zond beide inertieloze machines scheurend in de zwerm vliegers met maar amper subsonische snelheid.
Twee verblindende uitbarstingen van licht verlichtten het hele omringende landschap toen de twee gravomagnetische machines, zij aan zij vliegend, tegelijkertijd de sterk geleidende ankerkabels raakten. De vliegers gingen allemaal in vlammen op en waren binnen een paar seconden verbrand, maar de rhomachines hingen bewegingloos in het centrum van een verbazingwekkende vuurstorm. Hun zwarte, kerametalen huid was overdekt met flikkerende netwerken van energie. Die energiestromen vloeiden weg via de gouden en zilveren kabels, de dunste geleiders smolten weg en vielen in brandende slierten naar beneden. Maar de steviger verankeringen van de wanwans en de o-dako en de andere grote vliegers hielden de vogelachtige machines met de vasthoudendheid van spinnewebben vast en de energiegeleiders van de vliegtuigen kwamen in de buurt van fatale overbelasting terwijl ze zwoegden om het gravomagnetische evenwicht te bewaren terwijl al het overige werd leeggezogen.
Nu konden ze de telepathische lachbui van de bedrieger in de ether horen, zich vermengend met het tanden verscheurende gekrijs van de rho-veldgeneratoren die overwerkt raakten, het gekraak van de overbelaste bedrading en het donderende gesis van de met ionen beladen dampen uit de kokende zee beneden hen.

'Weg!' schreeuwde Nodonn tegen zijn ridders. 'Uit het schip voor het te laat is!'
'Broeder, het luik!' riep Kuhal Aardschudder. 'Vastgeklemd!'
Met zijn machtige psychokinese scheurde Nodonn het kortgesloten luik open en vormde daarna een tunnel dat als afweerscherm dienst deed voor de ontsnappende ridders. Zij die niet zelf tot levitatie in staat waren, werden door de Strijdmeester of Kuhal gedragen en neergezet op kantelen aan de zeezijde. Afdalend leken ze op een stroom regenboogkleurige meteoren. Nodonn zelf, zijn fotonische Zwaard omklemmend, vloog pas naar buiten toen hij zag dat Celadeyr veilig onderweg was.
De Strijdmeester hing naar één kant over toen zijn machine begon te schokken, langzaam over de kop sloeg en gewikkeld in een violette wolk in de richting van de zee viel.
'Thufan!' klonk zijn stormluide stem. 'Evacueer je machine!'
De verwarde gedachten van de Eerstkomer die daar piloot was bereikten hem vaag dwars door het mentale tumult. De ridders die gevangen waren in het tweede toestel, raakten in paniek, en sloegen in op het vastgeklemde luik met hun wapens van glas en hun beperkte psychocreatieve vermogens. Thufan zei:
Het spijt me Strijdmeester . . .we hadden moeten . . . gevaar aan de grond te raken . . . wij Tanu . . . eerder ridderlijk dan geleerd . . .
Boven op de hoogste toren van het Glazen Kasteel danste een vonkje van goud die een helder haarscherpe naald hanteerde. Een stroom groen licht deed het nog hangende vliegtuig oplichten terwijl de Speer van Aiken Drum zich ontlaadde. De schokgolf van de stoot deed Nodonn neertuimelen. Hij zag hoe een vuurbal boven het water met kwellende langzaamheid openbloeide, gevlekt met gescheurde purperen krachtvelden waaruit, als uit het centrum van een gesternte, zich nieuwe, secundaire explosies voordeden.
Te laat gebruikte Nodonn zijn Zwaard. Een coherente lichtstraal, gelijk aan de straal die de vliegmachine had vernietigd, deed het bovenste derde deel van de toren verdampen. De lucht weergalmde onder de oorverdovende schok.
En van gelach.
Probeer het nog eens, kwam een honende gedachte.
Buiten zichzelf van woede, blies Nodonn de resterende stomp van de toren in stukken. Maar natuurlijk was de Aartsvijand daar niet meer, enkel de echo's van zijn beschimpingen.
Nodonn gebruikte zijn vérziendheid om tot de belangrijkste toren van de citadel door te dringen. Zijn tweehonderd overlevende ridders waren al in gevecht met de vijand. Strijdkrachten van de Tanu, die trouw waren aan de koning en die aangevoerd werden door Bleyn de Kampioen en Alberonn Geesteter, maakten zich klaar voor een gezamenlijke mentale aanval. De Strijdmeester

stormde het voorplein op, het Zwaard hoog geheven. Een fotonenvuurstoot bracht een grote brok van een kasteelmuur omlaag, boven op de verdedigers.
'Houd het tegen!' schreeuwde Bleyn, die de richting van zijn voorgenomen aanval onmiddellijk wijzigde en er een psychokinetisch defensief schild van maakte. De zestig ridders onder zijn leiding slaagden erin het merendeel van het neerstortende metselwerk af te weren waardoor er maar enkelen van hen werden gewond. Maar Nodonns strijdmacht stortte zich op de koningsgezinden en in de hitte van de daarop uitbrekende gevechten van man tegen man ging de discipline die voor een gezamenlijke mentale inspanning nodig was, bijna geheel verloren. Zowel de invallers als de verdedigende Tanu gingen instinctief over op de oude vechtstijlen van het ras, elkander bestrijdend met flitsende glazen wapens en op goed geluk af gevuurde mentale vuurstoten.
'Geesten verbinden!' pleitte Alberonn. Aantallen jongere koningsgezinden verzamelden zich rondom de halfbloed bedwinger en hervatten het gevecht op de veel efficiëntere gezamenlijke manier. De mannen van Nodonn die door deze veeltallige geeststoten werden getroffen, stierven waar ze stonden of liepen verschrikkelijk hersenletsel op. Maar Nodonn probeerde snel voordeel uit de verwarring te behalen. Terwijl hij de zwakkeren onder zijn ridders aanmoedigde om het gevecht op het plein voort te zetten, liet hij zijn dappersten zich eraan onttrekken. Verdeeld over drie groepen, aangevoerd door hemzelf, Kuhal Aardschudder en Celadeyr, drongen zij dieper in het kasteel door.
'Aiken Drum! Vind hem!' De Strijdmeester gloeide als een woedende zon. 'Iedere groep doorzoekt een ander deel van het kasteel. Maar denk eraan, als je hem vindt, hij behoort mij toe!'
Gewone vérziendheid was onbruikbaar om de overheerser te lokaliseren die zich niet alleen verborgen hield door de slimheden van zijn eigen geest, maar ook nog eens de beschikking had over draagbare afweerschermen die uit het Bestel afkomstig waren. Hij zou op de gewone fysieke wijze moeten worden ontdekt of verleid worden tot een confrontatie.

Celadeyr van Afaliah en de ongeveer zeventig ridders onder zijn bevel baanden zich een weg door de vleugel van het kasteel waarin voornamelijk mensen woonden en hun doortocht eiste een gruwelijke tol aan levens van verdedigers met zilveren en grijze halsringen. De geringde mensen, in hun hart trouw aan Aiken, raakten volkomen hulpeloos in het gezicht van de invallende Tanu-heren, die hun overredingskracht op hen konden uitoefenen via de halsringen. Golf na golf van grijsgeringde verdedigers, aangevoerd door officieren met zilver, liepen storm en kwamen tot stilstand om dan de onweerstaanbare verleiding te voelen van een vijand die

hen overhaalde hun ijzeren wapens weg te gooien en zich te onderwerpen aan de verschrikkelijke zwaarden van glas.
'Hak dat ongedierte van Minderen aan stukken!' jubelde de oude Meester van Afaliah. 'Roei ze helemaal uit!'
Hij leidde zijn bende naar het kasteelgarnizoen, denkend dat Aiken mogelijk een toevlucht had gezocht onder de leden van zijn eigen ras. Zijn ridders doodden ieder blootnek of drager van zilver en grijs die ze tegenkwamen, maar ten slotte, toen de invallers al ver buiten het bereik van Nodonns beschermende mentale schild waren, zagen ze zich geconfronteerd met een afdeling van des konings elitegarde, dragers van goud, die op hen afkwam van achter de gevangenisbarakken.
Zij waren niet mentaal te bedwingen. Ze droegen volledige glazen wapenrustingen die de kleinere, individuele vuurstoten van hun tegenstanders makkelijk konden afweren. Zij hieven ongewone, slank uitziende wapens. Het waren er niet meer dan twintig, aangevoerd door commandant Congreve, die levendig azuurblauw gloeide door de kracht van zijn eigen metavermogens en die Celadeyr over diens persoonlijke golflengte salueerde.
'Jou ken ik, Congreve,' bulderde Celadeyr. 'Jij was een trouwe dienaar van de Strijdmeester voor die kleine gouden piepmuis je overhaalde. Sluit je bij ons aan. Laat je wapens vallen!'
'Geef je over, Celadeyr van Afaliah,' antwoordde Congreve. 'Koning Aiken-Lugonn zou liever jullie levens sparen.'
Celadeyr en al zijn ridders lachten en hieven hun grote zwaarden.
'Jullie zijn met minder dan één tegen drie,' stelde de oude schepper vast. 'Ik geef je vijf seconden.'
'Klaar, Jerry?' vroeg Congreve rustig.
'Daar ga je dan, Mindere!' huilde Celo en lanceerde de zwaarste psychische vuurstoot die hij kon opbrengen in de richting van de bepantserde mens. Maar Congreve stond onbewogen te midden van de spetterende krans van de ontlading. Tegelijkertijd kwam een ridder met PK-vermogens recht op hem afgestormd vanuit de achterhoede der invallers, zwaaiend met een vurig zwaard als de engel uit de Hof van Eden.
'Pak hem, Jer,' zei Congreve.
Een lid van de elitegarde boog zich over zijn laserkarabijn, er weerklonk een tsjirpend geluid. Even was een rode krachtstraal zichtbaar. De psychokineticus, die er recht op afging, werd van zijn kruin tot zijn kruis keurig door midden gesneden, dwars door bewapening, vlees en botten en kwam op de stenen terecht op nog geen twee meter afstand van Celadeyr.
'Geef je over,' herhaalde Congreve. De Tanu-strijdmacht stond als bevroren. Ineens kwamen vier bedwingers en een ridder met scheppende vermogens tegelijkertijd naar voren gesprongen, zwaaiend met hun zwaarden. De voorste linie van de garde vuurde

zijn Matsu's af, ditmaal waren de vuurstralen naaldscherp afgesteld. Hart en hersenen doorboord, stortten de vijf aanvallers ineen, terwijl hun wapenrusting kletterend de doodsklok luidde op de grote stenen van het plein.
'Geef je over.' Congreves stem klonk nu vermoeid. 'We hebben de opdracht gekregen om jullie te sparen als dat mogelijk is. Koning Aiken-Lugonn herinnert jullie eraan dat de werkelijke Tegenstander in de Oorlog der Schemering de Firvulag is, niet de mensheid.'
Celadeyr leek een heel hoog mentaal geruis te horen. Het kwam ergens diep uit het binnenste van de citadel, vermengd met de geluiden van een heftige woordenwisseling. Wanhopig zond hij een telepathisch pleidooi over de persoonlijke golflengte van de Strijdmeester.
Help ons of we zijn verloren.
Er kwam geen antwoord. En achter hem hoorde hij het geluid van een glazen zwaard dat op de stenen viel. Daarna kwamen er meer, samen met een zucht uit talloze geesten die hun verloren hoop bejammerden. Langzaam liet Celadeyr zijn eigen armen ontspannen, de vingers gingen open. Dof geworden viel zijn eigen eens zo glanzende zwaard aan oneer ten prooi.
De mens met de gouden halsring knikte. Daarna zei hij: 'Karabijnen hoog. Huskies klaar.'
Met open mond zag Celadeyr hoe de elitegarde hun lichtwapens met een snel gebaar omhooghieven waardoor ze rechts van hun bepantserde rugzakken kwamen te hangen. Bijna in een en dezelfde beweging drukten ze de knoppen in van de verschillende wapens die met de lopen naar beneden uit die rugzakken hadden gehangen en zwaaiden die in positie om te vuren.
'Maar we hebben ons overgegeven!' schreeuwde Celo vol ongeloof.
Congreve klonk bijna verontschuldigend. 'Jammer genoeg zijn we in tijdnood . . . Klaar? Verdovers op kracht vijf. *Vuur!*' En daarna zongen de Husqvarna's hun sissende lied van vergetelheid terwijl de Heer van Afaliah en al zijn ridders over elkaar heen tuimelden.

Het was Kuhal Aardschudder die Mercy vond.
Hij en zijn ridders stormden door de koninklijke vleugel, rukten deuren open, wroetten in hoeken en gaten, staken met hun wapens dwars door gordijnen en terroriseerden lakeien en kamermeisjes. Ondertussen slachtten ze hier en daar een grijze-halsringdrager af tot ze bij een paar reusachtige gouden deuren kwamen. Daarop waren grote champlevé-wapenschilden bevestigd, gezet in lofwerk van juwelen, alles bizar overdadig, maar het waren onmiskenbaar voorstellingen van het onbeschaamde vingermotief van de over-

heerser zelf.
'Zijn appartementen!' schreeuwde Kuhal. Hij smakte de deuren met zijn PK open zodat ze met een daverend lawaai scheef in hun hengsels kwamen te hangen.
Het roze-gouden zwaard hoog geheven, stormde hij naar binnen, het merendeel van zijn veertig ridders op zijn hielen. Er was een antichambre met koele rotan meubelen en een groot balkon dat uitkeek over de maanverlichte zee; daarna kwamen enkele kleedkamers met volle klerenkasten en een kleine salon die uitkwam op een luxueuze badkamer, helemaal uitgevoerd in onyx en goud. Ten slotte kwam de koninklijke slaapkamer, verlicht door slingers van purperen en gele sterren, waarin een groot gouden, cirkelvormig bed met een baldakijn en zwarte satijnen lakens domineerde.
Daarop lag een bleke vorm.
Kuhal stond daar als bevroren. *Broeder!* schreeuwde zijn geest het uit. *Nodonn. Kom naar mij!*
De Strijdmeester materialiseerde aan zijn zijde en vulde de duistere kamer met zijn zonlichte straling. Kuhal trok zich terug en gebaarde zijn strijders hetzelfde te doen. Nodonn werd alleen gelaten.
'Mijn Mercy-Rosmar,' fluisterde Apollo, zich over haar heen buigend.
Ieder geliefd contour was bewaard gebleven: de slanke armen, de één wijd uitgestrekt, de ander rustend langs haar zij; de voeten met de wat vreemd lange tenen, de knieën met de kuiltjes, de ronde heupen en de donkere, mysterieuze kloof van haar sekse. Haar kleine, hoge borsten waren perfect geboetseerd in paarlgrijze as en haar schouders en de nek met de halsring licht gebogen zodat de delicate kaaklijn werd ontlast en tegelijkertijd opviel. Haar gezicht stond kalm, de lippen iets vaneen, gekleurd door het warme licht dat hijzelf uitstraalde op zo'n manier dat het levend vlees had kunnen zijn. Maar nooit eerder waren haar wimpers en haar haren zo bleek geweest, zo ijl als herfstdraden.
'Je hongerde zo,' zei hij, 'en je hebt hem bang gemaakt. Terecht, terecht. En nu is al je trotse kracht, al je vitaliteit opgegaan aan zijn herstel, tot mijn dood. Ah, Mercy. Je wist het. Je hebt me gewaarschuwd. Wildvuur, vrij en zonder terughoudendheid brandend. Wacht.'
Hij trok een rozeglazen handschoen uit. De zilveren hand die vrijkwam bewoog snel over de hele lengte van haar lichaam. Toen was er alleen nog een halsring over en stof dat zich in vederlichte krullen over de zwarte lakens verspreidde.
Buiten het venster verkleurde de zakkende maan plotseling tot heftig goud. Een geeststem beval:

Kom naar buiten.

Ze ontmoetten elkander hoog in de lucht boven de zee, helder, vol van woede en enkel beschermd door hun eigen geesten, zoals het ritueel voorschreef.
Toen het scherpe, groene lichten van de allereerste schermutseling begon te flitsen en de donder weerkaatste tegen de wallen en bolwerken van de stad, werd overal elders de strijd gestaakt. De Tanu aan weerszijden stopten hun triviale gevechten en ook de menselijke strijders sloegen het duel der titanen gade. Burgers die zich voor de woede van de invallers hadden verborgen, kwamen nu te voorschijn gekropen naar kantelen en torens om te midden van de rustige toeschouwers in hun wapenrustingen mee te kijken.
Goriah was nu bijna spookachtig, de metapsychische sprookjeslichten waren uit, de olielampen sputterden laag in de vale duisternis die de dageraad voorafging. De groene explosies over en boven de Straat van Redon wierpen helle schaduwen. De gloeiende lichamen van beide antagonisten gingen bijna verloren in die duizelende gloed.
Sommigen van de mensen die toekeken waren ook op de Witte Zilvervlakte geweest als getuigen van de eerdere ontmoeting tussen Aiken en Nodonn, die door de Vloed werd onderbroken. Zij gaven zich er rekenschap van dat sommige gevechtsstijlen van de tegenstanders waren veranderd. De kleine mens was behoedzamer en defensiever geworden en de goddelijke Strijdmeester vocht nu met een roekeloze agressiviteit die volstrekt in strijd was met zijn doorgaans kille onbewogenheid.
Nodonn was dus ook de actieve achtervolger. Omgeven door een nimbus van stralen, stortte hij zich op de ontwijkende bedrieger en onthaalde hem op een bijna ononderbroken fusillade van energiestoten die uit zijn Zwaard als kosmische flitsen te voorschijn kwamen. Wanneer die van Aikens afweerscherm kaatsten, leken ze die toch aan te tasten, want de corona daarvan flikkerde blauw of ziekelijk geelgroen of zelfs- wanneer de vuurstoot extra hevig was - een bleek, dralend vermiljoen.
'Knoeier!' bulderde de donderende stem. 'Parvenu! Ik ben de erfgenaam van het Veelkleurig Land, eerste kind van Thagdal en van Nontusvel. Wie wekte jou tot leven, Mindere? Steriele schotels in een of andere genetische keuken? Reageerbuizen die bevroren sperma vermengden met de slappe eicel van een dode vrouw? Wat een Koning! Wat een Strijdmeester!'
En het Zwaard bleef toestoten en de monsterachtige ontploffingen golfden over de beledigde zee en Aikens geestscherm flakkerde diep oranje terwijl zijn kleine, bepantserde figuurtje doffer en duisterder leek te worden binnen de bol van zijn metapsychische halo.
'Vecht terug!' tierde Nodonn. 'Of vecht je alleen met vrouwen? Heeft haar passie je bang gemaakt, kleine? Ben je teruggedeinsd

voor haar warmte als een slak voor het zonlicht? Ik ben de zon! Verduister mij, als je kunt.'
Binnen in het langzaam slinkende geestscherm tilde de bedrieger zijn Speer op . . . en een vinger. Hij bleef stil en trok zich niet terug. De roodgevlekte krachtbol leek doelloos rond te zweven en raakte bijna het oppervlak van het diepzwarte water.
'Vecht dan, verdomme!' donderde Nodonn. 'Of zoek je de dood?' Zijn aura als een kometestaart achter zich aan, cirkelde de Strijdmeester rond zijn rivaal. 'Is dat het? Door haar te doden hoopte je je eigen gebroken geest te herstellen. Je voedde je met haar scheppingskracht om die van jezelf te versterken! Was het de moeite waard, knoeier? Was het de moeite waard om het enige dat je liefhad te vernietigen?'
Nodonn drukte met zijn duim de bovenste van de vijf knoppen in die op het gevest van het Zwaard zaten en zette het wapen daardoor op vol vermogen. De meter op de energiebron vertelde hem dat hij nog slechts twee keer met zoveel kracht vuren kon, voor het wapen leeg was.
'Ben je te moe om langer koning te zijn? Moe van het in bedwang houden van allen die je haten en vrezen en die je verachten? Kleine man! Steelse samenzweerder! Verrader van eer, waardigheid en schoonheid!'
Een overrompelende uitbarsting van licht overspoelde Aiken Drum en diens scherm en leek een krater te slaan in de vlakke zee. Een chaotische vorm van lichtonde dampen wervelde als een fontein. Diep daarbinnen waren pulseringen te zien van goud, afgewisseld door het doffe opgloeien van het diepste karmijnrood.
Nodonn wachtte. Ten slotte kwam een gladde globe uit die uitbarsting te voorschijn, nu donkerrood, als bloed dat stolde. Het was maar nauwelijks voldoende om die dofglanzende, bewapende kleine figuur nog te omsluiten die zijn glazen Speer vasthield.
'Kom dan,' nodigde Apollo hem uit. De bolvorm steeg langzaam hoger. Aikens vizier stond open, zijn gezicht leek een schedel, verpakt in strak gespannen vuurrode huid. De ogen diep verzonken als bronnen.
Nodonn woedde. 'Wil je zwijgend naar je dood?' Het Zwaard was gereed. 'Goed dan!' Voor een laatste slag verzamelde Nodonn al de energie van zijn geest en zond die tegelijk met het volle vermogen van zijn fotonisch wapen naar zijn tegenstander. De resulterende lichtflits was verblindend groen en wit, omgeven door een nevel van dansend plasma. De donderklap die hem vergezelde ranselde de atmosfeer en zond echo's uit die eindeloos weerklonken tussen de heuvels van Armorica en het Bretonse Hoogland aan weerszijden van de Straat van Redon.
Aiken was er nog. Zonder afweerscherm. Goud.
'Nee,' zei de Strijdmeester.

De Glanzende glimlachte en zijn geest stond geheel open. Nu wist Nodonn vol wanhoop dat de ander het allemaal zo had gepland, dat het hem was toegestaan het uiterste te proberen opdat zij die toekeken de uiteindelijke bevestiging zouden krijgen, hetzij door hun metavermogens, hetzij via hun fysieke gezichtsvermogen.
Aiken maakte de schouderriem los die met het energiesysteem van de Speer verbonden was en tilde de apparatuur eraf. Terwijl hijzelf tot beweginglooshcid werd gedwongen in het toenemende licht van de dageraad, voelde Nodonn hoe een onweerstaanbare PK-impuls aan zijn eigen harnas werkte. De strippen gleden van zijn schouders en het gevest van het Zwaard werd uit zijn greep gewrongen. Te zelfder tijd vloog de Speer van Aiken weg en beide wapens verdwenen.
Nodonn verwijderde zijn helm en stond rechtop in de lucht. Zijn beschermende nimbus was verdampt in zijn laatste krachtsinspanning tegen de Troonveroveraar, maar zijn lichaam was nog helder als de zon.
Aiken was een naakte ster.
Zijn geest reikte uit. 'Ik heb de jouwe ook nodig,' was alles wat hij zei.
Apollo vlamde op en al zijn kracht ging voorbij en wat erover bleef was slechts grijze as en een zwart geblakerde zilveren hand die naar de zee viel, vergezeld door een laatste vervagende, ironische gedachte.
De Koning van het Veelkleurig Land ving de hand. De zon kwam op achter het Glazen Kasteel en zijn volk zong het Lied dat voor hem bedoeld kon zijn.
Dat was voldoende, dacht hij, terwijl hij zich naar huis begaf.

Epiloog

Op het eiland Ocala was het nog diep in de nacht.
De boomkikkers oefenden hun ouvertures voor het paarseizoen in de herfst. Vuurvliegjes flonkerden in de jacarandabomen naast de veranda. De maan, laag en van brons, leek Marc Remillards sardonische scheve glimlach te weerkaatsen.
'Was dat wat je verwachtte?' vroeg Patricia Castellane.
Hij kwam langzaam van de linnen dekstoel overeind en rekte zich uit, de perfecte metapsychische Wagner. 'Zo ongeveer. Maar de truc van die mentale absorptie was . . . ongewoon. Het Poltroyaanse ras was gewoon op die manier hun vijanden te verslaan in de dagen die aan hun eenwording voorafgingen, maar ik had nooit gehoord van een mens die iets dergelijks deed. Nogal barok maar wel interessant . . .'
Ze stond naast hem. De nog aarzelende emoties van het drama dat net in Europa was gespeeld, flikkerden door zijn geest. De bewuste niveaus waren nu weer kalm, hard als diamant boven de littekens.
'Ik ben zo blij dat je beter bent,' zei ze. 'Ik was bang.'
Zijn lach was zorgeloos, vol van de oude vanzelfsprekende kracht.
'Je zou zo langzamerhand moeten weten dat er heel wat voor nodig is om Abaddon te doden. Het gebeurde bij verrassing. Het zal niet meer voorkomen.'
'Je wilt nog steeds gaan?'
'Als ik het niet doe, komt hij naar mij.'
'Dat is misschien beter.'
'Ik zal erover denken.' Hij kuste haar, sloeg een arm rond haar schouders. Er woei een kille wind over het meer.
Ze zuchtte. 'Wel, het zou een heel boeiend Groot Toernooi kunnen zijn.'
'Misschien doen we er goed aan dat bij te wonen,' zei Marc Remillard. Hand in hand liepen ze het huis binnen.
Met de koele lucht kwam ook de dauw. De kikkers werden stil, de vuurvliegjes verborgen zich in het blad, het eiland Ocala sliep.

Het vierde boek over de Sage van de Pliocene Ballingschap, getiteld DE TEGENSTREVER, vertelt over de strijd tegen het vallen van de Nacht, de Oorlog der Schemering, over verlossing en dubbelzinnigheid en over de uiteindelijke terugbuiging naar het Galaktisch Bestel waar het allemaal begon.

Aanhangsel

ALBION
Sn
Theem
Seekol (Seine)
NOORDELIJKE
GOLF VAN BRETAGNE
Au
Cu
ARMORICA (BRETAGNE)
Sn
Straat van Redon
PARIJSE
BEKKEN
van G
Sn
Au
Goriah
(Belle île)
Laar (Loire)
Meiwoud
N
Westelijk Pad
Rocilan (île de Ré)
BORDEAUX
GROTTEN
WILDERNIS
GOLF VAN AQUITANIË
Donaar (Dordogne)
ROUTE DE
MONT DORÉ
Garonne
Oltaar (Lot)
CENTR
CANTAL
MASSI
Ag
Baar
Sasaran
Zwarte Piek
PYRENEEËN
Amalizan

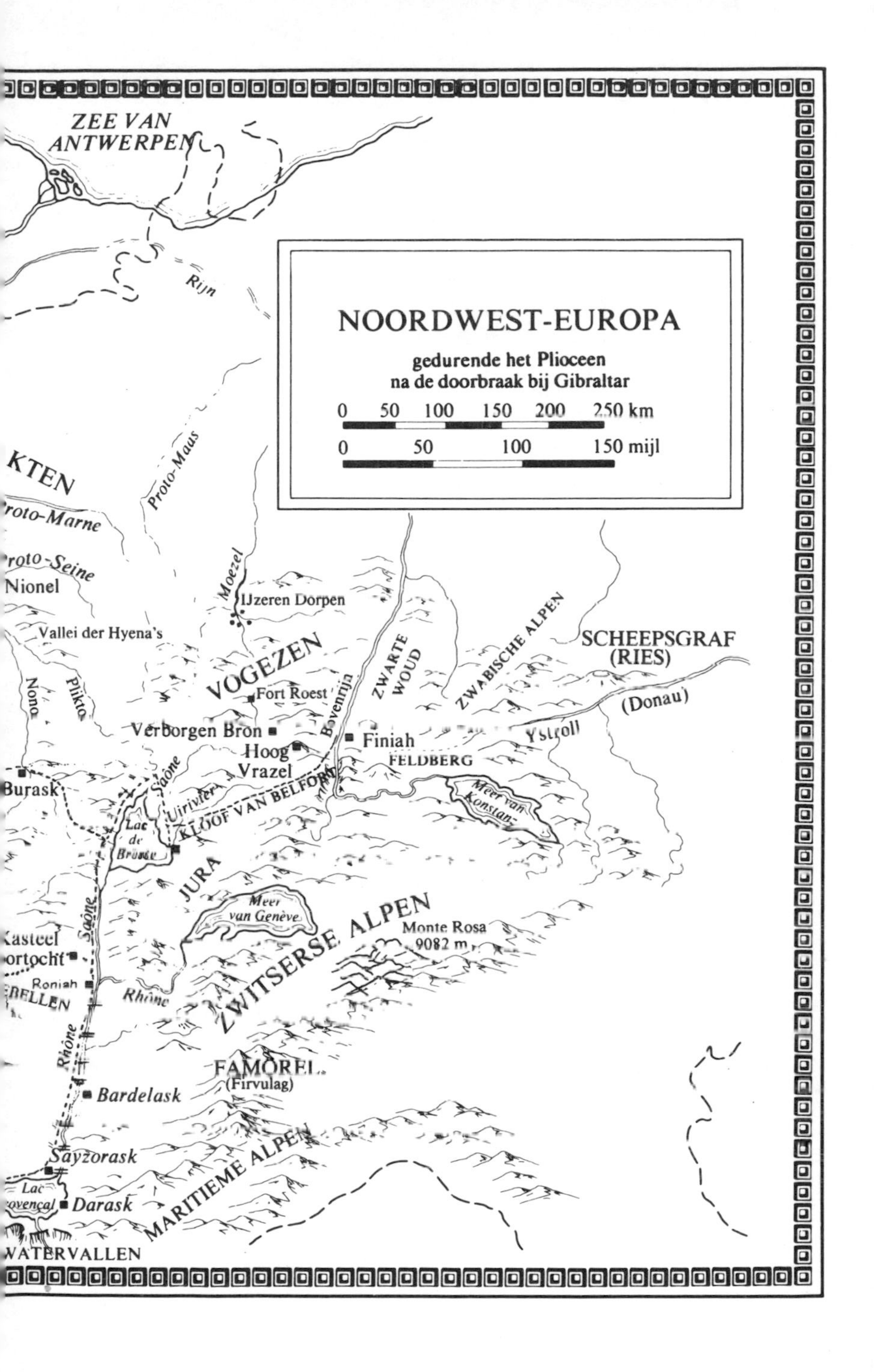
NOORDWEST-EUROPA
gedurende het Plioceen
na de doorbraak bij Gibraltar
0 50 100 150 200 250 km
0 50 100 150 mijl
ZEE VAN ANTWERPEN
Rijn
Proto-Maas
Proto-Marne
Proto-Seine
Nionel
Vallei der Hyena's
Moezel
IJzeren Dorpen
VOGEZEN
Fort Roest
Nono
Plikto
Verborgen Bron
Hoog Vrazel
Bovenrijn
Finiah
FELDBERG
ZWARTE WOUD
ZWABISCHE ALPEN
SCHEEPSGRAF (RIES)
(Donau)
Meer van Konstanz
Burask
Saône
Uirivier
KLOOF VAN BELFORT
Lac de Brosse
JURA
Meer van Genève
ZWITSERSE ALPEN
Monte Rosa 9082 m
Roniah
Rhône
FAMOREL (Firvulag)
Bardelask
Sayzorask
Darask
MARITIEME ALPEN
WATERVALLEN

WESTELIJK MEDITERRAAN GEBIED
gedurende het Plioceen
na de doorbraak bij Gibraltar
0 50 100 150 200 250 km
0 50 100 150 mijl
GOLF VAN AQUITANI
CANTABRIË
Ybaar
IBERISCH GEBERGT
KONEYN
Proto-Juca
DONKERE BERGEN
Wilde
Firvulag
Golf van Guadalquivir
Ag
Río Genil
Mulhacén
4233 m
CORDILLERA
Ag
ATLANTISCHE OCEAAN
Grote waterval
Route van Hagen
Alborán
Kuhal en Fian
RIF GEBERGTE
Route van Hagen

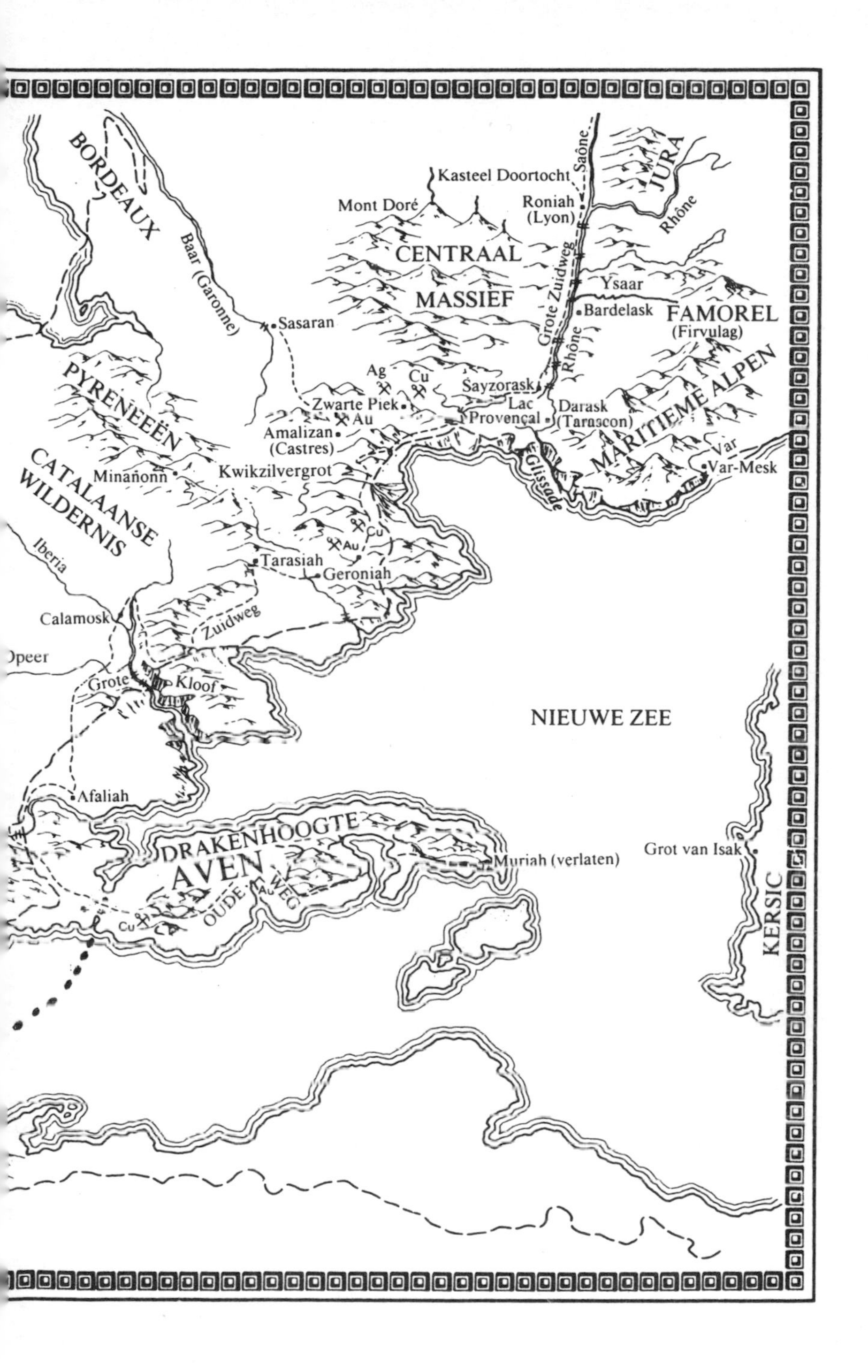

BORDEAUX
Baar (Garonne)
Sasaran
Kasteel Doortocht
Mont Doré
Roniah
(Lyon)
Saône
JURA
Rhône
CENTRAAL
MASSIEF
Grote Zuidweg
Ysaar
Bardelask
FAMOREL
(Firvulag)
Rhône
MARITIEME ALPEN
PYRENEEËN
Ag
Cu
Sayzorask
Zwarte Piek
Au
Lac
Provençal
Darask
(Tarascon)
Amalizan
(Castres)
Glissade
Var
Var-Mesk
CATALAANSE
WILDERNIS
Minañonn
Kwikzilvergrot
Iberia
Cu
Au
Tarasiah
Geroniah
Calamosk
Zuidweg
Grote
Kloof
NIEUWE ZEE
Afaliah
DRAKENHOOGTE
AVEN
OUDE WEG
Au
Cu
Muriah (verlaten)
Grot van Isak
KERSIC

Lees ook deel 4: **De Tegenstrever**

Dit vierde deel van Julian May's romankwartet over de strijd om Het Veelkleurig Land - de aarde van zes miljoen jaar geleden - besluit deze alom geprezen serie.
Een groep menselijke tijdreizigers uit de 22e eeuw laat zich via een tijdpoort terugbrengen naar het Plioceen, in de hoop daar een Hof van Eden aan te zullen treffen. In plaats daarvan wachten hen twee elkaar bestrijdende buitenaardse rassen - de Tanu en de Firvulag - en ze worden tot slaven gemaakt. Een van de leden van de groep - de bedrieglijke avonturier Aiken Drum - weet de Tanutroon te veroveren, maar zijn bewind wordt al spoedig bedreigd door de Firvulag, die vastbesloten zijn zowel de mensen als de Tanu uit te roeien. Maar deze bedreiging lijkt een bijkomstigheid vergeleken met de komst van een ander menselijk wezen dat over metapsychische vermogens beschikt die die van Aiken Drum zelf verre overtreffen. Het is Marc Remillard, de aanstichter van de metapsychische opstand die bijna het Bestel veroverde, en die na te zijn verslagen door de tijdpoort is gevlucht.

De pers over Het Veelkleurig Land:

Een merkwaardige mengeling van Keltische sagen, science-fiction en fantasy. Spannend, avontuurlijk, buitengewoon goed geschreven en ook nog uitstekend vertaald.
BRABANTS DAGBLAD.

De originaliteit, niet zozeer van het gegeven, maar wel van de aanpak, de uitwerking van plot en karakters, de verrassende wendingen, de voortreffelijke, rijk gevarieerde schrijfstijl van Julian May plakken op Het Veelkleurig Land spontaan de kwalificatie „meesterwerk".
NIEUWE APELDOORNSE COURANT.